ANDERS HULTGÅRD

L'eschatologie des Testaments des Douze Patriarches

I

Interprétation des textes

UPPSALA 1977

Distributor:

ALMQVIST & WIKSELL INTERNATIONAL

STOCKHOLM, SWEDEN

L'impresion financiée
par Humanistiska Forskningsrådet

ISSN 0439-2132
ISBN 91-554-0677-7

Printed in Sweden by
Almqvist & Wiksell, Uppsala 1977

ACTA UNIVERSITATIS UPSALIENSIS

Historia Religionum

6

TABLE DES MATIÈRES

PRÉFACE

Le présent ouvrage est le résultat d'une recherche commencée avec ma thèse en 1971. C'est pour moi une agréable obligation de remercier ici mon ancien maître M. Geo Widengren et mon collègue M. Jan Bergman pour l'intérêt qu'ils ont pris à cette recherche. J'exprime ma vive gratitude aussi à M. Marc Philonenko de Strasbourg qui a relu mon manuscrit et corrigé les fautes de français. La discussion entre nous sur les problèmes posés par les *Testaments des Douze Patriarches* a éclairé maintes fois mon travail. Je veux remercier particulièrement ma femme Ulla-Maj, qui a sans cesse encouragé et facilité mes études. Elle a créé le milieu favorable sans lequel l'ouvrage, qui sera ici présenté, n'aurait pas été achevé.

Uppsala, décembre 1976

Anders Hultgård

INTRODUCTION

L'importance des *Testaments des Douze Patriarches* pour l'histoire des religions ne saurait être surestimée. Cet écrit, d'un contenu d'une extrême richesse présente un arrière-plan immédiat pour la genèse du christianisme[1]. Les *Testaments* apparaissent en outre comme l'une des plus intéressantes productions littéraires du judaïsme antique[2].

C'est pourquoi, depuis la fin du XIXe siècle, les *Testaments* n'ont cessé d'attirer la curiosité des critiques. Actuellement, l'intérêt qu'on prend à l'étude des *Testaments des Douze Patriarches* est particulièrement vif[3], suscité d'une part par la découverte des manuscrits de la Mer Morte[4], d'autre part par les problèmes épineux que posent les *Testaments*.

Ces problèmes concernent le milieu d'origine, la composition littéraire et la transmission de l'ouvrage, les éléments chrétiens et le texte.

Le but principal de notre étude est d'analyser et d'interpréter l'eschatologie des *Testaments des Douze Patriarches*. Les passages eschatologiques sont considérés comme les plus difficiles dans les *Testaments*[5]. Ils pré-

---

[1] L'importance des *Testaments des Douze Patriarches* à cet égard fut signalée déjà par RENAN dans l'Avenir de la Science. Parmi les savants qui après ont souligné cette importance, mentionnons CHARLES 1913, II p. 291 ss., JAUBERT p. 282, EPPEL p. 185–188, DUPONT-SOMMER 1968 p. 381 ss., FLUSSER 1971, BECKER 1974 p. 17.

[2] Cf. les jugements de CHARLES 1908 comm. p. xcii, RUSSELL 1964 p. 57, FLUSSER 1971, OTZEN 1974 p. 678, CHARLESWORTH 1976 p. 211, PHILONENKO 1960 p. 1.

[3] Cet intérêt se manifeste dans la publication de nombre d'études sur les *Testaments*. Mentionnons ici BECKER 1970, « Studies on the Testament of Joseph » éd. NICKELSBURG 1975, « Studies on the Testaments of the Twelve Patriarchs » éd. DE JONGE 1975. De plus, les traductions et commentaires de BECKER 1974 et d'OTZEN 1974. D'autres projets de traduction et commentaire sont en préparation : aux États-Unis par H. C. KEE (éd. Doubleday), en Angleterre par M. DE JONGE (Clarendon press), en France par M. PHILONENKO (Bible de la Pléiade) et au Japon par T. MURAOKA. Cf. sur ces projets CHARLESWORTH 1976 p. 26 ss. Pour toutes les autres études récentes sur les *Testaments*, on consultera la bibliographie de CHARLESWORTH 1976 p. 215–220.

[4] Rappelons que la publication de textes trouvés à Qumran n'est nullement terminée. Le Rouleau du Temple va être publié par Y. YADIN. Beaucoup de fragments, trouvés à la grotte IV, sont encore inédits, parmi lesquels certains pourraient être importants pour l'étude des *Testaments* (cf. MILIK 1955 p. 399).

[5] Cf. les remarques de GRELOT 1962 p. 33: « Dans la discussion, les passages messianiques constituent évidemment une pièce maîtresse, » et de BECKER 1970 p. 195 : « Nach dieser in sich geschlossenen Paränese folgt in TR (= *Testament de Ruben*) nur noch der in keinem Testament fehlende Teil mit den Zukunftaussagen. Diese Stücke

11

sentent de façon concise tous les problèmes essentiels que posent les *Testaments des Douze Patriarches*. C'est l'une des raisons pourquoi nous avons repris l'étude de ces passages. Il est donc clair qu'on ne peut interpréter la pensée eschatologique des *Testaments* sans tenir compte également des questions soulevées par la composition et l'origine de l'ouvrage et par le texte.

Notre étude sur l'eschatologie[1] des *Testaments* est présentée en deux volumes qui sont intimément liés l'un à l'autre. Dans le premier volume, on trouve l'analyse des passages eschatologiques et les conclusions qui sont tirées de cette analyse. Dans le deuxième volume, nous étudions le genre littéraire du « testament », la composition et l'origine de l'ouvrage. Le deuxième volume contient aussi le texte et la traduction des passages eschatologiques des *Testaments*. C'est sur ce texte, élaboré par l'étude direct des manuscrits principaux que nous fondons l'analyse, présentée dans le premier volume[2]. Index des citations et des mots cités se trouvent dans le deuxième volume.

Les *Testaments des Douze Patriarches* ne sont pas une « terre inconnue » pour la recherche scientifique. Cependant, les problèmes complexes que soulève cet écrit, ne peuvent être résolus avant que plusieurs critiques aient repris l'étude des *Testaments* en détail et de façon indépendante[3]. C'est dans cette perspective que nous présentons notre étude sur les *Testaments des Douze Patriarches* qui émanent, selon nous, de milieux juifs de la Palestine à la première moitié du Ier siècle av. J.-C. Notre ouvrage veut aussi être une contribution à la recherche des idées eschatologiques et apo-

---

sind durchweg die kompliziertesten Überlieferungen in den TP (= *Testaments des Douze Patriarches*). Sie stellen den Exegeten vor erhebliche Schwierigkeiten der Interpretation. »

[1] Nous entendons ici par le terme « eschatologie » tout ce qui se rapporte aux événements, jugés décisifs, qui sont attendus dans un avenir prochain ou lointain, et qui concernent l'homme individuel, le peuple d'Israël, les autres nations ou le monde.

[2] Rappelons que l'édition de CHARLES 1908 est dépassée : nombre de nouveaux manuscrits grecs ont été découverts et la critique textuelle des *Testaments* a fait des progrès considérables depuis le temps de CHARLES. Pour ce qui est de la version arménienne, nous avons pu démontrer, dans notre thèse en 1971, que la reproduction de cette version dans l'édition de CHARLES 1908 est basée sur un texte très inférieur à celui, trouvé dans les nouveaux manuscrits Erevan 1500 (A^Z) et Erevan 353 (A^V) et Jérusalem 1925 (A^m). Une nouvelle édition critique du texte grec est en préparation par M. DE JONGE à Leiden (voir DE JONGE 1975 p. 174–179). M. STONE prépare à Jérusalem une édition de la version arménienne, basée précisément sur les manuscrits mentionnés ci-dessus (A^{Zmv}).

[3] Cf. aussi la remarque de M. SMITH 1962 dans « The Interpreter's Dictionary of the Bible » 4, p. 578.

calyptiques, professées par les religions de l'antique Proche Orient, recherche qui aujourd'hui intéresse de plus en plus l'histoire des religions[1].

---

[1] C'est en premier lieu le judaïsme du Second Temple qui a retenu l'intérêt. Mentionnons parmi les ouvrages généraux RUSSELL 1964, L. HARTMAN 1966 pp. 11–141, ROWLEY 1965, SCHREINER 1969, K. KOCH 1970 et SCHMITHALS 1973. Le grand nombre des études spéciales témoigne de l'importance qu'on attribue à cette recherche sur l'eschatologie et l'apocalyptique; voir à ce sujet la bibliographie de CHARLESWORTH 1976 pp. 46–52, 57–61 et 66–68.

WIDENGREN 1969 consacre dans son ouvrage sur la phénoménologie des religions deux chapitres à l'eschatologie et l'apocalyptique (pp. 440–479). Le vol. 3 des « Etudes d'histoire des religions » éditées par M. PHILONENKO et M. SIMON est entièrement consacré à ce thème tel qu'il est développé dans les religions de l'antique Proche-Orient.

Chapitre I

LÉVI ET JUDA

On ne saurait traiter de l'eschatologie des *Testaments des Douze Patriarches* sans aborder l'étude du rôle que jouent Lévi et Juda. Les textes où se trouve le thème « Lévi et Juda » ont été interprétés dans un sens messianique par nombre de critiques[1]. D'autres contestent cette interprétation[2]. Il est donc important de faire un examen approfondi des textes relatifs à Lévi et Juda dans les *Testaments*. Cet examen doit naturellement porter également sur les sources de cet ouvrage. C'est pourquoi nous commençons cette étude par l'*Apocryphe de Lévi*[3].

LA FIGURE DE LÉVI DANS L'APOCRYPHE DE LÉVI ET DANS LES JUBILÉS

Le rôle de Lévi dans *l'Apocryphe de Lévi*

Nous nous tenons dans cette analyse strictement à ce qui nous est conservé du texte de l'*Apocryphe* et ne faisons appel à des matériaux tirés du *Testament de Lévi* que sur les points où le *Testament* présuppose visiblement la connaissance de l'*Apocryphe*.

---

[1] On voit d'ordinaire dans les passages « Lévi et Juda » une doctrine de deux figures messianiques : BEASLEY-MURRAY 1947, OTZEN 1954 p. 152 s., KUHN 1957 p. 57 s., VAN DER WOUDE 1957 pp. 195–201, K. SCHUBERT 1958, GNILKA 1960, LAURIN 1963, STARCKY 1963 p. 490 s., RINGGREN 1963 A p. 171, RUSSELL 1964 p. 312, F.-M. BRAUN 1960 p. 538 s., HAMMERSCHMIDT 1964 p. 502 s., VILLALÓN p. 53 et J. THOMAS p. 123. Certains critiques cependant, interprètent ces passages comme visant *une* figure messianique, issue à la fois de Lévi et de Juda : APTOWITZER 1927 pp. 88–91 et SCHOEPS 1956 p. 666. DUPONT-SOMMER 1953 pp. 78–80 et PHILONENKO 1960 pp. 10 et 43 pensent que, dans l'état actuel du texte, les passages « Lévi et Juda » parlent d'*un* messie, mais que ces passages portent le vestige d'un bimessianisme primitif.

[2] BICKERMANN 1950 p. 252 s., DE JONGE 1960 p. 218 et BECKER 1970 p. 179 s.

[3] Sur cet écrit, appelé aussi « Testament araméen de Lévi », et son rapport avec le *Testament de Lévi*, incorporé dans la collection des douze testaments, voir chap. III du volume II. La numérotation de l'*Apocryphe de Lévi* est celle de CHARLES 1908 éd. appendix III.

Le thème qui parcourt l'*Apocryphe* est celui de Lévi comme prêtre et particulièrement comme prêtre *d'El Elyon*, depuis sa vocation aux environs à Abel-maïn jusqu'à son discours au verset 82. Ceci introduit quelque chose de nouveau par rapport aux données bibliques : le sacerdoce de Lévi est placé dans le cadre de l'histoire patriarcale. Le livre de la *Genèse* ne fait aucune allusion à Lévi comme prêtre. Ce n'est que pendant le séjour des israélites dans le désert que le tetrateuque mentionne les fonctions sacerdotales des $b^e n\bar{e}\, Lew\bar{\iota}$[1]. Dans la Bénédiction de Moïse, le plus ancien témoignage sur le rôle sacerdotal de la tribu de Lévi, le cadre est également celui du séjour au désert. Nous reviendrons plus bas sur la signification de cette introduction du sacerdoce de Lévi dans l'histoire patriarcale.

La fonction sacerdotale et Lévi

Il est parfaitement clair que dans l'*Apocryphe*, Lévi en tant que prêtre ne remplit pas seulement les fonctions qui seront plus tard celles des lévites, subordonnés aux prêtres des $b^e n\bar{e}\, \d{S}\bar{a}d\bar{o}q$ et des $b^e n\bar{e}\, {}'A h^a ron$. Cela se voit d'abord dans la fonction proprement cultuelle assignée à Lévi. Outre l'affirmation, de caractère plus général, que Lévi a été choisi pour présenter à Dieu le *qorbān* (grec: θυσίαν) aux vv. 9–10 et 51–52, on trouve dans les vv. 19–30 une description détaillée du service sacrificiel de Lévi. Il entre dans le sanctuaire et met le vêtement sacerdotal avant le sacrifice (v. 19). Il fait les ablutions prescrites (vv. 20–21) et il brûle l'encens sur l'autel (v. 23). Dans la description d'un holocauste aux vv. 25–30, Lévi manipule le sang, la partie la plus sainte de la victime, et l'asperge sur l'autel (v. 25) et met ensuite sur l'autel les morceaux de la victime immolée (vv. 26–29). Comme prêtre il vit de l'autel; c'est ce à quoi fait allusion le v. 4 de l'*Apocryphe* selon lequel Lévi mangera les prémices de la terre.

Tous ces faits relèvent des fonctions supérieures du culte aux-quelles les lévites n'avaient pas accès à l'époque post-exilique[2]. Lévi représente donc dans l'*Apocryphe* le prêtre dans toutes ses fonctions cultuelles.

---

[1] *Ex.* 32: 26–29. Moïse dit aux $b^e n\bar{e}\, Lewi$ « remplissez aujourd'hui vos mains pour *Yahvé* » ce qui implique l'entrée en fonction sacerdotale. De plus *Nombr.* 1: 50, 3: 6 et 12, 8: 9–16.

[2] C'est d'abord *Ezéchiel* qui fait apparaître cette distinction. Dans le chap. **44**, où les répercussions de la réforme de Josias sont nettement sensibles, les lévites ne devront pas s'approcher de *Yahvé* pour le servir comme prêtres (v. 13). Ce privilège sera réservé aux fils de Sadoq (v. 15). Le code sacerdotal du tetrateuque, dont la rédaction est postérieure à l'exil, confirme cette distinction de fait entre prêtres et lévites. Le texte essentiel est *Nombr.* 18: 1–7, qui souligne le rang inférieur des lévites : ils serviront les fils d'Aron et ne devront pas s'approcher de l'autel; cf. aussi *Nombr.* 3: 6–9 et 8: 19. La position inférieure des lévites est donc fermement établie pour l'époque post-exilique. L'œuvre du *Chroniste* n'y fait pas exception, même s'il témoigne d'une influence grandissante des lévites; cf. DE VAUX 1960 II pp. 257–263.

On peut cependant aller plus loin. Il y a des traits dans le texte de l'*Apocryphe* qui indiquent qu'un privilège supérieur a été réservé à Lévi. Dans le verset 6, les sept anges résument ce qui s'est passé dans la seconde vision de Lévi qui traitait de son investiture sacerdotale. Voici les mots essentiels : « nous t'avons magnifié plus que tout », ce qui signifie manifestement que la grande prêtrise a été conférée aussi à Lévi. A cette allusion implicite à la grande prêtrise dans l'araméen « nous t'avons *magnifié* », s'ajoute une mention explicite aux versets 64 et 67 à propos des fils de Lévi, Gerson et Qahat[1]. Le contexte suppose que cette dignité a été détenue aussi par leur père. Dans l'une des promesses faites à Lévi dans la première vision, il est dit qu'il « expiera les fautes du pays » (ou « de la terre »)[2]. Or, la fonction expiatoire est liée au rôle du grand prêtre lors de la fête du *Yōm hakkippurīm*. Le rituel de *Lévitique* 16 insiste à plusieurs reprises sur l'expiation que fait le grand prêtre[3]. La promesse de l'*Apocryphe de Lévi*, est un excellent résumé du thème rituel du *Yōm hakkippurīm*.

Les fonctions que les textes bibliques assignent déjà aux lévites se retrouvent en partie dans ce qui nous est conservé de l'*Apocryphe de Lévi*. Ce sont cependant des fonctions que les lévites à l'époque post-exilique partagent avec les prêtres[4]. Le discours d'adieu de Lévi aux vv. 82–95 de l'*Apocryphe* montre clairement la *fonction enseignante* attribuée à Lévi. Cet enseignement porte avant tout sur la sagesse, *ḥokmetā*, qui ici semble traduire la *tōrāh* écrite. Lévi recommande ses fils de transmettre cet enseignement sur la sagesse en leur montrant l'exemple de Joseph qui enseignait le « livre d'instructions sur la sagesse » (v. 90).

L'époque post-exilique montre nettement le rôle judiciaire des lévites[5]. Or la Prière de Lévi[6] semble assigner une fonction judiciaire à Lévi et à ses fils. Lévi prie Dieu d'obtenir le pouvoir de faire un jugement véridique, κρίσιν ἀληθινήν. Il n'est pas toutefois évident que cela signifie la fonction judiciaire seulement. Si l'on interprète ce passage à la lumière de l'*Apocryphe* vv. 13–15, l'expression ποιεῖν κρίσιν ἀληθινήν prend un sens supplé-

---

[1] Le terme araméen est כהנותא רבתא (v. 67) et dans le texte grec on a ἡ ἀρχὴ ἱερωσύνη (v. 64) et ἡ ἀρχιερωσύνη μεγάλη (v. 67).

[2] Voir l'addition du manuscript *e* en *Lévi* 5: 2. Pour la teneur du texte voir vol. II chap. III.

[3] *Lév.* 16: 6, 10, 16–18, 20, 24, 30, 32–34.

[4] Sur les prêtres et l'enseignement dans l'ancien Israël, voir DE VAUX, p. 206 s. A l'époque post-exilique, la fonction enseignante des prêtres est transférée de plus en plus aux lévites surtout en ce qui concerne l'enseignement de la *tōrāh*. C'est ce qu' indiquent *Néh.* 8: 7–9, *2 Chron.* 17: 8–9 et *2 Chron.* 35: 3.

[5] *1 Chron.* 23: 4, *2 Chron.* 19: 8.

[6] Cette prière se trouvait dans l'*Apocryphe* immédiatement avant la première vision de Lévi, cf. vol. II chap. III.

mentaire. Dans ces versets le mot κρίσις ou דִּין du texte araméen signifie tout ce qui constitue le sacerdoce, le *mišpaṭ* du prêtre[1]. La tournure דין כהנותא du v. 13 équivaut clairement à דין קושקא du v. 15. On comprend dans cette perspective ce que veut dire le verset 14b דִּינָךְ רַב הוּא מִן כָּל בִּישְׁרָא : Lévi en tant que prêtre et grand prêtre aura une fonction qui est plus glorieuse que toute autre fonction remplie par les hommes[2].

L'idéologie sacerdotale et Lévi

L'idée de la sainteté de Lévi et de sa descendance est associée dans l'*Apocryphe*, à la fonction cultuelle. Cela est bien dans la ligne de l'évolution post-exilique qui accentue la sainteté qui dès l'origine caractérise le prêtre comme serviteur de la divinité[3]. L'idée de la sainteté des prêtres était particulièrement chère aux milieux d'où l'*Apocryphe de Lévi* tire son origine. On y insiste à tout propos. Le texte principal se trouve dans l'introduction à l'enseignement sacerdotal qui est communiqué par Isaac (vv. 13–18). Le verset 17 donne le fondement idéologique du sacerdoce de Lévi : « toi, tu es de race sainte et ta descendence sera sainte (*qaddīš*) comme une chose de sainteté (*qūdšā*); vois donc, tu es appelé 'prêtre saint' pour toute la race d'Abraham ».

D'autres passages reprennent ce thème : Lévi est ἱερεύς ἅγιος κυρίου (vv. 48 et 58), il est choisi pour ἱερωσύνην ἁγίαν (v. 51).

Les conséquences de cette sainteté se manifestent dans l'idée que le prêtre doit etre séparé du profane par des interdits et des règles spéciales de pureté auxquels il est soumis. Les textes bibliques, notamment dans les matériaux de rédaction sacerdotale, en fournissent des exemples précis. Dans l'exercice de leurs fonctions les prêtres doivent mettre des vêtements spéciaux et se purifier par des ablutions[4]. En dehors du service cultuel, ils sont soumis à certaines règles qui ont pour but de protéger le caractère sacré du sacerdoce[5]. Toutes ces prescriptions sont données sous forme apodictique. Si on passe à l'*Apocryphe*, on trouve, bien sûr, les prescriptions de faire les ablutions et de mettre les vêtements cultuels (vv. 19–21). En revanche, les

---

[1] Cf. aussi v. 49.

[2] EPPEL p 50. reconnaît dans cette phrase la juridiction de Lévi : « Ton jugement (= ton droit de juger, ta juridiction) est plus grand que celui de n'importe qui ».

[3] Le code de sainteté dans *Lévitique* consacre tout un chapitre (21) aux prescriptions de la pureté des prêtres pour garder leur sainteté. Le texte le répète : le prêtre est *qādōš* (vv. 6–8), cf. aussi *Ex.* 28: 41. Selon *Ex.* 28: 36 le grand prêtre porte au front une fleur d'or sur laquelle les mots קדש ליהוה sont gravés.

[4] *Ex.* 28: 42s, 30: 17–21, 40: 31s. *Lév.* 8: 6. On doit ajouter aussi la défense de prendre du vin et des boissons enivrantes, *Lév.* 10: 8–11; cf. DE VAUX 1960 II p. 199.

[5] Ces règles sont données dans *Lév.* 21: 1–9, et concernent une pureté extérieure : défense de s'associer à un deuil sauf pour les plus proches parents.

règles spéciales du Code sacerdotal auxquelles les prêtres sont soumis dans la vie courante ne sont pas répétées dans l'*Apocryphe*. Certes, on doit les présupposer, mais on les exprime de façon plus générale et on met l'accent ailleurs, sur la pureté morale. On insiste plus que les textes bibliques ne le font sur la séparation d'avec les autres hommes. Comme pour l'idée de la sainteté du prêtre, c'est également dans l'introduction à l'enseignement sacerdotal (vv. 13–18) que le thème de la pureté du prêtre est le plus développé. Dans la recommandation « sois pur dans *ton corps* » (v. 18), on est encore dans la sphère du *Lévitique* 21; dans les mots suivants on trouve la note caractéristique de l'*Apocryphe de Lévi* : « loin de toute impureté d'un chacun ».

De même dans le v. 14 : « Lévi, garde-toi de toute impureté et de tout péché »[1]. L'impureté semble attachée en particulier au domaine sexuel; c'est ce que montre le v. 16 « en premier lieu, garde-toi, mon fils de toute luxure, de toute impureté et de toute fornication ». La Prière de Lévi montre enfin clairement l'accent mis sur la pureté intérieure. Les deux passages suivants sont très explicites à cet égard : « Éloigne de moi, Seigneur, l'esprit de l'iniquité, et la pensée des mauvais[2] et la fornication, et détourne de moi l'orgueil » et « Purifie mon cœur, Seigneur, de toute impureté »[3].

Il est donc évident que l'*Apocryphe de Lévi* tout en supposant la pureté cultuelle du prêtre, l'approfondit en l'intériorisant. En même temps, la séparation entre le prêtre et les profanes devient plus marquée que ne la font les traditions bibliques.

La séparation d'avec le profane, exprimée dans l'idée de sainteté et de l'éloignement de l'impureté, ne représente que l'un des aspects de l'idéologie qui entoure Lévi. La Prière de Lévi, qui faisait partie de l'*Apocryphe*[4], est un texte important du fait qu'elle annonce sous la forme d'une épiclèse, les dons spirituels conférés ensuite à Lévi dans les deux visions. C'est tout

---

[1] On lit dans le texte araméen : מן כל טומאה ומן כל חטא, le grec a seulement : ἀπὸ πάσης ἀκαθαρσίας.

[2] Le texte grec est pour cette expression corrompu. Sur la reproduction photographique on lit : μάκρυνον ἀπ ἐμοῦ κε τὸ πνα τὸ ἄδικον καὶ διαλογισμῶν τῶν πονηρῶν καὶ πορνείαν. On attend visiblement l'accusatif au lieu du génitif διαλογιομῶν. Or, le manuscrit *e* confond souvent omega avec omicron à cause de leur équivalence dans la langue parlée de l'époque. Comme l'article défini manque pour διαλογισμῶν, on ne peut voir dans τῶν πονηρῶν une corruption de τὸν πονηρόν; la phrase grecque traduit ici de toute évidence l'état construit sémitique. Je suppose donc le texte suivant : καὶ διαλογισμὸν τῶν πονηρῶν, ce qui donne un sens satisfaisant.

[3] Comme CHARLES 1908 ed. p. 29, et à sa suite MILIK 1955 p.401, ne reproduisent pas correctement le texte du manuscrit (mais cf. de JONGE 1970 p. XIV) je le donne ici : καθάρισον τὴν καρδίαν μου δέσποτα ἀπὸ πάσης ἀκαθαρσίας.

[4] Voir vol. II chap. III.

d'abord l'*esprit saint* qui lui sera donné : δειχθήτω μοι δέσποτα τὸ πνεῦμα τὸ ἅγιον. Dans ce même texte Lévi prie que Dieu lui accorde « conseil », « sagesse », « intelligence » et « force », ce qui lui sera en fait conféré pendant le déroulement de la première vision (cf. *Lévi* 4: 5)[1]. Notons que ces dons spirituels que Dieu accordera à Lévi, selon la Prière de l'*Apocryphe*, sont exactement ceux que possédera le roi futur selon *Isaïe* 11: 2[2].

Avant de quitter la Prière de Lévi relevons encore quelques traits dans l'idéologie qui entoure Lévi dans ce passage. Lévi est proche du Seigneur[3], il est son serviteur et il a trouvé grâce devant Dieu[4]. Notamment le titre « serviteur de Dieu »[5] est important car il a pu amener des associations à d'autres passages d'*Isaïe*, ceux où apparaît la figure *ebed Yahvé*. Pour souligner encore la position unique de Lévi, l'*Apocryphe* affirme que Lévi sera plus aimé (par Dieu ou par Jacob?) que ses frères (v. 58), et il porte le titre « le bien-aimé de Dieu » (v. 83). Toutefois l'expression la plus remarquable de cette position de Lévi se retrouve au v. 59 où est faite la promesse que la race de Lévi sera inscrite « dans le livre de vie »:

τὸ σπέρμα σου ἕως πάντων τῶν αἰώνων ἐνεχθήσεται ἐν βιβλίῳ μνημοσύνου ζωῆς.

L'élection de la race sacerdotale issue de Lévi est ainsi garantie pour les temps éternels. Les fragments qumraniens de l'*Apocryphe de Lévi* mettent encore en relief un autre trait de cette idéologie. C'est l'idée d'un « règne du sacerdoce » et d'un « règne de l'épée », développée dans les vv. 4–5 de l'*Apocryphe*, qui décrit le lot du guerrier[6]. Pour ce qui est du « règne du sacerdoce » il sera plus grand que le règne de l'épée[7]. Les matériaux qui permettraient une interprétation de cette idée des deux règnes nous font malheureusement défaut.

---

[1] Voir vol. II chap. III.

[2] Voici les deux passages dans leur version grecque :
Prière de Lévi : βουλὴν καὶ σοφίαν καὶ γνῶσιν καὶ ἰσχὺν δός μοι. *Is*. 11: 2 πνεῦμα σοφίας, καὶ συνέσεως, πνεῦμα βουλῆς καὶ ἰσχύος, πνεῦμα γνώσεως καὶ εὐσεβείας. « L'esprit saint » de la Prière correspond à « l'esprit de Dieu » d'*Isaie*. Ce qui reste du texte araméen de la Prière (*4Q Lévi* [b]) montre que le texte grec traduit sur ce point fidèlement l'original araméen. On peut donc exclure l'influence de la Septante. On lit dans l'araméen חכמה ומנדע וגבירה

[3] Ce trait se trouve aussi dans le v. 18 de l'*Apocryphe*.

[4] Le texte grec porte εὑρεῖν χάριν ἐνώπιόν σου, tandis que le texte araméen a : לאשכחה רחמיך קדמיך

[5] Le texte grec emploie δοῦλος et παῖς; on lit dans dans l'original araméen עבד.

[6] Pour ce texte voir vol. II chap. III.

[7] *IQ 21*, 1 : ב̇י̇ד̇ מלכות כהנותא רבא מן מלכות[La fin de la ligne manque mais nous reprenons la conjecture de GRELOT 1956 p. 396 qui supplée חרבא.

Pour terminer cet exposé, attirons l'attention sur un trait important de l'idéologie sacerdotale et « lévitique ». C'est la comparaison des prêtres aux anges. Ce trait n'est pas explicite dans ce qui nous est conservé de l'*Apocryphe*, mais un examen plus précis du texte à la lumière du *Testament de Lévi* le montre.

Prenons pour point de départ le verset 18 de l'*Apocryphe* où il est dit que Lévi est proche du Seigneur et de ses anges. Dans le cadre des promesses faites à Lévi par l'intermédiaire de l'ange interprète, on trouve cette affirmation, un fragment de l'*Acocryphe* conservé par le ms e en *Lévi* 5: 2 :

« Toi et ta descendance, vous serez consacrés pour servir le Très-Haut au milieu de la terre et toi, tu expieras les fautes du pays » (ou « de la terre »)[1].

Or, c'est le service que font les anges de la Face dans les demeures célestes d'après *Lévi* 3: 5 qui, comme nous l'avons vu, dépend sur ce point du texte de l'*Apocryphe*[2]. Comme les anges assurent le service de Dieu λειτουργοῦντες (*Lévi* 3: 5) dans les cieux, Lévi et sa descendance assurent le même service, λειτουργεῖν, au milieu de la terre. Le sacerdoce est donc considéré comme le représentant, sur terre, des anges de Dieu, et le sanctuaire de Jérusalem est la réplique terrestre du temple céleste. Car, c'est bien le temple de Jérusalem que vise l'expression « au milieu de la terre »[3]. Les *Jubilés* 8: 19 appellent la montagne de Sion « le nombril du milieu de la terre » (cf. aussi 8: 12).

Arrêtons ici notre analyse. Avant d'aborder les questions d'origine et de date de l'*Apocryphe de Lévi*, il est nécessaire d'étudier le rôle de Lévi dans le *livre des Jubilés*. Le *Testament de Lévi* mis à part, le *livre des Jubilés* est en effet l'écrit le plus proche de l'*Apocryphe* pour ce qui est de la figure de Lévi.

Le rôle de Lévi dans le *livre des Jubilés*

Ce qui frappe d'abord c'est que la prééminence de Lévi est aussi marquée dans les *Jubilés* que dans l'*Apocryphe de Lévi*. Parmi les fils de Jacob, ce sont Lévi et Juda à qui on assigne une importance particulière. De ces deux fils, c'est Lévi qui a le rang supérieur. Il précède Juda (*Jub.* 28: 17;

---

[1] Le texte grec est donné dans vol. II chap. III.

[2] Voir à ce sujet vol. II, chap. III.

[3] Le *livre d'Ézechiel* le montre aussi clairement. En 5: 6 il est dit que *Yahvé* a mis Jérusalem au milieu des nations et en 38: 12 le prophète appelle Jérusalem « le nombril de la terre », parce que le sanctuaire de *Yahvé* se trouve là; cf. RINGGREN 1963 B p. 146 s. Pour la symbolique cosmique des sanctuaires du Proche-Orient ancien, voir WIDENGREN 1969 A pp. 328–339.

31: 5, 9, 12, 31) et il est béni le premier par Isaac qui, par la main droite, prend Lévi, mais par la main gauche Juda (31: 12). Il est choisi parmi ses frères pour le prêtre de Jacob (32: 9).

L'élection de Lévi comme prêtre est, tout comme dans l'*Apocryphe*, mise dans le cadre de l'histoire patriarcale et rattachée à Bétel (32: 1–3). De plus, les événements relatifs à Lévi se déroulent selon un schéma analogue, ce qui évidemment suppose un rapport étroit de traditions. Nous le traiterons plus loin, bornons-nous ici à l'idéologie relative à Lévi.

Lévi est consacré comme « prêtre d'*El Elyon* », et le sacerdoce sera pour toujours dans la main de sa descendance (32: 1). La bénédiction d'Isaac 31: 13–17 est le texte essentiel pour les fonctions de Lévi et de sa descendance. En premier lieu vient la fonction cultuelle : servir dans le sanctuaire de Dieu (v. 14). Cette fonction est encore soulignée dans la suite : la bénédiction du Seigneur sera mise dans la bouche de la descendance de Lévi pour qu'ils bénissent toute la race d'Abraham (v. 15 d). Ils vivront éternellement de la table du Seigneur (v. 16 b) ce qui veut dire qu'ils accompliront le service sacerdotal pour toujours[1].

La fonction *enseignante* et *judiciaire* attribuée aux descendants de Lévi au v. 15 relève des fonctions traditionelles des prêtres et ensuite des lévites. Ils prononceront les jugements du Seigneur et enseigneront ses chemins à Israël.

Ce qui est nouveau, cependant, par rapport à la tradition biblique, c'est la promesse du début du v. 15 que les descendants de Lévi deviendront des princes et des souverains pour tout Israël[2]. Un certain pouvoir temporel sera donc dans les mains du sacerdoce de Lévi[3].

On doit rapprocher de cette fonction l'activité de Lévi comme guerrier de Dieu, qui accomplit ce que le Seigneur a décidé. Ce qui rend Lévi digne du sacerdoce, c'est le fait qu'il a exécuté la vengeance sur les Sichémites. Pour le dire avec les mots des *Jubilés* : « car il montra du zèle pour faire la justice et le jugement et il exécuta la vengeance sur tous ceux qui se dres-

---

[1] Cf. *Deut.* 18: 1–5.

[2] Le texte éthiopien *wamak^uānənta wamasāfənta wamalā'kəta yəkawnu* doit se traduire « ils seront princes et juges et souverains ». Le texte latin se lit : *et principes et judices erunt*. Ce qui fait difficulté dans la traduction, c'est que l'éthiopien *mak^uānənt* et *masāfənt* peuvent signifier, tous les deux, aussi bien « juges » que « princes », « souverains ». Pour trancher, nous avons suivi la teneur du texte latin. Cf. la discussion dans DAVENPORT p. 61 n. 1. Nous ne voyons pas cependant pourquoi celui-ci, au lieu de *masāfənta* de l'édition de CHARLES, donne le mot *mashêfneta*.

[3] Cette promesse qui mentionne aussi les juges n'est pas comme la tripartion dans la *Règle annexe* (1QSa I: 24) la subdivision de la caste lévitique. Dans les *Jubilés*, la formule sert à souligner la fonction de souveraineté sur la nation, attribuée à la race de Lévi.

22

sèrent contre Israël » (30: 18). Dans le contexte de la guerre entre Jacob et ses fils d'un côté, et Esaü et ses alliés de l'autre, Lévi joue un rôle important pour combattre les ennemis.

L'ascension de la figure de Lévi dans l'époque postexilique est scellée par les *Jubilés* dans une réinterprétation du nom de Lévi qui veut corriger sans doute la paronomase donnée par la *Genèse*[1]. Sa mère lui donna le nom de Lévi, avec raison selon Isaac « car tu seras *attaché* au Seigneur » (31: 16).

Il est significatif que la comparaison entre prêtres et anges, sous-jacente à l'*Apocryphe*, se retrouve en termes clairs dans les *Jubilés*. Le service de Lévi et de ses descendants dans le sanctuaire du Seigneur est le même que celui que les anges assurent dans les cieux (30: 18 et 31: 14). La gloire et la sainteté des anges rejailleront sur la descendance de Lévi (31: 14). Il est manifeste dans le *livre des Jubilés* que le nom de Lévi représente à la fois les prêtres et les lévites qui tous les deux sont choisis pour servir le Seigneur (30: 18). Les promesses de 31: 14 font cependant allusion également à la grande prêtrise, car on rappelle toujours la notion de « grandeur »[2]. La dignité de grand prêtre est, comme nous le verrons, aussi comprise dans le titre « prêtre d'*El Elyōn* ».

Les rapports entre l'*Apocryphe de Lévi* et les *Jubilés*

L'exposé précédent montre que l'idéologie relative à Lévi et à sa race dans les *Jubilés* est, sur tous les points essentiels, la même que celle trouvée dans l'*Apocryphe*. Une différence subsiste cependant : l'idéologie des *Jubilés* n'est pas si élaborée et détaillée que dans l'*Apocryphe*. Les rapports entre les deux écrits pour ce qui est de la figure de Lévi sont incontestables, mais nous devons en préciser la nature.

Soulignons d'abord que l'*Apocryphe de Lévi*, les *Jubilés* et le *Testament de Lévi* présentent le même contexte narratif[3] auquel est attachée la description de la prêtrise de Lévi. Ce cadre narratif comprend les phases suivantes :

---

[1] *Gen.* 29: 34 où Léa appelle son troisième fils Lévi « car cette fois-ci mon mari s'attachera à moi ».

[2] D'abord « Que le Seigneur donne à toi et à ta race la *grandeur*... » (la suite paraît corrompue, voir CHARLES 1902 p. 186). Il est dit que la descendance de Lévi égalera les anges « en *grandeur* », et enfin « qu'il les *magnifie* pour les éternités ». Que l'on compare l'*Apocryphe de Lévi* où il est investi grand prêtre, avec les mots « c'est ainsi que nous t'avons *magnifié* plus que tout et que nous t'avons donné la *grandeur* d'une paix éternelle ».

[3] Ce contexte narratif présente quelques variations dans le détail entre les trois écrits.

	Apocryphe	Jubilés	Testament
1. L'épisode des Sichémites	vv. 1–3	30: 1 ss.	6: 3 ss.
2. Jacob et ses fils arrivent à Bethel	perdue	31: 1–3	7: 4
3. Jacob, accompagné de Lévi et Juda, s'en va auprès d'Isaac	v. 8	31: 5 s.	9: 1
4. Isaac les bénit	v. 8	31: 12 ss.	9: 2
5. Jacob et ses fils retournent à Béthel Isaac reste à la maison	supprimée, mais pré-supposée par vv. 9–10	31: 27–30	9: 2 s.
6. Jacob donne la dîme à Béthel	v. 9	32: 2, 8 s.	9: 4
7. Jacob et ses fils quittent Béthel pour venir auprès d'Isaac à « la Tour d'Abraham »	v. 11	33: 1	9: 5

L'analyse des étails et des variations de ce cadre narratif dans l'*Apocryphe*, les *Jubilés* et le *Testament* révèle que ces trois écrits, dans leur utilisation d'un cadre commun, sont indépendants l'un de l'autre. C'est dire qu'ils utilisent une source commune[1].

Si on compare l'idéologie relative à Lévi dans les *Jubilés* et l'*Apocryphe de Lévi*, il devient clair que l'*Apocryphe* ne dérive pas des *Jubilés* sur ce point. Le rôle de Lévi dans l'*Apocryphe* est plus complet et plus élaboré que dans les *Jubilés*, qui semble plutôt résumer ce qui est dit dans l'*Apocryphe*[2]. C'est ainsi que l'on doit interpréter *Jubilés* 32: 1 « et Lévi rêva

---

[1] Certains critiques ont cherché dans cette direction la solution du problème posé par les rapports entre les trois écrits nommés pour l'histoire de Lévi. DE JONGE 1953 p. 39 et pp. 140, 148 n. 10 et 167 indique que « Original Levi » c'est à dire la source commune de l'*Apocryphe* et du *Testament de Lévi*, dépend soit directement des *Jubilés* soit d'une source haggadique qui a été utilisée également par les *Jubilés*. GRELOT 1956 pp. 402–406 étudie en détail les rapports entre les *Jubilés* et l'*Apocryphe de Lévi* et conclut qu'il y a derrière ces deux écrits une source commune, écrite probablement en hébreu sous forme « d'un midrash de la *Genèse* » centré sur la personne de Lévi. GRELOT pp. 395, 404 et 406 penche cependant pour voir dans le *Testament de Lévi* (dans sa terminologie « Testament grec ») l'œuvre d'un remanieur chrétien qui, au moins dans un passage (*Lévi* 9: 1) aurait pu travailler non sur l'*Apocryphe* mais sur la source commune. BECKER 1970 pp. 77–87 qui analyse aussi la partie qui nous occupe, soutient que l'*Apocryphe*, les *Jubilés* et le *Testament de Lévi* représentent trois traditions parallèles, indépendantes l'une de l'autre mais qui dérivent d'une tradition orale commune.

[2] Cf. aussi GRELOT 1956 p. 402.

qu'il était consacré prêtre d'*El Elyōn*, lui et ses fils pour le temps éternel »[1]. La dépendance est donc du côté des *Jubilés*. Toutefois, l'indication d'une source commune du cadre narratif signalée ci-dessus fait penser que le livre des *Jubilés*, s'inspire pour le rôle de Lévi aussi, de cette source. Il est incontestable cependant que l'*Apocryphe*, pour ce qui est de la figure de Lévi, reproduit plus fidèlement et plus complètement la source commune.

Remarques sur l'unité de l'idéologie « lévitique » des Jubilés et sur la date de l'ouvrage

Pour ce qui est des *Jubilés* la cohérence de l'idéologie relative à Lévi ne saurait être mise en doute. Sur ce point, l'étude la plus récente sur les *Jubilés*, celle de DAVENPORT, propose de voir dans le verset 14 de la bénédiction au chapitre 31 une addition pour rehausser l'importance cultuelle de Lévi et de sa descendance, faite par un rédacteur qumranien[2]. L'unité de l'idéologie relative à Lévi ressort cependant de la comparaison avec l'*Apocryphe de Lévi*[3]. Le thème de la comparaison entre la liturgie sacrificielle des prêtres et celle des anges, qui selon DAVENPORT est étranger au contexte, se retrouve cependant dans 30: 18[4], qui selon le même auteur appartient à l'ouvrage primitif[5]. Comme nous l'avons vu, c'est aussi un thème essentiel de l'*Apocryphe de Lévi*. DAVENPORT écarte aussi 32: 1 b sur l'investiture de Lévi comme un ajout, parce que ce verset rend compte du sacerdoce de Lévi par d'autres raisons que les versets précédents[6]. Les conceptions générales de l'*Apocryphe* sont cependant en faveur de l'originalité de ce verset. De plus, l'existence d'explications différentes mais complémentaires n'est nullement contraire à l'unité d'auteur. La promesse communiquée par Isaac dans sa bénédiction (31: 13–17) et le songe de Lévi en 32: 1b sont deux indications prémonitoires de ce qui en fait aura lieu en 32: 3 où Jacob instaure Lévi comme prêtre.

---

[1] Traduction faite principalement d'après la version latine; pour la base textuelle voir CHARLES 1895 p. 118 s.

[2] DAVENPORT p. 57 s, et p. 60 surtout n. 1. L'argument selon lequel le v. 14 rompt le rythme poétique du contexte, n'emporte pas la conviction : le v. 14 montre également une structure poétique, qui convient bien au contexte.

[3] Voir supra p. 21 ss.

[4] La comparaison avec les anges dans ce verset vise « la descendance de Lévi » qui comprend en premier lieu les prêtres, mais aussi les lévites. On ne peut interpréter cette comparaison comme concernant seulement les lévites. C'est ce que fait NOACK 1958 p. 263.

[5] DAVENPORT p. 10 n. 4.

[6] DAVENPORT p. 57 n. 4. renvoie pour ce passage à *Lévi* 9: 1–4 qui serait dépendant des *Jubilés*. On ne peut cependant entrer dans une discussion de ses problèmes sans tenir compte de l'*Apocryphe de Lévi*.

En ce qui concerne la date, il faut certainement remonter plus haut dans le temps que ne le font CHARLES[1], TESTUZ[2], NOACK[3] et d'autres encore[4], qui situent l'œuvre dans les dernières années du règne de Jean Hyrcan. C'est ce que suggère d'abord l'âge des fragments des *Jubilés* trouvés à Qumran[5]. La rédaction des *Jubilés* nous paraît être située avec le plus de vraisemblance dans le début de l'époque des Maccabées ou même quelques décennies avant, car c'est l'influence grandissante de l'hellénisme sous les Séleucides, qui convient le mieux aux censures des *Jubilés*[6].

Remarques sur l'unité littéraire et la date de l'Apocryphe de Lévi

Il est naturellement difficile de trancher la question de l'unité littéraire de l'*Apocryphe*, puisque nous ne possédons que des restes de l'ouvrage primitif. Si on s'en tient à ce qui nous a été conservé, l'unité littéraire ne saurait être mise en doute. On a cependant écarté certaines parties de l'enseignement sacerdotal comme secondaires ainsi que le discours sapiential de Lévi. Selon BECKER, on est en présence de deux discours parallèles concernant l'enseignement sacerdotal : vv. 14–50, 61 et vv. 51–60. Selon BECKER, toujours, l'un de ces discours est secondaire[7]. Certes, avec le v. 51 commence une nouvelle partie, mais ce n'est pas un doublet, car on aborde un thème nouveau : le rôle du sang et son importance (vv. 53–56). Ces versets sont de toute évidence tirés d'une source dont le livre des *Jubilés* fait aussi usage, car les ressemblances entre *Jubilés* 21: 16–18 et l'*Apocryphe* vv. 53–56 sont frappantes[8]. Il est en même temps évident qu'ils ont adapté cette source indépendemment l'un de l'autre. Peut-être, cette source se trouve-telle indiquée derrière « le livre de Noë sur le sang » auquel l'auteur de l'*Apocryphe* renvoie au v. 57. Pour ce qui est des versets 51–52 ils pré-

---

[1] CHARLES 1902 p. xiii s.

[2] TESTUZ 1960 pp. 34–39.

[3] NOACK 1958 p. 179 s.

[4] JAUBERT 1963 pp. 473 ss. qui semble pencher pour une date sous Jean Hyrcan sans autre précision; GRINTZ 1971.

[5] Voir MILIK 1966 p. 102 s.

[6] C'est avant tout ROWLEY 1965 pp. 80 ss. qui a élaboré cette thèse; il est suivi par DAVENPORT p. 13 s. qui cependant modifie légèrement la date proposée par ROWLEY. DAVENPORT veut situer la rédaction du « discours angélique » 2: 1–50: 4 « sometime during the latter part of the third century or the early part of the second century B.C. » Certains critiques, ALBRIGHT 1946 p. 267 et ZEITLIN 1939 pp. 1 ss. remontent encore plus haut dans le temps : aux environs de l'en 300 (ALBRIGHT) ou avant que l'autorité du Pentateuque fût fixée (ZEITLIN).

[7] BECKER 1970 p. 88 s. DE JONGE 1953 p. 39 considère les vv. 13–61, comme une amplification du texte original. Les vv. 32–47, en particulier, ont pu, selon DE JONGE, être ajoutés postérieurement à l'ouvrage primitif.

[8] L'influence de *Lévitique* 17: 10–16 est apparente dans les deux récits.

26

supposent clairement ce qui a été énoncé dans ce qui précède et ne se laissent pas isoler de ce contexte. Il semble même que le texte a été ici écourté. Le verset 52 a pour objet de fixer l'ordre selon lequel les éléments du sacrifice doivent être donnés aux prêtres qui officient : « quand tu auras à accomplir le sacrifice devant le Seigneur, toi parmi tous les hommes, d'après l'ordre énuméré des bois, *reçois(-les) de la manière que je t'ordonne*, et le sel, la farine, le vin et l'encens reçois(-les) de leurs mains (pour les mettre) sur chaque animal »[1].

L'expression « de la manière que je t'ordonne » présuppose une instruction plus détaillée qui n'est pas toutefois donnée dans le contexte actuel de l'*Apocryphe*. De même, la tournure « de leurs mains » renvoie évidemment aux co-sacrificateurs de Lévi, mais ils ne sont pas mentionnés auparavant. Il est possible que l'auteur pense dans ce passage à l'action cultuelle du grand prêtre. Une scène analogue nous est conservée par le *Siracide* qui en 50: 11–13 décrit le grand prêtre Siméon dans son rôle de sacrificateur : il monte à l'autel et reçoit de la main des prêtres les choses destinées au sacrifice. Il est entouré, comme dit le texte, par « une cercle de frères. »[2] De plus, il est curieux de trouver, dans ce passage de l'*Apocryphe* seulement, la précision ἀπὸ πάσης σαρκός ajoutée deux fois à l'action cultuelle de Lévi. La tournure grecque rend ici l'araméen מן כל בשרא avec un sens comparatif : Lévi accomplit le sacrifice devant le Seigneur « plus que ne le fait personne » (v. 52) c'est à dire de façon parfaite. L'expression se retrouve au verset 54[3].

Résumons l'analyse du passage vv. 51–60 : Le verset 51 introduit la description d'un aspect différent de la procédure sacrificielle qui n'avait pas été abordé antérieurement. Il s'agit cependant des même objets cultuels (v. 52). Le rôle du sang et son importance, thème nouveau, est ensuite soulignée dans les vv. 53–56. Les versets 58–60 contiennent des promesses qui portent sur la grandeur et l'éternité du sacerdoce de Lévi et de

---

[1] Le texte araméen pour les vv. 33–65 est perdu, mais le texte grec du v. 52 nous est conservé par le ms *e* : ὅταν παραλαμβάνεις θυσίαν ποιεῖν ἔναντι κυρίου ἀπὸ πάσης σαρκὸς κατὰ τὸν λογισμὸν τῶν ξύλων ἐπιδέχου οὕτως ὡς σοι ἐντέλλομαι· καὶ τὸ ἅλας καὶ τὸ σεμίδαλιν καὶ τὸν οἶνον καὶ τὸν λίβανον ἐπιδέχου ἐκ τῶν χειρῶν αὐτῶν ἐπὶ πάντα κτήνη.

[2] Voir le *Siracide* 50: 11b–12a dans l'hébreu et dans la version grecque :

ἐν ἀναβάσει θυσιαστηρίου ἁγίου	בעלותו על מזבח הוד
ἐδόξασεν περιβολὴν ἁγιάσματος·	ויהדר עזרת מקדש
ἐν δὲ τῷ δέχεσθαι μέλη ἐκ χειρῶν ἱερέων	בקבלו נתחים מיד אחיו
καὶ αὐτὸς ἑστὼς παρ' ἐσχάρα βωμοῦ	והוא נצב על המערכות
κυκλόθεν αὐτοῦ στέφανος ἀδελφῶν.	סביב לו עטרת בנים

[3] On lit dans le texte grec du v. 54 : καὶ τὰς χεῖρας νίπτου διὰ παντὸς ἀπὸ πάσης σαρκός.

sa race. Il est en outre probable que le contexte du v. 52 était primitivement plus développé. Le v. 61 a en effet l'air d'une redite du v. 59 a, mais le texte du v. 58 et 59 a semble être en désordre, et il peut s'agir tout simplement d'une dittographie. Quoi qu'il en soit, le v. 61 ne doit pas être rejeté apres le verset 50.

Il s'ensuit donc que les versets 51–61 ne constituent pas un doublet aux vv. 13–50, doublet qui serait de caractère secondaire.

Selon BECKER, le discours sapiential de Lévi, les vv. 82–95, aurait été ajouté postérieurement à la tradition originale, dont la fin propre était constituée par les vv. 78–81 qui résument les dates essentielles dans la vie de Lévi en indiquant son âge pour chaque événement[1]. Du nombre des arguments destinés à soutenir cette hypothèse, seuls les deux premiers méritent examen[2]. BECKER est d'avis que l'indication de l'âge, attribué à Lévi dans le début du discours sapiential (v. 82), 118 ans[3], convient mal après le v. 81 où Lévi a 137 ans. Le fait est à première vue déconcertant, il est vrai, mais il ne faut pas accorder à l'auteur des exigences logiques qui sont les nôtres aujourd'hui, car il fait dire à Lévi lui-même au v. 81 « et tous les jours de ma vie étaient de 137 ans ». Il n'y a donc pas lieu d'être étonné de trouver au v. 82 une allusion à une époque antérieure à celle à laquelle renvoie le verset 81. L'auteur a mis ce résumé des âges de Lévi à sa place actuelle probablement parce que la section précédente était échelonnée de dates précises.

Le second argument de BECKER est que, par son thème, le discours sapiential n'a pas de rapports avec la tribu de Lévi. La fonction enseignante des prêtres et des lévites est cependant nettement soulignée dans ce discours[4].

En conclusion, à en juger par ce qui nous est conservé de l'*Apocryphe de Lévi*, l'unité essentielle de l'ouvrage paraît assurée. Il est clair, que l'*Apocryphe*, ici et là, adapte et refond des sources et des traditions de provenance et de date diverses, mais c'est là l'œuvre de l'auteur.

---

[1] BECKER 1970 p. 94 s.

[2] Les autres arguments mis en avant par BECKER se fondent sur des prémisses fausses. Que Joseph soit mentionné seulement dans ce discours, dans ce qui nous reste de l'*Apocryphe*, n'établit pas le caractère secondaire du passage. Que des ajouts (« Nachträge ») se rassemblent facilement à la fin d'un tel bloc de traditions semblable à celui de *Apocryphe de Lévi*, présuppose en fait la thèse de BECKER selon laquelle l'*Apocryphe* représente une compilation de traditions orales. Au vrai, le milieu où sont transmis des ouvrages comme l'*Apocryphe de Lévi* utilise presque exclusivement la transmission écrite; voir à ce sujet vol. II chap. III.

[3] On doit noter que l'indication de l'âge au v. 82 repose sur une reconstruction faite sur la notice en *Lévi* 12: 7 selon laquelle Joseph est mort à l'âge de 118 ans. Le texte est lacuneux.

[4] Voir plus haut p. 17.

Pour ce qui est de la date, les fragments trouvés à Qumran sont importants. Faisons ici une remarque préalable. Si on compare entre eux les restes épars de l'*Apocryphe de Lévi*, les fragments araméens de Qumran et de la geniza au Caire, le fragment syriaque et les extraits grecs trouvés dans le manuscrit *e* du mont Athos, on constate qu'ils attestent substantiellement un même texte. Les différences trouvées sont presque exclusivement de nature superficielle semblables à celles qui se produisent d'ordinaire au cours de la transmission : corruptions, omissions et corrections dues aux copistes, et pour le grec et le syriaque aussi fautes et inadvertances de traduction. Le fragment qumranien de la Prière de Lévi rejoint ainsi presque mot pour mot le texte grec du ms *e*; cela est d'autant plus remarquable qu'ils sont séparés dans le temps par un millénaire.

Les fragments *4Q Test Lévi* appartiennent certainement au IIe siècle av. J.-C. et sans doute au second ou au troisième quarts de ce siècle[1]. On pourrait aussi, par un rapprochement avec le « livre des visions de 'Amram[2] », pencher pour une datation de l'*Apocryphe* antérieure à la deuxième moitié du IIe siècle. Il existe de toute évidence un rapport entre cet ouvrage, un apocryphe de Qahat[3] et l'*Apocryphe de Lévi*. Il y a d'abord la lignée sacerdotale : Lévi–Qahat–Amram à qui ces écrits sont attribués. Le contenu du « livre des visions de 'Amram » semble en outre avoir été centré sur deux visions[4], tout comme dans l'*Apocryphe de Lévi*. Or, il est peu probable qu'on ait d'abord écrit un livre mis dans la bouche de 'Amram, troisième représentant, et représentant moins important dans les traditions sacrées d'Israël que ne le fut son grand-père. Selon toute vraisemblance, l'*Apocryphe de Lévi* est donc antérieur au « livre des visions de 'Amram » dont l'exemplaire *4Q Amram*[b] date du II[e] siècle avant notre ère, voire peut-être de sa première moitié[5]. Comme les critères internes pour une datation de l'*Apocryphe* sont trop vagues, il faut s'en tenir aux preuves données par l'âge des manuscrits qumraniens ainsi que les rapports avec le « livre des visions de 'Amram ». Pour conclure, l'*Apocryphe de Lévi* est certainement antérieur au derniér quart du IIe siècle avant notre ère et remonte probablement encore plus haut dans le temps[6].

---

[1] Cf. MILIK 1966 p. 95 où il estime que *4Q Test Lévi* soit plus ou moins contemporain à *4Q Ps 89* dont la date se situe entre 175–125 av. J–C. Cf. aussi MILIK 1971 p. 344.

[2] Pour cet écrit dont quelques fragments ont été trouvés à Qumran, voir MILIK 1971 p. 78 ss.

[3] Cf. MILIK 1972 A p. 97.

[4] Voir le résumé des fragments qumraniens de ce « livre des visions de 'Amram » dans MILIK 1972 A p. 85 et le fragment publié p. 79.

[5] MILIK 1972 A p. 78 qui souligne l'ancienneté de ce manuscrit.

[6] MILIK 1971 p. 345 et 1972 B p. 118 indique en passant une date encore plus an-

Disons maintenant quelques mots sur le genre littéraire de l'*Apocryphe de Lévi* et sur la langue originale. On regarde d'ordinaire l'*Apocryphe* comme un « testament »[1], mais tant que le début et la fin manquent, la question ne peutêtre pas tranché avec certitude. Les matériaux qui entrent dans la composition de l'ouvrage ne sont pas par nature contraires à un « testament ». Le fait que « le livre des visions de 'Amram », par son début du moins, appartient au genre « testamentaire », parle en faveur du caractère « testamentaire » de l'*Apocryphe de Lévi* également. D'autre part, un fait s'oppose à cette hypothèse. Les vv. 82 ss. font en effet fonction de discours d'adieu prononcé par Lévi. L'introduction au v. 82 présente déjà les éléments caractéristiques du préambule d'un « testament » : Lévi, âgé, convoque ses fils pour leur recommander tout ce qu'il a dans son cœur[2]. Cette introduction est par sa structure et sa formulation analogue au préambule de certains testaments des *Douze Patriarches*, mais non à celui du *Testament de Lévi*[3]. L'indication de l'âge de Lévi au v. 81 de l'*Apocryphe* qui est mise dans la bouche du patriarche lui-même, est dans le *Testament de Lévi* transposée à la fin et rapporté par le narrateur. Dans l'état actuel de la documentation, on ne peut, selon nous, se prononcer avec certitude sur la question du genre littéraire de l'*Apocryphe*.

Pour ce qui est de la langue originale, tout porte à croire qu'elle était l'araméen. Le texte grec reflète clairement un substrat araméen[4] et tous les fragments qumraniens sont en araméen. Les indices qu'on a allégué pour soutenir l'hypothèse d'un original hébreu peuvent cependant être interprétés de façon différente[5]. L'existence d'hébraïsmes témoigne seulement d'une influence de cette langue sur l'araméen de l'*Apocryphe*. Les paronomases sur Merari et Yokabed semblent supposer un substrat hébreu; l'auteur de l'*Apocryphe* s'inspire sans doute dans les passages haggadiques

---

cienne pour la composition de l'*Apocryphe de Lévi* « au plus tard de la première moitié du IIIe siècle av. J–C. » On ne sait pas encore sur quoi il fonde cette hypothèse.

[1] Notez cependant les réserves faites à cet égard par BURCHARD 1965 p. 283 n. 2

[2] L'ordre d'écouter ce que le patriarche va énoncer, significatif des *Testaments des Douze Patriarches*, se trouve également dans l'introduction du discours d'adieu (v. 83).

[3] Voir à ce sujet vol. II chap. II.

[4] Les cas suivants pourront servir d'exemples : δεσπότη τοῦ οὐρανοῦ = מארי שמיא (v. 13), ἔση ἐσθίων = אכל תהיה (v. 56), ὡς τούτο = כדנה (v. 63). Il faut d'ailleurs noter que la version grecque et les fragments de la genizah dérivent indépendemment d'un prototype commun; cf. CHARLES 1908 éd. p. liv. s. et DE JONGE 1953 p. 130.

[5] CHARLES 1908 éd. pp. liv–lvii estime que les fragments araméens et grecs dérivent directement d'un original hébreu. DE JONGE 1953 p. 131 est plus nuancé en supposant des intermédiaires araméens entre l'original hébreu et les fragments araméens et grecs. GRELOT 1955 p. 97 opte pour l'hypothèse d'un original hébreu en alléguant en partie de nouveaux arguments et suggère l'existence de deux versions araméennes.

de traditions plus anciennes. Ces paronomases reflètent probablement une tradition formulée primitivement en hébreu.

Tendance et "Sitz im Leben" de l'idéologie relative à Lévi dans l'*Apocryphe* et dans les *Jubilés*

Nous allons dans cette section aborder les problèmes compliqués que posent le but, l'origine et la date de cette élevation du rôle de Lévi que montrent l'*Apocryphe de Lévi* et les *Jubilés* et qui est refletée également par le *Testament de Lévi*[1]. Nous ne prétendons pas les résoudre de façon définitive; nous voulons seulement indiquer une nouvelle ligne d'interprétation.

Quels sonts les milieux qui ont propagé l'image de Lévi et de ses descendants telle quelle nous venons de la décrire, et dans quel but l'ont-ils fait? Ce sont évidemment des cercles attachés au sacerdoce, mais cet attachement au sacerdoce et au culte du Temple caractérise en fait l'ensemble du judaïsme de l'époque, bien qu'il puisse varier en intensité et se manifester sous diverses formes[2]. Si on tente de préciser, il n'y a que quatres interprétations possibles qui se présentent à la critique et qui en partie peuvent être réunies.

1° L'image de Lévi a été créée pour servir les intérêts des Hasmonéens et pour les glorifier.

2° Elle traduit les prétentions des lévites et leurs efforts d'émancipation.

3° Elle est l'expression de l'idéal théocratique professé par le haut sacerdoce jérusalemite; elle défend et confirme les réalités de l'évolution post-exilique.

4° Elle traduit les revendications et les rêveries idéales des milieux esséniens.

Résumons pour commencer les traits communs à l'*Apocryphe* et les *Jubilés* quant à l'idéologie « lévitique ».

1° Lévi est prêtre d'*El Elyon*

2° La figure de Lévi représente le sacerdoce et, plus spécialement, la grande prêtrise.

---

[1] Nous laissons de côté pour l'instant le *Testament de Lévi* qui ne fait que reproduire pour l'essentiel l'idéologie de l'*Apocryphe de Lévi*.

[2] Indiquons comme exemple l'attitude des esséniens de Qumran qui se sont détournés du sacerdoce officiel et du culte actuel à Jérusalem; ils restent néanmoins attachés à la dignité du prêtre et projettent leur attachement au culte dans l'image idéale d'un vrai culte et d'un nouveau Temple.

3° Une comparaison développée entre les prêtres et les anges.

4° L'élection de Lévi et de sa descendance au sacerdoce se fait déjà dans le cadre de l'histoire patriarcale.

5° Lévi et ses descendants sont en outre chefs et représentants de la communauté juive.

Lévi comme prêtre d'El Elyon

El Elyon était une des manifestations du dieu suprême parmi les sémites de l'Ouest, *El*, et attesté en particulier pour la Jérusalem de l'époque canaanéenne[1]. Son lien avec Jérusalem est tiré du récit sur Abraham et Melchisedeq dans *Genèse* 14: 18–24 où celui-ci est représenté comme « prêtre d'*El Elyon* » en même temps qu'il était « roi de *Salem* ». Le nom *El Elyon* figure en outre en *Psaume* 78: 35 où il vise clairement *Yahvé*[2]. Après que Jérusalem soit devenue capitale d'Israël sous David, *Yahvé* et *El Elyon* tendirent à être identifiés[3]. La fusion ne tarda pas à se réaliser et *Genèse* 14: 18 ss. et *Deutéronome* 32: 8 sont les seuls passages où un dieu *Elyon* qui n'est pas *Yahvé* est attesté[4]. A la suite de cette identification on trouve quelquefois *Elyon* seul, comme un nom de *Yahvé*, surtout dans le *Psautier*[5]. On laissa tomber assez vite, semble-t-il, le *El* devant *Elyon* parce que cette combinaison rappelait un dieu d'origine étrangère et pouvait laisser croire qu'il existait à côté du Dieu Très-Haut d'autres dieux. Le nom double disparaît donc et *Elyon* est désormais utilisé comme synonyme de *Yahvé*.

A l'époque hellénistique et romaine cet usage se maintient et se répand. *Elyon* sous la forme *Hypsistos* devient maintenant un nom courant du Dieu des juifs[6]. Le grec *Hypsistos* s'emploie comme traduction d'autres noms du Dieu d'Israël que '*Elyōn* ou l'araméen '*Illāyā*'[7] et se rencontrent aussi dans

---

[1] Voir à ce sujet NYBERG 1938 B pp. 351–364 et les résumés dans DE VAUX 1960, II p. 144 s. et RINGGREN 1963 B pp. 19 s, 38 et 54 s.

[2] Il en est de même pour *Ps.* 57: 3 et 78: 56 où l'on trouve *Elohim Elyon*. Dans *Ps.* 7: 18 et 47: 3 l'identité des deux divinités est indiquée par le nom *Yahvé Elyon*.

[3] Pour ce processus d'identification voir EISSFELDT 1952 et WIDENGREN 1955. LACK p. 64 conclut cependant que ce nom divin n'est pas un emprunt aux traditions cultuelles de Jérusalem.

[4] Cf. EISSFELDT 1956 p. 25 ss.

[5] *Ps.* 9: 3; 18: 14; 21: 8; 46: 5; 50: 14; 73: 11; 77: 11; 78: 17; 82: 6; 83: 19; 87: 5; 91: 1, 9; 92: 2; 107: 11. En dehors du *Psautier* seulement en *Nombr.* 24: 16, *2 Sam.* 22: 14, qui fait partie d'un psaume; *Lam.* 3: 35 et 38. Dans *Is.* 14: 14 il n'est pas certain que *Elyon* vise *Yahvé*.

[6] Cf. BOUSSET-GRESSMANN p. 311 n. 1.

[7] On le voit clairement par l'usage abondant que fait le *Siracide de* ὕψιστος, et qui le plus souvent traduit אל de l'original hébreu; cf. SIMON 1972 p. 374; *Elyon* seul ne se trouve que 10 fois dans ce qui nous est conservée du texte hébreu. Dans les *Testaments des Douze Patriarches* ὕψιστος est, après θεός et κύριος, le nom divin le plus fréquent; on le trouve environ 25 fois.

les écrits juifs de langue grecque[1]. Cette évolution est en rapport étroit avec la tendance à remplacer et à transcrire le nom de *Yahvé*, tendance qui apparaît à l'époque hellénistique[2]. En même temps, il est clair que la fréquence grandissante du nom *Hypsistos* a des rapports aussi avec l'emploi de ce titre divin dans le monde ambiant[3].

Sur ce fond, il est surprenant de trouver une véritable renaissance du titre *El Elyon* dans les *Jubilés*[4], l'*Apocryphe de Lévi* et l'*Apocryphe de la Genèse*[5]. Il est bien évident qu'il y a là une raison particulière, car les autres attestations du nom *El Elyon* qui se trouvent dans la littérature juive de l'époque hellénistique et romaine, sont rares[6] et comme accidentelles.

Il existe un rapport étroit de traditions entre les trois écrits qui manifestent la renaissance du nom *El Elyon*. Les *Jubilés* et l'*Apocryphe de la Genèse* présentent des affinités précises dans les éléments qu'ils ajoutent au récit de la *Genèse* et dans la términologie[7]. Evidemment, ils sont originaires d'un même milieu[8], à moins qu'il n'y ait une interdépendance littéraire[9]. Comme nous l'avons vu, les *Jubilés* et l'*Apocryphe de Lévi* s'apparentent étroitement sur les points qui leur sont communs.[10] Or, l'origine des *Jubilés* et de l'*Apocryphe de Lévi* est sans conteste à chercher dans des milieux

---

[1] *Sap.* 5: 15 et 6: 3, *2 Macc.* 3: 31, *3 Macc.* 6: 2 et 7: 9. La *Septante* a quelquefois ὕψιστος où le nom *Elyon* ne figure pas dans l'hébreu : *Is.* 57: 15 et *Mich.* 6: 6.

[2] Voir là-dessus Bousset–Gressmann pp. 307–316.

[3] Sur l'interprétation de ces rapports voir Cumont 1929 pp. 59 ss., 119 ss. et 227 ss., Bousset-Gressman p. 310 et Eppel pp. 53 ss; il est cependant erroné, comme celui-ci le fait, de voir toujours dans ὕψιστος la traduction d'*El Elyon*.

[4] Dans la version éthiopienne : *'amlāk ləʻul* ou *'əgziʻabəḥer ləʻul* et dans la version latine : *deus excelsus*, une fois *dominus excelsus*. Ce nom de Dieu est dans les *Jubilés* attesté en 7: 36; 12: 19, 13: 16 et 29, 25: 3, 11 et 21, 27: 15, 32: 1, 35: 16, 39: 6. Dans *4Q 221 Jub.* on trouve אל עליון dans le contexte de *Jub.* 21: 23. Comme le note Bousset–Gressmann p. 311 n. 2, *Elyon* seul n'apparaît qu'en 16: 18 et 22: 27.

[5] XII: 17, XX: 12 et 16, XXI: 2, XXII: 15–16, 21.

[6] *Dan.* 3: 26 et 32, 5: 18 et 21. Dans 2: 18 et 19, où *LXX* porte ὁ κύριος ὁ ὕψιστος c'est le titre אלה שמיא qui est traduit. De même, dans *III Esdr.* 2: 3, 6: 31, 8: 19 et 21, 9: 46 ὁ κύριος (ὁ θεός) ὁ ὕψιστος rend le « Dieu du ciel » des *livres d'Esdras et de Néhémie*. On doit comparer à ce mode de traduire le « Dieu du ciel » avec *Theos Hypsistos*, les inscriptions de Palmyre où l'araméen *Baal-Šamen* est rendu par *Zeus Hypsistos*; exemple chez Lack p. 53. *Testament de Moïse* (Ass. Mos.) 6: 1 et 10: 7. *Judith* 13: 18 *Or. Sib.* III: 719; *3 Macc.* 7: 9 Pour le *Siracide* et les textes de Qumran, voir plus loin p. 36 s.

[7] Cf. Avidgad-Yadin pp. 19–22 et 38.

[8] C'est la conclusion de Dupont-Sommer 1968 p. 293.

[9] Les éditeurs Avidgad-Yadin p. 38 pensent que la dépendance est du côté des *Jubilés*. Selon nous, dans le cas d'une dépendance littéraire, c'est au contraire l'*Apocryphe de la Genèse* qui s'inspire des *Jubilés*; cf. Fitzmeyer 1971 pp. 16 ss. et la discussion qu'il résume, sur la date de l'*Apocyphe*.

[10] Voir supra p. 23 s.

sacerdotaux[1]. Il est donc légitime de supposer un rapport entre ce milieu d'origine et l'insistance sur le titre *El Elyon*. C'est pourquoi nous attirons tout d'abord l'attention sur la figure de Lévi comme prêtre d'*El Elyon*.

Comme l'*Apocryphe de Lévi* a mieux conservé la source dont dépend aussi les *Jubilés*, c'est cette *Apocryphe* qu'il faut ici étudier. Les fragments de ce texte vénérable n'ont pas reçu l'attention qu'ils méritent à cet égard. L'expression « prêtre d'*El Elyon* » est attestée deux fois : tout d'abord lors de l'investiture de Lévi par Jacob au v. 9 « et il me vêtit du vêtement du sacerdoce et remplit mes mains et je devins prêtre d'*El Elyon* »[2], puis au v. 13 : « et quand il (Isaac) apprit que moi, j'étais devenu prêtre d'*El Elyon*, le maître du ciel[3], il commença à m'exhorter et m'enseigner la constitution du sacerdoce ».

Dans les autres passages, la mention d'*El Elyon* se fait également en connexion avec Lévi comme prêtre et sacrificateur. L'offrande de Lévi devra être une odeur agréable devant *El Elyon* (v. 30). Lévi est choisi pour apporter les offrandes pour *El Elyon* (v. 51), et il est « le Saint d'*El Elyon* », (ἅγιος κυρίου ὑψίστου.)[4].

Il faut noter, et le fait est surprenant, que, tout comme dans l'*Apocryphe de la Genèse*, le nom *El Elyon* n'est pas donné sous sa forme araméenne courante אלהא עליא[5]. Il apparaît toujours sous sa forme hebraïque et canaanéenne אל עליון. Cela indique que, dans les milieux d'où sont originaires ces écrits, on ait attaché une importance particulière à ce nom divin. Ce n'est pas tout simplement un autre nom de *Yahvé*, on y attache un sens plus précis.

Dans le récit sur Abraham et Melchisedeq de *Genèse* 14: 13–18, le titre « prêtre d'*El Elyon* » est rattaché à un lieu déterminé : Salem. Il ne fait pas de doute que c'est là Jérusalem. Déjà le *Psaume* 76: 3 fait cette identification, qui est soutenue aussi par le *Psaume* 110. L'*Apocryphe de la Genèse* le dit expressément à propos de l'épisode avec Melchisedeq : « Salem, c'est Jérusalem »[6]. Or, tout le rôle sacrificiel et cultuel, attribué à Lévi dans

---

[1] Cf. pour les *Jubilés* aussi JAUBERT 1963 p. 91 s. *Jubilés* 46: 16 est caractéristique à cet égard.

[2] Le texte est lacuneux à la fin où on lit : [עלـ לאל, mais la restitution עליون doit être regardé comme certaine; cf. aussi GRELOT 1956 p. 405.

[3] Voici le texte araméen qui sur ce point conserve le plus fidèlement l'original : וכדי ידע די אנה כהן לאל עליון למרי שמיא שארי לפקדה יתי לאלפא יתי דין כהנותא.

[4] Le v. 30, où sont conservés les deux textes, araméen et grec, montre que κύριος ὕψιστος traduit אל עליون.

[5] On la trouve dans *Daniel* 3: 26 et 32, 5: 18 et 21. Dans l'inscription araméenne de Sefiré du VIIIe siècle on trouve la forme עלين pour עליא, peut-être soue l'influence canaanéenne. Quoi qu'il en soit, à l'époque qui nous occupe עליון est hébreu.

[6] XXII: 13. Dans les *Jubilés*, il y a une lacune précisément sur le point où l'épisode

l'*Apocryphe de Lévi* et les *Jubilés*, est rattaché à Jérusalem. On ne la nomme pas explicitement, parce que le cadre de ces écrits est censé se situer dans l'histoire patriarcale et avant l'entrée des israélites en terre sainte[1]. Il s'agit pourtant de Jérusalem. On le voit d'abord dans le traitement que les *Jubilés* et l'*Apocryphe de Lévi* font de Béthel, qui fait figure de prototype cultuel de Jérusalem. Le fond et la tendance de leurs récits sont les mêmes : Lévi est consacré prêtre d'*El Elyon* à Béthel et y continue pour un temps son service[2]. Selon les *Jubilés*, Jacob veut ériger un sanctuaire à Béthel (32:16), mais un ange de Dieu lui révèle qu'il ne doit pas faire de cet endroit un sanctuaire éternel « car ce n'est pas le lieu » (32:22). L'*Apocryphe de Lévi* est plus court mais pour autant non moins explicite : « et je finis de sacrifier ses offrandes à Béthel » (v. 10). Au lieu de rester à Béthel, Jacob et ses fils se rendent auprès d'Isaac à la *Tour d'Abraham*[3]. Cette expression, attestée aussi bien dans les *Jubilés* que dans l'*Apocryphe*[4], se rapporte de toute évidence à Jérusalem[5]. Pour les *Jubilés*, le séjour à Béthel a une valeur exemplaire aussi quant aux sacrifices et aux dîmes que fait là Jacob (32: 4–9). C'est pourquoi la loi relative à ces rituels, dit le texte, est promulguée sur les tables célestes et sera valable à jamais « sur le lieu que Dieu a choisi pour y faire habiter Son nom » (32:10; cf. aussi v. 11). D'autres passages des *Jubilés* sont encore plus explicites quant à l'importance de Jérusalem. Parmi les quatres montagnes du Seigneur, se retrouve le montagne de Sion; c'est de ce lieu que l'expiation de la terre (ou du pays) se fera, à force de sainteté (4: 26). Selon 1: 28, le Seigneur apparaîtra à Sion qui sera sanctifiée. Enfin, l'*Apocryphe* affirme que Lévi servira le Très-Haut « au milieu de la terre » ce qui désigne Jérusalem[6].

Le titre *El Elyon* présente donc, dans les *Jubilés* et l'*Apocryphe de Lévi*,

---

de Melchisedeq aurait été abordé. Tout porte à croire qu'on ait supprimé ce passage, mais il n'est pas clair par quelles raisons; voir à ce sujet CHARLES 1902 p. 100 s. et NOACK 1958 p. 202.

[1] Dans *Jub.* 1: 27 la fiction est abandonnée « Sion et Jérusalem seront saints », mais Jérusalem y est probablement une glose.

[2] *Apocryphe de Lévi* v. 9 et *Jubilés* 32: 3 et 9.

[3] *Apocryphe de Lévi* v. 11. Dans *Jubilés* 32: 22, c'est l'ange qui ordonne Jacob de se rendre à ce lieu auprès d'Isaac. Jacob le fait ensuite en 33: 1.

[4] *Jub.* 32: 22. Il est clair que la version latine a conservé ici la leçon originale : *vade in locum barin Abraham*, où *barin Abraham* est une corruption de *bīrat 'Abraham* trouvé dans l'*Apocryphe* v. 11. Le texte éthiopien porte seulement *bēta 'Abrəhām*, » la maison d'Abraham ».

[5] Il y a certainement un rapport avec *Migdal Eder* de *Gén.* 35: 21; mais d'après la *Genèse*, la localisation précise n'est pas claire. Toutefois, *Michée* 4: 8 identifice ce lieu à Jérusalem. En *Jub.* 33: 1 c'est ce lieu qui est visé par *Magdalādrā'et*. La raison pourquoi l'*Apocryphe* et les *Jubilés* 33: 22 emploient *bīrat Abraham* n'apparaît pas.

[6] Voir supra p. 21.

des rapports particuliers avec le culte et le sacerdoce de Jérusalem et son Temple. Ce nom divin évoque *Yahvé* dans son rapport intime avec le sacerdoce de Jérusalem et le culte du Temple. Ce n'est pas ici l'un des noms du Dieu des juifs, sans autres nuances, et qui selon une tendance générale remplacerait le nom divin.

L'interprétation que nous venons de proposer du nom *El Elyon* dans les *Jubilés* et l'*Apocryphe de Lévi*, est confirmée par d'autres indices. Il est significatif que l'emploi de l'épithète *Elyon* dans l'*Ancien Testament* se limite presque exclusivement à la poésie cultuelle[1]. C'est aussi le *Psautier*, avec son « Sitz im Leben » dans le Temple de Jérusalem, qui fournit la majorité des exemples. Soulignons également la continuité dans l'emploi de '*Elyon* dans les traditions cultuelles rattachées à Jérusalem. Dans les psaumes des b^ene *Qoraḥ* nous sommes bien à l'époque post-exilique[2]. Les psaumes de ce clan lévitique qui professent une théologie caractéristique sur le rôle de Sion, font usage également du titre *Elyon*, comme synonyme de *Yahvé*[3]. Le *Siracide* se place quelque siècle plus tard. On y trouve, selon nous, un emploi significatif de l'épithète *El Elyon*, qui doit être influencé par le culte du sanctuaire de Jérusalem. Dans les quelques passages où *El Elyon* est attesté dans le *Siracide*, ce nom divin est utilisé dans une tournure caractéristique : קרא אל אל עליון « il invoqua *El Elyon* »[4]. De plus, les personnes à qui est attribuée cette expression, se trouvent dans une situation de détresse; elles implorent *El Elyon* qui leur envoie le secours. Prenons comme exemple 56: 5 qui traite de Josuë :

invocation à la divinité : « car il invoqua *El Elyon*
description de la détresse : quand des ennemis le tracassaient de tous les côtés
indication du secours divin : et *El Elyon* l'exauça dans les pierres de grêle ... »

La même structure et la même terminologie reviennent en 46: 16 à propos de Samuel et en 47: 5 à propos de David[5]. Ces passages reflètent clairement une situation cultuelle analogue à celle que présupposent les psaumes de lamentations et d'action de grâce[6]. Il est donc probable que Ben Sira

---

[1] Cf. aussi WANKE p. 46.

[2] WANKE p. 31 situe leur rédaction à la fin du IVe siècle. Les $b^en\bar{e}$ *Qoraḥ*, en tant que chanteurs de poésie cultuelle, ne sont attestés qu'au temps du *Chroniste* et les autres témoignages littéraires relatifs à ce clan sont assez tardives.

[3] *Ps.* 46: 5, 47: 3 et 87: 5; cf. WANKE p. 53.

[4] La version grecque ne rend cette tournure correctement qu'en 47: 5. Dans les autres passages on traduit par ἐπεκαλέσατο τὸν ὕψιστον (κύριον) δυνάστην.

[5] En 47: 8 on ne trouve pas cette structure, mais le contexte est cultuel : David est loué parce que « dans tous ses œuvres, il donna de louanges à *El Elyon* ».

[6] Pour ce genre de psaumes et leur origine dans le culte du Temple, voir RINGGREN 1963 B pp. 164–166.

reproduit ici des formules liturgiques où *El Elyon* représente la figure de *Yahvé* en son sanctuaire[1].

Notons enfin que l'épithète *Elyon* jouit d'une certaine faveur chez les esséniens de Qumran dont la préhistoire est certainement liée aux milieux d'où sont originaires les *Jubilés* et l'*Apocryphe de Lévi*. Le nom *Elyon* figure dans la littérature qumranienne presque exclusivement dans des textes de caractère poétique ou liturgique[2].

Si l'emploi du nom *El Elyon* dans les *Jubilés* et l'*Apocryphe de Lévi* est solidement enraciné dans les traditions cultuelles du sacerdoce à Jérusalem, ce fait n'explique que partiellement la renaissance d'*El Elyon* dans ces milieux. Comme nous l'avons vu, la figure de Lévi représente à côté d'autres fonctions, aussi l'office du grand prêtre. Le titre « prêtre d'*El Elyon* » doit être interprété également à la lumière de l'évolution après l'exil dans la fonction du grand prêtre. Ce n'est que peu de temps après le retour de Babylonie que l'on voit le grand prêtre et le roi exercer côte à côte le pouvoir spirituel et le pouvoir temporel dans la Judée[3]. Le descendant de David, Zorobabel, disparaît bientôt, et le pouvoir politique est désormais dans la main d'un gouverneur non-juif. Le grand prêtre devient le chef et le représentant de la communauté des juifs. Cette évolution qui se fait graduellement amène un transfert des prérogatives du roi sur le grand prêtre[4]. Son apogée est atteint avec la dynastie des Maccabées qui à partir de Siméon unit le pouvoir politique réel à la grande-prêtrise. C'est cette évolution post-exilique, dans sa phase pré-maccabéenne, qui, elle aussi, a contribué à la renaissance du nom *El Elyon*. Car les milieux derrière l'*Apocryphe de Lévi* et les *Jubilés* n'ont-ils pas vu dans Melchisedeq, l'ancien prêtre-roi de Jérusalem qui portait le titre « prêtre d'*El Elyon* », le prototype du sacerdoce et du grand prêtre jerusalémites?

Lévi comme grand prêtre et chef de la nation.

Dans les *Jubilés*, les descendants de Lévi ont été choisis pour être chefs et souverains sur toute la race de Jacob (31: 15). L'équivalent de cette idée

---

[1] Dans les passages où *Elyon* seul se trouve, il est difficile de découvrir un emploi cohérent de ce terme. Dans la tournure « la *tōrāh* de '*Elyon* » (41: 4 et 8, 42: 2, 49: 4; « les commandements de '*Elyon* : 44: 20) on peut songer à la fonction enseignante des prêtres. En 50: 14, le contexte est manifestement cultuel, mais non en 42: 18, et en 43: 2. Pour le texte des deux derniers passages, c'est le « Rouleau de Ben Sira », trouvé à Masada, que nous suivons.

[2] *1 QS* 10: 12 et 11: 15; *1 QH* 4: 31 et 6: 33 où nous trouvons *El Elyon*. De plus *11 Q Ber.* Les seules exceptions à cette règle se trouvent en *1 QS* 4: 22 et *CD* 20: 8. Le dernier passage parle des « saints de '*Elyon* », c'est à dire les anges.

[3] *Zach.* 3–4 et 6: 9–15.

[4] P. ex. l'onction qui semble avoir été introduite comme rite pour consacrer le grand-prêtre quelque siècle après le retour de l'exil; cf. DE VAUX 1960 II p. 270.

37

dans l'*Apocryphe de Lévi* se trouve au verset 67, où, à la naissance de Qahat, son père lui prédit cet avenir : « quand il est né j'ai vu qu'à lui sera l'assemblée du peuple entier et qu'à lui sera la grande prêtrise de tout Israël »[1].

Il ressort clairement de ce texte que les descendants de Lévi seront à la fois grand prêtres et chefs de la communauté des juifs[2], et ont donc la fonction même que leur attribuent les *Jubilés*. Ce rôle du grand prêtre comme chef et représentant de la nation juive est indiqué par la términologie qu'emploient quelques textes post-exiliques de la Bible. Le grand prêtre y est appelé « *nāgīd* de la maison de Dieu » (*1 Chron* 9: 11, *2 Chron.* 31: 13, *Néh.* 11: 11). Dans *1 Chron.* 24: 5 le grand prêtre est appelé *śār* « chef »[3]. Dans le *livre de Daniel* on trouve les expressions « *nāgīd* oint » (9: 25) et « *nāgīd* de l'Alliance » (11: 22) qui se refèrent au grand prêtre de l'époque. Dans ce contexte, il est légitime de traduire avec « prince » ou « souverain »[4]. L'exposé précédent fait donc apparaître qu'il n'est pas nécessaire de faire appel à l'histoire de la dynastie hasmonéenne pour trouver un équivalent à l'idée des descendants de Lévi, chefs et princes d'Israël.

La comparaison des prêtres aux anges

L'idée d'un sacerdoce, réplique terrestre des anges célestes, que nous avons étudié plus haut, trouve son « Sitz im Leben » le plus naturel dans les milieux du haut sacerdoce jérusalémite. Ce thème apparaît également dans le « livre des Visions de ʿAmram » qui selon toute vraisemblance est antérieur à la deuxième moitié du IIe siecle[5]. Le lien intime entre prêtres et anges est exprimé dans une parole adressée par ʿAmram à Aaron « et tu seras appelé ange de Dieu »[6]. L'origine de cette idéologie dans les milieux sacerdotaux de Jérusalem est confirmée par d'autres faits. La comparaison

---

[1] Le texte araméen est pour ce passage plus proche de l'original, mais il est lacu-naire. On peut cependant le restituer d'après la version grecque, de la façon que montre la synopse suivante :

ביה די [וחזית•] καὶ ὅτε ἐγεννήθη ἑώρακα ὅτι ἐπ'αὐτῷ

תהוה לה [ודי עמ•] כל כנשת חהי[ה] ἔσται ἡ συναγωγὴ παντὸς τοῦ λαοῦ καὶ ὅτι αὐτὸς ἔσται

לכל יש[•אל.] כהנ[יחא רבתא ἡ ἀρχιερωσύνη ἡ μεγάλη ... τῷ Ἰσραήλ.

[2] L'expression « l'assemblée du peuple entier » indique ici la nation juive. La formule כנשת כל עמא est analogue à l'inscription des monnaies hasmonéennes חבר היהודים; voir pour cette inscription plus loin p. 66.

[3] On peut discuter si le mot *nāgīd* a ici le sens de « prince » ou « souverain » ou de « haut fonctionnaire », « notable »; cf. DE VAUX 1960 II p. 268. Il est clair cependant que ce terme dans ces textes indique une fonction qui déborde sur le rôle ancien qu'avait le prêtre qui était le chef du sacerdoce.

[4] Cf. DE VAUX 1960, II p. 268.

[5] Voir plus haut p. 29.

[6] Texte araméen dans MILIK 1972 A p. 94.

des prêtres aux anges faisait partie de l'héritage spirituel qu'apportait à Qumran le groupement sadocite qui était à l'origine de la secte essénienne. Le « Livre des Bénédictions » témoigne clairement de cette idée, en termes voisins des *Jubilés* et de l'*Apocryphe de Lévi*. Le prêtre sera « comme un ange de la Face dans la demeure sainte. » La liturgie du prêtre est assimilée à la liturgie céleste[1]. De plus, tout porte à croire que les milieux sacerdotaux derrière les écrits attribués à la lignée Lévi–Qahat–'Amram et les *Jubilés*, ont regardé la figure de Melchisedeq comme le « type » de cette comparaison élaborée entre les prêtres et les anges[2].

La figure de Lévi et l'émancipation des lévites.

Dès le temps de l'exil, la distinction entre prêtres et lévites est établie de façon définitive. C'est ce que montrent le *livre d'Ézechiel* et le code sacerdotal[3]. Le culte sacrificiel proprement dit est désormais le privilège des prêtres, alors que les lévites sont relégués dans des offices inférieurs. Mais cet état de choses n'est pas resté sans conflits. L'épisode de Cora, raconté dans *Nombres* 16 en témoigne et montre aussi les efforts d'émancipation faits par les lévites[4]. L'œuvre du *Chroniste* reflète clairement l'influence grandissante des lévites à l'époque post-exilique : ils assimilent à leur groupe les chantres et les portiers. Les lévites reçoivent certaines fonctions cultuelles qui touchent au domaine réservé aux prêtres[5]. A la fin de la période du Second Temple on voit les chantres-lévites obtenir le privilège de porter le vêtement de lin, réservé aux prêtres, et d'autres lévites, qui servissent dans le Temple, sont permis d'apprendre les psaumes[6]. Les *Jubilés* et l'*Apocryphe de Lévi*, ne seraient-ils pas l'expression de cette tendance d'émancipation des lévites? Car c'est bien leur ancêtre éponyme que ces écrits glorifient.

---

[1] *1 QSb* IV: 24–25. Ce passage peut même viser le grand prêtre; cf. RINGGREN 1963 A p. 177 s.

[2] C'est ce que suggèrent les fragments du « livre des Visions de 'Amram » et les fragments d'un pésher essénien sur Melchisedeq (*11 Q Melchisedeq*). MILIK 1972 A p. 94 infère même que le « livre des Visions de 'Amram » contenait des spéculations sur Melchisedeq comme grand-prêtre du sanctuaire céleste.

[3] *Éz.* 44: 10–16, *Nombr.* 3: 5–10, 18: 2–7.

[4] Il ressort de *Nombr.* 16: 10 que les lévites ont réclamé pour eux la prêtrise. Ils l'ont fait avec l'argument que, théoriquement, aucun groupe — en ce cas les prêtres — ne devait s'élever au-dessus de la communauté dont tous les membres étaient sanctifiés par la présence de *Yahvé* (*Nombr.* 16: 3).

[5] *1 Chron* 23: 28 s.: purification des choses saintes, préparation des pains de proposition. *2 Chron.* 29: 34 et 35: 11 : abattage et dépècement des victimes.

[6] Josèphe, *Ant.* XX: 216–218. Josèphe issu d'une famille de prêtres considère cela comme une transgression des lois ancestrales qui ne pouvait que provoquer le châtiment divin qui se produisait ensuite dans la déstruction du Temple; cf. R. MEYER 1938 p. 727.

Les lévites réclameraient donc pour eux toutes les fonctions, y comprise la grande prêtrise, qui étaient jusqu'ici réservées aux prêtres.

Cette hypothèse se heurte cependant à des difficultés considérables. D'abord, Lévi n'est plus dans l'époque post-exilique l'ancêtre éponyme seulement des lévites.

En fait, tout groupe sacerdotal se réclamait d'une descendance de Lévi. C'est ce que montrent les généalogies sacerdotales dressées après l'exil[1]. Le *Siracide* exprime nettement l'importance que le haut sacerdoce de son temps attachait à une lignée lévitique, lorsqu'il souligne en 45: 6 que Aaron était « de la tribu de Lévi ». Dans des ouvrages comme les *Jubilés* et l'*Apocryphe de Lévi*, la fiction qu'on a pris pour cadre interdit toute mention de représentants ultérieurs du sacerdoce comme Aaron, Éléazar et Pinhas[2]. Par suite, l'insistance sur Lévi et sa descendance ne peut en soi être utilisée comme preuve de l'origine lévitique de l'*Apocryphe de Lévi*, des *Jubilés* et des *Testaments des Douze Patriarches*. Il faut pour cela apporter des critères supplémentaires.

Or, précisément les données supplémentaires que fournissent les textes s'opposent à une origine lévitique. *Jubilés* 30: 18 indique qu'on accepte la distinction de l'époque entre prêtres et lévites, car on y affirme que « la descendance de Lévi fut choisie comme prêtres et comme lévites ». Les remarques que fait l'*Apocryphe de Lévi*, à l'égard des trois fils de Lévi sont éclairantes. La lignée issue de Qahat est la seule qui est glorifiée et c'est d'elle que descendent en droite ligne Aaron et ses fils. Qui plus est, la lignée de Gerson, l'un des deux clans principaux des lévites, est l'objet d'un jugement très négatif. Après la paronomase du nom de Gerson, on trouve l'affirmation suivante (v. 64) : « et quant au garçon, moi (Lévi) je vis dans mon songe qu'il sera expulsé du haut sacerdoce[3], lui et sa descendance ».

Ce texte, incompatible avec l'hypothèse d'une origine lévitique de l'*Apocryphe* reflète des conflits entre prêtres et lévites, dont nous ne pouvons plus en saisir les modalités. Le passage se comprend bien comme la légitimation du sacerdoce des « fils d'Aaron » ou des « fils de Sadoq ». Aux prétentions des lévites, se réclamant de Gerson le fils aîné de Lévi, le haut sacer-

---

[1] *Nombr.* 26: 57–61, *1 Chron.* 5: 27–40, 23: 12–14 et 24: 1–19 et v. 20.

[2] On tend à ne pas tenir compte de ce cadre fictif quand on interprète la figure de Lévi. R. MEYER 1938 p. 726 explique l'absence d'Aaron dans les *Jubilés* et les *Testaments des Douze Patriarches* par la raison que cette figure ne conviendrait pas du tout dans la légitimation d'une dynastie lévitique comme les Hasmonéens; de même DE VAUX 1960 II p. 262.

[3] Pour cette phrase le texte se lit : ὅτι ἐκβεβλημένος ἔσται αὐτὸς καὶ τὸ σπέρμα αὐτοῦ ἀπὸ τῆς ἀρχῆς ἱερωσύνης. On pourrait aussi traduire « de l'office du sacerdoce », mais l'expression grecque suppose l'araméen ראש כהנותא ce qui doit signifier « le haut sacerdoce » ou « la grande prêtrise ».

doce répond par un décret divin, révélé à Lévi dans un songe. Ce déclassement de Gerson est souligné par la remarque qu'il était né « au coucher du soleil » alors que Qahat naquit « au lever du soleil » (v. 68). Le traitement de Merari est plus neutre, mais la fin du v. 69 « et il (Merari) devint dans toute amertume »[1] indique que ce fils aussi n'était pas qualifié pour le sacerdoce. Les textes de Qumran corroborent cette prééminence des prêtres sur les lévites dans l'*Apocryphe de Lévi* et les *Jubilés*. La communauté essénienne est fondée par des prêtres sadocites qui sont issus des mêmes milieux sacerdotaux. Or, la hiérarchie prêtres, lévites et laïcs, strictement suivie par les esséniens[2] s'explique aisément comme un héritage de ce milieu. Pour conclure, le rôle attribué à Lévi et à sa descendance dans l'*Apocryphe de Lévi* et dans les *Jubilés*, ne peut aucunement s'expliquer comme l'expression des efforts d'émancipation des lévites.

La figure de Lévi et la dynastie hasmonéenne

Avec la dynastie hasmonéenne, une branche de la tribu lévitique a réussi à atteindre la position unique de grand prêtres et chefs de la nation juive. Toute cette idéologie « lévitique » ne serait-elle pas le fruit de la propagande hasmonéenne? C'est l'interprétation la plus courante[3]. Disons-le tout de suite, cette idéologie convient parfaitement aux Hasmonéens. Toutefois, ce ne sont pas eux qui l'ont créée, ils l'ont tout simplement adaptée à leur besoin. L'exposé des pages précédentes a preparé la voie à cette hypothèse que nous devons ici développer de façon plus systématique.

Les traits, indiqués ci-dessus[4], qui sont communs à l'*Apocryphe de Lévi* et aux *Jubilés* pour le rôle de Lévi et de ses descendants, s'expliquent aussi bien par des données pré-maccabéennes.

Deuxièmement, ces traits s'inspirent, comme nous l'avons vu, d'une source commune et par conséquent plus ancienne. Or, la date des *Jubilés* et de l'*Apocryphe de Lévi* fait situer cette source au plus tard dans le premier quart du IIe siècle.

De plus, l'idée de la comparaison des prêtres aux anges a son origine dans le culte sacrificiel du sacerdoce jérusalémite. Elle convient mieux pour souligner l'importance du service cultuel d'un sacerdoce déjà sur place que

---

[1] Pour une interprétation différente, voir GRELOT 1955 p. 94.

[2] Voir p. ex. *1 QSa* I: 22–24 et *1 QM* II: 1–4.

[3] BOUSSET 1900 pp. 194–202, CHARLES 1902 p. lix, 187 et 1908 comm. pp. xv et lii s., 13–16 et 44, HOFMEYER pp. 87 ss., APTOWITZER 1927 pp. 84 ss. et 124 ss., R. MEYER 1938 pp. 724 ss., L. JANSEN 1959 p. 364 s., TESTUZ 1960 pp. 35 et 68, WIDENGREN 1963 pp. 202 ss. et HAUPT p. 122 s. On utilise à cet égard les *Testaments des Douze Patriarches*, notamment le *Testament de Lévi*, et les *Jubilés*. L'*Apocryphe de Lévi* ne reçoit qu'exceptionellement (cf. HAUPT) l'attention qu'il mérite.

[4] Voir supra p. 23.

pour légimiter une nouvelle dynastie, plus soucieuse du pouvoir politique que du culte sacrificiel. Dans le « livre des Vision de ʿAmram » très proche de l'*Apocryphe de Lévi*, la promesse « tu seras appelé ange de Dieu » s'adresse à Aaron[1], ce qui évidemment convient mal dans le contexte d'une légimitation de la dynastie lévitique.

Pour ce qui est du titre « *prêtre d'El Elyon* », attirons l'attention sur le point suivant. Si ce titre est la marque significative des Hasmonéens, comme on l'admet presque universellement[2], il est surprenant qu'il soit si faiblement attesté en relation avec cette dynastie. On le trouve, appliqué à toute la dynastie dans le *Testament de Moïse*[3], pour Hyrcan II une fois chez Josèphe[4] et dans le *Talmud de Babylone* pour Hyrcan I ou Hyrcan II[5]. La mention du *Testament de Moïse* est la plus claire, mais à ce témoignage s'oppose l'absence totale du titre dans les *livres des Maccabées* et dans les œuvres de Josèphe, sauf pour Hyrcan II. Cette attestation est pourtant susceptible d'une interprétation différente qui amène à l'éliminer du dossier[6]. Comme nous l'avons vu, l'existence de cette titulature dans l'*Apocryphe de Lévi* et dans les *Jubilés* est antérieure à l'époque hasmonéenne. Tout porte donc à croire que le titre « *prêtre d'El Elyon* » n'est pas la caractéristique des Hasmonéens, même s'ils l'ont parfois utilisé.

L'activité militaire de Lévi qui devient manifeste dans l'épisode des Sichémites[7] pourrait très bien convenir au contexte des guerres maccabéennes. Notons cependant que ce trait est tiré en premier lieu du récit de la *Genèse*. Le zèle des « fils de Lévi » qui, l'épée à la main, exécutent la volonté de Dieu est d'ailleurs solidement enraciné dans la tradition biblique[8]. Si le grand prêtre post-exilique était également considéré comme chef et représentant de la nation juive, il n'y a pas lieu de s'étonner que, dans certains cercles, on lui ait attribué des fonctions militaires. Il faut cependant souligner que ces fonctions jouent un rôle secondaire dans l'*Apocryphe*

---

[1] Selon l'indication de Milik 1972 A p. 94. Sur ce texte, voir plus haut p. 38.

[2] On est d'avis que cette titulature a été adoptée d'abord par les Hasmonéens et a été portée exclusivement par eux : Charles 1902 p. lix et 1908 comm. p. li–liii, Testuz 1960 p. 35, Noack 1963 p. 330, Laperrousaz 1970 p. 120, Rost 1971 p. 100.

[3] 6: 1 : *tunc exurgent illis reges imperantes et in sacerdotes summi dei vocabuntur.*

[4] *Ant.* XVI: 163.

[5] *Roš haššānāh 18b.*

[6] Simon 1972 p. 377 souligne que cette apellation se trouve dans un décret impérial; c'est donc du côté de non-juifs que Hyrcan est désigné « grand prêtre du Dieu Très-Haut », conformément à un usage païen courant de désigner le Dieu d'Israël par *Theos Hypsistos.*

[7] *Jub.* 30: 2–26, *l'Apocryphe de Lévi* v. 78 et *Testament de Lévi* 6: 3 qui dépend de *l'Apocryphe.*

[8] *Ex* 32: 25–29 et *Gen.* 34.

de Lévi et dans les *Jubilés*[1]. Ce rôle de guerrier du Seigneur, attribué à Lévi, peut néanmoins refléter l'atmosphère des premières guerres des Maccabées. Cela est d'autant plus vraisemblable que les milieux sacerdotaux dont sont issus les *Jubilés* et l'*Apocryphe de Lévi*, ont sans doute soutenu l'insurréction maccabéenne, du moins dans sa première phase[2]. La première moitié du IIe siècle est aussi l'époque la plus probable pour la rédaction de ces écrits[3].

Ayant atteint la position de grand prêtres et chefs de la nation juive avec Jonathan et Siméon, les Hasmonéens ont exploité à leurs profit cette idéologie « lévitique » dont témoignent l'*Apocryphe de Lévi* et les *Jubilés*. Ils ont collaboré avec le sacerdoce jérusalémite qui continuait à être recruté parmi les sadocides et les aaronides. Ceux-ci ont dû reconnaître, quant à eux, la légimité de la nouvelle dynastie[4].

On trouve des vestiges, dans le texte actuel de l'*Apocryphe de Lévi*, de l'exploitation de l'idéologie relative à Lévi par les Hasmonéens. La version grecque remonte à un prototype qui a été actualisé pour servir les intérêts de cette dynastie. Pour le v. 67, le texte grec présente une amplification secondaire. L'original, representé ici par le texte araméen, fait promettre à Qahat « la grande prêtrise pour tout Israël », texte ainsi amplifié dans la grec : ἡ ἀρχιερωσύνη ἡ μεγάλη αὐτὸς καὶ τὸ σπέρμα αὐτοῦ ἔσονται ἀρχὴ βασιλέων ἱεράτευμα τῷ Ἰσραήλ[5].

Les prétentions royales des Hasmonéens sont ici préparées ou confirmées.

Conclusions

Nous avons cherché à dégager l'origine et le « Sitz im Leben » de l'idéologie « lévitique » dans l'*Apocryphe de Lévi* et dans les *Jubilés*. Cette idéologie « lévitique » a été formée et transmise dans des milieux sacerdotaux en rapports étroits avec le culte du Temple à Jérusalem. Elle a pris naissance

---

[1] *L'Apocryphe* l'affirme explicitement : « le règne du sacerdoce est plus grand que le règne de (l'épée), » cf. supra p. 20. Le texte principal sur le rôle de Lévi dans les *Jubilés* (31: 13–17) ne fait pas mention d'une activité militaire. La malédiction au v.17 que les ennemis de Lévi seront exterminés implique plutôt que c'est Dieu qui le fera; cf. *Deut.* 33: 11.

[2] Il faut mentionner dans ce contexte, la notice de *1 Macc.* 2: 42 sur l'appui que « la communauté des Asidéens » ont donné aux Maccabées. Ces *ḥasīdīm* avaient sans doute des rapports avec les milieux sacerdotaux qui nous occupent ici. *1 Macc.* 5: 67 montre qu'il y avait aussi des prêtres, combattant parmi les troupes de Judas.

[3] Voir plus haut p. 26 et 29.

[4] Cf. aussi R. MEYER 1938 p. 727.

[5] Il est évident qu'il s'agit d'un développement secondaire. La cohérence du texte araméen est disparue : le parallélisme entre « l'assemblée de tout le peuple » et « la grande prêtrise de tout Israël » est brisé.

au IIIe siecle, mais elle a probablement subi des développements et des retouches avant d'être fixée à la première moitié du IIe siècle dans la forme telle que nous la connaissons. Il faut d'ailleurs souligner que cette idéologie centrée sur Lévi ne nous est pas conservée dans tous ses détails. La source la plus importante, l'*Apocryphe de Lévi*, est incomplète.

La tendance de cette élévation de Lévi et de ses descendants est de légitimer l'évolution post-exilique qui voyait dans les fonctions du grand-prêtre en particulier, et du sacerdoce en général le fondement de la nation juive. C'est de ce point de vue qu'il faut interpréter le fait que le sacerdoce de Lévi est situé déjà dans le contexte de l'histoire patriarcale. La hiérocratie post-exilique et l'importance du culte au Temple de Jérusalem reçoivent ainsi une légitimation bien fondée. On confirme la hiérarchie traditionelle où les lévites sont cantonnés dans des fonctions inférieures. Les milieux sacerdotaux qui nous occupent ici, défendent cette hiérarchie contre les revendications de certains groupes lévitiques. Mais cela n'implique pas une attitude hostile envers la caste lévitique, car aux yeux de ces milieux sacerdotaux, les lévites ont à côté des prêtres une importance toute spéciale pour la communauté juive. La précision « et ta descendance » qu'on trouve souvent après la mention de Lévi doit inclure aussi les lévites. En même temps, ils sont en opposition à d'autres groupes à l'intérieur du haut sacerdoce. L'accent mis sur la pureté de Lévi dans l'*Apocryphe* et la haine que montrent les *Jubilés* contre toute assimilation aux non-juifs, et à ce qui est étranger, indiquent qu'on se détourne des prêtres qui ont subi l'influence grandissante de l'hellénisme. C'est dans ce contexte qu'il faut situer le fragment de l'*Apocryphe* qui correspond à *Lévi* 14: 1 ss. et qui contient des accusations contre le sacerdoce[1]. Cela nous amène à souligner encore un aspect de l'idéologie « lévitique ». Elle présente par endroits un caractère idéal. On veut montrer ce que doivent être les fonctions sublimes du grand prêtre et du sacerdoce, comme médiateurs entre Dieu et les hommes, comme modèles de pureté et de zèle, comme propagateurs de la sagesse et de la *tōrāh* de Dieu.

Les milieux sacerdotaux qui ont créé et transmis cette idéologie, sont, sous certains aspects, les devanciers de la communauté essénienne. A la tête de la communauté essénienne se tenaient des prêtres sadocites qui s'étaient séparés du sacerdoce et du culte jérusalémites pour réaliser un idéal hiérarchique. Ils le concevaient sous la forme d'une communauté purifiée et sanctifiée mais qui conserverait la hiérarchie traditionelle. Nous avons indiqué sur plusieurs points les liens qui existent entre l'*Apocryphe de Lévi* et les *Jubilés* et les écrits esséniens de Qumran. Toutefois, nous

---

[1] Sur ce fragment, voir MILIK 1976 p. 23 s. et vol. II chap. III.

tenons à souligner que ni les *Jubilés*[1] ni l'*Apocryphe de Lévi* ne sont des ouvrages esséniens proprement dits mais des ouvrages sadocites. On ne trouve pas de séparation d'avec le Temple et d'avec la vie de la nation[2]; on est encore loin des particularités d'organisation et de terminologie qui sont significatives du mouvement essénien. Les affinités qui néanmoins existent sont à chercher dans l'origine de la secte essénienne. Les prêtres sadocites qui la fondèrent, sont issus des mêmes milieux sacerdotaux qui nous ont transmis l'*Apocryphe de Lévi* et les *Jubilés*. C'est pourquoi les écrits qumraniens reflètent l'idéologie « lévitique », élaborée dans ces milieux. Lors de la sécession, les prêtres sadocites, qui étaient à l'origine de la communaute essénienne, auraient apporté avec eux ces écrits, témoins de leur spiritualité propre.

LA FIGURE DE LÉVI DANS LES *TESTAMÉNTS DES DOUZE PATRIARCHES*

L'ancienne idéologie "lévitique" et sa réinterprétation dans le *Testament de Levi*

Comme nous le verrons[3], l'auteur des *Testaments* a utilisé pour le *Testament de Lévi* une source écrite, l'*Apocryphe de Lévi*. La comparaison entre ces deux écrits indique que le *Testament*, pour son image de Lévi, dépend sur tous les points essentiels de l'*Apocryphe*. L'analyse du *Testament de Lévi* confirme et complète l'idéologie « lévitique » dans l'*Apocryphe*, qui nous a été imparfaitement conservé.

Il est nécessaire, en même temps, de tenir compte du fait que toute cette idéologie relative à Lévi est transposée dans un nouveau contexte, celui des *Testaments des Douze Patriarches*. Nous sommes à une époque postérieure et dans un milieu différent. Ce transfert de l'idéologie « lévitique » dans un nouveau contexte *implique une réinterprétation*. On peut la saisir en notant

---

[1] L'origine essénienne est soutenue par Eissfeldt 1956 p. 751, Stauffer 1957 p. 49, Dupont-Sommer 1968 p. 308, Rost 1971 p. 100, van der Woude 1971 p. 146. De même Testuz 1960 pp. 33 s. et 197 mais sous la réserve que l'auteur n'est pas un essénien « pareil à ceux que Josèphe décrit ».

[2] Pour les *Jubilés*, voir à ce sujet Noack 1958 p. 204 s. et Jaubert 1963 p. 93 s. Quant à l'*Apocryphe de Lévi*, certaines parties ont le caractère d'un « manuel » du culte sacrificiel tel qu'il fut en fait pratiqué dans le Temple; voir surtout les vv. 25–30 : description d'une holocauste qui doit être le *tāmīd*; vv. 31–46 a : une instruction détaillée sur la quantité du bois, du sel, de la farine, du vin et de l'encens qu'il faut utiliser pour le sacrifice. Cette partie est terminée par un renseignement sur les mesures et les poids (vv. 46a–47).

[3] Voir vol. II chap. III.

les omissions et les retouches qui se sont faites par rapport à l'original. Même si on ne trouve pas de changements dans les matériaux réutilisés, ces matériaux peuvent prendre néanmoins une signification nouvelle dans un contexte qui est différent.

Signalons d'abord brièvement les points où le *Testament de Lévi* confirme et complète l'*Apocryphe*. Nous essayerons ensuite d'indiquer sur quels points on peut entrevoir une réinterprétation de la figure de Lévi.

Lévi représente aussi dans le *Testament* les diverses fonctions du sacerdoce. Par son rôle sacrificiel (*Lévi* 9: 7 et 11–14) il vivra de la table du Seigneur (*Lévi* 2: 12 et 8: 16) son investiture sacerdotale est mentionée plusieurs fois (5: 2, 8: 3, 9: 3) et même décrite (8: 1–10). La scène d'investiture est particulièrement importante parce qu'elle montre explicitement que Lévi est consacré grand prêtre[1], et qu'un transfert d'attributs royaux essentiels sur le grand prêtre a eu lieu[2], conformément à l'évolution post-exilique. La comparaison entre prêtres et anges est sous-jacente en 2: 10 où il est dit que Lévi sera proche du Seigneur pour être son serviteur[3]. L'interprétation selon laquelle la figure de Lévi dans l'*Apocryphe* représente la hiérarchie traditionelle est confirmée par *Lévi* 8: 11–14, qui dans le texte primitif concernait grand prêtre, prêtres et lévites[4]. L'activité militaire de Lévi apparaît en 5: 3 liée comme dans l'*Apocryphe* à l'épisode des Sichémites[5]. Enfin, la fonction enseignante attribuée à Lévi et à ses fils est attestée par le chap. 13, en particulier le verset 2. Dans ces traits, le *Testament* ne fait que reproduire ce qui était attribué à Lévi et à ces descendants dans l'*Apocryphe*.

Signalons dans ce contexte un thème qui probablement se trouvait déjà dans l'*Apocryphe*, mais peut-être moins accentué : la fonction prophétique que l'ange interprète promet à Lévi en 2: 10 par les mots « et tu proclameras aux hommes Ses mystères ». Pendant le déroulement de la seconde vision, qui traite de l'investiture de Lévi, les sept hommes (anges) lui remettent entre autre choses aussi « l'éphod de la prophétie »[6]. Parce qu'on trouve ainsi, réunis sur Lévi, les fonctions sacerdotales, prophétiques et royales,

---

[1] Voir vol. II chap. III.

[2] Cf. à ce sujet WIDENGREN 1963 p. 205 s., CAQUOT 1972 p. 159 s.

[3] Cf. aussi HAUPT p. 34.

[4] Sur ce passage, voir vol. II chap. III.

[5] Ce verset reproduit l'*Apocryphe* et doit son existence dans le *Testament de Lévi* à la dépendance de l'auteur des *Testaments* vis-à-vis de cette source. Voir vol. II chap. III.

[6] 8: 2. HAUPT p. 55 s. signale dans l'énumération des vêtements d'investiture avec leurs attributs d'autres éléments prophétiques. Les vv. 14–15 mentionnent un descendant de Lévi qui « se lèvera comme roi de Juda » et dont la parousie sera ineffable, « comme celle d'un prophète du Très-Haut ». C'est cependant un passage secondaire, voir infra p. 296.

on a voulu voir ici une allusion à Jean Hyrcan[1]. Selon Josèphe, en effet, Jean Hyrcan aurait cumulé ces trois fonctions[2]. Le passage secondaire de 8: 14–15 mis à part, aucun autre passage du *Testament* n'attribue à Lévi les fonctions de prêtre, de prophète et de roi. Que des attributs royaux soient transposés sur Lévi grand prêtre, n'est pas dire qu'il exerce une fonction royale. De plus, la qualification prophétique attribuée à Lévi s'explique bien par les données bibliques. Le rôle oraculaire des prêtres remonte aux plus anciens temps d'Israël[3]. Même s'il tend à être supprimé par les autres fonctions du prêtre dans les époques ultérieures, il se maintient comme un aspect de la fonction didactique. Après l'éxil, on trouve que des lévites accomplissent des fonctions prophétiques, également dans le cadre du culte[4]. Dans ce contexte, rappelons les réponses divines communiquées dans le culte, sans doute par des prêtres à la communauté, ce qui indique clairement un rôle prophétique attribué du moins à une partie du sacerdoce[5].

Il est cependant clair que le *Testament de Lévi*, et probablement aussi l'*Apocryphe*, met un accent particulier sur le rôle prophétique du sacerdoce. Si cet accent était déjà présent dans l'*Apocryphe de Lévi*, il exprime la conscience des milieux qui sont derrière l'*Apocryphe* de continuer le rôle prophétique du sacerdoce. Ce rôle veut légitimer en même temps la fonction d'apocalypticiens et de visionnaires qu'ont les porte-parole de ces milieux sacerdotaux : Lévi et Amram obtiennent une connaissance des choses cachées qui leur est révélée par des visions d'un caractère apocalyptique marqué[6].

Il faut maintenant examiner comment le transfert dans un nouveau contexte a influencé l'image de Lévi. Retenons d'abord ce que l'auteur des *Testaments* a abrégé et omis dans sa source. L'enseignement sacerdotal avec ses prescriptions détaillées sur le culte sacrificiel a été réduit à un minimum[7]. On ne trouve plus de vestige de la titulature « *prêtre d'El Elyon* » et

---

[1] BOUSSET 1900 p. 196, CHARLES 1908 comm. p. li s., 45 s. R. MEYER 1938 p. 725 qui cependant renvoie à *Lévi* 18: 1 ss; HAUPT p. 65 s.

[2] *Bell.* I: 68, *Ant.* XIII: 299–300.

[3] *Deut.* 33: 8–10 où cette fonction vient en premier lieu; *Ex.* 33: 7–11.

[4] *2 Chron.* 20: 14 ss., où le lévite Yahaziel est saisi par l'esprit de Dieu et communique une réponse prophétique au peuple. Le *Chroniste* emploie dans *1 Chron.* 25: 1–3 pour le service des chantres lévitiques le mot pour « prophétiser » *nibbā'*, et appelle les ancêtres des chantres *n^{e}bi'îm*, prophètes.

[5] On trouve ces réponses dans le *Psautier*. Il est plus probable, selon nous, que c'étaient des prêtres qui les communiquaient que des prophètes cultuels attachés au Temple et formant une classe particulière. Voir le résumé de la discussion relative à ce problème dans RINGGREN B 1963 pp. 198 ss.

[6] Pour le « livre des visions de 'Amram », voir les fragments publiés par MILIK 1972 A p. 79.

[7] Comparez l'*Apocryphe de Lévi* vv. 13–61 avec le *Testament de Lévi* 9: 6–14.

de son cadre cultuel[1]. Les affirmations de la sainteté de Lévi et de sa race, qui est spécialement liée au service sacrificiel dans le Temple, n'ont pas été reprises par le *Testament*. Le rôle sacrificiel du sacerdoce de Lévi a donc été diminué de façon considérable. Ceci est tout conforme à la tendance de l'ensemble des *Testaments* qui tiennent certainement le Temple en estime, mais qui n'y sont pas particulièrement intéressés.

Par rapport à l'*Apocryphe*, le *Testament* attache plus d'importance à la fonction didactique de Lévi et de sa descendance. On en trouve la confirmation dans *Lévi* 9: 8 et 13: 2[2]. La fonction enseignante de Lévi et de ses fils est dans le *Testament* en outre plus nettement centrée sur la *tōrāh*. Retenons l'introduction à l'enseignement sacerdotal, qui, dans l'*Apocryphe*, annonce à Lévi qu'il apprendra le *mišpaṭ* du sacerdoce[3]. Dans le *Testament*, on a, de façon significative, ajouté que Lévi apprendra aussi la *tōrāh* du Seigneur[4]. Par une phrase liminaire « marchez dans la simplicité du cœur selon toute sa *tōrāh* », le *Testament* indique quelle est son interprétation du discours sapiential de Lévi[5] : toute sagesse découle de la *tōrāh*. Dans l'*Apocryphe* on ne trouve pas d'équivalent à cette phrase liminaire, et on ne mentionne pas non plus explicitement la *tōrāh*[6]. Au lieu de la maxime générale que le sage sera honoré, le *Testament* précise que « quiconque connaîtra la *tōrāh* de Dieu, sera honoré »[7]. Dans le contexte d'accusations portées contre le sacerdoce, il est dit expressément que les fils de Lévi ont reçu la mission sublime de répandre « la lumière de la *tōrāh* »[8]. Ce texte se lisait certainement de façon différente dans l'*Apocryphe de Lévi*[9].

A propos des trois fils de Lévi, le *Testament* a fait des retouches qui ont effacé ou atténué le sens du passage correspondant dans l'*Apocryphe*[10]. La prédiction que Gerson sera expulsé du sacerdoce sacrificateur, est considérablement affaiblie : « il ne sera pas dans le premier rang » (*Lévi* 11 : 3). La paronomase sur Merari ne peut plus être interprétée négativement[11]. La promesse faite à Qahat d'être grand prêtre et chef de la communauté

---

[1] Le nom divin *Theos Hypsistos* se trouve seulement une fois dans les *Testaments* (*Juda* 24: 4). Dans le passage qui correspond à l'investiture de Lévi comme « *prêtre d'El Elyon* » (l'*Apocryphe* v. 9), le *Testament de Lévi* porte « prêtre de Dieu » (9: 3).

[2] Sur ces passages voir vol. II chap. III.

[3] *Apocryphe de Lévi* vv. 13–15.

[4] *Testament de Lévi* 9: 6.

[5] *Testament de Lévi* 13: 1; *Apocryphe de Lévi* vv. 84 ss.

[6] Voir aussi supra p. 17.

[7] *Lévi* 13: 3.

[8] *Lévi* 14: 4; sur ce passage voir HULTGÅRD 1972 p. 204 et infra p. 273.

[9] Comparez le fragment publié par MILIK 1976 p. 23.

[10] Vv. 63–70.

[11] *Lévi* 11: 7. Voir sur ce texte supra p. 41 et vol. II chap. III.

juive est transformée dans le *Testament* de sorte que le sens original de la promesse n'apparaît plus[1].

Comme nous l'avons indiqué, le milieu sacerdotal d'où est originaire l'*Apocryphe de Lévi* se trouvait en opposition à un autre groupe du sacerdoce jérusalémite, sans doute des prêtres hellénisants[2]. On peut même entrevoir une critique à leur endroit[3]. Or, cette critique est dans le nouveau contexte aggravée et développée de façon systématique. Les accusations sont lancées dans le cadre « péchés-châtiment-restauration », élément rédactionnel qui provient de la main de l'auteur des *Testaments des Douze Patriarches*. Ces accusations visent en premier lieu le haut sacerdoce[4]. On est donc en présence d'une vigoureuse polémique à l'endroit des prêtres et cette polémique vient de milieux sacerdotaux.

Cette polémique souligne un douloureux hiatus entre l'idéal et la réalité. Cela n'est pas sans conséquences pour la réinterprétation de l'idéologie « lévitique » dans le nouveau contexte des *Testaments des Douze Patriarches*. L'ancienne image de Lévi revêt de plus en plus un caractère idéal et prépare ainsi l'idée du prêtre sauveur qui se développera ultérieurement dans les milieux qui ont transmis les *Testaments*.

Ces considérations que nous venons de faire, indiquent que la réinterprétation de l'idéologie relative à Lévi, dans le cadre des *Testaments des Douze Patrairches*, s'est faite dans des milieux lévitiques. Le peu d'intérêt qu'on montre pour le culte et le Temple permet de conclure d'un certain éloignement de Jérusalem. L'accent mis sur l'enseignement de la *tōrāh* nous conduit également vers des milieux lévitiques qui, conformément à la tendance post-exilique, se sont spécialés de plus en plus dans cette fonction[5]. A l'époque qui nous occupe ces lévites ont revêtu tout à fait le caractère de *ḥᵃḵāmīm*. Étant « fils de Lévi », ils affirment néanmoins la dignité du sacerdoce et la hiérocratie, mais on le fait sur le plan idéal. L'idéologie « lévitique » est utilisée en partie comme un programme dont on attend la réalisation.

Lévi comme roi-guerrier et la révolte contre sa suprématie

Testaments de Ruben 6: 5–7, Siméon 5: 4–6 et Dan 5: 4

Les passages sur Lévi dans les *Testaments de Ruben, Siméon* et *Dan* commencent par un thème curieux : la révolte contre la suprématie de

---

[1] *Lévi* 11: 4–6. Sur le sens de ce passage voir vol. II chap. III.

[2] Voir supra p. 44.

[3] Cette critique apparaît dans le fragment araméen qui correspond à *Lévi* 14: 1 ss.; traduction du fragment par Milik 1971 p. 345.

[4] Pour les accusations à l'endroit des prêtres dans le *Testament de Lévi*, voir plus loin p. 92 ss.

[5] Voir p. ex. *Néh.* 8: 6–8.

Lévi[1]. Cette tradition s'est conservée le plus nettement dans les *Testaments de Ruben* et de *Siméon*; c'est pourquoi nous allons l'analyser en premier lieu d'après les données de ces deux testaments. *Rub* 6: 5–7 et *Sim* 5: 4–6 sont liés aux parénèses précédentes de la même manière : par le principe d'un mot-clef. Dans *Rub* 6: 4 le patriarche avertit ses fils que la fornication renferme en soi également le ζῆλος. Puis, la prédiction est immédiatement abordée par les mots « c'est pourquoi vous enverrez, ζηλώσετε, les fils de Lévi » (5: 5). De même, dans *Sim* 5: 3 c'est le thème de fornication, πορνεία, qui constitue l'objet de la parénèse. Puis, la prédiction commence ainsi : « j'ai vu dans la copie d'un écrit d'Hénoch que vos fils se perdront par la fornication, ἐν πορνεία, et qu'ils feront du mal à Lévi par l'épée » (5: 4). Cette façon d'unir des éléments différents dans une même composition montre qu'on ne saurait essayer de découvrir des allusions à quelque événement historique dans l'envie des fils de Ruben à l'endroit des fils de Lévi comme dans la déchéance des fils de Siméon par la fornication.

Le premier élément de la tradition de Lévi comme roi-guerrier indique la révolte contre la suprématie de Lévi. Les fils de Ruben chercheront à s'élever au-dessus des fils de Lévi (6: 5). Les descendants de Siméon agissent de façon plus violente, comme on l'a vu ci-dessus. Cependant ils ne pourront rien contre Lévi, et ce fait s'exprime toujours par la même formule, οὐ δυνήσονται πρὸς Λευί, formule qui trahit un substrat sémitique[2]. Selon *Sim* 5: 5, cette impuissance s'explique par le fait que Lévi conduit la guerre du Seigneur. *Rub* 6: 7 l'explique par le fait que Dieu a donné le pouvoir de gouverner à Lévi. Le thème de la révolte contre Lévi s'achève par l'indication de la défaite et la punition des révoltés. Dans *Rub* 6: 6 c'est Dieu qui exécute le châtiment de la part des fils de Lévi, tandis que dans *Sim* 5: 5 Lévi prend part activement au châtiment des coupables : il vaincra toute armée que les descendants de Siméon enverront contre lui. La conséquence de la révolte est la mort pour les fils de Ruben et la dispersion des fils de Siméon. La même tradition se retrouve dans *Dan* 5: 4 bien qu'elle y soit plus remaniée. Comment faut-il interpréter cette tradition et expliquer sa fonction dans les *Testaments*?

L'activité guerrière de Lévi apparaît déjà dans les textes bibliques[3]. Ce trait a été accentué dans les traditions ultérieures sous l'influence des victoires remportées par les Maccabées[4]. On pourrait également renvoyer

---

[1] *Rub* 6: 5–7, *Sim* 5: 4–6 et *Dan* 5: 4. BECKER 1970 p. 179 traite de la structure formelle de ces passages.

[2] *Sim* 5: 5. Dans *Rub* 6: 5 οὐ δυνήσεσθε et dans *Dan* 5: 4 οὐ δυνήσεσθε πρὸς αὐτούς. C'est la tournure ל יכל, dans le sens qu'elle a en *Gen.* 32: 26 par exemple.

[3] Voir supra p. 42.

[4] BOUSSET 1900 p. 194 s. et CHARLES 1908 comm. p. li soutiennent cependant que

au rôle attribué au grand prêtre dans le combat final contre « les fils des ténèbres » tel qu'on se le représentait parmi les esséniens de Qumran[1]. Certes, *Rub* 6: 5 s. peut se lire comme une réinterprétation de *Deutéronome* 33: 11, semblable à celle proposée par le *livre des Jubilés* 31: 17 a. Ce texte du *Deutéronome* prévoit en effet que Lévi aura des ennemis et que Dieu lui-même les punira. Le problème reste cependant de savoir pourquoi on aurait repris ici ce texte du *Deutéronome*; en outre ce passage ne peut être à l'arrière-plan de *Sim* 5: 4 ss. et de *Dan* 5: 4. Toutefois, ces observations ne concernent que le rôle général de Lévi en tant que prêtre-guerrier. *Deutéronome* 33: 11 et *Jubilés* 31: 17 affirment seulement que Lévi est sous la protéction de *Yahvé* qui écrasera ses ennemis. Les particularités suivantes restent sans explication : a) une révolte contre Lévi par des groupes qui sont censés appartenir à la nation juive, b) le fait que cette tradition n'est appliqué qu'aux fils de Ruben, Siméon et Dan.

Nous démontrerons que les descriptions de péchés que commettront les fils des patriarches ont trait soit au passé soit à l'époque contemporaine[2]. Pour les trois passages concernés, on ne trouve aucun événement historique dans les temps anciens d'Israël, qui puisse les expliquer. C'est donc dans une période plus récente et plus ou moins contemporaine de l'auteur qu'il faut chercher un arrière-plan. Les Hasmonéens ont réussi à élargir de façon considérable le territoire de la Judée. Il était de nouveau légitime de parler d'un Israël constitué par les douze tribus anciennes. On constate en effet à cette époque une tendance à faire revivre la terminologie des douze tribus[3]. Les *Testaments des Douze Patriarches* n'en sont qu'un exemple[4].

Or, si on se rappelle l'ancienne distribution des douze tribus, on voit que les conquêtes des Hasmonéens vers la fin du II⁰ siècle ont porté en particulier sur les anciens territoires de Ruben, Siméon et Dan. Qui plus est, leurs habitants y ont été judaïsés, ce qui a pu être interprété comme une sorte de restitution de ces trois tribus. Précisons les faits qui sont à la base de notre hypothèse.

Après la mort d'Antiochus VII Sidétès, Jean Hyrcan tire partie de la faiblesse du royaume séleucide pour s'emparer des régions voisines de la Judée. Il conquiert d'abord la région à l'est de la partie septentrionale de la

---

le caractère de guerrier qu'a Lévi dans les *Testaments* et dans les *Jubilés*, provient entièrement du rôle que jouent les Maccabées dans l'histoire d'Israël.

[1] Cf. VAN DER WOUDE 1957 p. 196.

[2] Voir à ce sujet infra p. 85.

[3] BOUSSET 1900 pp. 206–209 et BURKITT 1914 pp. 34–36 situent à titre juste les *Testaments* dans ce contexte. Toutefois, l'hypothèse de BURKITT que les *Testaments* s'adressent aux juifs, convertis sous les Hasmonéens, pour les introduire dans le judaïsme ne retient qu'un aspect secondaire de la tendance des *Testaments*.

[4] Voir vol. II chap. III.

Mer Morte avec les villes de Medaba et Samoga[1]. Or, c'est précisément l'ancien territoire de Ruben, tel qu'il est délimité par *Josuë* 13: 15 ss., qui mentionne aussi la plaine autour de Medaba (v. 16)[2]. C'est ensuite le tour des Iduméens d'être soumis au souverain juif. Hyrcan prend les villes d'Adora et de Marisa et tout le pays des Iduméens[3]. Les sources rapportent que les Iduméens devaient rester dans leur pays à condition qu'ils subissent la circoncision et observaient les lois juives[4]. L'ancienne distribution de la tribu de Siméon au sud de la Judée[5] convient parfaitement pour désigner les Iduméens, convertis au judaïsme, comme les descendants de Siméon. Jean Hyrcan prend, il est vrai, également la région des Samaritains et détruit leur sanctuaire sur le mont Garizim. Cet événement n'a pas trouvé d'écho dans le contexte des traditions sur la révolte contre Lévi. C'est évidemment parce qu'on considérait les Samaritains soit comme des « israélites » soit comme une nation qu'on ne voulait pas incorporer au judaïsme. Quoi qu'il en soit, les Samaritains n'ont pas été judaïsés. Le fils de Hyrcan, Aristobule, réussit à avancer bien loin vers le Nord. Il attaque les Ituréens et leur arrache une grande partie de leur pays[6]. La même politique est suivie envers les habitants comme dans le cas des Iduméens : Aristobule les force à se faire circoncire et à adopter la *tōrāh*[7]. Or, les Ituréens habitaient dans ou avaient annexé le territoire qui autrefois était celui de Dan[8].

Cette interprétation explique le caractère guerrier que Lévi revêt notamment dans les *Testaments de Ruben* et *Siméon*. Il est probable que la figure de Lévi a emprunte ce caractère aux Hasmonéens. Le but de la tradition, sur la révolte contre Lévi est d'exhorter les nouveaux convertis, aux extrémités de l'état hasmonéen, à obéir désormais à leurs nouveaux maîtres. La propagande hasmonéenne le fait sous la forme fictive d'une prédiction mise dans la bouche des ancêtres éponymes des habitants judaïsés de ne pas se révolter contre Lévi et ses descendants.

Comme l'auteur des *Testaments* attache une importance visible à la prééminence de Lévi et de Juda, il est surprenant que le thème qui nous occupe ici ne concerne que Lévi. Cela indique que l'auteur des *Testaments*

---

[1] Josèphe *Bell.* I: 63 et *Ant.* XIII: 255.

[2] Sur le territoire de Ruben cf. aussi *Deut.* 3: 16 et *Jos.* 12: 6.

[3] Josèphe *Bell* I: 63 et *Ant.* XIII: 257.

[4] *Ant.* XIII: 258. Cela est confirmé aussi par *Strabon* XVI; 2: 34 mais celui-ci affirme que les Iduméens se sont joints aux juifs après un conflit avec les Nabatéens.

[5] *Josuë* 19: 1 ss. et *1 Chron.* 4: 24 ss.

[6] *Ant.* XIII: 318.

[7] *Ant.* XIII: 318 et 319 où Josèphe cite pour cette « conversion » également Strabon, qui à son tour se fonde sur Timagenes du I[e] siècle avant J.-C.

[8] Sur le domaine des Ituréens voir *Strabon* XVI; 2: 18. Cf. aussi la discussion dans SCHÜRER 1973 p. 217 s. et p. 561 ss.

amalgame sur ces points des traditions hasmonéennes. Cette interprétation est confirmée par l'examen de *Rub* 6: 10–12.

Testament de Ruben 6: 10–12 et son arrière-plan historique

Ce passage constitue une crux interpretum, comme on le voit par le désaccord des critiques. Le verset 10 ne présente pas de difficultés d'interprétation; la difficulté réside dans les rapports avec l'exhortation précédente que nous allons aborder plus bas. La figure de Lévi représente ici en premier lieu le sacerdoce dans ses fonctions liturgique et enseignante. Toutefois, les mots « approchez-vous de Lévi dans l'abaissement du cœur » ont une résonnance particulière qui prépare l'expression « et prosternez-vous devant sa descendance » du v. 12. Le v. 11 répète et précise l'idée que Lévi bénira les descendants de Ruben, trouvée au v. 10. Il est dit que Lévi bénira « Israël et Juda ». Cette tournure fait évidemment difficulté ici. Y voir une allusion à la division en deux parties du royaume davidique[1] implique un abandon de la fiction des *Testaments* qui ailleurs est strictement maintenue. Le texte fait donc allusion au patriarche Juda quelle que soit la valeur symbolique qu'il prenne dans ce passage. Cette signification montre cependant que la mention de Juda ne fait pas partie de la tradition primitive. Après la bénédiction par Lévi d'Israël, représentant toute la nation, une mention de Juda est inutile. Toute la péricope (vv. 10–12) est structurée pour mettre en relief la suprématie de Lévi : c'est de Lévi *seul* dont on s'approchera dans l'obéissance (v. 10). Si, à l'origine, Juda était visé dans les vv. 11 b et 12 on comprend mal pourquoi il ne serait pas mentionné à côté de Lévi au v. 10, comme on le fait dans les passages « Lévi et Juda » proprement dits. Dans la tradition primitive c'est donc Lévi que le Seigneur a choisi pour « être roi devant tout le peuple » (v. 11 b)[2]. L'accent mis sur Lévi comme roi s'explique le mieux dans le contexte hasmonéen, et il est difficile d'en trouver ailleurs l'arrière-plan historique[3].

---

[1] C'est l'interprétation de Schnapp p. 52 de de Jonge 1953 p. 153 n. 245. Celui-ci paraît cependant l'avoir abandonnée à en juger par l'étude de 1960 p. 209 s. Pour J. Thomas 1969 p. 117 Juda représente ici la Judée, « der judäische Teil Israels ».

[2] Le texte actuel est interprêté comme visant Lévi par Bousset 1900 p. 195, Charles 1908 comm. p. 15, Riessler p. 1336, Eppel p. 49 et Beasley-Murray p. 1 s. De Jonge 1960 p. 210 suggère que le texte original de 11b–12 parlait de Lévi, mais non comme roi. Cf. aussi la discussion donnée en note par Lagrange 1909 p. 72.

[3] Les écrits des esséniens fournissent en partie un arrière-plan à la conception de Lévi en tant que guerrier, mais absolument pas pour l'idée de Lévi comme roi. Il en est de même pour les milieux dont sont originaires les *Testaments*, qui distinguent nettement entre prêtrise et royauté. Les traditions pré-maccabéennes parlent, il est vrai, de Lévi comme chef et représentant de la nation juive, mais on n'emploie jamais le titre de « roi ».

Précisons quel est cet arrière-plan. L'interpolation hasmonnéene dans l'*Apocryphe de Lévi* dont nous avons traité plus haut[1], promet à la descendance de Qahat ἀρχὴ βασιλέων ἱεράτευμα τῷ Ἰσραήλ « un commencement de rois, sacerdoce pour Israël ». Cela s'accorde parfaitement avec la généalogie que les Hasmonéens se donnaient. Selon le *Premier livre des Maccabées* ils appartenaient à une famille de prêtres appelée « les fils de Yehoyarib »[2] inconnue ailleurs. En *1 Chron.* 24: 7[3] une retouche place cette famille en tête des classes sacerdotales qui remontent à Aaron qui, lui, descendait en ligne droite de Qahat, fils de Lévi. Jean Hyrcan, qui remplissait en fait toutes les fonctions d'un roi hellénistique, ne s'est pas attribué le titre royal, mais il avait préparé le terrain pour ces succésseurs. De fait, son fils Aristobule fut le premier à prendre le nom de roi. Le témoignage de Josèphe mérite crédit sur ce point[4], car les monnaies qu'on a attribuées à Aristobule et qui portaient seulement le titre de grand prêtre, appartiennent selon toute vraisemblance à Aristobule II[5]. Le premier Hasmonéen qui frappa des monnaies est sans nul doute Alexandre Jannée[6]. On y trouve le titre de roi en grec aussi bien qu'en hébreu : ΒΑΣΙΛΕΩΣ ΑΛΕΞΑΝΔΡΟΥ et יהונתן המלך[7]. Par la suite, ce n'est que le dernier des Hasmonéens, Mattityah Antigone (40–37 av. J.C.) qui sur les monnaies fit usage du titre royal, mais seulement dans la légende grecque : ΒΑΣΙΛΕΩΣ ΑΝΤΙΓΟΝΟΥ[8].

Rub. 6: 11 témoigne clairement de l'idéologie « lévitique » de l'*Apocryphe* v. 67 sous sa forme hasmonéenne. La fonction de Lévi comme grand prêtre est soulignée par le fait qu'il *bénit Israël* (cf. aussi v. 10 b)[9]; et sa fonction royale est indiquée par le fait qu'il est *roi de tout le peuple*[10]. Le texte hasmonéen de l'*Apocryphe* révèle la même structure au v. 67 : Qahat et sa descendance seront à la fois grands prêtres et rois. Le verset 12 précise les haut faits de Lévi comme roi : ses descendants combattront et même mourront pour le peuple. C'est une allusion, sous forme de prediction fictive, à la lutte des Maccabées pour libérer la nation du joug seléucide[11]. L'exhorta-

---

[1] Voir supra p. 43.

[2] *1 Macc.* 2: 1 et 14: 29.

[3] Sur cette retouche voir DE VAUX 1960 II p. 273 et ACKROYD 1970 p. 84.

[4] *Bell* I: 70 : Ἀριστόβουλος, τὴν ἀρχὴν εἰς βασιλείαν μεταθείς, περιτίθεται μὲν διάδημα πρῶτος. De même, *Ant.* XIII: 301; *Strabon* XVI, 2: 40, par contre, attribue cette innovation à Alexandre Jannée, mais le récit de Josèphe doit ici être préféré.

[5] Cf. MESHORER pp. 53–55.

[6] Cf. MESHORER p. 56 s.

[7] MESHORER No. 5–5A, 8–9. Cf. aussi No. 6 et 7.

[8] MESHORER No. 30–31, 36.

[9] Cf. *Nombr.* 6: 22–27 et surtout *Sir.* 50: 20–21 qui montre le grand prêtre Siméon, sortant du Temple pour bénir la communauté d'Israël.

[10] Sur la question du texte primitif de ce passage, voir vol. II chap. IV.

[11] BOUSSET 1900 p. 195 le souligne à bon droit.

tion à se prosterner devant la descendance de Lévi, adressée surtout aux habitants des territoires judaïsés, veut tout simplement dire qu'ils doivent reconnaître la suprématie des descendants de Lévi. Que l'on emprunte pour cela un terme au rituel qui entoure le souverain oriental, à savoir la proscynèse, ne surprend pas dans le contexte des dynastes hasmonéens.

Il est difficile d'expliquer ce que veut dire exactement l'expression « dans des guerres visibles et *invisibles* ». Le *livre de Daniel* contient cependant un passage (10: 12–21) qui fournit une explication plausible. L'ange qui se révèle à Daniel au bord de Ḥiddeqel indique à plusieurs reprises qu'il doit combattre contre les *śārīm* de certaines nations. Comme Michel dans ce contexte est appelé également *śār*, il est probable que ces *śārīm* sont des puissances surhumaines. L'ange de Ḥiddeqel et Michel, anges d'Israël, luttent donc contre les anges protécteurs de Perse et de Yawan. Le contexte de ces passages indique que ce combat entre des puissances angéliques est invisible aux hommes. Comme Lévi est comparé aux anges c'est peut-être une lutte analogue à quoi se réfère les guerres invisibles de *Rub* 6: 12[1].

La péricope se termine par la confirmation que les descendants de Lévi seront rois « pour des éternités » (v. 12). Ce n'est là qu'une promesse de la longue vie de cette dynastie, promesse qui se rattache habituellement à l'intronisation d'une nouvelle lignée royale[2].

Il est légitime de conclure qu'il existe un rapport étroit entre les traditions de *Rub* 6: 5–7, *Sim* 5: 4–6 et *Rub* 6: 10–12. Leur « Sitz im Leben » original est celui de la propagande hasmonéenne. L'exposé précédent a montré qu'on peut situer ces traditions assez exactement dans le temps : aux environs de l'an 100 av. J.-C.

L'adaptation des traditions de Lévi comme roi-guerrier dans les Testaments des Douze Patriarches

Les traditions de la révolte contre Lévi et de Lévi comme roi-guerrier ont été adaptées à leur nouveau contexte par l'auteur des *Testaments*. On ne voit pas pourquoi ces traditions auraient été introduites ultérieurement.

L'adaptation de ces traditions dans le contexte des *Testaments des Douze Patriarches* a amené, outre un ajustement à la situation « testamentaire » une réinterprétation. On peut la relever sur plusieurs points. Commençons avec la péricope *Rub* 6: 5–7. Le fondement de la suprématie de Lévi, indiquée aux vv. 5–6, est donné dans le v. 7. C'est à lui que Dieu a conféré τὴν ἀρχήν. Les patriarches énumérés dans la suite ne sont que ἄρχοντες.

---

[1] Le *Règlement de la Guerre* reflète en I: 10–11, XII: 7–9 et XVII: 5–6 une conception analogue, mais dont le contexte est celui de la guerre ultime.

[2] Cf. la promesse faite à la dynastie davidique en *2 Sam.* 7: 8–16, en particulier vv. 13 et 16.

C'est le sens de la tradition primitive, car le texte s'inspire apparemment de *Nombres* chap. 2, qui divise le peuple en armes en quatre « camps » : Juda, Ruben, Ephraïm et Dan[1]. Dans le texte actuel Juda partage cependant τὴν ἀρχήν avec Lévi, ce qui est tout conforme aux vues professées par l'auteur des *Testaments*, mais contraire à la source utilisée.

Pour ce qui est de *Rub* 6: 10–12, l'auteur des *Testaments* a remanié ce passage et le texte sous sa forme actuelle met en relief la séparation de la prêtrise et et de la royauté[2]. La première partie (v. 10–11 a) traite du sacerdoce de Lévi; la seconde (v. 11 b–12), en revanche, décrit la royauté de Juda, car les mots ἐν αὐτῷ ἐξελέξατο se réfèrent selon la grammaire à τὸν Ἰούδαν. C'est aussi l'interprétation la plus naturelle dans le contexte des *Testaments des Douze Patriarches* dont l'une des idées maîtresses est précisément que Lévi aura la prêtrise et Juda la royauté[3]. Cependant, ce n'est pas là le sens primitif de la tradition qui sous une forme retouchée se retrouve en *Rub* 6: 10–12. L'auteur des *Testaments* a su en même temps affirmer la prééminence de Lévi sur Juda, car c'est Lévi qui le bénit (v. 11 a). L'interprétation que nous venons de faire de *Rub* 6: 10–12 montre aussi que ce passage s'explique parfaitement dans un contexte juif[4].

Dans *Sim.* 5: 4–6, la conséquence de la révolte des descendants de Siméon est décrite de la façon suivante : « et ils seront peu nombreux, dispersés dans Lévi et Juda et nul d'entre eux sera appelé à gouverner » (v. 6). Le texte indique lui-même la source de cette affirmation, à savoir la bénédiction de Jacob (*Gen.* 49). Le *Testament de Siméon* a cependant fortement corrigé cette source. *Genèse* 49: 5–7, qui est hostile aux tribus de Lévi et Siméon,

---

[1] C'est VAN DER WOUDE 1957 p. 103 qui a indiqué le rapport entre *Nombr.* chap 2 et *Rub* 6: 7. Ephraïm est dans notre texte remplacé par Joseph. Les manuscrits *dm* reproduisent même l'ordre exact de *Nombres*, mais c'est sans doute par hasard.

[2] Ce remaniement s'est peut-être fait tout simplement par l'insertion des mots καὶ τὸν Ἰούδαν dans le texte.

[3] BEASLEY-MURRAY, p. 1 s., KUHN 1957 p. 57, VAN DER WOUDE 1957 p. 195 s., F–M BRAUN 1960 p. 539 et BECKER 1970 pp. 200–202 regardent la distinction en *Rub* 6: 10–12 entre la prêtrise de Lévi et la royauté de Juda comme la signification initiale de ce passage.

[4] BICKERMANN 1950 p. 250 écarte l'ensemble des vv. 11 b–12 comme une addition chrétienne. Pour DE JONGE 1960 p. 210, le passage est chrétien sous sa forme actuelle. L'appellation de Lévi comme roi et la phrase « sa descendance mourra pour nous dans des guerres visibles et invisibles » sont, selon lui, les traits qui indiquent le caractère chrétien de *Rub* 6: 10–12. BECKER 1970 p. 200 admet une influence chrétienne mais avec une argumentation différente : le texte parlerait d'un messie de Juda qui meurt pour le peuple et qui serait ensuite considéré comme un roi éternel. Cela ne saurait être expliqué que dans une perspective chrétienne. Le texte original comprend, selon BECKER p. 202, seulement l'exhortation à se prosterner devant la descendance de Juda et la mention qu'il sera un roi éternel.

affirme en toute netteté que ces deux tribus seront dispersés en Israël. Dans *Sim* 5: 6 la dispersion porte seulement sur la tribu de Siméon qui maintenant est distribuée entre *Lévi* et Juda[1]. Quelle que soit la valeur symbolique de Lévi et Juda ici[2], le passage est clairement influencé par l'idéologie « Lévi et Juda », caractéristique des *Testaments*.

En ce qui concerne *Dan* 5: 4, il n'est plus question d'une adaptation mais d'une allusion à la tradition initiale, à l'intérieur d'un passage qui provient de la main de l'auteur des *Testaments*. La révolte est dirigée contre Lévi *et Juda*, et ces deux patriarches sont présentés tous deux, comme les colonnes de tout Israël.

Si nous avons montré que l'auteur des *Testaments des Douze Patriarches* a amalgamé des traditions sur Lévi comme roi-guerrier et sur la révolte de certaines tribus contre sa suprématie, la question de savoir pourquoi il a introduit ces traditions dans son ouvrage n'en subsiste pas moins.

On peut déceler plusieurs motifs. Les milieux des *Testaments* ne se sont pas opposés en principe à l'élargissement du territoire juif par les Hasmonéens. La restauration de l'ancien Israël, sous la forme des douze tribus, est l'une des espérances significatives des *Testaments*[3]. On veut préserver les habitants des territoires anciens de Ruben, Siméon et Dan, récemment judaïsés à l'intérieur d'Israël. C'est pourquoi on a adapté la tradition de la révolte contre Lévi de ces tribus. Toutefois, la figure de Lévi ne répresente plus dans le contexte des *Testaments des Douze Patriarches*, les grand prêtres hasmonéens, mais le sacerdoce lévitique en premier lieu dans sa fonction d'enseigner la *tōrāh*.

On le voit par *Rub* 6: 8, passage qui fait fonction de clef pour interpréter le symbole de Lévi dans le contexte des *Testaments*. *Rub* 6: 8 présente les fonctions principales attribuées à Lévi. Il est significatif que l'enseignement et la connaissance de la *tōrāh* viennent en premier lieu. Puis vient la fonction judiciaire et à la troisième place seulement, la fonction sacrificielle. Ce passage a un équivalent dans *Lévi* 8: 17, où l'ordre est cependant l'inverse « et il y aura parmi eux grand-prêtres et juges et scribes ». La fin de *Rub* 6: 8 doit être interprétée à la lumière de ce qui est dit en *Lévi* 5: 2. Le Seigneur a donné les bénédictions du sacerdoce à Lévi jusqu'à ce qu'il

---

[1] L'assertion sur le nombre restreint des fils de Siméon rappelle *Deut.* 33: 6, mais avec la différence que ce sont les descendants de Ruben qui seront peu nombreux. La prédiction qu'aucun des fils de Siméon ne sera appelé à gouverner ne se retrouve pas dans *Gen.* 49. La bénédiction de Moïse (*Deut.* 33) ne fait pas mention de Siméon.

[2] Juda pourrait ici avoir le sens du territoire de la tribu, si on tient compte de *Josüe* 19: 1–9 qui confirme que l'héritage des descendants de Siméon sera à l'intérieur de celui de Juda. Toutefois, ce sens convient mal à côté de la mention de Lévi.

[3] Voir plus haut p. 51.

vienne lui-même habiter au milieu d'Israël. Une détermination analogue de l'office de Lévi ne surprend donc pas en *Rub* 6: 8. Toutefois, elle a subi un certain remaniement sur lequel nous reviendrons plus tard[1]. *Rub* 6: 8 professe, pour ce qui est de Lévi les idées des milieux d'où sont originaires les *Testaments des Douze Patriarches*.

On s'étonne à première vue de trouver dans le contexte des *Testaments* une tradition primitivement pro-hasmonéenne comme *Rub* 6: 10–12. L'adaptation de ce passage à l'idéologie « Lévi et Juda » en montre cependant le dessein. C'est une correction de la propagande hasmonéenne qui tentait de justifier l'usurpation de l'office royal que la tradition réservait à la lignée davidique. On veut aussi préparer l'idée maîtresse de « Lévi et Juda » qui est présentée dans les autres testaments.

Pour terminer, il sera utile de reprendre ici le problème de la composition de *Rub* 6: 5–12. Nous sommes d'accord avec Becker[2] pour délimiter les morceaux qui forment ce passage : 6: 5–7, 6: 8, 6: 9 et 6: 10–12. Réserve faite d'un remaniement à la fin de 6: 8 et du caractère malplacé de 6: 9, l'unité de l'ensemble doit toutefois être reconnue. La figure de Lévi est le lien entre 6: 5–7 et 6: 8. Ces rapports apparaissent aussi sur un autre plan. Après avoir fait allusion à la révolte des fils de Ruben contre Lévi en 6: 5–7, l'auteur exhorte en 6: 8 à obéir à Lévi[3]. Les parénèses en 6: 9 ont l'air d'être mal placées, puisque le v. 9 rompt la continuité de l'élément des prédictions. *Rub* 6: 9 convient mieux à la fin du discours d'adieux prononcé par le patriarche, car c'est avec une exhortation analogue que la plupart des testaments de notre collection terminent le discours d'adieux proprement dit[4]. Il se pourrait aussi que 6: 9 soit le vestige de la parénèse du *Testament de Ruben*[5] et s'insère donc mieux quelque part avant 6: 5 ss. Quoi qu'il en soit, il ne faut pas considérer 6: 5–8 et 6: 10–12[6], comme des doublets car les vv. 10–12 ne sont pas une redite des vv. 5–8 comme nous avons essayé de le montrer.

L'IDÉOLOGIE DE « LÉVI ET JUDA »

Il est remarquable que, dans le *Testament de Lévi*, la figure de Juda n'a aucune importance. Là, où l'on semble lui attribuer un certain rôle à côté

---

[1] Voir infra p. 298.

[2] Becker 1970 p. 195 s.

[3] Becker 1970 p. 197 ne trouve pas de rapports entre 6: 5–7 et 6: 8.

[4] *Sim* 7: 3, *Lévi* 19: 1, *Juda* 26: 1 *Iss* 7: 7, *Zab* 10: 5, *Dan* 6: 10 et *Nepht* 8: 10.

[5] Cf. Becker 1970 p. 199.

[6] C'est la solution de Bickermann 1950 p. 250 s et de Becker 1970 p. 199 s. Celui-ci écarte 6: 5–8 comme secondaire avec l'argument que ce passage « Lévi et Juda » vient avant la parénèse propre au *Testament de Ruben*. Bickermann élimine 6: 10–12 comme secondaire parce que 6: 9 serait l'exhortation finale du discours d'adieux de Ruben.

de Lévi, c'est dans deux passages de caractère secondaire[1]. Cette particularité s'explique sans doute par l'influence qu'a exercé l'*Apocryphe de Lévi* sur la composition du *Testament de Lévi*[2]. Une explication supplémentaire réside aussi dans le fait que Lévi n'a pas besoin de souligner la suprématie de sa propre tribu par rapport à Juda[3]. *Lévi* 9: 1–2 est significatif. Lévi et Juda se rendent avec Jacob auprès d'Isaac (v. 1), mais le texte dit ensuite expressément que celui-ci bénit seulement Lévi. Cela est contraire au récit des *Jubilés* (31: 12 ss.) où Isaac bénit aussi Juda. Nous avons dans cet oubli de Juda en *Lévi* 9 :2 une influence de l'ancienne idéologie « lévitique » telle qu'elle est conservée par l'*Apocryphe*[4]. L'oubli de Juda apparaît plus nettement encore si l'on tient compte de l'ensemble des *Testaments*. Lévi est lié à Juda, de sorte qu'il est légitime de parler d'une idéologie de « Lévi et Juda ».

Nous venons de montrer que l'auteur des *Testaments* a adapté à cette idéologie certaines traditions qui ne concernaient initialement que Lévi. La primauté de Lévi et de Juda par rapport aux autres tribus, combinée avec la distinction entre la prêtrise de Lévi et la royauté de Juda, est une idée maîtresse des *Testaments*. On le voit déjà par l'insistance avec laquelle l'auteur y revient. Il est important de comprendre ce que signifie, en fait, cette idée et pourquoi on y insiste.

On trouve quelques passages où l'idée « Lévi et Juda » est réduite à une formule assez stéréotypée[5]. Ces passages ne font que résumer ce qui est développé en d'autres textes dans les *Testaments*. Étudions d'abord ces textes clefs que sont *Juda* 21: 1–4 et 5, *Iss* 5: 7–8, *Dan* 5: 4 et *Nepht* 5: 1–5.

Les deux aspects du thème « Lévi et Juda » que nous venons d'indiquer se retrouvent réunis dans le *Testament d'Issacar*. C'est un testament, clairement empreint de la pensée de l'auteur des *Testaments des Douze Patriarches*[6], et nous y trouverons par conséquent une idée nette des vues professées par l'auteur quant à Lévi et Juda. Ces deux patriarches ont été glorifiés par le Seigneur parmi les fils de Jacob et c'est lui qui les a choisis. A Lévi, il a donné la prêtrise et à Juda la royauté (*Iss* 5: 7). Le passage se termine par l'exhortation d'obéir à ces deux tribus (5: 8). Nous trouvons donc en *Iss* 5: 7–8 tous les éléments constitutifs de l'idéologie « Lévi et Juda » :

---

[1] *Lévi* 2: 11 et 8: 14. Sur ces passages voir *infra* p. 296 s et vol. II chap. III.

[2] Voir à ce sujet vol. II chap. III. Le nom de Juda n'est pas même mentionné dans ce qui nous est conservé de l'*Apocryphe de Lévi*.

[3] Ainsi BECKER 1970 p. 181.

[4] Pour *Lévi* 9: 1 le *Testament* dépend de la source commune derrière l'*Apocryphe* et les *Jubilés* (voir supra p. 25), mais il est d'accord avec l'*Apocryphe* (v. 8) qu'à cette occasion Isaac n'a béni que Lévi.

[5] Voir sur ces passages, infra p. 74.

[6] Cf. vol. II chap. III.

1° La suprématie de Lévi et de Juda sur les autres tribus, suprématie qui remonte à un décret divin.

2° La primauté de Lévi sur Juda, qui se manifeste dans le fait que Lévi est mentionné le premier.

3° La distinction nette entre la prêtrise conféré à Lévi, et la royauté, assignée à Juda.

4° L'exhortation d'obéir à ces deux patriarches.

L'arrière-plan historique de la distinction ente la prêtrise de Lévi et la royauté de Juda

La primauté de Levi sur Juda est précisée et aussi légitimée par le *Testament de Juda* 21: 1–4 et 5, qui souligne également la distinction entre prêtrise et royauté. L'introduction (v. 1) insiste sur la nécessité de s'en tenir à Lévi et de se soumettre à lui. C'est seulement par la loyauté envers Lévi que les descendants de Juda pourront se maintenir (διαμένειν). La séparation des fonctions est ensuite enseignée et precisée de façon que la royauté soit soumise à la prêtrise (v. 2). Les choses de la terre appartiennent à Juda, mais les choses du ciel à Lévi (v. 3). Cette doctrine exprime, selon le texte, la volonté de Dieu. L'auteur affirme de nouveau (v. 4) la supériorité de la prêtrise sur la royauté, en continuant l'image du ciel et de la terre. Cependant, il le fait avec une réserve importante. Cette supériorité de principe de la prêtrise est abolie si le sacerdoce abandonne Dieu dans le péché, et se laisse dominer par la royauté terrestre.

Ce passage forme clairement une unité. Le début du v. 5 montre que ce n'est plus Juda qui parle, car c'est à lui que le discours s'adresse[1]. Quelque chose a donc été perdu entre le v. 4 et le v. 5[2]. Toutefois, le v. 5 a pour but de souligner la supériorité de Lévi et d'assigner la royauté à Juda[3]. Le *Testament de Juda* 21: 1–5 est un passage important, car il fournit la clef pour comprendre l'insistance des *Testaments* sur la séparation des fonctions sacerdotale et royale. Il y a dans cette idée une pointe polémique qui ne saurait concerner que les princes hasmonéens[4]. Leur usurpation du titre

---

[1] Cf. BECKER 1970 p. 316.

[2] Cf. vol. II chap. III.

[3] Le contenu de ce verset rappelle les affirmations sur les privilèges de Lévi dans *Lévi* 2: 12, 8: 16 et *Jub* 31: 16; cf. aussi DE JONGE 1953 pp. 46 et 50.

[4] La même pointe anti-hasmonéenne est sous-jacente également en *Juda* 17: 5–6 où il est souligné qu'Abraham et Isaac, dans leur bénédictions, ont promis à Juda la royauté. Au v. 6, Juda dit lui-même : καὶ ἐγὼ οἶδα ὅτι ἐξ ἐμοῦ στήσεται τὸ βασίλειον. APTOWITZER 1927 p. 215 s. voit au contraire dans *Juda* 21: 1–5 la propagande hasmonéenne. VAN DER WOUDE 1957 p. 227 souligne cependant le caractère anti-hasmonéen de *Juda* 21: 2–4.

royal avec Aristobule I fait éclater une opposition ouverte à la dynastie hasmonéenne, opposition qui existait déjà plus ou moins sous Jean Hyrcan. On a certainement tort de voir dans cette opposition un mouvement uniforme. La critique venait de groupements différents à l'intérieur du judaïsme : esséniens, pharisiens et les milieux d'où proviennent les *Testaments* et les *Psaumes de Salomon*[1]. De plus, la polémique ne portait pas toujours sur les mêmes choses[2]. L'attestation explicite[3] d'une opposition aux Hasmonéens se trouve en premier lieu chez Josèphe et dans la littérature rabbinique. Ces témoignages font apparaître les manifestations extérieures de cette opposition plus qu'ils n'en révèlent les raisons profondes[4]. Toutefois, dans un passage des *Antiquités*, Josèphe (ou sa source) rapporte les arguments d'un mouvement anti-hasmonéen. Arrivé à Damas, Pompée est informé d'une opposition juive aux frères Aristobule et Hyrcan. Le peuple, dit-on, s'oppose à l'un et l'autre et ne veut pas être gouverné par des rois, ce qui serait contraire à la tradition ancestrale. En revanche, le peuple juif désire être gouverné par les prêtres de leur Dieu. Hyrcan et Aristobule sont, on l'admet, de famille sacerdotale, mais ils cherchent à soumettre la nation à une forme de gouvernement, étrangère à la tradition. On craint d'être ainsi une nation d'esclaves[5].

Diodore de Sicile a conservé une mention de cette même opposition dans sa *Bibliothèque Historique*, livre XL, fragment 2. Selon Diodore, une députation de juifs, les plus estimés, ἐπιφανέστατοι, arrive auprès de Pompée à Damas, devant lequel Hyrcan et Aristobule se disputent. La députation accuse les deux frères hasmonéens d'opprimer les juifs, peuple libre et autonome, et d'avoir usurpé le titre royal.

Il existe, selon nous, un rapport historique entre ces descriptions et le *Testament de Juda* chap. 21. 1° On s'oppose, de part et d'autre, à toute fusion des offices du prêtre et du roi. Le texte des *Antiquités* reproche aux Hasmonéens de changer leur prêtrise en une royauté, et le texte de Diodore

---

[1] Voir infra pp. 121.

[2] Voir infra pp. 130 et 134.

[3] Les écrits esséniens et les pseudépigraphes contiennent, comme nous le verrons par endroits une critique *implicite* à l'endroit des Hasmonéens.

[4] Dans *Bell.* I: 67, Josèphe rapporte que l'envie fut la cause principale de l'opposi-à Jean Hyrcan et à ses fils; cela ne peut être tout au plus qu'un motif secondaire (cf. *Ant.* XIII: 288). Le récit, assez développé, de la révolte juive contre Alexandre Jannée ne contient, dans la version de *Bell.* I: 88–98, aucune mention de la cause; en *Ant.* XIII: 372–373 Josèphe simplifie de façon superficielle la cause et le déroulement des événements.

[5] *Ant*, XIV: 40–41. Voici le passage qui présente les arguments de l'opposition : καὶ τὸ ἔθνος πρὸς ἀμφοτέρους, τὸ μὲν οὐκ ἀξιοῦν βασιλεύεσθαι· πάτριον γὰρ εἶναι τοῖς ἱερεῦσι τοῦ τιμωμένου παρ'αὐτοῖς θεοῦ πειθαρχεῖν, ὄντας δὲ τούτους ἀπογόνους τῶν ἱερέων εἰς ἄλλην μετάγειν ἀρχὴν τὸ ἔθνος ζητῆσαι, ὅπως καὶ δοῦλον γένοιτο.

souligne que le chef de la nation juive, le grand prêtre, ne doit pas porter le titre de « roi », οὐ βασιλέως χρηματίζοντος. Dans *Juda* 21: 4, on trouve l'accusation que la prêtrise se laisse dominer par la royauté, et les versets 2 et 3 soulignent la distinction entre ses deux fonctions.

2° De plus, on maintient la suprématie de la fonction sacerdotale. Selon le récit de Josèphe, les juifs désirent obéir à l'autorité, πειθαρχεῖν, du sacerdoce, et selon le récit de Diodore, c'est le grand prêtre qui est le προεστηκώς, le chef et le représentant de la nation. Le *Testament de Juda* 21: 1–5 revient constamment sur la primauté de Lévi sur Juda. Le texte affirme même que c'est à Lévi (le sacerdoce) que les fils de Juda doivent leur existence (v. 1). 3° On accuse les détenteurs du pouvoir de chercher à asservir le peuple. Dans le texte de Josèphe, ceux-ci sont les rois-hasmonéens par qui la nation est gouvernée, βασιλεύεσθαι, et risque d'être asservie ὅπως καὶ δοῦλον γένοιτο; le texte de Diodore qui appelle les Hasmonéens τούτοι δὲ νῦν δυναστεύειν les accuse d'avoir asservi καταδεδουλῶσθαι les citoyens. Dans *Juda* 21: 7 s., ce sont οἱ βασιλεύοντες qui oppriment le peuple et l'asservissent, καταδουλώσουσιν.

Ces analogies ne sont pas accidentelles. L'opposition antihasmonéenne que décrivent Josèphe dans les *Antiquités* XIV: 40–41 et Diodore de Sicile émane de toute évidence des mêmes milieux d'où sont originaires les *Testaments des Douze Patriarches*. Cela confirme donc notre hypothèse que les passages « Lévi et Juda » des *Testaments* renferment un motif polémique, dirigé contre les Hasmonéens.

Les témoignages comparés, le texte de Diodore, les *Antiquités* et le *Testament de Juda*, concordent également quant au temps. L'insistance du *Testament de Juda* sur la distinction entre prêtrise et royauté s'explique dans la perspective de l'adoption de la royauté par Aristobule I et Alexandre Jannée. Le mouvement d'opposition que décrit Josèphe se situe dans les années justement avant l'an 63, mais les arguments qu'on utilise ont dû être élaborés antérieurement, car ils reposent sur des faits qui remontent au règne d'Arisobule I et d'Alexandre Jannée. La polémique anti-hasmonéenne des milieux des *Testaments*, à qui est intimément liée l'opposition, décrite par Josephe, peut donc être située dans le premier quart du Ier siècle av. J.C. Les *Psaumes de Salomon* qui présentent plusieurs points de contact avec les *Testaments* sont contemporains[1]. Cette collection hymnique est, pour sa polémique, orientée dans la même direction que les *Testaments*. On y dénonce également les Hasmonéens coupables d'avoir usurpé la royauté qui était réservée à la lignée de David[2]. L'insistance des *Psaumes*

---

[1] Voir à ce sujet infra p. 121 et p. 135.

[2] *Ps. Sal.* 8: 11 et 17: 6. Sur le premier passage voir infra p. 119. Le second est plus

de Salomon 17 et 18 sur Dieu comme roi et leur attente du messie-roi, le davidide a pour arrière-plan cette usurpation de la royauté par les Hasmonéens.

Nous avons ainsi situé les motifs polémiques de l'idée « Lévi et Juda » dans le contexte de l'usurpation de la royauté par les Hasmonéens. Toutefois, il n'est pas question seulement dans les *Testaments* d'une séparation des fonctions sacerdotale et royale. C'est aussi l'accent placé sur la position éminente de Lévi et Juda par rapport aux autres tribus. Étudions cette position éminente qui est celle de Lévi et de Juda, et voyons quelle est sa signification. *Nepth* 5: 1–5 et *Dan* 5: 4 y font allusion.

La signification de la primauté de Lévi et de Juda

Les visions étaient dans le milieu des *Testaments des Douze Patriarches* un moyen naturel pour communiquer des idées auxquelles on attachait une importantance particulière. C'est pourquoi nous trouvons le thème « Lévi et Juda » exposé dans la forme d'une vision du patriarche Nephtali (*Nepht* 5: 1–5). Il voit sur le Mont des Oliviers que le soleil et la lune s'arrêtent. Son grand-père Isaac dit à Nephtali et à ses frères de courir pour les saisir. De ce concours Lévi et Juda sont les vainqueurs. Lévi prend le soleil, Juda la lune et tous deux sont élevés au ciel. Lévi brille comme le soleil et un jeune homme lui donne douze palmes, βαΐα φοινίκων. Juda luit comme la lune et au dessous de ses pieds il y a douze rayons. Nephtali voit enfin Lévi et Juda se rejoindre et se saisir.

Dans les grandes lignes, le symbolisme de cette vision est clair. La prééminence de Lévi et Juda vis-à-vis des autres tribus ne fait pas de doute. La primauté de Lévi sur Juda est symbolisée par le fait que Lévi prend le soleil, mais Juda la lune. Le symbolisme solaire est attaché à Lévi également dans le *Testament de Lévi*, où il est dit que Lévi sera comme le soleil pour Israël (4: 3). Si Lévi représente le soleil, le choix de la lune pour Juda devient tout à fait naturel. La signification des détails trouvés dans les vv. 4–5 n'est pas aussi évidente à première vue. Toutefois, un examen approfondi en fait apparaître le sens. Le nombre de douze, qui figure dans le texte représente les douze tribus d'Israël dont est constitué, du moins en théorie, la nation juive. Quand Lévi reçoit douze palmes et quand douze rayons apparaissent au-dessous des pieds de Juda, cela veut dire que la

explicite : ἐν δόξῃ ἔθεντο βασίλειον ἀντὶ ὕψους αὐτῶν
    ἠρήμωσαν τὸν θρόνον Δαυιδ ἐν ὑπερηφανίᾳ ἀλλάγματος.
Le caractère anti-hasmonéen de ce dernier passage est souligné aussi par Aptowitzer 1927 p. 49 s., Hoffmeyer p. 113, Schoeps 1956 p. 668, Kuhn 1957 p. 62 et Müller 1972 p. 78 s.

suprématie appartient à ces deux tribus et que c'est par eux qu'Israël sera gouverné[1]. Le trait qu'un jeune homme apparaît et remet à Lévi les signes de la suprématie dans Israël, indique que c'est un décret divin. Car νεανίας τις du texte est un ange. Les anges apparaissent volontiers sous les traits d'un jeune homme. On le voit clairement dans un passage du *Deuxième livre des Maccabées*. La tentative d'Héliodore de confisquer les trésors du Temple est empêchée par l'intervention divine qui se fait par deux anges, et qui sont précisément décrits comme des jeunes hommes νεανίαι[2]. Il y a certainement une signification précise dans le fait que Lévi reçoit des βαΐα φοινίκων. On peut l'interpréter, dans un sens général, comme un acte d'hommage pour indiquer la suprématie de Lévi. Le rameau du palmier désigne dans les *livres des Maccabées* une offrande pour attirer la faveur d'un souverain[3]. Toutefois, il nous semble que la mention des rameaux du palmier en *Nepht* 5: 4 veut souligner en premier lieu le rapport étroit entre ce symbole et le sacerdoce. Il est significatif que dans l'esquisse du nouveau Temple que fait Ezéchiel, les palmiers sont l'ornement principal[4]. Chérubin et palmier sont dans ce Temple une combinaison qui symbolise sans doute le rapport entre prêtres et palmiers[5]. Le *Siracide* décrit en 50: 11–15 une scène sacrificielle où officie le grand pretre, assisté par les « fils d'Aaron » qui l'entourent comme cercles de palmiers[6].

La fin de la vision (*Nepth* 5: 5), qui nous montre Lévi et Juda se rejoindre et se saisir veut souligner l'importance *conjointe* de ces deux tribus pour Israël. Le message essentiel de la vision en *Nepth* 5: 1–5 est proclamé en termes clairs par le *Testament de Dan* 5: 4. La suprématie de Lévi et Juda et leur élection divine y est motivée par les mots : ὅτι ἐν αὐτοῖς στήσεται ὁ Ἰσραήλ.

L'interprétation du thème "Lévi et Juda"

Ce passage est un excellent résumé de la doctrine des *Testaments des Douze Patriarches* sur « Lévi et Juda ». Toutefois, si la figure de Lévi dissimule ici le sacerdoce lévitique, la question est de savoir quelle est la valeur symbolique de Juda. Dans les passages où le motif polémique prédomine, Juda dissimule David et sa lignée à qui est réservée par tradition la royauté, usurpée actuellement par les Hasmoneéns.

---

[1] Cf. aussi OTZEN 1974 p. 758.
[2] *2 Macc.* 3: 24–34.
[3] *1 Macc.* 13: 37 et *2 Macc.* 14: 4.
[4] *Éz.* 40: 16, 22, 26 et 31, 41: 26
[5] *Éz.* 41: 18–20 et 25.
[6] *Sir.* 50: 12 καὶ ἐκύκλωσαν αὐτὸν ὡς στελέχη φοινίκων.

L'importance qu'on attache, dans les *Testaments*, à Juda ne peut être cependant expliquée seulement par la tendance anti-hasmonéenne.

L'hypothèse du bimessianisme et son fondement théorique.

On interprète volontiers l'idée « Lévi et Juda » comme l'expression d'un bimessianisme dont l'équivalent le plus proche serait la doctrine essénienne des deux messies[1]. Dans les *Testaments*, comme dans les textes de Qumran, on serait en présence de l'attente d'un grand prêtre eschatologique, messie sacerdotal et le davidide futur, messie politique ou royal. L'arrière-plan de cette conception serait l'idée post-exiliqie de la séparation entre l'office du grand-prêtre et le pouvoir politique[2]. Cette idée est considérée comme une part intégrale de la tradition juive. Même si certains critiques ne voient pas dans les passages « Lévi et Juda » des *Testaments* une allusion à la doctrine des deux messies, c'est quand même cette tradition post-exilique de la séparation des pouvoirs, qui serait l'arrière-plan du thème « Lévi et Juda »[3]. Dans le contexte des passages « Lévi et Juda », la figure de Juda représenterait donc soit le messie royal soit le pouvoir politique, symbolisé par la royauté.

L'hypothèse d'un bimessianisme des *Testaments* ne s'impose pas, selon nous, et il faut certainement nuancer l'idée de l'arrière-plan post-exilique présenté par les critiques. D'après KUHN, qui a élaboré les détails de cet arrière-plan, la structure d'Israël après l'exil est marquée par la juxtaposition de l'hiérarchie sacerdotale et le pouvoir politique. C'est ce que montrent déjà l'esquisse d'Israël idéal faite dans *Ézechiel* (chap. 44–46) et les prophéties de *Zacharie* (chap. 4). Chez *Ezéchiel* ce sont les prêtres sadocites et le « prince » qui se partagent le pouvoir et chez *Zacharie* ce sont le grand prêtre Josuë et le davidide Zorobabel qui sont à la tête de la nation. L'étape finale du développement de cette juxtaposition se déroule pendant la seconde insurréction contre les Romains. Le grand prêtre Éléazar représente alors les juifs, à côté de Bar Kochba, prince et messie politique[4]. Les Hasmonéens qui ont réuni en réalité les deux fonctions, les ont séparés toutefois, selon KUHN, en théorie. C'est ce qu'indiqueraient les monnaies hasmonéennes, et les formules du *Premier livre des Maccabées* où, à côté du grand prêtre, le peuple juif est mentionné. Théoriquement, le pouvoir politique serait, même sous les Hasmonéens, dans la main du peuple juif.

Or, l'évolution post-exilique est plutôt caractérisée par une tendance

---

[1] Voir supra p. 15, n. 1.

[2] K. SCHUBERT 1956 p. 26, KUHN 1957 pp. 60–63, VAN DER WOUDE 1957 p. 226 et F.-M. BRAUN 1960 p. 537.

[3] SCHOEPS 1956 p. 666, BECKER 1970 p. 181.

[4] Sur ce bimessianisme, voir dernièrement PHILONENKO 1974.

opposée, comme nous l'avons déjà indiqué. La hiérarchie sacerdotale à la tête de laquelle se trouve le grand prêtre, tend à assimiler de plus en plus le pouvoir politique et les attributs royaux. Le terme de cette évolution est atteint avec les Hasmonéens. Ce que Zacharie nous décrit ne fut qu'un épisode sans importance pour l'ensemble de l'époque post-exilique, qui vit l'élévation progressive de la fonction sacerdotale. On remania même le texte initial de *Zacharie* 6: 11–15 pour marquer la suprématie du grand prêtre Josuë au détriment de Zorobabel[1].

Pour ce qui est des monnaies hasmonéennes, leur chronologie soutient en revanche notre interprétation, qui voit dans la séparation des fonctions sacerdotale et royale ou politique une réaction contre l'usurpation de la royauté par Aristobule et Alexandre Jannée. Selon des recherches récentes, les monnaies avec la légende « Yoḥanan le grand prêtre et le *ḥæbær*[2] des juifs », assignées à Jean Hyrcan, appartiennent en fait à Hyrcan II[3]. Cette légende bipartite « *N*. le grand prêtre et le *ḥæbær* des juifs » apparaît la première fois sur certaines monnaies d'Alexandre Jannée. Ces monnaies sont sans doute frappées après celles qui portent seulement la légende « le roi Alexandre » ou « Yehonatan, le roi. »[4] La formule « Yehonatan le grand prêtre et le *ḥæbær* des juifs » des monnaies postérieures peut donc être interprétée comme une concession faite par Alexandre Jannée aux mouvements d'opposition à l'intérieur de la nation juive.

L'importance de la formule bipartite trouvée dans le *Premier livre des Maccabées* a été exagérée.

Pour illustrer la manière dont apparaissent dans un contexte documentaire, les juifs et leurs représentants dans le *Premier Livre des Maccabées*, nous avons dressé le tableau suivant :

contexte :	*formule :*
8: 20 émissaries juifs devant le sénat romain.	« Judah le Maccabée et ses frères et la multitude (πλῆθος) des juifs nous ont envoyés... »
10: 18 lettre d'Aléxandre Bala.	« le roi Alexandre à son frère Jonathan, salut ».
10: 26 lettre de Démétrius Ier.	« le roi Démétrius à la nation (ἔθνει) des juifs, salut ».
11: 30 lettre de Démétrius II.	« le roi Démétrius à son frère Jonathan et à la nation des juifs, salut ».

---

[1] Cf. WELLHAUSEN 1898 p. 185, MITCHELL p. 185, MARTI p. 420, ROBINSON-HORST p. 236 s. et DE VAUX 1960 II p. 271.

[2] Sur le sens de ce terme, voir supra p. 38 n. 2 et SPERBER.

[3] Cf. MESHORER pp. 41–52.

[4] MESHORER pp. 57–59.

contexte :	formule :
11: 42 réponse de Démétrius II à l'appel de Jonathan de faire retirer la garnison de l'Acra	« je ne ferai non seulement cela pour toi et ton peuple, mais... »
12: 3 émissaires juifs devant le sénat romain.	« Jonathan, le grand prêtre, et la nation des juifs, nous ont envoyés... »
12: 6 lettre de Jonathan aux Spartiates.	« Jonathan, le grand prêtre, et le conseil (γερουσία) de la nation et les prêtres et le reste du peuple (δῆμος) des juifs à leurs frères, salut ».
12: 20 lettre d'Areios de Sparte.	« Areios, roi des Spartiates, au grand prêtre Onias, salut ».
13: 36 lettre de Démétrius II.	« le roi Démétrius, au grand prêtre Siméon, ami des rois, et aux anciens et à la nation des juifs, salut ».
14: 20 lettre des Spartiates.	« les chefs des Spartiates et la ville au grand prêtre Siméon et aux anciens et aux prêtres et au reste du peuple des juifs, leurs frères, salut ».
14: 28 décret honorifique pour Siméon.	« dans une grande assemblée de prêtres et du peuple et des chefs de la nation et des anciens du pays... »
15: 2 lettre d'Antiochus VI.	« le roi Antiochus à Siméon, grand prêtre et éthnarche, et à la nation des juifs ».
15: 17 lettre de Lucius à Ptolémée VIII à propos des émissaires juifs.	« les émissaires des juifs... envoyés par le grand prêtre Siméon et le peuple des juifs ».

Il est difficile de déduire un emploi cohérent d'une formule bipartite dans ces exemples, pour ne pas parler d'une séparation de principe entre la fonction sacerdotale et le pouvoir politique. La mention d'un Maccabée comme grand prêtre se trouve, il est vrai, dans la plupart des exemples à côté de la mention de la nation des juifs ou d'autres groupes à l'intérieur de cette nation, comme la γερουσία, les prêtres et les πρεσβύτεροι. Or, cela s'explique par d'autres raisons que par la notion de deux pouvoirs distincts.

Une formule bipartite qui contient la mention du peuple ὁ δῆμος, à coté du conseil, ἡ βουλή, est fréquente dans les lettres royales de l'époque hellénistique : « le roi N. au conseil et au peuple, salut. »[1] Il n'est pas question ici de

---

[1] Prenons comme exemple N° 5 chez WELLES : Βασιλεὺς Σέλευκος Μιλησίων τῆι βουλῆι καὶ τῶι δήμωι χαίρειν. Cette formule bipartite employée par des rois séleucides se trouve également dans N° 15, 22, 31, 32, 33. D'autres exemples encore de cette formule sont N° 2, 4, 6, 7, 13, 14, 25, 34, 35, 64, 67 et 66.

deux fonctions distinctes, le conseil et le peuple représentent tous deux le pouvoir politique. Avant les Hasmonéens, Jérusalem et la Judée sont représentés dans les documents officiels par « la nation des juifs » ou par la γερουσία[1]. On les trouve aussi ˌmentionnés ensemble[2]. Le grand prêtre n'est pas explicitement mentionné dans les documents officiels de l'époque perse et séleucide, bien qu'il soit inclu dans la γερουσία Ce n'est qu'avec Jonathan et Siméon que le grand prêtre est nommé en tête des documents. Il existe certainement un rapport avec l'investiture de Jonathan comme grand prêtre en 160. A partir de cette époque, on met volontiers le grand-prêtre hasmonéen en tête des documents officiels tout en conservant la γερουσία ou la nation des juifs ou des expressions analogues. Ce sont les prétentions des Hasmonéens comme grand prêtres et princes qui s'expriment dans ces formules, bipartites ou non. La mention du grand prêtre et de la nation juive sur les monnaies hasmonéennes et dans les documents du *Premier Livre des Maccabées* doit être interprétée comme l'expression du pouvoir politique seulement. On ne peut donc utiliser ces formules pour prouver une séparation théorique des pouvoirs sacerdotal et politique chez les Hasmonéens.

En revanche, il est douteux que les Hasmonéens aient maintenu une distinction de principe entre les fonctions sacerdotales et politiques. Le décret de l'an 140 qui établit Siméon ἡγούμενον καὶ ἀρχιερέα εἰς τὸν αἰῶνα constitue précisément le fondement théorique de la réunion des pouvoirs sacerdotal et politique dans la main des Hasmonéens[3]. Plus loin dans ce décret il est même dit que Siméon aura le gouvernement absolu τοῦ προστατῆσαι πάντων. L'arrière-plan de ⌊la distinction des *Testaments* entre le sacerdoce de Lévi et la royauté de Juda n'est donc pas à chercher dans une idée post-exilique sur la séparation des deux pouvoirs, mais dans l'usurpation de la royauté par les Hasmonéens. Il n'est pas, par conséquent, possible d'interpréter la figure de Juda dans le contexte de l'idée « Lévi et Juda » comme le peuple juif représentant le pouvoir politique vis-à-vis du sacerdoce. Cette interprétation se heurterait en outre au cadre fictif des *Testaments*, où les douze patriarches sont censés constituer la nation juive.

La signification de la figure de Juda.

Si l'on prend Juda dans un sens plus restreint, à savoir la tribu de Juda = les juifs de la Judée, il est cependant probable que cette signification est présente dans certains passages « Lévi et Juda »[4]. Il s'agit en premier lieu

---

[1] *2 Macc.* 11: 17 et 34; Josephe *Ant.* XII: 138–144. Sur ce dernier texte, appelé « la charte séleucide de Jérusalem », voir BICKERMANN 1935.

[2] *2 Macc.* 11: 27.

[3] *1 Macc.* 14: 41; cf. aussi 13: 42 et 14: 27 et 43.

[4] SCHÜRER 1898 p. 256 regarde les figures de Lévi et de Juda dans l'ensemble des

de *Rub* 6: 5–7, *Sim* 5: 4–6 et *Dan* 5: 4 qui, par leur contexte particulier, impliquent cette signification. Les habitants de la Judée, qui couvre bien l'ancien territoire de la tribu de Juda, sont considérés comme les juifs sans que l'on tient compte des habitants judaïsés des territoires de Siméon, Ruben et Dan. Cette signification de Juda prédomine en *Sim* 5: 6, mais elle est sous-jacente comme nuance supplémentaire également en *Rub* 6: 7 et *Dan* 5: 4. Il en est de même probablement aussi de *Gad* 8: 1–2 où le patriarche fait prédire à ses fils qu'ils déserteront Lévi et Juda.

L'insistance sur la figure de Juda dans les *Testaments des Douze Patriarches* doit être expliquée en premier lieu par le rôle central que joue David et le davidide futur dans la tradition juive. Le royaume de David reste dans le souvenir du peuple comme un temps de bonheur, et comme une image idéale projetée par les prophètes sur l'avenir. Même dans des milieux sacerdotaux ou lévitiques de l'époque post-exilique, l'idée de la royauté davidique est demeurée vivante, bien qu'elle prenne des expressions différentes. Nous allons le voir en abordant des écrits qui proviennent de cercles sacerdotaux ou lévitiques ou sont sous leur influence.

David et le davidide futur dans l'oeuvre du Chroniste et dans le Siracide

L'œuvre du *Chroniste* est caracterisé par la position dominante accordée à David. Le lien entre David et les lévites y est particulièrement étroit. Le fait est important pour comprendre le rôle de Juda–David dans les *Testaments*, qui émanent d'un milieu marqué par des conceptions lévitiques. Même si l'on souligne l'importance de la royauté davidique pour l'histoire d'Israël, l'absence de tout messianisme davidique dans les livres des Chroniques doit être soulignée[1].

Le *Siracide* qui s'insère nettement dans la ligne post-exilique de la suprématie du sacerdoce, accorde néanmoins une certaine importance à David. Il le fait cependant essentiellement dans une perspective historique. Cela est particulièrement net pour l'éloge de David en 47: 1–10, mais la fin de cette partie, le v. 11, est susceptible d'une interprétation différente. Il est dit que Dieu a élevé la corne de David pour l'éternité et qu'il lui a donné le décret de la royauté et qu'il a établi son trône sur Jérusalem[2]. Tout

---

Testaments comme une désignation de la juiverie palestinienne : « Die Stämme Levi und Juda, d. h. das officielle palästinensische Judenthum ». J. Thomas pp. 86 ss. et 114–125 développe plus largement cette idée. Juda, à savoir la Judée, serait utilisé comme « apokalyptisches Symbol für die Führungsaufgabe des palästinischen Judentums ». Cette interprétation ne révèle cependant qu'un aspect secondaire de la figure de Juda, sous-jacent dans quelques passages « Lévi et Juda ».

[1] Cf. Caquot 1966 B, Mosis pp. 89–94.
[2] Nous suivons la teneur du texte hébreu.

dépend ici du sens de כרך. Si le terme avait une signification dynastique, on pourrait certainement parler d'une attente messianique. Mais il a ici, comme en *Sir.* 47 : 5 et 7, le sens de « force », « prestige » et le passage a trait à David seul[1]. Les autres passages où Ben Sira mentionne David et sa royauté, s'explique le mieux comme des rétrospectives. Dans une étude du messianisme dans le *Siracide*, CAQUOT[2] montre clairement que l'attitude de Ben Sira est en effet opposée à l'espérance d'un davidide fuutur. Pour Ben Sira, c'est l'alliance conclue par *Yahvé* avec Pinhas qui est éternelle et l'alliance de David se transmet, aux yeux de Ben Sira, seulement de David à Salomon[3]. Ce n'est que l'hymne d'action de grâces trouvé dans le texte hébreu au chapitre 51, qui fait allusion à la pérennité de la dynastie davidique. L'authenticité de cet hymne est douteuse[4], bien qu'il ait été composé avant la destruction du Temple en 70[5].

L'œuvre du *Chroniste* et le *Siracide* manifestent que David et sa royauté continue à être un thème important à l'époque post-exilique. C'est toutefois sous son aspect rétrospectif que ce thème apparaît dans les milieux sacerdotaux. L'intérêt que montre le *Chroniste* pour David et l'accent mis sur ses rapports avec les lévites, témoigne cependant d'une actualisation de la figure de David, qui prépare sans doute l'importance assignée à Juda–David dans les *Testaments des Douze Patriarches*. Le *Siracide* est par rapport au *Chroniste* moins intéressé à la royauté davidique, mais compte après tout David parmi les personnages glorieux du passé d'Israël. On voit également comment le *Siracide* a résolu le problème posé par la relation entre l'éternité de la royauté davidique, promise par les anciens prophètes, et la théocratie de son temps. La royauté de David appartient au passé, mais la dynastie des sadocites restera à jamais. D'autres solutions de ce problème sont cependant possibles. C'est ce qui ressort du *livre des Jubilés* et des écrits de Qumran.

La figure de Juda dans les Jubilés.

L'exemple des *Jubilés* est d'autant plus important qu'on utilise, à cause du cadre fictif, les noms de Lévi et de Juda et que l'on souligne la suprématie de Lévi sur Juda. Si la figure de Lévi dissimule dans les *Jubilés* le sacerdoce, la figure de Juda est plus imprécise. Il semble toutefois que, dans la bénédic-

---

[1] Voir à ce sujet CAQUOT 1966 A p. 55.

[2] CAQUOT 1966 A pp. 43–68.

[3] Cela paraît être le sens de 45: 25, dont le texte marque une opposition entre l'alliance de Pinhas et celle de David. Voir sur ce passage KLAUSNER 1955 p. 256 et surtout CAQUOT 1966 A pp. 58–63.

[4] Cf. LÉVI 1904 p. 73 et CAQUOT 1966 A p. 50. L'authenticité est soutenue entre autres par SMEND 1906 p. 502 et KLAUSNER 1955 p. 256 s.

[5] C'est ce qu' indique la formule « Celui qui choisit les fils de Sadoq pour être prêtres ».

tion sur Juda, l'auteur oscille entre plusieurs significations. On a certainement trot d'isoler l'une d'entre elles[1]. Voici la traduction de ce passage :

« Et à Juda il dit :

(1) Dieu te donnera force et vaillance pour que tu foules aux pieds tous ceux qui te haïssent;

(2) sois prince, toi et l'un de tes fils, sur les fils de Jacob;

(3) ton nom et le nom de tes fils ira traverser toute la terre et les pays.

(4) Alors les nations craindront devant ta face et tous les peuples trembleront;

(5) l'aide de Jacob sera en toi et la délivrance d'Israël sera obtenue par toi;

(6) et lorsque tu seras assis sur le trône de gloire, ta justice sera une grande paix pour toute la race des fils du bien-aimé;

(7) et celui, qui te bénit, sera béni, et tous ceux qui te haïssent et te tracassent et aussi ceux qui te maudissent seront exterminés et effacés de la terre et ils seront exécrés. »

Jubilés 31: 18–20

Il est clair que la bénédiction s'adresse à la tribu de Juda, mais ce fait ne nous renseigne pas sur le sens précis que revêt ici la figure de Juda pour le milieu des *Jubilés*. Le premier stique s'inspire évidemment de *Genèse* 49: 8–10 et de *Deutéronome* 33: 7 et met en valeur les mérites militaires de Juda. Ce passage montre déjà les deux significations entre lesquelles la bénédiction oscille. Il est à la fois possible de voir en Juda le roi davidique et la nation juive. Dans le troisième stique, il s'agit de la nation juive. Le nom du peuple juif est contenu dans le nom de Juda[2]; c'est la gloire à venir des juifs qui est annoncée et comme manifestée par anticipation par la Diaspora. C'est également ce sens qui domine dans le stique suivant. En revanche, dans les cas où Juda est mis en rapport avec Israël, ce doit être la signification proprement davidique qu'il faut retenir. Juda sera prince de la nation[3]. C'est lui qui vient au secours de son peuple et délivre Israël de ses ennemis. Ces affirmations ont manifestement un caractère rétrospectif, en raison de la fiction retenue par l'auteur des *Jubilés*. C'est alors un louange des hauts faits de David. Toutefois, cette glorification de Juda comme libérateur ne peut être comprise sans qu'on tienne compte de la pointe actualisante, qui est toujours présente dans ce genre de littérature juive. Il est donc légitime de voir dans la bénédiction de Juda également une allusion au davidide

---

[1] C'est ce que fait DAVENPORT pp. 64–66.

[2] Cf. l'interprétation de *Targum Pseudo-Jonathan*, *Targum fragmentaire* et *Targum Neophyti* en *Gen.* 49: 8 de Juda comme l'ancêtre éponyme des juifs.

[3] DAVENPORT pp. 64 et 101 traduit ici $mak^u an\partial n$ par « juge » qui est possible en soi, mais qui s'oppose au texte latin qui porte *princeps*; voir aussi supra p. 22 n. 2.

futur. Cela est nettement la signification du stique six. Ce passage vise sans doute l'intronisation de ce roi-futur de la lignée de David, et reflète donc clairement une espérance messianique. La justice de Juda, dont il est parlé dans ce contexte, doit être interprêtée à partir du terme hébreu *ṣᵉdāqāh*. La *ṣᵉdāqāh* particulière de Juda est la fonction, que Dieu lui assigne, de libérer Israël. Cette fonction trouvera son achèvement dans le davidide futur, et toute la race d'Abraham trouvera la paix et le bonheur.

Le thème de la grandeur future de Juda, c'est à dire Israël, abordé par les stiques trois et quatre de la bénédiction, a un parallèle dans 32: 17–19. Le Seigneur se révèle à Jacob et promet à sa descendance un avenir glorieux. Les *Jubilés* reproduisent sur ce point *Genèse* 35: 9–12 mais ajoutent dans le v. 18 l'assertion suivante : « Et je donnerai à ta descendance toutes les bénédictions, qui sont sous le ciel et ils jugeront, selon leur désir, toutes les nations et après cela, ils reprendront possession de toute la terre et en hériteront à jamais. » Ce texte confirme donc l'interprétation collective des stiques trois et quatre de la bénédiction sur Juda.

Il reste à aborder le problème posé par la juxtaposition de Lévi et Juda dans les *Jubilés*. Sur un point, on leur assigne une même fonction : c'est d'être princes d'Israël (31: 15 et 18). Les versions éthiopienne et latine emploient exactement les mêmes mots dans les deux passages : *makᵘanən* et *princeps*. Comment interpréter ce fait[1]? On pourrait regarder la prédiction sur les descendants de Lévi en tant que princes et souverains comme une addition, mais cette solution ne s'impose pas. On résout cependant la difficulté si l'on tient compte du caractère prospectif qui est sous-jacent dans la bénédiction de Juda. La promesse faite aux descendants de Lévi reflète la situation contemporaine de l'auteur des *Jubilés*, où le grand prêtre est chef et représentant de la nation juive. Dans la mesure où le texte n'est pas une rétrospective, visant David, la royauté de Juda sera confirmée par l'avènement du davidide attendu. Il est également possible que l'on ait retouché le texte du stique six dans un sens messianique à l'époque où apparaît l'opposition à l'usurpation de la royauté par les Hasmonéens.

Par ailleurs, les fonctions assignées à Lévi et à Juda dans les bénédictions ne sont pas les mêmes. Ce qui revient à Lévi, c'est ce qui a actuellement une importance pour la vie de la nation : le fonctionnement du culte, l'enseignement de la *tōrāh* et le maintien de la justice, fonctions de caractère sacerdotal. De Juda, on attend la libération d'Israël et la domination des juifs sur les nations, mais cette espérance n'est pas placé dans les *Jubilés* au premier plan.

---

[1] Cette question n'a pas retenu beaucoup d'attention par les critiques. DAVENPORT p. 64 s. évite la contradiction par son interprétation de Juda comme Israël. Le rôle de Juda comme *makᵘanən* (*princeps* du latin) est de vaincre et de juger les nations.

Enfin dans 33: 20, on trouve une formulation qui dérive de la juxtaposition de Lévi et Juda et qui met en relief les fonctions de la nation. Israël, est-il dit, constitue un peuple sacerdotal et royal. Sacerdotal, parce que Israël devra être une nation de prêtres[1]. Peuple royal parce qu'il est destinée à dominer sur les nations[2].

Le davidide futur dans les écrits de Qumran.

La conception traditionelle sur le davidide futur apparaît en toute netteté chez les esséniens de Qumran. Les origines sacerdotales de ce mouvement sont incontestables[3], ce que montre bien la primauté du grand prêtre futur sur le messie royal. Nous n'entrons pas ici dans le détail des problèmes que pose le messianisme des textes de Qumran. Pour notre propos, le fait important c'est de noter l'attente ardente d'un messie davidique dans un milieu, profondément marqué par un sacerdoce sadocite. Les quelques passages qumraniens qui précisent les fonctions du davidide futur nous mettent en présence d'une conception analogue à celle qui est attribuée à Juda dans les *Jubilés*. La fonction du messie davidique telle qu'elle apparaît dans les écrits de Qumran est de vaincre les ennemis de la nation et de délivrer Israël[4]. Outre les noms « germe de David », « messie d'Israël » on trouve également l'appellation « prince de la communauté » (*1 QSb* V: 20, *CD* VII: 20) ce qui rappelle le titre donné à Juda en *Jub.* 31: 18. Le *pésher d'Isaïe* énumère parmi les attributs du davidide futur « le trône de gloire »; c'est sur ce « trône de gloire » que Juda prendra place selon *Jub.* 31: 20. Les points de contact entre ce passage des *Jubilés* et le fragment d'un pésher sur les « Bénédictions patriarcales »[5] sont tout aussi évidents. Il est dit dans ce fragment qu'un monarque ne fera pas défaut à Juda pour assurer la domination d'Israël, et que ce davidide sera assis sur le trône. Ces analogies entre les *Jubilés* et les écrits de Qumran quant au davidide futur ne sont pas fortuites et confirment le rapport étroit déjà relevé entre ces textes.

Le pésher des « Bénédictions patriarcales » montre qu'un motif polémique, dirigé contre l'usurpation de la royauté par les Hasmonéens, est associé à la conception du messie davidique. Après la mention de la venue du « germe de David », le texte ajoute « car c'est à lui et à sa descendance qu'a été donnée l'alliance de la royauté de son peuple jusqu'aux générations éternelles ».

---

[1] Ou peut-être aussi parce que seul Israël adore le vrai Dieu; cf. TESTUZ 1960 p. 67.
[2] Ainsi également TESTUZ 1960 p. 67.
[3] Voir supra p. 45.
[4] *1Q Sb* V: 20–28, *CD* VII: 20–21, *4Qp Isa* f. D, 4, *4Q Flor.*
[5] *4Q Patriarcal Blessings.*

Cette précision, inutile au regard de la tradition biblique, se comprend bien sur le fond que constitue l'adoption du titre royal par les Hasmonéens.

Conclusions

Cet aperçu sur le rôle qu'on assigne à David ou au davidide futur dans des milieux sacerdotaux ou lévitiques, montre que l'importance attribuée à Juda dans les *Testaments des Douze Patriarches* s'accorde bien avec leur exaltation du sacerdoce de Lévi. Il est en outre clair que l'interprétation, qui voit dans Juda en premier lieu David et sa royauté éternelle sur Israël, est la plus naturelle et la plus cohérente.

Les passages sur le salut issu de Lévi et de Juda

Après avoir examiné les textes clefs de l'idéologie « Lévi et Juda » dans les *Testaments*, il faut aborder l'étude des passages où cette idéologie est résumée dans une formulation assez uniforme. Ces passages sont *Sim* 7: 1-2, *Gad* 8: 1, *Nepth* 8: 2-3, *Jos* 19: 11 et dans une certaine mesure aussi *Dan* 5: 10 et *Lévi* 2: 11. Ces textes sont peut-être les plus cités des *Testaments*, parce qu'ils semblent fournir des parallèles au bimessianisme des écrits de Qumran. Il est donc important d'élucider leur signification exacte, dans la mesure où cela est possible. Soulignons d'abord qu'on doit les interpréter à partir des passages des *Testaments* qui sont le plus explicites sur l'idée « Lévi et Juda », car les textes sur le salut issu de Lévi et de Juda sont d'une particulière concision, dont les passages les plus explicites ne peuvent dépendre. Nous sommes en présence de deux présentations distinctes d'une même idée fondamentale.

Sim 7: 1, *Nepth* 8: 2, *Gad* 8: 1 et *Jos* 19: 11 ont la même structure.
1° exhortation à obéir ou à honorer Lévi et Juda.
2° la raison en est donné : c'est d'eux qui viendra le salut d'Israël ou de Dieu.

Sim 7: 2 et *Nepth* 8: 3 contiennent des précisions à ce sujet; analysons cependant d'abord le contenu de la structure qui est commune à tous les passages. L'exhortation à obéir (*Sim*), à honorer (*Gad*, *Jos*) ou à s'unir (*Nepth*) à Lévi et Juda résume l'idée de la suprématie de ces deux tribus que *Nepth* 5: 1-5 et *Iss* 5: 7 ont déjà énoncée. La primauté de Lévi sur Juda dont *Juda* 21: 1-5 a fourni la base idéologique, s'exprime par le fait que Lévi est nommé le premier. Seul *Gad* 8: 1 témoigne d'un remaniement en plaçant Juda avant Lévi. La raison de la position éminente de Lévi et de Juda, c'est que le salut d'Israël proviendra de ces tribus. Or, la question se pose de savoir qu'est-ce qu'on entend ici par le « salut d'Israël ». BICKERMANN a suggéré que σωτηρία ou σωτήριον dans les passages, qui nous occupent, peut rendre le terme hébreu *šālōm*[1]. C'est, en effet, une interprétation qui s'impose, si l'on retient la signification de l'idée « Lévi et Juda » dans les textes clefs *Juda* 21: 1–5, *Iss* 5: 7, *Dan* 5: 4 et *Neptht* 5: 1–5. Le sacerdoce lévitique et la royauté davidique sont les fondements de la société juive, et qui sont nécessaires pour l'état de bonheur, de paix et d'équilibre que transcrit le terme *šālōm*. L'idée de « Lévi et Juda » résume, pour les milieux des *Testaments*, le programme religieux et politique qui, réalisé, donnera la stabilité et l'harmonie à Israël. C'est donc cette interprétation du mot σωτήριον qu'il faut retenir en *Sim* 7: 1, *Nepth* 8: 1, *Gad* 8: 1 et *Jos* 19: 11. Quelques passages de la *Genèse* montrent que ce mot grec peut rendre l'hébreu *šālōm*[2]. Attirons l'attention sur d'autres textes où cette particularité est attestée. La version du *livre de Tobit*, trouvée dans le Sinaiticus, montre un emploi de σωτηρία qui dépend d'un *šᵉlāmā* dans l'original araméen[3]. Il est significatif que la recension, représentée par les codices Vaticanus et Alexandrinus, dans les passages correspondants omettent σωτηρία ou changent en εἰρήνη[4]. Ces faits montrent par conséquent qu'il n'y a rien d'extraordinaire à supposer que σωτηρία dans ces passages des *Testaments* traduisent les termes *šālōm* ou *šᵉlāmā*. Cette supposition est confirmée par l'interprétation de l'idée « Lévi et Juda » dans l'ensemble des *Testaments*.

Comme nous l'avons noté, le thème d'un salut issu de Lévi et de Juda se trouve précisé en deux passages. De prime abord, *Sim* 7: 2 paraît fournir une attestation claire d'un bimessianisme[5]. Constatons cependant que ce passage a subi un remaniement chrétien et qu'il est impossible de reconstituer la teneur du texte primitif. Le texte actuel de *Sim* 7: 2 parle de façon incontestable d'un personnage à la fois Dieu et homme, qui en tant que roi descend de Juda, mais en tant que grand prêtre est issu de Lévi. C'est lui qui sauvera toutes les nations et la race d'Israël; notons que les nations sont mentionnées avant Israël. La forme actuelle dans laquelle ce passage est présenté ne s'explique que dans une perspective chrétienne[6]. Il est cependant

---

[1] BICKERMANN 1950 p. 252 s.

[2] *Gen.* 26: 31, 28: 21, 44: 17. Dans 41: 16 on rend *šālōm* par σωτήριον.

[3] *Tob.* 5: 17 : ἄγγελος αὐτοῦ συνοδεύσαι ὑμῖν μετὰ σωτηρίας. Dans 8: 4 et 17 on trouve l'expression ποιεῖν ἔλεος καὶ σωτηρίαν où en d'autres passages de *Tobit* εἰρήνην remplace σωτηρίαν. De plus 14: 4 ἐν τῇ Μηδίᾳ ἔσται σωτηρία. En 8: 13 il est probable, mais non certain que l'original portait *šᵉlāmā*. Cf. aussi *Dan* 6: 10 et *Gad* 5: 7.

[4] Le texte des manuscrits Vaticanus et Alexandrinus ne représente qu'une recension écourtée et grécisée par rapport à la version du Sinaiticus qui reflète plus fidèlement l'original sémitique, dont quelques fragments ont été trouvés à Qumran.

[5] C'est aussi ce texte qui est constamment allégué comme le témoignage le plus évident en dehors des écrits de Qumran d'une doctrine sur deux messies.

[6] Cf. aussi BECKER 1970 p. 332 s. BECKER considère même le passage 7: 2, dans son ensemble comme oeuvre de la rédaction chrétienne.

très vraisemblable que le remaniement chrétien est fait sur un texte juif, car il n'existe aucune indication que le christianisme primitif ait rattaché la descendance de Jésus à la fois à Lévi et à Juda. De plus, la mention d'un grand prêtre en rapport avec Lévi et d'un roi en rapport avec Juda, s'accorde sans difficulté avec ce que l'idée de « Lévi et Juda » implique dans les *Testaments*. Il faut également tenir compte de la fiction que l'auteur des *Testaments* a pris pour cadre. Ce qui se lit comme une prédiction dans la bouche des patriarches, peut en fait viser le présent ou avoir un caractère rétrospectif. Le texte primitif a probablement contenu aussi une pointe antihasmonéenne du même genre que *Juda* 21:1–5 et faisait allusion à la séparation de la fonction sacerdotale et royale. Quoi qu'il en soit, il n'est pas justifié de voir dans *Sim* 7:1–2 un bimessianisme, analogue à celui trouvé dans les écrits de Qumran.

On doit remarquer enfin que *Sim* 7:1 parle du « salut de Dieu » au lieu d'employer l'expression habituelle : « salut d'Israël ».

Le développement qui vient après le passage sur « le salut issu de Lévi et de Juda » dans *Nepht* 8:2, soulève des difficultés d'interprétation analogues. Ce texte (8:3) porte clairement la marque d'un remaniement destiné à rehausser l'importance de Juda au détriment de Lévi. C'est seulement par Juda que Dieu apparaîtra pour sauver Israël et rassembler les justes des nations. De même, dans le verset précédent (8:2) on a changé le texte initial de sorte que le salut d'Israël ne provient que de Juda, contrairement aux autres passages de même structure où le salut est lié à la fois à Lévi et à Juda. La primauté de Lévi indique même que c'est lui qui a la part décisive dans le salut d'Israël. Ce remaniement en 8:2–3 provient peut-être d'une main chrétienne. En même temps, il faut être prudent dans la reconstitution d'un texte initial. Pour 8:2 la conjecture de Bousset et Charles[1] est tentante, car le verset constitue un passage « Lévi et Juda » caractéristique, ce qui devient encore plus évident si Lévi aussi est introduit dans la seconde partie. Le passage 8:3 soulève cependant des difficultés qui ne se laissent pas éliminer par une simple conjecture. Même si on corrige le texte de telle sorte qu'il concerne à la fois Lévi et Juda, il faut quand même expliquer pourquoi l'apparition de Dieu sur terre se fait ici par l'intermédiaire de Lévi et de Juda. La croyance en l'avènement de Dieu appartient, il est vrai, au fond des *Testaments des Douze Patriarches*, mais elle s'exprime alors dans un contexte qui n'est pas le thème « Lévi et Juda ». Il semble donc que le rattachement de l'apparition de Dieu à l'idée « Lévi et Juda » dans *Nepht* 8:2–3 est secondaire. Par contre, si l'on garde la teneur du texte

---

[1] Bousset 1900 p. 154 propose la leçon διὰ γάρ αὐτῶν au lieu de διὰ γὰρ τοῦ Ιούδα au v. 2 et Charles 1908 éd. p. 156 propose la leçon διὰ γὰρ τῶν σκήπτρων αὐτῶν au lieu de διὰ γὰρ τοῦ σκήπτρου αὐτοῦ au v. 3.

pour le v. 3, l'apparition de Dieu sur terre par l'intermédiaire de Juda devient conforme à la doctrine chrétienne de l'Incarnation. La rédaction de *Nepht* 8: 3 ne se réduit pas, de toute évidence, à la seule transformation d'un prétendu τῶν σκήπτρων αὐτῶν en τοῦ σκήπτρου αὐτοῦ. Concluons pour l'instant que 8: 2–3, comme passage « Lévi et Juda », a subi un remaniement, fait probablement dans un milieu chrétien, remaniement plus profond au v. 3 qu'au v. 2. Le texte initial de *Nepht* 8: 3 définissait peut-être de façon plus précise le rôle de Juda dans le cadre général de l'idée « Lévi et Juda ».

On trouve encore dans les *Testaments* un passage où l'apparition de Dieu parmi les hommes est rattachée à Lévi et à Juda. C'est *Lévi* 2: 11 qui constitue probablement un morceau secondaire. Quoi qu'il en soit, ce texte a subi l'influence chrétienne et il est impossible de reconstituer le texte primitif. Si le passage entier n'est pas une interpolation, il a pu contenir une allusion à l'idée « Lévi et Juda », mais alors sans le thème de l'avènement de Dieu. Le dernier texte, qui contient le thème du salut issu de Lévi et de Juda, est *Dan* 5: 10a. Comme BECKER remarque[1], ce morceau est formé seulement du second élément des passages « Lévi et Juda », et un rédacteur a placé Juda avant Lévi. Il ne fait pas de doute qu'on trouvait ici un passage « Lévi et Juda »[2], mais le texte en a été abrégé et refondu, en premier lieu par la rédaction juive, qui a introduit dans les *Testaments* l'idée du prêtre-sauveur[3]. Cette figure messianique réunit des fonctions sacerdotales et royales, de sorte qu'on a pu se représenter ce prêtre-sauveur comme issu de Lévi et de Juda.

Cela nous amène à souligner que tous les passages relatifs à un salut issu de Lévi et de Juda ont dû être réinterprêtés à la lumière du nouveau personnage messianique qui apparaît à une étape postérieure de la transmission des *Testaments des Douze Patriarches*. Il est important de noter que cette réinterprétation s'est faite dans des milieux juifs.

La réinterprétation du thème "Lévi et Juda" par le christianisme antique

Après que les *Testaments des Douze Patriarches* aient été recueillis par les chrétiens, le thème « Lévi et Juda » a naturellement été réinterprété. Toutefois, ce thème ne convenait pas tout à fait à ce que les écritures saintes disaient sur la descendance de Jésus. Dans certains cercles du christianisme primitif, représentés par l'*Épître aux Hébreux*, on a cependant considéré

---

[1] BECKER 1970 p. 351.

[2] Un passage « Lévi et Juda » termine parfois les textes qui contiennent l'eschatologie de base des *Testaments*; voir à ce sujet p. 247.

[3] Voir à ce sujet infra p. 300 s.

Jésus comme grand prêtre. En même temps, on affirme nettement que le Christ ne descend que « de Juda »[1]. L'exposé de l'*Épître aux Hébreux* sur le Christ comme « grand prêtre selon l'ordre de Melchisedeq » l'oppose au sacerdoce de Lévi[2]. La tradition solide sur la descendance de Jesus de la tribu de Juda a pour conséquence que l'*Épître aux Hébreux* doit souligner que Melchisedeq est sans mère et sans père, en un mot ἀγενεαλόγητος[3]. Ainsi, l'idée du Christ comme grand prêtre selon l'ordre de Melchisedeq ne devient plus contraire à sa descendance de Juda. Il est donc clair que l'image du Christ comme grand prêtre selon l'ordre de Melchisedeq, propagée par les milieux de l'*Épître aux Hébreux*, ne s'accorde pas très bien avec l'idée « Lévi et Juda » des *Testaments*.

D'une façon plus imprécise, il était cependant possible de rattacher la christologie aux tribus de Lévi et de Juda. En commentant les bénédictions de Jacob (*Gen.* 49) et de Moïse (*Deut.* 33) les exégètes chrétiens y ont trouvé des figures du Christ. On associe le Christ en tant que prêtre à la tribu de Lévi, mais on évite à le faire descendre de cette tribu. Ainsi Hippolyte de Rome affirme dans son commentaire sur *Gen.* 49 que le Christ descend de Juda, qu'il est préfiguré en Joseph mais est *trouvé* prêtre du Père par Lévi[4]. En expliquant *Deutéronome* 33: 8–11, Hippolyte voit dans la bénédiction prononcée sur Lévi une allusion à Jésus. Le Christ a été préparé par la tribu de Lévi[5]. L'influence de l'idée du Christ comme prêtre selon l'ordre de Melchisedeq apparaît nettement chez Hippolyte qui dans son interprétation du *Deuteronome* 33: 8–11 précise que Jesus était « prêtre du Dieu Très-Haut ». Il cite aussi le *Psaume* 110: 4. Ce psaume est interprété comme preuve scripturaire d'un sacerdoce du Christ comme prêtre selon l'ordre de Melchisedeq aussi par l'apologiste Justin[6]. Celui-ci aborde le thème du Christ comme roi et prêtre sans entrer dans des questions de généalogie[7]. Toutefois, Justin semble rattacher Jésus comme prêtre seulement à la figure de Melchisedeq, car il n'associe pas le Christ à Lévi. En revanche, il le rattache explicitement à Joseph et à Juda[8].

Dans le contexte du Christ comme roi et prêtre il faut également situer le fragment d'Irénée où on lit : πᾶς βασιλεὺς δίκαιος ἱερατικὴν ἔχει τάξιν.

---

[1] *Hébreux* 7: 14 : πρόδηλον γὰρ ὅτι ἐξ Ἰούδα ἀνατέταλκεν ὁ κύριος ἡμῶν.

[2] Cela apparaît clairement en *Hébreux* 7: 5–11.

[3] *Hébreux* 7: 3.

[4] Voir DIOBOUNIOTIS-BEÏS p. 31 et 39.

[5] Voir MARIÈS p. 54 s.

[6] *Dialogue avec Tryphon* 32.

[7] *Dialogue* 34 et 36.

[8] *Dialogue* 126 : Τίς δ'ἔστιν οὗτος, ὅς ... καὶ Ἰωσὴφ καὶ Ἰούδας καὶ ἄστρον διὰ Μωϋσέως ... κέκληται.

Cet aperçu montre qu'il n'est pas possible de trouver des rapports directes entre l'interprétation du Christ comme prêtre et roi et l'idée « Lévi et Juda » des *Testaments*. Dans l'exégèse de l'Église c'est l'idée du Christ comme prêtre selon l'ordre de Melchisedeq qui est développée. La figure de Lévi n'est pas associée à Jésus. L'interprétation de l'idée « Lévi et Juda » par le christianisme antique n'apparaît, semble-t-il, que dans un commentaire des bénédictions de Jacob et de Moïse.

Pour ce qui est de la figure de Juda des *Testaments*, il n'y a pas eu, bien entendu, de difficulté à le rattacher à Jésus. Les assertions sur la royauté de Juda ont aisement été appliquées au Christ. La promesse d'une dynastie royale éternelle, faite aux descendants de Juda dans *Rub* 6: 12, est parfaitement dans la ligne de l'idée du Christ comme roi éternel qu'a propagée le christianisme antique. On la trouve dès l'époque où les *Testaments* ont été adoptés par l'Église, c'est à dire au second siècle et Justin parle de lui comme αἰώνιος βασιλεύς et de sa royauté éternelle[1].

C'est donc la doctrine sur le Christ comme roi et prêtre qui a fourni le point de départ de l'interprétation chrétienne des passages « Lévi et Juda » dans les *Testaments*. La conception traditionelle de Jésus comme prêtre selon l'ordre de Melchisedeq n'a pas dû empêcher en pratique son rattachement à la tribu sacerdotale de Lévi dans les commentaires de textes. Pour préciser qui était ce roi et prêtre prédit par les fils de Jacob, les rééditeurs chrétiens ont introduit dans quelques passages la doctrine de l'Incarnation (*Sim* 7: 2, *Lévi* 2: 11 et *Nepth* 7: 3). Peut-être a-t-on utilisé à ce sujet des formulations sur l'apparition de Dieu, thème qui fait partie de l'ouvrage primitif.

Il est légitime de se demander si l'idée de « Lévi et Juda » des *Testaments*, retouchée ça et là, par des mains chrétiennes n'a pas exercé une certaine influence sur la christologie de l'Église. Dans un fragment attribué à Irénée[2], certains des douze patriarches sont énumérés qui peuvent d'une façon ou d'une autre être associés au Christ. Dans Joseph, il a été préfiguré (προε-τυπώθη), par Siméon il a été reconnu (ἐπεγνώσθη) dans le Temple, par Zabulon on a cru en lui (ἐπιστεύθη) parmi les nations. A Lévi et Juda, qui sont pris ensemble, le Christ est rattaché de la façon suivante :

« Il est né, dans la chair, de Lévi et de Juda comme roi et prêtre »[3].

Ici la descendance de Jésus est rattachée à la fois à Lévi et à Juda, ce qui est exceptionel. Sur ce point donc, il est probable que nous sommes en

---

[1] *Dialogue* 34 et 36.
[2] Fragment n° 16 dans ΒΕΠ, V p. 177.
[3] Voici le texte grec : ἐκ δὲ τοῦ Λευὶ καὶ τοῦ Ἰούδα τὸ κατὰ σάρκα ὡς βασιλεὺς καὶ ἱερεὺς ἐγεννήθη.

présence d'une influence exercée par le thème d'un salut issu de Lévi et de Juda dans les *Testaments des Douze Patraiarches*.

Conclusions

Il n'est pas inutile de résumer ici le thème de « Lévi et Juda » tel qu'il ressort des *Testaments des Douze Patriarches*.

Pour ce qui est de la figure de Lévi, les *Testaments* ont utilisé des matériaux plus anciens qui sont marqués par le milieu du haut sacerdoce jérusalémite. Mais ces matériaux ont été adaptés, conformément à l'orientation des milieux des *Testaments*.

Lévi, c'est à dire le sacerdoce lévitique, envisagé sous les aspects que décrit *Rub* 6: 8 est considéré comme un élément indispensable de la société juive. C'est pourquoi on insiste si fortement sur la suprématie de Lévi, même par rapport à Juda. L'importance qu'on attache néanmoins à celui-ci et à sa royauté provient d'une part de la polémique à l'endroit des Hasmonéens, d'autre part, du rôle éminent que joue la royauté de David dans les traditions bibliques. Les affirmations sur Juda ne sont pas seulement rétrospectives, elles comprennent également l'espérance d'une restauration de la royauté davidique. En face des réalités de l'époque contemporaine, la royauté assignée à Juda revêt le caractère d'un idéal qui, dans les milieux des *Testaments*, sera projeté de plus en plus sur les temps à venir. Par certains aspects, la figure de Lévi revêt aussi un caractère idéal. Puisque les *Testaments* polémiquent avec le haut sacerdoce jérusalémite et les Hasmonéens, qui sont actuellement les détenteurs de la grande prêtrise, on doit regarder ceux qui l'exercent pour le moment, comme indignes. En même temps, les milieux des *Testaments* restent attachés à l'office du grand prêtre et au service sacrificiel. Dans la mesure où cet office est présent dans la figure de Lévi, on propage donc l'image d'un grand prêtre idéal, le Lévite par excellence. Il devient également clair que, dans cette interprétation de « Lévi et Juda », on a pu adapter sans changements profonds l'idéologie de *Rub* 6: 10–12, sur Lévi comme prêtre et roi-guerrier. La fonction du roi-guerrier a tout simplement été transmise à Juda. C'est lui, à savoir David ou le davidide futur, à qui une royauté éternelle est promise, et qui combat pour Israël[1].

Dans la rédaction juive qui a introduit dans les *Testaments* l'idée du prêtre-sauveur[2], le thème du salut issu de Lévi et de Juda a aisément pu

---

[1] Le thème de « Lévi et Juda » dans les *Testaments* prolonge donc sous certains aspects la ligne de *Jérémie* 33: 17–18. Selon ce passage, *Yahvé* promet au prophète que David ne manquera jamais d'un successeur sur le trône d'Israël et que les Lévites ne manqueront jamais de successeurs pour faire les sacrifices.

[2] Voir infra chap. III.

être réinterprété comme visant cette figure salvifique. Certains textes semblent même avoir été retouchés dans ce sens.

Enfin, l'utilisation des *Testaments* par le christianisme antique a donné une nouvelle signification au thème « Lévi et Juda », signification qui a été préparée par la réinterprétation juive.

CHAPITRE II

L'ESCHATOLOGIE DE BASE DES TESTAMENTS DES DOUZE PATRIARCHES

LE THÈME » PÉCHÉS-CHATIMENT-RESTAURATION »

Les idées eschatologiques qui sont consignées dans les *Testaments des Douze Patriarches* s'expriment volontiers sous la forme particulière d'une prédiction du patriarche concernant les destinées futures de ses descendants[1]. On y distingue nettement quatre éléments constitutifs :

1°. Une formule introductive : le patriarche fait savoir d'où il tire la connaissance de ce qui arrivera ses descendants.
2°. Une description de leurs péchés futurs.
3°. Une prédiction du châtiment de ses descendants.
4°. Promesses de leur salut et de la restauration.

Les péricopes des *Testaments* qui sont composées d'après ce modèle sont les suivantes : *Lévi* 14–15, 16, *Juda* 23, *Iss* 6, *Zab* 9: 5–8, *Dan* 5: 4–9, *Nepht* 4, *Aser* 7: 2–7, *Benj* 9: 1–2. Il y a encore quelques passages qui appartiennent clairement au même mode de penser, mais qui n'ont pas conservé l'ensemble de ces éléments. Ce sont : *Sim* 5: 4–6, *Lévi* 10: 2–5, *Juda* 21: 7–22: 3, 17: 2–3 et *Gad* 8: 2. On a signalé l'influence qu'a exercé la conception de l'histoire d'Israël professée par l'école deutéronomiste sur les péricopes « péchés-châtiment-restauration » des *Testaments*[2]. Il est inutile de refaire cette démonstration ici. Si la structure générale et la dépendance des vues deutéronomistes ont été indiquées, il reste à faire une analyse approfondie du contenu de ces péricopes. Les questions concernant leur unité, leur rapports avec les autres thèmes eschatologiques des *Testaments* ainsi que leur appartenance à l'ouvrage primitif doivent être abordées de nouveau.

---

[1] DE JONGE 1953 p. 83 qui le premier a dégagé la structure de ces textes, les appelle « Sin, Exile, Return – passages », ou « S.E.R. passages ». BECKER 1970 pp. 172 ss. reprend la même terminologie, mais il distingue encore un élément constitutif supplémentaire, celui de la repentance. BALTZER p. 155 s. considère cette conception eschatologique comme la transformation d'un élément trouvé dans l'ancienne formule d'alliance.

[2] DE JONGE 1953 p. 85, BALTZER pp. 158–167, STECK pp. 150–153 et BECKER 1970 pp. 173 s. et 177.

La formule introductive

Il convient de commencer l'analyse du contenu avec la formule introductive. Elle se rattache directement à la description des péchés (2°) mais doit se référer également aux éléments qui suivent (3°–4°). Le but de la formule est sans doute de conférer plus d'autorité aux prédictions, mises dans la bouche des patriarches[1] mais également de souligner la position de leur auteur dans la ligne des prophètes et apocalypticiens anonymes de l'époque. Cette position est marquée par le recours à des écrits attribués à Hénoch (*Sim* 5: 4, *Lévi* 10: 5, 14: 1, 16: 1, *Juda* 18: 1, *Dan* 5: 6, *Nepht* 4: 1 et *Benj* 9: 1). Le passage *Zab* 9: 5–8 est cependant introduit par l'expression « j'ai appris dans l'écrit de mes pères » et une fois le patriarche renvoie aux tables célestes (*Aser* 7: 5). Parfois, la référence aux sources du patriarche est absente, on trouve seulement « car je sais » (*Iss* 6: 7, *Dan* 5: 4, *Gad* 8: 2, *Aser* 7: 2). Tout invite à croire que la forme où un écrit d'Hénoch est indiqué comme source, exprime le plus fidèlement la pensée de l'auteur[2]. C'est elle que l'on rencontre le plus souvent et, en outre, on peut établir une certaine relation entre la référence à Hénoch et ce qui suit. En *Lévi* 14: 1, Hénoch est pris comme garant de la vérité de la prédiction sur les péchés futurs des descendants du patriarche. Or, dans le texte araméen de l'*Apocryphe de Lévi* correspondant à ce passage, Hénoch est considéré, dans son rôle d'accusateur des péchés des prêtres comme le devancier de Lévi. Cette fonction d'Hénoch apparaît également dans un fragment hébreu inédit de Qumran : le sage antediluvien témoigne contre les fils des hommes et contre les Veilleurs[3]. Une citation du *livre d'Hénoch*[4], fait par Georges le Syncelle, nous montre Hénoch exerçant contre les fils des hommes la fonction d'accusateur[5]. Ce trait réapparaît clairement dans l'adaptation manichéenne du *livre des Géants*[6]. Cela nous amène à nous demander si la formule introductive qui recourt à Hénoch, veut introduire une citation explicite ou implicite de la littérature hénochique[7]. On ne trouve pas toutefois dans les écrits d'Hénoch

---

[1] Cf. DE JONGE 1953 pp. 84, 120 s. et BECKER 1970 p. 175.

[2] BECKER p. 174 s. voit au contraire dans la forme « je sais (j'ai lu) que » la formule primitive. Il préfère pour cette conclusion le texte des mss *chi* où la référence à Hénoch est absente dans la plupart des cas cités ci-dessus. Cette hypothèse n'est pas recevable; ces manuscrits représentent en effet une recension (voir vol. II chap I.) du texte où l'on aura supprimé la mention des écrits d'Hénoch qui étaient assez vite tombés en désuétude dans l'Eglise chrétienne. CHARLES 1908 comm. p. 49 s. tend également à regarder les références à Hénoch comme secondaires.

[3] Voir pour ce fragment MILIK 1971 p. 345.

[4] Cf. MILIK 1971 p. 368.

[5] Hénoch grec, éd. BLACK p. 26.

[6] Voir HENNING p. 65 et cf. MILIK 1971 p. 369 et 1976 p. 314 ss.

[7] CHARLES 1908 comm. p. 22 suggère que l'auteur des *Testaments* dépend ici des

des passages correspondants à cette eschatologie des *Testaments* dominée strictement par le thème « péchés-châtiment-restauration ». Nous ne sommes donc pas en présence de citations, explicites ou implicites, mais de réminiscences d'Hénoch accusateur. Quoi qu'il en soit, les références au sage antediluvien suppose l'existence des écrits attribués à Hénoch qui ont propagé l'image de celui-ci comme le révélateur par excellence des choses cachées et à venir.

Quant aux formules où le nom d'Hénoch est absent, elles ne sont pas nécessairement secondaires, quoique on puisse constater dans la tradition manuscrite une tendance à supprimer la mention d'Hénoch[1]. Il serait imprudent de ne pas accorder à l'auteur de nos péricopes une certaine liberté de formulation. Il n'a d'ailleurs pas dû sentir le besoin d'invoquer dans tous les cas l'autorité d'Hénoch; Cette autorité est probablement sous-entendue quand le patriarche dit seulement « je sais que ». La référence aux tables célestes[2] indiquent un rapport évident avec le corpus hénochique. La mention de ces tables introduit en effet dans les écrits d'Hénoch des notions de nature eschatologique où Hénoch révèle l'impiété à venir sur la terre (*Hénoch* 81: 1 s. et 5, 93: 2 ss., 103: 2 ss. et 106: 19)[3]. Le renvoi à « l'écrit de mes pères » (*Zab.* 9: 5) pourrait viser les *livres d'Hénoch*; la possibilité d'une correction postérieure n'est pas exclue cependant (cf. note 1).

Les rapports avec l'ancienne littérature hénochique sont donc incontestables. Les *Testaments* présupposent des *écrits* propagés au nom d'Hénoch, où le sage antediluvien fait figure de révélateur des événements à venir et d'accusateur des péchés des hommes. Ce sont notamment ces deux traits que les *Testaments* ont repris et utilisé sous forme de réminiscences. L'examen de la formule introductive permet une dernière remarque. L'insistance avec laquelle cette formule renvoie à des *écrits* comme source

passages de la littérature hénochique qui n'ont pas été conservés et renvoie à l'*Henoch slave* (34: 2). Ce passage n'explique guère les références à Hénoch dans les *Testaments*. ROST p. 110 soutient (peut-être sous l'influence de CHARLES?) que toutes les allusions à Hénoch dans les *Testaments* renvoient à l'*Henoch slave*. NOACK 1971 p. 49 est d'avis que les *Testaments* utilisent ici une partie du *livre éthiopien d'Hénoch*. DE JONGE 1953 p. 84 et 120 s. et BECKER p. 175 minimisent quant à eux le rapport avec la littérature hénochique que la formule indique. La question des citations d'Hénoch dans les *Testaments* a été autrefois très discutée; pour références voir BECKER 1970 p. 175 n. 4.

[1] Les mss *chi* suppriment ainsi la mention d'Hénoch en *Lévi* 14: 1, 16: 1 et en *Juda* 18: 1.

[2] Celles-ci sont mentionnées aussi en *Lévi* 5: 4 et *Aser* 2: 10 mais dans un contexte non-eschatologique, visant les « tables » de Moïse, c'est à dire le *Pentateuque*.

[3] Les tables célestes sont mentionnées également dans les *Jubilés* (3: 10, 16: 9, 30: 19 s., 31: 32) mais elles font plutôt allusion aux lois dictant la conduite des Israélites, cf. CHARLES 1902 p. 24 et NOACK 1958 p. 196. On retrouve ces tables dans un fragment qumranien de caractère eschatologique, publié par TESTUZ 1955 p. 38.

de la connaissance des événements à venir indique clairement l'importance de la tradition écrite dans les milieux où les *Testaments* ont pris naissance[1].

Les péchés des descendants du patriarche

Avant d'aborder l'étude du deuxième élément constitutif, il n'est pas inutile de présenter quelques remarques sur l'interprétation des péricopes « péchés-châtiment-restauration ». L'exégèse doit tenir compte de deux particularités propres à ces passages : la première est la fiction d'après laquelle ces passages sont rédigés, et la seconde est celle de la marque imprimée par le temps où l'auteur a vécu. Ce qui est donc présenté par la fiction comme une prédiction n'est souvent en réalité qu'une rétrospective de l'histoire d'Israël. La densité des prédictions rend le passage à une véritable prophétie difficile à saisir. Le plus souvent prédictions fictive et réelle sont mêlées de façon inextricable. On est en fait en présence d'une relecture de l'ancienne conception deutéronomiste et des oracles des prophètes, adaptée à l'époque où les *Testaments* ont été composés. Il est donc légitime de chercher à trouver des influences de l'époque contemporaine, en particulier en ce qui concerne la description des péchés et du châtiment (éléments 2° et 3°). C'est ainsi que l'accusation ἀποστήσεσθε ἀπὸ κυρίου (*Zab* 9: 5, *Dan* 5: 4, *Nepht* 4: 1) lancée par quelques patriarches contre leur postérité, est susceptible d'une double interprétation. D'une part, à la lumière des données scripturaires, la dissidence qui est annoncée serait celle des tribus du Nord après la mort de Salomon[2]; et l'on entend également un écho de la prédication de Jérémie où le thème de l'apostasie revient avec une insistance remarquable[3]. D'autre part, l'accusation d'apostasie se prête aisément à une actualisation, et vise alors les juifs qui, au temps de l'auteur, se sont écartés du chemin du Seigneur. Les deux interprétations, rétrospective et actualisante sont enchevêtrées.

La description des péchés à venir est le plus souvent introduite par une indication qui détermine de façon plus ou moins précise le temps où la prédiction du patriarche est censée s'accomplir[4]. Il est permis de supposer que cette indication renvoie à l'ensemble de la péricope en question, c'est à dire également aux éléments du châtiment et de la restauration. Les indications ἐν ἐσχάταις ἡμέραις (*Jud* 18: 1, *Zab* 9: 5, *Dan* 5: 4) et ἐν ἐσχάτοις καιροῖς

---

[1] Voir aussi vol. II chap. III.

[2] La séparation des tribus du Nord est du point de vue de l'historiographie deutéronomiste considérée comme une apostasie : *1 Rois* 12: 19, *2 Rois* 17: 21, *2 Chron.* 10: 19.

[3] *Jér.* 2: 13, 29, 5: 23, 8: 5, 14: 7, 16: 11.

[4] Cette indication manque en *Nepht* 4: 1, *Aser* 7: 5 et *Benj* 9: 1.

(*Iss* 6: 1) ne présupposent pas nécessairement un schéma apocalyptique[1]. Cette expression correspond au terme באחרית הימים de la Bible qui, à peu près partout, ne vise qu'un avenir indéfini[2]. Les péricopes « péchés-châtiment-restauration » des *Testaments* ne contiennent pas non plus des éléments proprement apocalyptiques. C'est donc en premier lieu la traduction « dans les jours à venir » qui rend le mieux la signification de la phrase ἐν ἐσχάταις ἡμέραις de ces péricopes[3]. Cependant, à mesure que l'ambiance apocalyptique de l'époque se précise, l'expression revêt la nuance apocalyptique « à la fin des jours ». Celle-ci est plus explicite dans la formule ἐπὶ συντελείᾳ τῶν αἰώνων en *Lévi* 10: 2[4]. La provenance de cette expression en *Lévi* 10: 2 est incertaine, car le texte a été retravaillé par une main chrétienne et la formule pourrait être mise au compte de ce remanieur. L'indication ἐπὶ τέλει qu'on trouve deux fois (*Lévi* 14: 1 et *Gad* 8: 2) semble, au premier abord, supposer l'idée de « la fin des temps ». Le sens exact, dans notre contexte, de cette expression adverbiale nous échappe cependant[5]. L'usage de la *Septante* devra toutefois nous mettre en garde contre une interprétation trop apocalyptique, car τέλος n'y est pas utilisé pour rendre le mot קץ au sens de « la fin des temps »[6].

Quant aux péchés que commettront les fils de Jacob, il est bon de se rappeler que pour Lévi et Juda on est en présence de transgressions commises par des groupes particuliers, constitués par les prêtres et les rois ou les puissants. Les prédictions de péchés commis par les autres tribus, doivent s'interpréter comme visant les juifs en général[7]. Ces indications des péchés futurs s'inspirent essentiellement de l'*Ancien Testament*. Nous avons déjà traité du reproche d'apostasie, et cela implique notamment un abandon

---

[1] Cf. l'avertissement de CARMIGNAC 1969 pp. 20–22.

[2] *Gen.* 49: 1, *Nomb.* 24: 14, *Deut.* 4: 30, 31: 29, *Jér.* 23: 20, 30: 24, 48: 47, 49: 39, *Is.* 2: 2, *Ez.* 38: 16, *Hos.* 3: 5 et *Dan.* 2: 28. Seul *Dan.* 10: 14 présente une signification apocalyptique de cette expression.

[3] Dans la *Septante* באחרית הימים est rendu par ἐπ' ἐσχάτων (-ου) τῶν ἡμερῶν dans tous les passages cités ci-dessus (note 2) sauf en *Is.* 2: 2 où l'on trouve ἐν ταῖς ἐσχάταις ἡμέραις. L'emploi des *Testaments* est donc sur ce point indépendant de celui de la *Septante*.

[4] Συντέλεια traduit dans *Daniel* le plus souvent קץ au sens du temps ultime; cf. DELLING 1969 p. 66. Cp. aussi l'expression באחרית הקץ de 4QpNah III: 3.

[5] Sous cette forme, l'expression adverbiale composée par une préposition et le nom τέλος ne se retrouve qu'une fois dans *LXX* en *Sap.* 11: 14 mais ἐπὶ τέλει y signifie « finalement » sans moindre nuance eschatologique. D'ordinaire, en grec ἐπὶ τέλος marque la fin par opposition de ἐν ἀρχῇ. La tournure ἐπὶ τέλει s'emploie pour indiquer la fin d'un mot, d'une phrase, d'un livre etc.

[6] Pour cette particularité de la *Septante* cf. DELLING 1969 p. 53.

[7] On le voit p. ex. en *Zab* 9: 5 : la division des fils de Zabulon en deux rois ne peut que viser tout Israël; cf. aussi BECKER 1970 p. 213.

de la pure religion de *Yahvé*. Cet abandon, on le sait, est le péché capital aux yeux des prophètes et de l'école deutéronomiste. Les *Testaments* emploient pour désigner cette transgression le terme βδέλυγμα qui, dans la *Septante*, traduit les conceptions de תועבה et de שקוץ. Ces termes sont utilisés pour désigner ce qui relève d'un dieu étranger et de son culte. Parfois on entend par là, plus spécialement, l'idole. On entrevoit encore cet emploi en *Zab* 9: 5, sous la forme d'un parallélisme sémitique : «Vous commettrez toute abomination, et vous vous prosternez devant toute idole.» En *Juda* 23: 2 et *Dan* 5: 5 on trouve l'accusation que les descendants du patriarche commettront « les abominations des nations », τὰ βδελύγματα τῶν ἐθνῶν. C'est là une formulation stéréotypée emprunté par l'auteur à la polémique deutéronomiste[1], exemple de l'influence exercée par le vocabulaire du deutéronomiste sur ces péricopes des *Testaments*. Le reproche, trouvé en *Nepht* 4: 1, et selon lequel les fils marcheront « dans l'impiété des nations » est lui aussi formulé de façon générale.

Un autre « topos » d'un contenu analogue, utilisé dans les descriptions des péchés, est la référence aux transgressions de Sodome (*Nepht* 4: 1, *Benj* 9: 1 et *Lévi* 14: 6 où Gomorrhe est aussi mentionné)[2]. On commettra la même iniquité (*Nepht* 4: 1) et on sera coupable des mêmes actes de luxure (*Benj.* 9: 1) que Sodome. Or, il est bien dans l'esprit du *Deutéronome* et surtout des prophètes de comparer les péchés de Sodome à ceux d'Israël ou de Jérusalem[3]. Parfois il est même dit que les péchés d'Israël surpasseront ceux de Sodome[4].

On se contente souvent de résumer les péchés futurs par des termes d'un caractère plus général, comme ἀπειθεῖν (*Aser* 7: 4), ἁμαρτάνειν (*Aser* 7: 1), (συν) ἐξαμαρτάνειν (*Dan* 5: 6–7), ἀσεβεῖν et ἀσέβεια (*Lévi* 10: 2, 14: 1–2, *Nepht* 4: 4, *Aser* 7: 4) ἀνομεῖν (*Lévi* 10: 3) et παράβασις (*Lévi* 10: 2). A la même catégorie appartient le reproche de ne pas faire attention à la loi de Dieu (*Aser* 7: 5), ce qui est dans la ligne postéxilique où la *tōrāh* devient le principe central de la religion juive. On doit noter que les listes de péchés en *Nepht* 4 et *Aser* 7 sont composées de « topoi » et de termes généraux tandis que les *Testaments de Zab, Iss, Dan* et *Benj* apportent des précisions[5]. *Zabulon*

---

[1] L'expression « les abominations des nations » se rencontre presque exclusivement dans les ouvrages de l'école deutéronomiste : *Deut.* 18: 9, *1 Rois* 14: 24, *2 Rois* 16: 3, 21: 2, *2 Chron* 28: 3, 33: 2, 36: 14. Ajoutons dans *LXX 1 Esdr.* 7: 13.

[2] L'exemple de Sodome est utilisé également dans les sections parénétiques : *Nepht* 3: 4 et *Aser* 7: 1.

[3] *Deut.* 29: 22, 32: 32, *Is.* 1: 9 s., 3: 9, *Amos* 4: 11, *Jér.* 23: 14, *Ez.* 16: 49, *Lam.* 4: 6.

[4] *Ez.* 16: 47 s.

[5] Nous mettons à part, pour le moment, les *Testaments de Lévi* et de *Juda* dont les listes de péchés visent des groupes particuliers.

prédit que ses fils seront divisés et suivront deux rois (ou : royaumes)[1]. Comment interpréter cette prédiction? On la regarde volontiers comme une allusion évidente à la situation prévalant dans la Judée au temps des luttes fratricides d'Hyrcan II et d'Aristobule II[2]. Il est plus vraisemblable pourtant que le texte vise en premier lieu la division d'Israël en deux royaumes après Salomon[3]. Déjà l'accusation d'apostasie peut y faire allusion, comme nous l'avons vu (supra p. 85). Plus éclairant encore est le verset suivant (*Zab.* 9: 6) où l'exil de Babylone est indiqué, et le verset 7 montre que l'auteur a interprété le retour en terre sainte comme la conséquence de la repentance du peuple juif. L'interprétation de ce passage (9: 5–7) comme une rétrospective de l'histoire d'Israël sous la forme d'une prédiction fictive est donc la plus cohérente. Notre exégèse est confirmée par d'autres faits. La terminologie employée indique l'utilisation des traditions bibliques, notamment la péricope d'*Ezechiel* 37: 15–28[4]. La division de la nation en deux royaumes, Israël et Juda, y est considérée comme un péché ou un châtiment (cf. *Juda* 22: 1); le prophète met l'idéal messianique : un peuple — un roi, en opposition au schisme du passé : « Ils ne seront jamais plus divisés en deux royaumes » (*Ez.* 37: 22)[5]. La *Septante* nous a conservé, dans le contexte de la réprobation de Saül, une prédiction, mise dans la bouche de Samuel, (*1 Sam.* 15: 22–35), sur la division d'Israël en deux (rois ou parties)[6]. Ce n'est qu'après que l'on aura démontré par d'autres arguments que le chapitre neuf du *Testament de Zabulon* a été composé à l'époque des derniers Hasmonéens ou peu après que cette allusion aux deux rois pourrait être interprétée comme une actualisation.

La liste des péchés du *Testament d'Issacar* est en rapports étroits avec les parénèses et l'aggada de ce testament; nous l'aborderons plus tard (p. 192). Le *Testament de Benjamin* 9: 1–2 est un passage difficile où le texte est en desordre et porte les traces d'un remaniement[7]. Le contenu en est obscur, mais on entrevoit clairement que le thème « péchés-châtiment-restauration » en a constitué le modèle. Ce passage est comprimé de sorte qu'on soupçonne un abrègement. Les péchés dénoncés au v. 1a sont d'un caractère général et avec la phrase « et vous périrez dans peu de temps » commence

---

[1] *Zab* 9: 5; pour le texte voir vol. II chap. IV.

[2] BOUSSET 1900 p. 191 s., CHARLES 1908 comm. p. lviii et p. 120 suivis par RIESSLER p. 1335, PHILONENKO 1960 p. 36, DUPONT-SOMMER 1963 p. 220 et 1968 p. 367.

[3] Cf. DE JONGE 1960 p. 229 s. et BECKER 1970 p. 211.

[4] Ce texte a d'ailleurs influencé d'autres passages des *Testaments*, voir infra pp. 209, 239.

[5] Dans la version de la *Septante* : οὐδὲ μὴ διαιρεθῶσιν οὐκέτι εἰς δύο βασιλείας.

[6] *LXX 1 Rois* 15: 29 : Καὶ διαιρεθήσεται 'Ισραηλ εἰς δύο.

[7] Cf. DE JONGE 1960 p. 225, BECKER p. 253.

l'élément du « châtiment ». Cependant ἀνανεώσεσθε ἐν γυναιξὶ στρήνους a l'allure d'une accusation qui reste toutefois obscure[1].

En dehors des *Testaments de Lévi* et *de Juda*, aucun autre testament ne présente une description de péchés si développée que celle du *Testament de Dan* (5: 4–7). On peut en proposer l'explication suivante. En un premier temps, on a combiné le thème de « Lévi-Juda » avec celui de « péchés-châtiment-restauration »; puis, l'auteur (ou le remanieur) a pris, semble-t-il, un intérêt particulier pour les transgressions de la tribu de Dan, intérêt qui culmine dans l'accusation « votre chef est Satan » (v. 6). Au point de vue de la composition ce passage reste confus : on trouve deux fois la formule introductive (v. 4 et v. 6); le reproche d'apostasie est lancé dès le début (v. 4) mais répété ensuite au v. 5 de façon artificielle. Enfin, les vv. 6–7 concernent pour l'essentiel les péchés des descendants de Lévi et de Juda ce qui fait exception par rapport au modèle que suit l'auteur dans les péricopes « péchés-châtiment-restauration ».

Les tentatives qui ont été faites pour mettre de la clarté dans ce texte difficile ne sont pas convaincantes. En état actuel de notre documentation, il semble impossible de reconstituer la forme primitive de *Dan* 5: 4–7. Nous tenons cependant à souligner quelques faits qui sont, selon nous, essentiels pour en comprendre la composition. Un argument que les critiques produisent dans leur analyse, repose sur la contradiction, jugée insupportable, entre la glorification de Lévi et de Juda en 5: 4 et les graves reproches qu'on leur fait ensuite en 5: 6–7[2]. On est pour cela amené à écarter comme secondaires les versets 6–7[3]. Or, la contradiction alléguée s'estompe considérablement si on l'envisage sous le thème « péchés-châtiment-restauration » où la description des péchés futurs des descendants est un élément essentiel que l'exégèse ne doit pas entendre comme contraire à l'idéalisation de certains patriarches. Prenons le cas d'Issacar. Il est décrit dans les *Testaments* comme le parfait modèle de la vertu mais, dans la prédiction des péchés, ses descendants ne se conformeront en aucune manière à cet exemple. Le *Testament de Zabulon* constitue un cas analogue. Ce n'est pas là une contradiction pour l'auteur. De même, la position éminentèe accorde dans les *Testaments* à Lévi et à Juda n'exclut pas que l'auteur puisse sévèrement critiquer leur postérité. Remarquons que le texte de *Dan* 5: 6–7 précise que ce sont les transgressions des *fils* de Lévi et des *fils* de Juda. Il faudrait par conséquent apporter d'autres arguments pour éliminer les vv. 6–7. On

---

[1] Voir infra p. 146.

[2] BOUSSET 1900 p. 189, CHARLES 1908 comm. p. 128, DE JONGE 1953 p. 92, BECKER 1970 p. 350.

[3] Les auteurs cités ci-dessus. DE JONGE précise cependant que c'est une addition de l'auteur lui-même faite pendant son travail de compilation.

pourrait tirer un meilleur argument du fait que le *Testament de Dan* est le seul testament où l'on trouve des invectives qui ne sont pas seulement adressées à la tribu du patriarche. La raison en est certes difficile à donner, mais le fait doit être mis en relation avec la mention de Lévi et de Juda en 5: 4. Dans le verset 6 les accusations portées contre les fils de Dan culminent dans l'assertion ὁ ἄρχων ὑμῶν ἐστιν ὁ σατανᾶς par où il faut comprendre que les fils de Dan sont sous la domination de Satan. Il n'est pas question ici d'une affirmation que l'Antichrist proviendra de la tribu de Dan, comme le soutiennent BOUSSET[1] et CHARLES[2] suivis par DE JONGE[3]. La mention de Satan dominant les fils de Dan concorde bien avec le dualisme accentué des *Testaments*. On ne doit pas attacher trop d'importance au fait que le prince du Mal est nommé ici Satan au lieu de Beliar qui est plus commun[4]; le nom Satan est bien enraciné dans des traditions juives en rapport étroit avec les *Testaments* de sorte qu'une alternance entre Satan et Beliar ne surprend pas[5]. La suite du texte (v. 6b) est difficile à interpréter. Comme le parallélisme le suggère, on attendrait qu'après le reproche « votre chef est Satan », la mention des esprits de fornication et d'orgueil se réfère aux fils de Dan et non à Lévi. L'omission de « Lévi » par une partie de la tradition manuscrite ne résout pas la difficulté, car ὑπακούσονται est alors privé du complément que le contexte rend nécessaire. D'autre part, si l'on garde le mot « Lévi » et si on le met en relation avec ὑπακούσονται l'assertion que ces esprits se joignent aux fils de Lévi pour les faire pécher, ne donne pas un meilleur sens au texte[6]. L'état présent du texte ne permet donc pas une interprétation exacte du verset 6b[7]. Le verset suivant (5: 7) reprend le thème des péchés de la postérité de Dan en soulignant qu'elle est proche de Lévi. Puis vient, de façon un peu imprévue, la mention des transgressions futures des fils de Juda qui dans l'avarice dépouilleront les biens d'autrui

---

[1] BOUSSET 1900 p. 208 s. Cf. par contre l'opinion de BECKER 1970 p. 350 n. 3.

[2] CHARLES 1908 comm. p. 128. Il est vrai que dans certains textes on trouve une dépréciation de la tribu de Dan; en particulier on l'accuse d'idolâtrie. Le dossier en a été établi par CHARLES loc. cit.; il faudrait y ajouter *Tobit* 1: 5 (Sinaiticus). On doit cependant relever l'appréciation positive de la tribu de Dan que donne la littérature rabbinique p. ex. les Targoums à *Gen.* 49: 16 ss.

[3] DE JONGE 1953 p. 121 s. Tandis que BOUSSET et CHARLES soutiennent l'origine juive de l'expression « votre chef est le Satan » DE JONGE y voit une affirmation chrétienne.

[4] Le nom Satan figure aussi en *Dan* 3: 6 et 6: 1, *Gad* 4: 7 et *Aser* 6: 4.

[5] Satan pour désigner l'incarnation du mal se trouve dans la Prière de Lévi (texte araméen et grec), avec une formulation très voisine en *11Q Ps^a XIX*: 15, *Jub.* 10: 11, 23: 29. En outre, dans un contexte fragmentaire, en *1QH* fr. 4,45 et *1QSb* I: 8. Dans le *Testament de Job* Satan est la désignation courante du prince du mal.

[6] Cf. CHARLES 1908 comm. p. 129.

[7] Cf. aussi DE JONGE 1953 p. 154 n. 262.

comme des lions. Cette accusation est formulée sous l'influence de *Prov.* 19: 12, 20: 2 et *Soph.* 3: 3 où le courroux des rois est comparé à celui des lionceaux[1]. Elle s'apparente par le contenu aux griefs adressés à « ceux qui ont le pouvoir » en *Juda* 21: 7–9.

Les critiques antérieurs avaient proposé d'éliminer comme secondaires les versets 6–7. BECKER va plus loin en découvrant encore deux nouveaux ajouts[2]. D'abord l'assertion sur Lévi et Juda au v. 4, à partir de προσο-χτιεῖτε τῷ Λευί et renfermant le reste de ce verset. Les arguments qu'il en apporte ne sont pas convaincants. Le thème de Lévi-Juda serait étranger au contexte du motif « péchés-châtiment-restauration » et, cette interpola-tion écartée, le début du v. 4 se rattacherait aisément au verset 5. Or, le thème de la prédominance des tribus de Lévi et de Juda est une idée maî-tresse des *Testaments*[3], et le passage de *Dan* 5: 4 constitue même la formula-tion la plus claire de toute cette idéologie. Enfin, l'adaptation d'un passage « Lévi-Juda » dans un contexte, quoique fragmentaire, au thème « péchés-châtiment-restauration » se trouve également en *Sim.* 5: 4–6. *Dan* 5: c qui décrit les agissements des esprits d'égarement parmi les fils de Dan, est, selon BECKER, une addition rédactionnelle destinée à préparer le verset 6. Ces esprits ne figurent pas expressément, il est vrai, dans les autres listes de péchés des *Testaments*. L'argument reste faible, car ces listes contiennent souvent des formulations qui n'ont pas de parallèles ailleurs p. ex. *Iss.* 6: 1 s. Dans ce passage on trouve cependant dans l'attachement des fils d'Issacar à Béliar et aux penchants mauvais une idée analogue à *Dan* 5: 5c. La conception des esprits est, du reste, elle aussi, un élément essentiel dans la composition des *Testaments*.

En conclusion, la description des pechés en *Dan* 5: 4–7 ne nous est pas parvenue, semble-t-il, sous sa forme primitive. On ne peut déterminer avec certitude si l'état présent du texte résulte d'un procédé d'amplification ou d'abrègement ou s'il s'agit d'une corruption. La réputation de la tribu de Dan comme particulièrement livrée à l'idolâtrie a pu motiver une descrip-tion plus longue dès l'origine ou bien elle a pu amener des interpolations. Quoi qu'il en soit, on ne peut apporter d'arguments décisifs pour écarter certaines parties du texte comme secondaires. Le passage ne contient, en effet, rien qui s'oppose de façon exceptionelle aux thèmes constitutifs des *Testaments* ou à la composition du livre.

---

[1] L'expression λέων ἁρπάζων en *Dan* 5: 7 reflète la tournure biblique אריה טרף de *Ps.* 7: 3, 22: 14 et *Nah.* 2: 13.

[2] BECKER 1970 p. 350 s.

[3] Voir supra p. 59.

Les accusations portées contre les péchés des descendants de Lévi apparaissent à cinq reprises dans le *Testament de Lévi* et une fois dans le *Testament de Dan* (*Lévi* 10: 2–3, 14: 1–8, 16: 1–3, 17: 8 et 17: 11, *Dan* 5: 6). La question des rapports littéraires entre ces divers passages ainsi que leurs relations au point de vue de la critique des traditions sera envisagée dans le contexte plus large du thème « péchés-châtiment-restauration »[1]. Nous nous proposons ici d'analyser ces descriptions quant à leur contenu et à leur unité. Il est nécessaire de rappeler que l'auteur du *Testament de Lévi* a travaillé sur une source écrite, *l'Apocryphe de Lévi*, dont il a suivi, de très près, l'allure générale, tout en puisant dans d'autres traditions et sans qu'il faille négliger son apport personnel.

On constate que les *Testaments*, dans leurs accusations contre les fils de Lévi, reviennent sur une tradition biblique dont on a cependant actualisé les formulations et élargi de façon considérable les données. Passons rapidement en revue cette tradition biblique. Le prophète Osée s'adresse quelquefois directement aux prêtres qui, à ses yeux sont responsables des péchés des israélites (4: 4). Il reproche aux prêtres d'avoir oublié la *tōrāh* de Dieu et de ne pas l'avoir enseignée au peuple (4: 6). Dans les autres passages où le prophète fait mention des prêtres, les accusations sont de nature plus générale : *Yahvé* leur donnera la rétribution de leurs œuvres (4: 9), car ils ont été un « piège pour Mispa » (5: 1) et ils ont commis l'iniquité (6: 9). L'accusation d'ivrognerie qu'on trouve en *Isaïe* 28: 7 s. est lancée aux prophètes et aux prêtres. Selon *Michée* 3: 11 les prêtres sont coupables d'enseigner pour un salaire. Il semble cependant que cette polémique biblique à l'endroit des prêtres s'accentue particulièrement à partir de la chute de Jérusalem et de l'exil en Babylonie. C'est d'abord en relation étroite avec les transgressions des prophètes que celles des prêtres sont envisagées. Nombre de passages du *livre de Jérémie* reflètent les accusations lancées par le prophète contre ces deux groupes. Les prêtres n'ont pas demandé « Où est *Yahvé*? » (2: 8), prophètes et prêtres ne font que ce qui est mensonge (6: 13, 8: 10, cp. 5: 31)[2]. Ils n'échappent pas au reproche d'impiété[3] et leurs actions mauvaises ont pénétré jusque dans la maison de *Yahvé* (23: 11)[4]. Le chapitre 22 du *livre d'Ezéchiel* traduit les sentiments de ce prophète à l'égard des péchés de Jérusalem. Pour chaque groupe de la société Ezéchiel dresse la liste des péchés : les prophètes (v. 25), les prêtres (v. 26), les dirigeants, שרים vv. 27–28 et le peuple, עם הארץ vv. 29–30. Les prêtres sont coupables

---

[1] Voir infra pp. 191 ss. et vol. II chap. III.
[2] בלי עשה שקר LXX: πάντες ἐποίησαν ψευδῆ.
[3] חנפו LXX: ἐμολύνθησαν (*Jér.* 23: 11a).
[4] גם בביתי מצאתי רעתם (*Jér.* 23: 11b).

d'avoir violé la *tōrāh*[1] et d'avoir profané le sanctuaire de *Yahvé*. De plus, ils ne distinguent pas entre le saint et le profane, entre le pur et l'impur, ce que les lois sacerdotales leur imposent (cp. *Lev.* 10: 10). Leurs transgressions sont résumées par les mots suivants, mis dans la bouche de *Yahvé* : « et je suis profané au milieu d'eux » (*Ez.* 22: 26). Dans la future Jérusalem décrite par Ezéchiel aux chapitres 40–48, les lévites ne doivent pas faire le service dans le sanctuaire de *Yahvé*, parce qu'ils se sont égarés du Seigneur pour adorer les idoles en compagnie du peuple (44: 10–12)[2]. L'infidélité du sacerdoce est clairement mise en relation dans les *Lamentations* et les livres des *Chroniques* avec la catastrophe de l'an 587. La ville sainte est perdue à cause des transgressions des prophètes et des prêtres[3], qui ont répandu le sang des justes au milieu d'elle (*Lam.* 4: 13). Le Chroniste est d'avis que les péchés des dirigeants de Juda[4] et ceux des prêtres et du peuple ont provoqué *Yahvé* et ont amené la chute de Jérusalem (2 *Chron.* 36: 14 et 16 ss.). Tous ces pécheurs ont commis les abominations des nations et ont souillé le temple de *Yahvé*[5]. Une énumération analogue de péchés, se retrouve également ment en *Néh.* 9: 34 et dans le *livre de Baruch* 1: 16. Enfin, notons que le *livre de Malachie* met en relief, de façon particulière, les transgressions des prêtres. Ceux-ci n'obéissent plus à *Yahvé* et ne donnent pas de sainteté, כבוד à son nom (2: 2), étant loin de la voie du Seigneur, ils font trébucher bien des gens sur la *tōrāh* (2: 8).

Ce bref exposé montre donc que dans les *Testaments* la polémique à l'endroit des prêtres est bien enracinée dans une tradition biblique qui prend un nouvel essor au VIe siècle av. J.-C. et se prolonge dans la période post-exilique. Il fait également apparaître que les descriptions détaillées qui sont consignées dans le *Testament de Lévi*, n'ont pas d'équivalents dans la tradition antérieure.

Lévi 10: 2–3. Le passage *Lévi* 10: 2–5, reste d'une plus longue péricope « péchés-châtiment-restauration » est introduit par une sorte de déclaration d'innocence, fait exceptionel dans ce contexte[6]. Cette déclaration est immédiatement suivie d'une description de péchés assez détaillée qui contient des formulations qu'on ne relève pas ailleurs. Ce qui frappe, c'est pourtant la mention de la transgression que commettront les fils de Lévi contre « le

---

[1] המסו תורתי *LXX:* ἠθέτησαν νόμον μου.

[2] En revanche, selon le prophète, les fils de Sadoq qui ne se sont pas souillés au regard du prophète doivent s'approcher de *Yahvé* (44: 15). Pour ce passage cf. DE VAUX 1960 II p. 222.

[3] Il est parlé des péchés des prophètes et des impiétés עונת des prêtres *LXX* : ἀδικίας.

[4] Nous avons restitué le texte hébreu à l'aide de la *Septante*.

[5] וישמאו בית יהוה *LXX* : ἐμίαναν τὸν οἶκον κυρίου, 2 *Chron.* 36: 14.

[6] Voir vol. II chap. III.

sauveur du monde » (v. 2), qui a un parallèle en *Lévi* 14: 2. Il est difficile d'éviter la conclusion que l'expression « sauveur du monde » dans ce contexte trahit la main d'un remanieur chrétien[1], écrivant sous l'influence de l'*Évangile de Jean* 4: 42 et de la *Première Épître de Jean* 4: 14. On pourrait, à la rigueur interpréter cette expression dans un sens juif si, premièrement, on la prend comme visant *Yahvé*, mais cela soulève deux objections. Ce titre du Dieu d'Israël n'est pas attesté ailleurs à propos du Dieu d'Israël, et l'expression la plus proche est σωτὴρ τοῦ 'Ισραήλ (*1 Macc.* 4: 30 et *3 Macc.* 7: 16). Le mot κόσμος au sens de « monde » est du reste propre au judaïsme tardif et attesté dans les écrits de la *Septante* qui sont rédigés en grec[2]. De plus, le passage parallèle, *Lévi* 14: 1–2, montre qu'il ne peut pas s'agir du Dieu d'Israël.

L'hypothèse émise par Dupont-Sommer et reprise par Philonenko, veut sauver l'origine juive du passage[3]. Selon ces critiques, notre texte fait allusion au martyre du Maître de Justice, le personnage central des écrits de Qumran, qui en *Lévi* 10: 2 et 14: 2 reçoit le titre « sauveur du monde ». Cette hypothèse fait soulever cependant de sérieuses objections. Il est invraisemblable que les *Testaments* proviennent du milieu essénien dont sont originaires les rouleaux de la Mer Morte[4]. Un titre d'une semblable portée universaliste ne se retrouve pas pour le Maître de Justice dans les textes de Qumran et l'idée sous-jacente ne convient guère, dans un milieu si particulariste[5]. L'existence de l'expression « sauveur du monde » n'est pas probable dans des cercles palestiniens des deux derniers siècles av. J.-C. Le titre « sauveur du monde » prend son essor aux alentours du début de notre ère dans le culte des souverains[6] dont le christianisme primitif s'est inspiré pour appliquer ce titre à Jésus[7].

Outre la transgression contre le « sauveur du monde » les prêtres sont coupables d'égarer Israël, fait qui est jugé d'autant plus grave que les prêtres sont tenus pour les médiateurs de la *tōrāh* (cp. *Mal.* 2: 8). A ce reproche qui ne se retrouve qu'ici, on ajoute au v. 3 un autre : ἀνομήσετε σὺν τῷ 'Ισραήλ. Comme au v. 2, les prêtres sont mis en un rapport avec le

---

[1] C'est l'avis de la plupart des critiques : Charles 1908 comm. p. 49, de Jonge 1960 p. 221, Otzen 1954 p. 148, Jervell p. 44 et Becker 1970 p. 281.

[2] Cf. aussi Sasse p. 881.

[3] Dupont-Sommer 1952 p. 45 et Philonenko 1960 pp. 17–18.

[4] Voir à ce sujet vol. II chap. III.

[5] Philonenko 1960 p. 17 admet justement que ce titre constitue une majoration sensible des données fournies par les textes de Qumran.

[6] Voir notre exposé infra pp. 326–361.

[7] C'est l'opinion générale des exégètes, cf. p. ex. Wendland 1904 pp. 335 ss., Bousset 1926 p. 243, Bauer 1925 p. 71, Barrett 1962 p. 204, Bultmann 1963 p. 149 et Brown I p. 175.

peuple d'Israël, mais cette fois-ci le rapport est inversé : ce sont les prêtres qui commettront les mêmes impiétés commises par la majorité du peuple. Le verset 3, tout comme le verset précédent, se termine par une allusion au châtiment qui frappera les coupables. L'impiété des prêtres sera telle que Jérusalem ne pourra plus supporter leur malice et que le temple ne pourra plus cacher leur honte : ἀλλὰ σχίσαι τὸ ἔνδυμα τοῦ ναοῦ ὥστε μὴ καλύπτειν ἀσχημοσύνην ὑμῶν. Ce passage a été l'objet de différentes essais d'interprétations qui en soulignent surtout le caractère chrétien[1]. On constate, il est vrai, dans la tradition manuscrite une transformation de la teneur du texte dans un sens chrétien. La recension représentée par les mss *chi* lit en effet : ἀλλὰ σχισθήσεται τὸ καταπέτασμα τοῦ ναοῦ. Ce texte révèle clairement l'influence du récit synoptique de la mort de Jésus (*Marc* 15: 37 ss. et parallèles), mais ce n'est pas le texte primitif. Le contexte du récit synoptique est d'ailleurs un autre que celui de *Lévi* 10: 3. Pour les évangelistes le déchirement du voile du Temple fait partie des événements de portée cosmique, qui se produisent au moment de la mort de Jésus et qui veulent montrer que celui-ci était en réalité le fils de Dieu. Dans le *Testament de Lévi* il s'agit d'une image pour décrire les transgressions des prêtres à Jérusalem. De plus, on comprend habituellement le passage de *Lévi* 10: 3 comme si c'était le *voile* du temple qui *s'était déchiré*. Or, nous sommes en présence de l'actif σχίσαι et de l'énigmatique expression τὸ ἔνδυμα τοῦ ναοῦ. On veut dire par là que c'est la ville elle-même qui en quelque sorte fait déchirer la couverture du sanctuaire[2]. C'est par « couverture » qu'il faut traduire ici le mot ἔνδυμα qui, comme on l'a remarqué[3], est une appellation curieuse si elle renvoie au voile du Temple qui n'est jamais rendu par ἔνδυμα[4]. De toute évidence, il n'est donc question ici ni du rideau qui séparait le Saint du Saint des Saints[5], ni du grand voile à l'entrée du sanctuaire pro-

---

[1] DE JONGE 1953 p. 41 s. et p. 123 s., 1960 p. 222, BECKER 1970 p. 261 s. CHARLES 1908 comm. p. 49 n'y voit pas cependant une expression chrétienne bien qu'il adopte la leçon des mss *chi*.

[2] Pour la Jérusalem personnifiée, cp. aussi *Ps. Sal.* 1: 1 ss.

[3] Voir CHARLES 1908 comm. p. 49 qui suggère meme que τοῦ ναοῦ est une interpolation. Le texte primitif parlerait des vêtements des prêtres. Il semble pourtant rejeter lui-même cette hypothèse. DE JONGE 1953 p. 123 note également cet emploi curieux sans pour autant abandonner sa thèse que le passage en entier est d'origine chrétienne et reflète le récit du déchirement du voile du Temple lors de la mort de Jésus.

[4] On trouve pour cela le mot καταπέτασμα qui rend en *LXX* le plus souvent פרכת mais quelquefois aussi מסך.

[5] Il est désigné par le terme פרכת p. ex. *Ex.* 26: 31 ss., 30: 6 *Lév.* 4: 17, *Nomb.* 18: 7 et 2 *Chron.* 3: 14. Ces textes parlent de la Tente du désert mais ils s'inspirent évidemment du Temple de Salomon. Pour le second Temple préhérodien, les quelques passages dont on dispose ne mentionnent que le grand ridau à l'entrée de l'édifice qu'on appelle

prement dit dont Josèphe traite en décrivant le Temple hérodien[1]. Il est difficile de saisir exactement ce que l'expression τὸ ἔνδυμα τοῦ ναοῦ signifie ici. C'est probablement une métaphore qui, s'inspirant du voile ou des voiles du Temple, est liée à la mention de la découverte subite de l'impiété des prêtres.

Il n'est pas non plus légitime de rapprocher *Lévi* 10: 3 de *Benj.* 9: 4[2] où il est dit que le voile du Temple — on emploie le mot ἅπλωμα[3] — sera déchiré, ἔσται σχιζομένον — et que l'esprit de Dieu quittera le sanctuaire pour passer aux nations. La signification et le contexte de *Benj.* 9: 4 sont tout à fait différents de *Lévi* 10: 3. Quant aux parallèles chrétiens que DE JONGE allègue, ils se réfèrent tous à l'idée contenue en *Benj.* 9: 4, et ne peuvent pas intervenir pour élucider le texte de *Lévi* 10: 3. Enfin, notre passage ne se prête pas non plus à l'interprétation qui y voit une allusion à l'entrée de Pompée et de ses soldats dans le sanctuaire au cours de laquelle le voile du Temple aurait été déchiré[4]. Nous n'avons aucun indice cependant dans les sources relatives aux événements de l'an 63 av. J.-C. qui pourrait soutenir cette thèse.

En résumé, le passage de *Lévi* 10: 2–3 décrit de façon assez indépendante les transgressions des prêtres de Jérusalem. On souligne par une image originale la sainteté de la ville : elle ne peut plus supporter la malice des prêtres et, en châtiment, la révèle aux yeux de tous. Dans ce texte foncièrment juif, un remanieur chrétien a introduit la mention du crime commis par les grand-prêtres contre Jésus (v. 2). On peut se demander si le remanieur a interpolé tout simplement la phrase εἰς τὸν σωτῆρα τοῦ κόσμου ou s'il a supprimé quelquechose du texte initial[5]. Il est impossible de répondre avec certitude en état actuel de notre documentation.

κατάπέτασμα (*Lettre d'Aristée* 86, *1 Macc.* 1: 22, *Sir.* 50: 5). Toutefois, *1 Macc.* 4: 51 qui nous informe qu'on tendit *les ridaux* lors de la purification du Temple, indique qu'il y avait aussi un rideau entre le Saint et le Saint des Saints.

[1] Il semble ressortir de Josèphe que le Temple hérodien avait deux voiles : un grand à l'entrée de l'édifice (*Bell.* V: 212 ss.) et un autre entre le Saint et le Saint des Saints (*Bell.* V: 219). Dans d'autres passages Josèphe parlent de deux voiles κατάπετάσματα sans préciser davantage (*Ant.* XIV: 107, *Bell.* VI: 389).

[2] C'est ce que font DE JONGE 1953 p. 123 et BECKER 1970 p. 281.

[3] L'emploi du mot ἅπλωμα pour désigner le voile du Temple est rare, mais cp. *Vit. Proph.* 12.

[4] PHILONENKO 1960 p. 18; il y renvoie à un texte intéressant dans *Vit. Proph.* 12 sur Habacuc où le thème du déchirement du voile du Temple revient. Mais il s'agit là de la prise de Jérusalem par les Romains en l'an 70 ap. J.-C.

[5] CHARLES 1908 se représente le procédé d'interpolation de façon trop mécanique : les mots mis par lui entre crochets constitue l'interpolation, et ce qui reste, le texte initial. Il élimine εἰς τὸν σωτῆρα τοῦ κόσμου mais aussi ἀσεβοῦντες.

Lévi 14: 1–8. Ce passage constitue la plus longue liste de péchés dans les *Testaments*. Il faut se rappeler que l'auteur a travaillé ici sur l'*Apocryphe de Lévi* qui contenait à cet endroit des invectives contre le sacerdoce (voir supra p. 44)[1]. Avant que ces fragments de la grotte quatre de Qumran soient publiés en entier il est naturellement impossible de préciser quels traits proviennent de la source ou de la main de l'auteur. Toutefois, le fait même que l'auteur a repris quelques thèmes de sa source concernant les péchés des prêtres, indique qu'il les a trouvés applicables à l'époque où il écrivait. On doit aussi noter que l'auteur des *Testaments* semble avoir utilisé pour ce passage son modèle de façon assez libre à en juger par ce qui est traduit du fragment qumranien[2]. Qu'une source écrite ait été à la base de *Lévi* 14 explique selon toute vraisemblance la digression faite aux vv. 3–4 sur la responsabilité particulière du sacerdoce comme médiateur de la *tōrāh*. Cette partie se distingue légèrement par son style et son contenu du contexte.

Au verset deux, nous sommes en présence du même remaniement chrétien qu'en *Lévi* 10: 2 qui se révèle par l'expression « le sauveur du monde ». C'est en effet la seule influence chrétienne qu'a subi le passage *Lévi* 14: 1–8[3]. Le début (v. 1) affirme de façon générale que les fils de Lévi commettront des péchés contre le Seigneur[4], puis vient, en parallélisme sémitique, une allusion à leur châtiment[5] : « et vos frères éprouveront de la honte à votre sujet et vous deviendrez pour toutes les nations un objet de mépris ». Les précisions données aux. vv. 4 b–8 qui prennent un intérêt tout particulier du fait que nous sommes en présence d'une description détaillée des transgressions commises par les descendants de Lévi, qui n'a pas d'équivalent dans la tradition antérieure, du moins telle que la reflètent les textes bibliques. Il est évident que des circonstances contemporaines sont visées dans cette description. Qu'est-ce qui caractérise donc cette prêtrise qui se trouve en butte à l'hostilité de l'auteur?

Les transgressions des prêtres sont de trois sortes : doctrinales, cultuelles et éthiques. Les prêtres abusent de la fonction didactique du sacerdoce en enseignant des commandements contraires aux décrets de Dieu (14: 4 b

---

[1] Cf. MILIK 1971 p. 345 et 1976 p. 23.

[2] Cf. HULTGÅRD 1972 p. 204 s.

[3] Cp. par contre l'avis de DE JONGE 1953 p. 41. Pour des retouches chrétiennes qui se laissent éliminer par la critique textuelle, voir vol. II chap. IV.

[4] La phrase ἀσεβεῖν ἐπὶ κύριον reprend, comme CHARLES 1908 comm. p. 55 l'a noté, une locution biblique (*Jér.* 2: 8, 3: 13). La *Septante* porte dans ces cas εἰς au lieu de ἐπί ce qui indique l'indépendance de notre texte vis-à-vis de la *Septante*.

[5] Cela est à bon droit noté par BECKER 1970 p. 301 mais il ne voit pas le parallélisme et écarte à tort (p. 43) le premier stique comme secondaire. DUPONT-SOMMER 1952 p. 43 et PHILONENKO 1960 p. 16 suppriment aussi à tort ce stique dans leur traduction.

et 6 a, 7 b). En matière cultuelle, on les accuse de dépouiller les off-randes du Seigneur et de voler ce qui lui revient (v. 5 a). Qui plus est, ils prennent les morceaux de choix pour les manger avec des prostituées. Depuis CHARLES[1], on regarde volontiers cette invective comme une allusion indéniable à la crucifixion des huit cent juifs ordonnée par Alexandre Jannée qui, en outre, fit massacrer leurs femmes et enfants aux yeux de ceux-ci avant l'exécution. Il est dit que Jannée regardait cet abominable spectacle en banquetant publiquement avec ses concubines[2].

Ce rapprochement ne convient pas. Le contexte du *Testament de Lévi* est différent : c'est *avant le sacrifice dans le Temple* que *les prêtres* mangent les morceaux de choix avec des prostituées. De plus, c'est en *Lévi 14* une transgression *répétée*, qui est décrite et c'est un *groupe*, qui est accusé. Les textes rapportant la scène arrangée par Alexandre Jannée qui, selon. Josèphe[3], a lieu au milieu de la ville, ignorent un sacrifice postérieur dans le sanctuaire. Rien n'indique non plus que l'on aurait pris pour ce banquet macabre les morceaux de choix parmi les offrandes. La ressemblance allé-guée se réduit donc à la seule mention d'un repas avec des prostituées[4]. Une dernière remarque s'impose : si c'est vraiment Alexandre Jannée qui est blâmé, il est surprenant de ne pas trouver une allusion plus explicite à ce qui était une transgression hors de pair : la crucifixion de huit cent com-patriotes et les scènes qui la marquèrent. Rappelons que cet événement a trouvé un écho particulier dans des écrits qui émanent de milieux qui con-sidèrent l'action de Jannée comme un châtiment justifié de ses adversaires[5]. De quoi s'agit-il donc dans cette accusation de *Lévi* 14: 5? C'est probable-ment dans le contexte de la prostitution sacrée qu'il faut en chercher la réponse[6]. On sait qu'elle était répandue dans l'ancien Israël (*Deut.* 23: 18 s. et *Os.* 4: 14, *1 Rois* 14: 24) et avait même pénétré dans le temple de Jérusa-lem (*2 Rois* 23: 7). Il se peut que la prostitution sacrée ait été pratiquée à

---

[1] CHARLES 1908 comm. p. 57, RIESSLER p. 1336, DUPONT-SOMMER 1952 p. 44.

[2] Josèphe *Bell.* I: 97 et *Ant.* XIII: 380.

[3] *Bell.* I: 97.

[4] Josèphe le formule ainsi : πίνων καὶ συγκατακείμενος ταῖς παλλακίσιν (*Bell.* I: 97) et ἑστιώμενος γὰρ ἐν ἀπόπτῳ μετὰ τῶν παλλακίδων (*Ant.* XIII: 380). Πόρνη et παλλάκις ne sont pas du reste tout à fait synonymes, mais les concubines de Jannée pourraient, bien entendu, être qualifiées de « prostituées » au regard de ses critiques.

[5] Le *pésher de Nahum* 3–4 col. I et le *Rouleau du Temple* col. LXIV (pour le dernier texte, voir YADIN 1971 pp. 5 ss.). Ces textes ne mentionnent pas le repas raconté par Josèphe.

[6] La formulation de *Os.* 4: 14 יזבחו הקדשות עם rappelle, comme l'a noté HOFMEYER p. 100, *Lévi* 14: 5 qui ne s'explique cependant pas comme un « topos » dérivé de ce passage en *Osée*. *Os.* 4: 14 vise d'ailleurs les hommes d'Israël.

Jérusalem en milieux sacerdotaux pendant certaines périodes au temps du Second Temple ce dont témoignerait *Lévi* 14: 5[1].

Les transgressions éthiques consistent en la profanation des femmes mariées et en la souillure des vierges (v. 6a). Le commerce avec les femmes prostituées est rappelé de nouveau au même verset. Dans la seconde moitié du v. 6 on accuse les fils de Lévi d'épouser des femmes non-juives après les avoir « purifiées d'une purification impie ». Il est curieux de trouver ici le reproche de mariages mixtes. Les *Testaments* n'en font état ailleurs que dans le *Testament de Juda* (13: 7 et 14: 6) où le patriarche confesse d'avoir violé le commandement du Seigneur en prenant une femme cananéenne (cp. p. ex. *Gen.* 24: 3 et *Deut.* 7: 3). Le fond universaliste des *Testaments* invite à croire qu'on ne s'est pas préoccupé beaucoup de cette question[2]. On pourrait penser que l'auteur ne songe qu'aux prêtres, mais aucune prescription analogue ne nous est connue qui maintiendrait une distinction à cet égard entre prêtres et laïques[3]. Il est peut-être plus prudent de voir dans cette formulation une influence de la source écrite[4]. Le sens du rite purificateur qui légitimait ces mariages mixtes conclus par les prêtres n'est pas clair[5]. D'après la suggestion de J. JÉRÉMIAS il s'agirait du baptême des prosélytes[6]. Notre passage serait en effet l'attestation la plus ancienne de ce rite, et fournirait une indication de l'existence préchrétienne du baptême des prosélytes. Cette interprétation n'est pas recevable. Rien n'indique d'abord que cette phrase soit un ajout, comme le veut J. JÉRÉMIAS. *Lévi* 14: 6 date au plus tard du premier quart du Ier siècle av. J.-C. et dans le cas que cette phrase serait tirée de la source écrite, elle serait antérieure à 150. Or, le baptême des prosélytes n'est attesté qu'à la fin du Ier siècle de notre ère[7]. Le silence des sources entre ces dates devient donc difficile à

---

[1] La mention de *2 Macc.* 6: 4 qu'au temps d'Antiochus IV Epiphane, on avait commerce avec des femmes dans les parvis sacrés vise explicitement les non-juifs. Il n'est pas certain d'ailleurs que ce texte fait allusion à la prostitution sacrée, cf. HENGEL p. 533 et p. 547 f.

[2] Que l'on compare par contre le *livre des Jubilés* où cette question a une importance particulière.

[3] *Lév.* 21: 7 défend le mariage du prêtre avec les prostituées et les femmes répudiées par leurs maris. Esdras et Néhémie en interdisant expressément les mariages mixtes, le font pour tout le peuple (*Esdr.* 9–10, *Néh.* 13). Il en est de même, dans le *livre des Jubilés* 30: 7–16 qui contient les jugements les plus sévères sur la pratique des mariages mixtes.

[4] Cf. HULTGÅRD 1972 p. 195.

[5] CHARLES 1908 comm. p. 58 le souligne à juste titre.

[6] J. JÉRÉMIAS 1958 pp. 31–33. BECKER p. 304 regarde cette phrase comme une addition tardive d'un copiste, dont le but aurait été de faire allusion à ce rite juif.

[7] Dans des textes rabbiniques (*B. Jeb.* 46a, 71a) et par Epictète (*Diss.* II, 9: 9–21). S'il était universellement admis avant la fin du Ier siècle, il aurait dû être signalé chez

expliquer. A regarder de plus près, cette purification nommée n'implique pas en soi un baptême des prosélytes, et on ne doit pas comprendre comme le fait J. Jeremias παράνομος au sens de « n'ayant pas d'appui scripturaire ». L'usage de la *Septante* montre que παράνομος peut rendre nombre de mots hébreux, signifiant de façon générale « impie, rejettable, mauvais »[1]. Il en est de même pour l'emploi de παρανομία et παρανομεῖν dans les *Testaments*[2] et d'autres écrits de l'époque[3]. Sous le rite visé en *Lévi* 14: 6 se cache selon toute vraisemblance un élément rituel, peut-être d'origine non-juive, introduit par des prêtres hellénisants dans le contexte des mariages mixtes. Il se peut également que cet élément rituel n'ait pris le caractère de purification qu'aux yeux des critiques. La description des péchés particuliers, commis par les fils de Lévi, se termine par le reproche d'orgueil dans l'exercice de leur ministère (v. 7a). Ce qui suit résume, tout comme le début (v. 1), en termes généraux les transgressions. La dernière accusation est la suivante : « ils se moquent de tout ce qui est saint et le tournent en dérision » (v. 8).

L'unité du passage 14: 1–8, à l'exception du remaniement au v. 2, ne peut être mise en doute. On a certainement tort d'écarter le v. 2 en entier comme une interpolation chrétienne[4]. Les particularités de ce verset, à savoir la mention inattendue de Jacob et le fait qu'il est nommé ici Israël, fait unique dans les *Testaments*[5], s'expliquent sans doute par un recours à la source écrite. Pour le reste de v. 2, il est difficile de déterminer exactement[6] ce qui revient à la part au remanieur ou non.

Lévi 14: 1–8 nous fournit des renseignements plus précis sur le groupement critiqué. Ses membres sont accusés d'accroître leurs biens par l'avarice en volant les offrandes faites au Temple. Des abus cultuels de toute sorte

---

Philon, Josèphe et dans le *Nouv. Test.* Cf. J. Thomas 1935, p. 364–366. D'après Zeitlin 1934, p. 50 ss. le baptême des prosélytes n'a pu s'imposer qu'après la guerre juive 66–70. Avant cette date on n'appliquait pas les lois de pureté ou impureté aux Gentils. Le baptême des prosélytes, étant essentiellement un rite de purification, n'avait par conséquent pas eu de fonction propre dans le judaïsme avant la chute de Jérusalem en 70. Betz 1958, p. 216 ss. voit dans *1 QS* III: 4–9 le baptême essénien des prosélytes. Ce texte s'adresse pourtant aux *membres* de la secte; cf. à ce sujet Dupont-Sommer 1968, p. 92 n. 1.

[1] Le mot y est le plus souvent appliqué aux personnes traduisant בליעל, פשע הנה et d'autres termes hébreux. Visant des choses et des actions il rend חמס et בליעל p. ex. *Ps.* 41: 9, 101: 3 et *Prov.* 4: 17.

[2] *Juda* 14: 8, *Zab* 1: 5, *Dan* 3: 5, *Gad* 5: 10 et *Jos* 2: 2 où c'est partout le sens général de « pécher » et de « transgression » qui est sous-jacent.

[3] P. ex. *1 Macc.* 1: 11 et 11: 21, *Sap.* 3: 16, *Ps. Sal.* 4: 12.

[4] Becker 1970 p. 302.

[5] Schnapp p. 32, Becker 1970 p. 302.

[6] C'est ce que font pourtant Bousset 1900 p. 169 et Charles 1908 éd. p. 55.

s'y produisent et les formulations utilisées laissent deviner ce qui est plus qu'un simple libertinage. Des divergences doctrinales entre ces prêtres et les milieux qui les attaquent apparaissent clairement. Même si les accusations de fornication et d'avarice sont traditionnelles dans la polémique juive, on les a précisées de la sorte que leur pointe contemporaine est apparente.

Lévi 16: 1–3. Si nous passons au chapitre seize du *Testament de Lévi* qui contient tous les éléments constitutifs « péchés-châtiment-restauration », on constate que les péchés dont on y accuse les fils de Lévi, présentent un caractère différent de ceux des chapitres dix et quatorze. On trouve au verset 1, il est vrai, les accusations, avec termes généraux, d'avoir souillé les sacrifices et profané le sacerdoce, mais ce sont là les seuls traits qui rappellent à première vue les descriptions de péchés, trouvées en *Lévi* 10 et 14. Cela peut s'expliquer du moins en partie si l'on admet que ce passage s'adresse en fait à Israël comme nation[1]. Cependant, on ne peut pas se libérer de l'impression que, formellement, ce sont les fils de Lévi, donc des prêtres, qui sont critiqués. Les transgressions cultuelles au v. 1 b sont appliquées expressément à la prêtrise. De plus, puisque rien n'indique une rupture entre le v. 1 et 2, on doit s'en tenir à ce que le texte rapporte : les péchés décrites aux vv. 2–3 visent les prêtres. On les accuse d'abord d'obscurcir la *tōrāh* et de dédaigner les paroles des prophètes; cela se fait ἐν διασ-τροφῇ, c'est à dire en altérant le sens des textes sacrés. On fait ici allusion, comme le contexte le montre, au canon bipartite de l'époque[2]. Il ne s'agit pas en ce passage de prophètes contemporains[3] même si l'auteur les connaît bien (cp. *Juda* 18: 5, *Dan* 2: 3). A ces reproches se rattache la dernière phrase du v. 2 « vous aurez en abomination les paroles véridiques ». On veut par là souligner le résultat qui provient de la fausse interprétation qu'on impose aux livres saints, et qui est indiquée au début du v. 2. La formulation est influencée, semble-t-il, par *Amos* 5: 10 ודבר תמים יתעבו interprété par la *Septante* ainsi: λόγον ὅσιον ἐβδελύξαντο. Ces accusations de *Lévi* 16: 2 rappellent d'assez près celles que lance l'auteur de l'*Epître d'Hénoch* contre les pécheurs en *1 Hén.* 99: 2 : ils sont coupables d'altérer les paroles véridiques et la *tōrāh*. Le parallélisme montre que « les paroles véridiques » se réfèrent aux livres sacrés. La formulation en est également voisine de *Lévi* 16: 2. Voici le texte d'*Hénoch* 99: 2 : Οὐαὶ ὑμῖν οἱ ἐξαλλοιοῦντες τοὺς λόγους τοὺς ἀληθινοὺς καὶ διαστρέφοντες τὴν αἰώνιον διαθήκην[4]. Dans cette

---

[1] Ainsi OTZEN 1954 p. 148 et BECKER 1970 p. 284.

[2] Comparez p. ex. les passages suivantes : *2 Macc.* 15: 9, *1 QS* I: 3.

[3] Cf. STECK p. 152 n. 6.

[4] Texte d'après le papyre grec, éd. par BONNER. L'éthiopien porte pour διαθήκην le mot *śǝr'at* qu'on traduit ici par « loi » : CHARLES 1912, RIESSLER 1928 et HAMMER-

polémique en *Lévi* 16: 2 sur l'altération des textes sacrés, nous avons un point de contact avec *Lévi* 14: 4 où les prêtres sont accusés d'enseigner des décrets contraires à la *tōrāh* de Dieu.

Outre le reproche d'altération des traditions sacrées, le v. 2 atteste l'existence d'une persécution dirigée contre les justes par des prêtres et qui aboutit même à la mise à mort d'un homme juste, rénovateur de la *tōrāh* (v. 3). Ce verset a fait couler beaucoup d'encre et nous devons nous y arrêter plus longuement. On y voit en général, sinon une interpolation chrétienne dans l'ensemble[1], du moins un remaniement chrétien plus ou moins profond[2]. Prenons d'abord l'argumentation de DE JONGE, sur laquelle BECKER fonde la conclusion que le contenu de *Lévi* 16: 3 serait chrétien. Admettant que la tournure « un homme rénovateur de la loi » n'est pas courante pour désigner Jésus-Christ[3], DE JONGE attire l'attention sur le mot πλάνος. Or, dans quelques passages des évangiles, Jésus est décrit par les juifs comme un imposteur : *Mt.* 27: 63 ἐκεῖνος ὁ πλάνος, *Jn.* 7: 12 πλανᾷ τὸν ὄχλον. Les mots ὡς νομίζετε ἀποκτενεῖτε αὐτόν résumeraient bien ce qui s'est passé avec Jésus[4]. L'expression « prenant sur votre tête du sang innocent » serait influencée par *Mt.* 27: 24–25[5]. De plus, les mots δι᾽ αὐτόν au v. 4, leçon de la plupart des manuscrits, indiquent que la mise à mort du rénovateur de la loi est la cause réelle du dévastement du temple. Somme toute, le passage serait rédigé, ou plutôt composé par un chrétien qui regarderait la chûte de Jérusalem en 70 comme une punition, imposée aux juifs par Dieu à cause de la crucifixion de Jésus. A côté de l'expression « un homme, rénovateur de la loi », il y a un mot qui s'oppose à la théorie d'une origine chrétienne, c'est ἀνάστημα qui ne peut pas revêtir la signification de « résurrection ». Si ce passage provient d'une main chrétienne, il paraît inconcevable que l'on n'ait pas employé le terme ἀνάστασις pour désigner la résurrection de Jésus. Quel est donc le sens de ἀνάστημα? En grec classique

---

SHAIMB 1956. *Śərʿat* rend cependant aussi διαθήκη p. ex. *Gen.* 17: 20, *Job* 31: 1, *Is.* 55: 3, *Jér.* 38: 31 et *Sir.* 44: 11. La Bible éthiopienne utilise pour traduire διαθήκη plusieurs termes. Le plus souvent on trouve *kīdān* mais aussi *śərʿat*, *ḥəg* (*Lév.* 24: 8) et *maḥalā* (*Ex.* 2: 24).

[1] C'est l'opinion de BECKER 1970 p. 284 s. et de JERVELL p. 44 s. Outre l'argument d'un contenu chrétien, BECKER avance aussi un argument formel.

[2] SCHNAPP p. 34, BOUSSET 1900 p. 169, CHARLES 1998 comm. p. 59, DE JONGE 1960 p. 220 s.

[3] Ce fait est utilisé pour défendre l'origine juive du v. 3 par BOUSSET 1900, p. 170 et PHILONENKO 1960, p. 14. Cf. par contre l'opinion de JERVELL 1969, p. 44.

[4] DE JONGE 1960, p. 220.

[5] Il s'agit du jugement de Jésus. Pilate se lave les mains et dit : ἀθῷός εἰμι ἀπὸ τοῦ αἵματος τούτου. Le peuple lui répond : τὸ αἷμα αὐτοῦ ἐφ᾽ ἡμᾶς καὶ ἐπὶ τὰ τέκνα ἡμῶν. DE JONGE signale aussi *Mt.* 23: 35 et 27: 4.

il signifie : a) hauteur, majesté b) bâtisse, structure[1]. Charles en donne la traduction « dignité » sans indiquer sur quoi il la fonde[2]. Dans la *Septante*, ἀνάστημα se trouve quelquefois, et rend divers mots hébreux[3]. Une des deux attestations de *Judith*, nous aidera à comprendre le sens de ἀνάστημα dans *Lévi* 16: 3. Pendant ses bains nocturnes dans le camp d'Holofèrne, Judith prie Dieu de la conduire au succès εἰς ἀνάστημα τῶν υἱῶν τοῦ λαοῦ αὐτοῦ (12: 8). Le sens implique ici une sorte de réhabilitation des Israélites. De même, dans *le Testament de Lévi*, l'homme rénovateur de la loi, autrefois dénoncé menteur et cruellement persécuté, sera par la suite rétabli, reconnu comme un vrai prophète. Quant à l'expression « prenant sur votre tête du sang innocent en malignité », il n'est pas nécessaire d'y voir une influence de *Mt.* 27: 24–25, puisque l'expression « sang innocent », en hébreu דם נקי, est assez fréquente dans l'*Ancien Testament*[4]. A remarquer que ce sang innocent est versé, le plus souvent, par les Israélites eux-mêmes. De plus, un passage de *Jérémie* (26: 15 s., *LXX* 33: 15 s.) fournit un parallèle excellent à l'emploi de cette expression dans *Lévi* 16: 3[5]. C'est le prophète lui-même qui fait savoir à ses compatriotes que « si vous me tuez, vous prenez du sang innocent sur vous et sur cette ville et ses habitants »[6]. Car le prophète est envoyé par *Yahvé* « en vérité » pour énoncer son message. L'expression αἷμα ἀθῷον revient encore une fois dans les *Testaments* et dans un contexte qui ne suggère pas d'influences chrétiennes[7].

---

[1] D'après Liddell-Scott. De Jonge 1960, p. 220 note, s'appuyant sur cette autorité, rejette le sens de « résurrection », sans en tirer de conclusion. Seul Schnapp dans Kautsch 1900, traduit par « Auferstehung ».

[2] Charles 1908 éd., p. 59, comm. p. 60. A sa suite, Riessler 1928, p. 1169 « Würde », Michel 1954, p. 45 « dignité ». Un passage chez Diod. Sic. (XIX, 92: 2) relève un sens semblable. Il est dit de Seleukos qu'il agissait d'une manière ἔχων ἤδη βασιλικὸν ἀνάστημα καὶ δόξαν ἡγεμονίας.

[3] *Gen.* 7: 23 יקום, *1 Sam.* 10: 5 נציב, *Sach.* 9: 8 מצבה. En *Jud.* 9: 10 ἀνάστημα signifie « présomption, fierté ».

[4] P. ex. *Deut.* 19: 10, *2 Rois* 21: 16, 24: 4 (le sang innocent versé par Manassé à Jérusalem), *Ps.* 94: 21, 106: 38, *Is.* 59: 7, *Jér.* 7: 6, 22: 3. La *Septante* rend le plus souvent דם נקי par αἷμα ἀθῷον, quelquefois par αἷμα δίκαιον ou ἀναίτιον.

[5] Les parallèles cités par Philonenko 1960, p. 15 (*2 Sam.* 1: 16, *Ez.* 18: 3, *Ps. Phil.* 6: 11) ne sont pas très explicites. À ce sujet cf. de Jonge 1960, p. 221 : « in none of these passages (sc. allégués par Philonenko) the persons concerned take the blood-guilt upon them-selves—as in Matt. XXVII, 25 and T. Lévi XVI: 3 ».

[6] D'après la *Septante*, le texte se lit : εἰ ἀναιρεῖτέ με αἷμα ἀθῷον δίδοτε ἐφ' ὑμᾶς καὶ ἐπὶ τὴν πόλιν ταύτην καὶ ἐπὶ τοὺς κατοικοῦντας ἐν αὐτῇ.

[7] *Zab.* 2: 2. Joséph supplie ses frères μὴ ἐπαγάγετε ἐπ' ἐμέ τὰς χεῖρας ὑμῶν τοῦ ἐκχέαι αἷμα ἀθῷον. De Jonge 1960, p. 192, dans une petite note, rattache ce passage à *Mt.* 27: 4 et continue : « the parallell is striking but we can only use it as corroborative evidence, because the expression 'innocent blood' occurs several times in the O.T. » Cela ne devait-il pas s'appliquer à *Lévi* 16: 3?

Poursuivant notre analyse du contenu du v. 3, il nous faut examiner de plus près les implications comprises par le terme πλάνος. Certes, on entrevoit des affinités entre *Lévi* 16: 3 et les passages néo-testamentaires allégués par DE JONGE[1]. Ces affinités, cependant, peuvent s'expliquer par un fond commun. Dans l'*Ancien Testament*, les faux prophètes sont représentés comme des imposteurs du peuple de *Yahvé*. L'accusation portée contre ces prophètes prend toujours la même forme : « ils égarent mon peuple », selon *LXX* ἐπλάνησαν τὸν λαόν μου[2]. C'est sur cette tradition que reviennent, dans les évangiles, les pharisiens pour formuler leur réprobation de Jésus, tout comme les adversaires anonymes du rénovateur de la loi dans *Lévi* 16: 3. Notons, cependant, que, dans les textes de l'*Ancien Testament*, ce reproche n'est jamais dirigé contre les vrais prophètes de *Yahvé*. Il semble que les auteurs de l'*Ancien Testament* aient hésité à mettre une telle accusation dans la bouche des ennemis des prophètes de *Yahvé*. Pourtant, à une époque plus tardive, on n'a pas évité d'utiliser ce trait littéraire. Dans le *Martyre d'Isaïe*[3] le prophète Balkira, apparu devant Manassé, accuse Isaïe et ceux qui sont en sa compagnie de prononcer de fausses prophéties et d'être des prophètes menteurs[4].

Le rénovateur de la loi, est-il-dit, agit « dans la puissance du Très-Haut ». On a voulu discerner dans cette phrase l'empreinte des catégories christologiques[5]. Une telle formule pour exprimer qu'une personne agit dans la puissance d'une autre, est très rare dans la littérature biblique. Dans l'*Evangile de Luc*, on trouve l'assertion que Jean Baptiste ira devant Dieu ἐν πνεύματι καὶ δυνάμει Ἠλίου (1: 17). Le même évangile explique le pouvoir guérisseur de Jésus par δύναμις κυρίου ἦν εἰς τὸ ἰᾶσθαι αὐτόν (5: 17). Dans l'*Ancien Testament*, le roi futur, attendu par le prophète Michée, « sera un berger dans la puissance de *Yahvé* », selon *LXX* : ποιμανεῖ τὸ ποίμνιον αὐτοῦ ἐν ἰσχύι κυρίου [5: 3]. Cela rend parfaitement évident que la formule « dans la puissance du Très-Haut » de *Lévi* 16: 3 n'est pas conçue d'après une tradition christologique bien établie.

L'enquête, que nous avons menée jusqu'ici, a ainsi vérifié l'authencité juive de ce passage. Néanmoins, il reste à donner une solution satisfaisante au problème posé par l'identité du personnage que ce texte semble viser.

---

[1] CHARLES 1908, comm. p. 60 conclut ainsi de ces ressemblances : « the fact that our Lord is so called in Matt. 27: 63 (ἐκεῖνος δ πλάνος) renders this clause suspicious ».

[2] *Jér.* 23: 13, 32. *Mich.* 3: 5.

[3] Cette légende est connue de l'*Epître aux Hébreux* (11: 37). Selon toute vraisemblance, elle doit remonter au Ier siècle av. J.-C. Sur le *Martyre d'Isaïe* voir entre autres PHILONENKO 1967 B pp. 1–10 et HAMMERSHAIMB 1973 pp. 17 ss.

[4] *Mart. Is.* III: 7 et 10.

[5] BOUSSET 1900 p. 169.

Déjà, EDUARD MEYER, avait rapproché *Lévi* 16: 3 de la mort du Maître Unique, mentionné dans l'*écrit de Damas*[1]. Cette suggestion a été reprise et développée par DUPONT-SOMMER et PHILONENKO qui voient dans les textes messianiques des *Testaments*, le Maître de Justice des rouleaux de la Mer Morte[2]. Les traits donnés sur la carrière de la personne anonyme, mentionnée dans *Lévi* 16: 3, conviennent très bien, selon ces auteurs, au Maître de Justice : rénovateur de la loi, martyr, victime des prêtres et, après la mort, réapparition. A cause du crime, commis contre la Maître, le châtiment vient s'abattre sur Jérusalem et ses prêtres par la main de Pompée dans sa prise de la ville en 63 av. J.-C. Lors de cet événement le Maître est réapparu devant ses ennemis, les juifs infidèles.

En ce qui concerne l'expression « rénovateur de la loi » on ne la trouve pas, pour le Maître de Justice, dans les textes de Qumran. Cette expression doit être interprétée à la lumière du thème du « Nouveau Moïse ». Or, il y a incontestablement des traits dans ces textes qui suggèrent que le Maître de Justice ait été conçu comme un nouveau Moïse[3]. De plus, il ne fait pas de doute que le Maître a été persécuté par le sacerdoce officiel et il semble même qu'il soit mort martyr[4]. C'est là un trait qui, s'il est acceptable, correspondrait à la notice de *Lévi* 16: 3 sur la mise à mort du rénovateur de la *tōrāh*.

Enfin, on trouve au v. 3 un trait qu'on pourrait rapprocher de la déscription donnée du Maître de Justice dans les rouleaux de la Mer Morte. Envoyé par Dieu, il est l'interprète par excellence des paroles des prophètes (*1Qp Hab* II: 8–9, VII: 4–5). Dieu lui a donné son esprit et le soutient par sa force en sa mission de faire connaître à beaucoup les mystères de *Yahvé* (*1QH* II: 17–18, VII: 6–7, 26–27, XIII: 18–19). Or, l'expression « dans la puissance du Très-Haut » peut bien résumer les dons spirituels assignés au Maître par les textes de Qumran[5].

Cependant il y a trop de points obscurs dans la carrière du Maître de Justice pour qu'une identification avec le rénovateur de la *tōrāh* en *Lévi*

---

[1] MEYER 1921, p. 172.

[2] DUPONT-SOMMER 1952 se limite à l'étude du *Testament de Lévi*. PHILONENKO 1960 traite de tous les passages dits messianiques, abstraction faite de *Lévi* 18.

[3] Cf. DUPONT-SOMMER 1968 p. 374 s.

[4] Ce dernier point reste encore discuté. Ceux qui se prononcent pour une mort violente du Maître sont entre autres : DUPONT-SOMMER 1968, p. 371, MICHEL 1954, p. 271, ROWLEY 1966 p. 286, 289. Mais d'autres chercheurs s'opposent à cette théorie : OTZEN 1954 p. 149 s., CARMIGNAC 1957, p. 50 ss., RINGGREN 1963 A, p. 35, G. JEREMIAS 1963, p. 42 ss., 47, 63, 127 ss., 149 ss. Selon d'autres encore les textes ne nous permettent ni d'affirmer ni de nier le martyre du Maître : ALLEGRO 1964, p. 108 s.

[5] On s'étonne que, dans leur exégèse de *Lévi* 16: 3–5, DUPONT-SOMMER et PHILONENKO n'aient pas insisté sur ce point.

16: 3 s'impose avec quelque probabilité. Une chose paraît pourtant évidente : notre texte ne peut pas être utilisé pour affirmer la résurrection ou la réapparition du Maître essénien, comme le font Dupont-Sommer et Philonenko. On doit noter le changement du pluriel « les hommes justes » au v. 2 en singulier au v. 3 « l'homme rénovateur » qui est conforme au style sémitique[1]. Cela peut indiquer que nous sommes en présence au v. 3 d'un individu indéfini qui représente une collectivité, le groupe persécuté. Sans cependant insister trop sur cette possibilité nous concluons que les allusions de *Lévi* 16: 3 sont trop vagues pour permettre une identification de la personne visée. Seul le trait « rénovateur de la loi dans la puissance du Très-Haut » pourrait entrer en ligne de compte mais ce titre conviendrait aussi bien à n'importe quel personnage ou groupement interprétant la loi sacrée et se réclamant d'une importance spéciale sur le plan religieux[2]. Il faut aussi tenir compte du fait que la provenance des *Testaments* de la communauté de Qumran est invraisemblable[3]. Malgré cela, bien entendu, les *Testaments* peuvent contenir des allusions au Maître de la communauté de Qumran, mais cela présuppose que celui-ci ait été connu et, en l'occurrence, respecté par d'autres groupes du judaïsme de l'époque. Sur cela nous ne savons presque rien[4]. Notre examen de *Lévi* 16: 3 a montré l'origine juive de ce passage. Il n'y a donc pas lieu de mettre en doute l'unité des vv. 2–3. Il est néanmoins clair que l'Eglise a relu le verset 3 comme une prophétie sur la mort et la résurrection de Jésus. Le texte porte en effet le vestige de cette relecture dans la remarque ὡς νομίζετε insérée de façon maladroite avant ἀποκτενεῖτε αὐτόν. Cette remarque rompt visiblement la cohérence du texte, et on peut la rapprocher d'un passage de l'*Evangile de Luc* 3: 23–24 où l'expression ὡς ἐνομίζετο semble ajoutée postérieurement pour infirmer l'assertion primitive que Jésus était le fils de Joseph[5].

---

[1] Pour un changement analogue, comparez p. ex. *Ps. Sal.* 4 (voir plus bas p. 118) 18: 8, le *Rouleau de la Règle* IV: 20–22 et *1 Hén.* 47: 1, 92: 2–4.

[2] Cf. Bousset 1900, p. 169 « Man kann sie auf das Martyrium irgendeines jüdischen Frommen beziehen ». On a pourtant proposé des identifications surtout avec Onias III ou Onias le Juste (Bousset 1900, p. 192 note, Charles 1908, comm. p. 59 note, Rowley 1966 p. 289).

[3] Voir vol. II chap. III.

[4] En dehors des documents de Qumran, aucune mention sûre n'existe du Maître de Justice. Le législateur, nommé par Josèphe, *Bell.* II: 145, qui selon Dupont-Sommer serait le Maître de Justice, peut aussi bien être Moïse. La suggestion de Philonenko 1958 de retrouver le Maître dans la *Sagesse de Salomon* est séduisante, mais ne fournit pas les preuves décisives.

[5] Cette expression de *Luc* 3: 23 s. est ainsi interprétée par Guignebert 1947 p. 127, Klostermann 1929 p. 56. Schürmann p. 199 pense que Luc l'a introduite dans son modèle, ce qui n'apparaît pas cependant convaincant.

Lévi 17: 8 et 17: 11. Les deux passages du *Testament de Lévi* qui font encore
mention des transgressions des prêtres, sont 17: 8 et 17: 11. La composition
de ce chapitre est très difficile à élucider (voir vol. II chap. III). Le premier
texte parle d'une souillure inouïe qui aurait eu lieu sous la septième prêtrise,
qui, selon le contexte, est celle de l'époque contemporaine. Le langage voilé
des apocalypticiens ne nous permet pas d'en percer avec certitude l'allusion,
mais comme cette section paraît dépendre de la source écrite, il est bien
possible, comme le suggère BECKER[1], que la souillure visée soit l'érection
sous Antiochus IV Epiphane d'un autel ou d'une image dans le Temple de
Jérusalem en signe du nouveau culte syncrétiste, événement dont parlent
avec horreur le *livre de Daniel* (9: 27, 11: 31, 12: 11) et le *Premier livre des
Maccabées* (1: 54)[2]. La description des prêtres idolâtres en 17: 11 vise, selon
CHARLES[3], les grand-prêtres hellénisants au temps d'Antiochus Epiphane.
Rien n'empêche cependant de la situer à une époque plus tardive, car les
détails peuvent s'appliquer aussi bien à d'autres périodes du sacerdoce juif.
L'énumération de leurs vices semble assez stéréotypée[4] à l'exception des
deux dernières épithètes παιδοφθόροι et κτηνοφθόροι qui indiquent, selon
BECKER, une influence grecque[5]. Or, ces deux mots sont extrêmement rares
dans la littérature grecque[6] et du moins παιδοφθόρος semble provenir du
judaïsme hellénistique, qui l'a forgé pour sa polémique à l'endroit du
paganisme.

Le Testament de Juda

Juda 23: 1–2. La péricope « péchés-châtiment-restauration » trouvée dans
le *Testament de Juda* au chapitre 23 est complète, mais commence avec une
phrase qui est bien différente de la formule introductive des autres péricopes
du même genre (voir plus haut p. 83). On a voulu retrouver la formule
introductive propre au chapitre 23 dans un passage en *Juda 18: 1* qui paraît
étranger à son contexte actuel, mais qui conviendrait très bien comme

---

[1] BECKER 1970 p. 288 s.

[2] L'interprétation de DUPONT-SOMMER 1952 p. 45 que la souillure mentionnée en
Lévi 17: 8 serait la mise à mort du Maître de Justice se fond sur des données trop in-
certaines.

[3] Cf. CHARLES 1908 comm. p. 62.

[4] Cf. BECKER 1970 p. 290.

[5] BECKER p. 290. Il ajoute également les mots φιλάργυροι et ἀσελγεῖς qui témoigneraient d'une provenance grecque de ce texte. Voir cependant ce que nous disons
en vol. II chap. III sur la question posée par l'existence de termes proprement grecs
dans une traduction.

[6] Il n'est pas consigné dans LIDDELL-SCOTT mais se retrouve chez quelques Pères
de l'Eglise : Clément d'Alexandrie, Origène, Athanase.

l'introduction d'une péricope « péchés-châtiment-restauration »[1]. Cela soulève des difficultés car la formule de 18: 1 ne convient pas à 23: 1 qui possède déjà sa propre introduction : « J'ai beaucoup de tristesse, mes enfants, à cause de ... ». Celle-ci ne peut d'ailleurs être séparée de son contexte aussi aisément que la formule en 18: 1. Néanmoins, il paraît probable que le passage de *Juda* 18: 1 a servi d'introduire une péricope « péchés-châtiment-restauration » mais nous ne saurions la situer exactement dans l'état actuel du texte, qui, pour les chapitres 18–25 du *Testament de Juda*, présente des difficultés considérables de composition. Quant à la formule introductive de 23: 1 mentionnée ci-dessus elle se lit en grec : πολλὴ δὲ λύπη μοί ἐστιν τέκνα μου διά ... On doit la rapprocher d'une citation du cycle d'Hénoch faite dans le codex grec de Cologne sur Mani[2]. Hénoch qui s'appelle ici « le juste » dit à l'égard de l'injure des impies : λύπη μοί ἐστιν μεγάλη καὶ χύσις δακρύων ἐκ τῶν ὀφθαλμῶν μου διὰ τὸ ἀκηκοέναι ... La citation manichéenne pourrait être faite directement sur le araméen du *Livre des Songes* qui en 90: 41 de la version éthiopienne présente un contexte analogue[3]. Ces expressions, caractéristiques de *Juda* 23: 1 et de la citation manichéenne ne sont probablement que deux traductions d'une même tournure idiomatique en araméen. La forme grecque est assez rare[4], mais curieusement on la trouve de façon surprenante sous une forme identique à la citation manichéenne dans l'*Epître aux Romains* 9: 2. Etant donné que la formule introductive dans les *Testaments* renvoie de façon consciente au cycle d'Hénoch il est peut-être légitime de voir dans l'introduction de *Juda* 23: 1 l'adaption stylistique d'une phraséologie hénochique faite par l'auteur des *Testaments*. De même, est-il trop hardi d'interpréter l'emploi de cette expression par saint Paul d'une manière analogue, lorsqu'il s'agit d'un contexte où il envisage les péchés de ses compatriotes, à savoir leur manque de foi en Jésus-Christ?

Si l'on examine de plus près les détails dont se compose la liste des péchés en *Juda* 23: 1–2, on constate qu'elle diffère des descriptions analogues dans les *Testaments* notamment en ce qui concerne la terminologie, mais aussi quant à la signification. L'accusation de débauche et d'idolâtrie se retrouvent dans les mêmes termes en *Lévi* 17: 11 et l'expression « les abominations

---

[1] DE JONGE 1953 p. 152 n. 223, ASCHERMANN p. 12 et BECKER 1970 p. 318 s. Le dernier est le plus explicite et aboutit à ce résultat après avoir examiné la partie 18: 2–22: 3 qu'il trouve secondaire.

[2] HENRICHS-KOENEN p. 215.

[3] Cf. PHILONENKO 1972 p. 339.

[4] Abstraction faite des passages cités ci-dessus, les concordances de la *Septante*, du *Nouveau Testament* et des *Pères Apostoliques* n'ont pas fourni un seul exemple. De même pour les dictionnaires de LAMPE et LIDDELL-SCOTT.

des nations » est, comme nous l'avons vu plus haut (p. 87) un « topos » de l'école deutéronomiste. Mais ce qui reste se distingue nettement de l'usage ordinaire des descriptions de péchés. La plupart des termes sont des « hapax legomena » dans les *Testaments*. L'importance d'un « hapax legomenon » dans les *Testaments* ne doit pas être majoré puisque le vocabulaire de ce pseudepigraphe est assez restreint. Toutefois, le nombre d' « hapax legomena » dans un passage si réduit n'est pas fortuit. Voici la liste de ces termes en *Juda* 23: 1–2 : ἐγγαστριμύθοις, κληδόσι, δαίμοσι, μουσικάς et δημοσίας. Le premier mot vise sans doute les esprits des morts que le devin évoque et correspond à l'hébreu אוב[1]. Il semble qu'on fait revivre, mais dans un contexte différent, la phraséologie biblique utilisée de *Lévitique* 19: 31 et 20: 6 qui se lit dans la version grecque ἐπακουλοθεῖν ἐγγαστριμύθοις. A la sphère magique appartient également κληδόσι qui signifie ici « ceux qui font la sorcellerie » plutôt que « sorcelleries »[2]. C'est un écho de l'expression אל מעננים ישמעו de *Deut.* 18: 14. L'emploi de μουσικός au féminin dans le sens de « musicienne » paraît très rare dans la littérature de langue grecque[3]. Enfin, il est frappant que δημόσιαι et δαίμονες en *Juda* 23: 2 soient utilisés comme synonymes de πόρναι et de πνεύματα qui sont les termes ordinaires dans les *Testaments*. On ne voit pas pourquoi dans ce seul passage l'auteur aurait remplacé le mot-clef πνεῦμα par δαίμων et substitué πόρνη de *Lévi* 14: 5–6 à δημόσιος qui, au surplus, est très inusuel dans ce sens[9]. Quant au contenu, les accusations de sorcellerie et divination sont uniques dans les *Testaments* et on ne voit pas pourquoi on les a introduit ici.

Puisque la description du châtiment au v. 3 présente elle aussi des particularités analogues, on serait tenté de conclure que le chapitre 23 est interpolé. Cette solution ne s'impose pas cependant, car le thème « péchéschâtiment-restauration » est une idée maîtresse de l'auteur, et on peut montrer qu'il réunit volontiers des matériaux disparates dans ce cadre (cp. *Sim* 5: 4 ss. et *Dan* 5: 4 ss.). C'est du reste la seule péricope de ce genre qui soit complète dans le *Testament de Juda* et le contexte n'indique pas non plus une interpolation. Il est donc plus probable que l'auteur a utilisé pour la description des péchés en *Juda* 23 une source écrite que nous ne pouvons

---

[1] Alléguons p. ex. *Lév.* 19: 31, 20: 6, 27, cf. aussi CHARLES 1908 comm. p. 93.

[2] Le mot κληδών qui en grec normal n'est pas employé comme nomen agentis correspond ici, comme CHARLES le souligne, à מעננים de *Deut.* 18: 14 et *Mich.* 5: 11. Κληδών ne se retrouve en *LXX* qu'en *Deut.* 18: 14.

[3] Nous n'avons trouvé qu'une référence à la *Chronique de Jean Malalas* (cf. LAMPE p. 886).

[4] Ni la *Septante*, ni le *Nouveau Testament*, ni la littérature patristique ni Josèphe ne l'attestent. Les seules attestations se trouvent chez Procope (LIDDELL-SCOTT p. 387) et le rhéteur Hermogène.

plus identifier[1]. Il l'a adaptée à son but : décrire les fautes commises contre la royauté par les fils de Juda. Il est impossible de distinguer dans tous les détails ce qui revient à la source et ce qui est de la main de l'auteur. Toutefois, la formule introductive, les expressions « que vous ferez contre la royauté » et « vous vous mêlerez aux abominations des nations », l'addition de πλάνης après δαίμοσι constituent sans doute la marque propre de l'auteur.

Juda 21: 6–9. Ce passage correspond, dans la composition actuelle du *Testament de Juda*, à l'élément de péchés dans la section 21: 6–22: 3 qui peut s'interpréter comme une péricope « péchés-châtiment-restauration ». Dans les vv. 7–9 le texte se lit à la troisième personne et n'est donc pas tout à fait conforme à la situation « testamentaire ».

La première partie (v. 6) présente des obscurités de détails, mais on peut néanmoins en saisir la signification générale. Il s'agit de la différence entre les justes et les impies qui se transforme en une opposition entre les riches et « ceux qui sont mis en captivité »[2], c'est à dire le groupe des justes qui sont persécutés. Ceux-ci s'exposent à des dangers, οἱ μὲν κινδυνεύουσιν[3] αἰχμαλωτιζόμενοι tandis que les riches amassent illégitimement leurs biens, οἱ δὲ πλουτοῦσιν ἁρπάζοντες. Cette opposition est mise en relation avec le patriarche Juda, car c'est de toute évidence de lui qu'il s'agit. L'interprétation de cette relation n'est pas cependant évidente. Est-ce que Juda est ici la figure de la royauté qui abaisse les uns par la captivité et par la pauvreté, mais qui enrichit et élève les autres[4]? Ou est-il question du territoire de la tribu, la Judée et de l'opposition dans le pays entre l'aristocratie riche et le peuple opprimé, représenté par les justes? Quoi qu'il en soit, les versets suivants (7–9) reprennent le thème de l'opposition entre les justes et les impies, mais le majorent en une critique sévère contre οἱ βασιλεύοντες (v. 7). Notons le bien, ce n'est pas en premier lieu les rois ou la royauté qui sont en butte à la polémique de ce passage, mais ceux qui sont au pouvoir et dirigent le pays par opposition au peuple, les 'am ha-'areṣ. Le passage vise sans doute l'aristocratie juive et les princes hasmo-

---

[1] On peut aussi envisager la possibilité que le fond de *Juda* 23 aurait été remanié sous l'influence d'un texte analogue en langue grecque lors de la traduction des *Testaments* en grec; cf. aussi vol. II chap. III.

[2] Le texte porte αἰχμαλωτιζόμενοι, on attend pourtant comme antithèse de πλουτοῦντες un terme comme πτωχοί.

[3] CHARLES 1908 comm. p. 91 suppose une corruption lors de la traduction de l'original sémitique causée par une fausse vocalisation de מסכנים. Cette conjecture est plausible.

[4] BECKER 1970 p. 316 entend le texte de sorte qu'à l'intérieur de la royauté, il y aura quelques uns qui tomberont en captivité et d'autres qui deviendront riches par leurs exactions.

110

néens; qui engloutissent des multitudes d'hommes par les guerres; les richesses qu'ils ont accumulées dans leur avarice et leur orgueil provoquent les accusations véhémentes des justes et des pauvres. De plus, ils tuent injustement beaucoup d'hommes (v. 8) et ils sont des faux prophètes qui persécutent les justes (v. 9). Il est remarquable que cette critique s'accorde sur plusieurs points avec celle qui, selon le texte de Diodore, est lancée contre les Hasmonéens par les juifs rassemblés devant Pompée à Damas[1]. Cela confirme la pointe anti-hasmonéenne de *Juda* 21: 6–9.

Qu'est-ce qui constitue encore le fond et l'inspiration de *Juda* 21: 6–9? On a rapproché notre texte du *Premier livre de Samuel* 8: 11–18[2], où le prophète prédit ce que sera le *mišpat* du roi que les Israélites demandent. Il y a certes des analogies mais elles sont de caractère général et le ton polémique est beaucoup plus virulent dans le *Testament de Juda*[3]. L'apologue de Yotam en *Juges* 9: 7–16, renferme assurément une vigoureuse polémique à l'égard de l'institution de la royauté, mais dans cette orientation générale réside la seule ressemblance avec *Juda* 21: 6–9. Les prophètes blâment, bien entendu, certains rois[4], mais cette critique n'est pas analogue à celle du *Testament de Juda*. Ce ne sont donc pas les maigres données bibliques qui ont inspiré la formulation de notre passage. En revanche, ce sont des textes plus contemporains dont il faut rapprocher le *Testament de Juda*, en particulier l'*Epître d'Hénoch*. A travers cet écrit court comme fil conducteur l'opposition entre les riches, pécheurs et oppresseurs, et les justes, pauvres et humbles[5]. On y trouve une ardente polémique à l'égard des riches et de ceux qui ont le pouvoir. Οἱ βασιλεύοντες du *Testament de Juda* correspond dans l'*Epître d'Hénoch* à οἱ κυριεύουσιν (103: 12 et 14). Les accusations contre les puissants et les riches sont formulées avec la même rudesse et elles s'expriment souvent de façon analogue : les riches et les puissants ne font que ἅρπασαι (*Juda* 21: 6 s., *1 Hén.* 102: 9), ils « consomment » les pauvres et les justes (*Juda* 21: 7 : καταπίνοντες *1 Hén.* 103: 15 : κατεσθόντων; en 103: 11 les justes sont κατάβρωμα ἁμαρτωλῶν). D'autres rapprochements se présentent aisément à l'esprit. Dans l'*Epître* l'exploitation

---

[1] Voici le passage chez Diodore de Sicile où cette critique apparaît (XL, 2) : τούτους δὲ νῦν δυναστεύειν καταλελυκότας τοὺς πατρίους νόμους καὶ καταδεδουλῶσθαι τοὺς πολίτας ἀδίκως· μισθοφόρων γὰρ πλήθει καὶ αἰκίαις καὶ πολλοῖς φόνοις ἀσεβέσι περιπεποιῆσθαι τὴν βασιλείαν. On voit les points qui sont communs avec *Juda* 21: 6–9: 1° l'accusation d'asservir le peuple 2° l'accusation de tuer injustement beaucoup d'hommes 3° l'accusation d'abolir la *torah* ce qui équivaut au reproche de *Juda* 21: 9 d'être des faux prophètes. Voir aussi supra p. 61.

[2] CHARLES 1908 comm. p. 91, DE JONGE 1953 p. 152 n. 223.

[3] Cf. BECKER 1970 p. 316 n. 5.

[4] P. ex. *Jér.* 22: 3, 13–17, 23: 1–4.

[5] Voir plus bas p. 130 s.

économique dont les justes sont les victimes, correspond dans le *Testament de Juda* à l'accusation d'asservissement (21: 7). En outre, la persécution des justes est clairement évoqué dans les deux textes. Dans l'*Ecrit de Damas* et le *pésher d'Habacuc* on trouve également une critique contre la richesse et l'amas des biens par l'aristocratie juive[1].

Si l'on veut alléguer des parallèles de caractère plus général pour éclairer le passage *Juda* 21: 6–9, c'est du côté de la tradition sapientiale du Proche-Orient antique et de la philosophie populaire de l'époque hellénistique qu'il faut les chercher. La tradition sapientiale montre souvent une attitude négative envers les rois et ceux qui ont le pouvoir, mais il ne s'agit pas d'une polémique réelle telle qu'on la rencontre dans le *Testament de Juda* et l'*Epître d'Hénoch*. L'idéal du sage consiste en revanche dans l'effort d'éviter une confrontation avec le roi et d'échapper à son courroux[2]. D'autre part, dans la tradition sapientiale, les formulations négatives sont souvent compensées par des passages qui soulignent la bienveillance du roi[3]. La pensée de l'*Ecclésiaste* constitue une transition entre la sagesse traditionelle et la philosophie hellénistique en ce qui concerne l'attitude envers les richesses et ceux qui ont le pouvoir. Mais l'*Ecclésiaste* ne critique pas les conditions sociales et politiques; il ne fait qu'enregistrer ce qu'il voit : l'amas des biens et la vie luxueuse de l'aristocratie de son temps (2: 4–10, 6: 1 ss.), l'oppression des pauvres par l'administration politique (4: 1, 5: 7) et le scandale apparente du progrès des impies et du malheur des justes (8: 14). Puis il en tire la conclusion que tout est dénué de sens, est הבל[4] (2: 11, 6: 9). Son attitude envers l'institution de la royauté ne diffère guère de celle trouvée dans la tradition sapientiale (cf. 4: 13 s., 5: 8, 8: 2–4). Bref, nous sommes encore loin de la critique acharnée lancée par l'*Epitre d'Hénoch* et le *Testament de Juda*. Cependant la description dans l'*Ecclésiaste*. 2: 4–10 du mode de vie mené par l'aristocratie et la liste de leurs biens accumulés, rappelle celle de *Juda* 21: 7. Or, la liste de l'*Ecclésiaste* reflète sans doute les catalogues polémiques des richesses amassées par la bourgeoisie hellénistique qu'on trouve dans la philosophie populaire de l'époque[5]. C'est

---

[1] Voir plus bas p. 121 ss.

[2] *Prov.* 16: 14, 19: 12a, 20: 2 et 25: 3. Les *Paroles d'Ahiqar* accentuent l'attitude négative contre les rois par rapport aux *Proverbes*. La colonne VII: 100–110 contient des admonitions de prendre garde au courroux et la toute-puissance des rois; on s'y occupe surtout du *tremendum* du roi alors que le *fascinosum* ne reçoit pas beaucoup d'attention. Dans un texte sapiential babylonien appelé « Dialogue entre le maître et son serviteur » (ANET 437–438) les rois sont considérés comme des oppresseurs (I: 5) sans que l'on compense cette vue d'assertions positives.

[3] *Prov.* 16: 15, 19: 12b, *Paroles d'Ahiqar* VII: 100, 105 et 108.

[4] Pour le sens du terme הבל, voir en dernier lieu R. Braun p. 45 s.

[5] Cf. R. Braun p. 79 et les catalogues qu'il cite en note comme exemples.

dans cette perspective que la liste de *Juda* 21: 7 doit se comprendre. L'école cynique critiqua vigoureusement ceux qui possédaient les richesses et le pouvoir[1]. Prenons comme exemple le dialogue « *Ménippe* » écrit par Lucien, mais qui n'est que l'adaptation d'une diatribe du philosophe du même nom qui vivait au IIIe siècle av. J.-C.[2]. Nous y trouvons une polémique réelle à l'endroit des riches et les puissants de l'époque hellénistique : ils s'emparent des biens d'autrui et se comportent en usuriers[3]. On décrit leur orgueil à l'égard des pauvres et des humbles qu'ils ont opprimés et persécutés de leur vivant[4]. La pointe de la diatribe est que leur sort sera plus mauvais dans l'au-delà; ils seront punis avec sévérité dans l'Hadès[5]. On trouve également chez Plutarque une critique qui s'adresse à ceux qui amassent les richesses[6]. Pour éclairer encore l'ambiance de *Juda* 21: 7 s. on peut alléguer la diatribe d'Epictète Πῶς ἔχειν δεῖ πρὸς τοὺς τυράννους. Il ressort indirectement de ce texte qu'on accuse ceux qui ont le pouvoir, d'opprimer le peuple, appelé ici οἱ πολλοί[7]. De plus, on apprend qu'ils rendent esclaves les hommes libres en disant avec présomption « je suis le maître »[8]. On note dans le *Testament de Juda* l'emploi d'un langage analogue : le terme πολλοί pour désigner le peuple par opposition à οἱ βασιλεύοντες, qui *asservissent* ceux qui sont *de naissance libre* (21: 7 s.).

Il y a en *Juda* 21: 6–9 des points de contacts apparents avec la polémique à l'endroit des prêtres dans le *Testament de Lévi*. Le thème de la persécution des justes se retrouve en *Lévi* 16: 2 et avec la même formulation. L'orgueil et l'avarice des puissants en *Juda* 21: 8 correspond bien à ce qui est dit des fils de Lévi (cf. *Lévi* 14: 4, 8, *Dan* 5: 6). Cela indique qu'on vise, de part et d'autre, du moins partiellement les mêmes milieux, même si l'auteur utilise

---

[1] Cf. HELM dans PW p. 22.

[2] Cf. HELM 1906 pp. 17–62 et HARMON p. 71.

[3] *Ménippe* 2 : ἁρπάζουσι, τοκογλυφοῦσιν.

[4] *Ménippe* 12, 14 et 19. Le scénario est, comme on le sait, le royaume des morts pour une grande partie du dialogue. *Ménippe* 20 résume bien les accusations lancées contre les riches et les puissants : Ἐπειδὴ πολλὰ καὶ παράνομα οἱ πλούσιοι δρῶσι παρὰ τὸν βίον ἁρπάζοντες καὶ βιαζόμενοι καὶ πάντα τρόπον τῶν πενήτων καταφρονοῦντες, Δεδόχθω τῇ βουλῇ etc., suit la résolution prise par l'assemblée des morts.

[5] *Ménippe* 12, 17 et 20. On doit rapprocher, nous semble-t-il, cette homélie cynique de l'*Epître d'Hénoch* : c'est la même fureur dans les invectives lancées contre les riches et puissants qui sont menacés avec le même châtiment après leur mort.

[6] Voir en particulier les traités « *De virtute et vitio* » et « *De cupiditate divitiarum* ». Plutarque souligne souvent l'insatiabilité, τὴν ἀπληστίαν qui accompagne l'accumulation de richesses.

[7] Epictète *Diss.* I: 19, 7 Τί οὖν ἐστι τὸ ταράσσον καὶ καταπλῆττον τοὺς πολλούς; ὁ τύραννος καὶ οἱ δορυφόροι.

[8] Epictète *Diss.* I: 19, 9 πόθεν σύ; ἐμὲ ὁ Ζευς ἐλεύθερον ἀφῆκεν. ἢ δοκεῖς ὅτι ἔμελλεν τὸν ἴδιον υἱὸν ἐᾶν καταδουλοῦσθαι;

pour sa critique un dossier différent en raison de la fiction qu'il prend pour cadre. Cela explique, nous semble-t-il, pourquoi l'auteur s'adresse dans sa polémique à « ceux qui ont le pouvoir », car cette expression s'applique bien au milieu du haut sacerdoce qui se trouve accusé dans le *Testament de Lévi*. En outre, le fait qu'on évite le mot « roi » peut traduire le refus de l'auteur d'accepter l'usurpation de la royauté par les derniers Hasmonéens.

Rapports entre la polémique des livres des Maccabées et celle des Testaments

L'analyse littéraire des passages de nature polémique dans les *Testaments* nous a fourni quelques renseignements qui permettent de situer la rédaction des parties polémiques à l'époque hasmonéenne. Certains critiques ont cependant utilisé ces parties pour soutenir la thèse d'une rédaction des *Testaments* antérieure à l'insurrection maccabéenne. Selon cette hypothèse, les accusations sur la corruption du sacerdoce trouvées dans le *Testament de Lévi* ne sauraient viser que les prêtres hellénisants de l'époque pré-maccabéenne[1]. Pour vérifier cette hypothèse[2] on s'appuie, consciemment ou non, sur les données des *livres des Maccabées*. Comparons donc d'abord la polémique consignée dans le *Testament de Lévi* avec le dossier des *livres des Maccabées* qui pour notre propos constituent la source principale[3]. Ce qui frappe, ce sont les divergences qui ne s'expliquent pas par un style et par un genre littéraire différents, mais qui portent sur le contenu. La première remarque qui s'impose c'est que la critique n'est pas dirigée, dans les *livres des Maccabées*, contre les prêtres particulièrement, mais que ce sont les juifs renégats qui sont en butte aux accusations[4]. Ces juifs se recrutaient de toute évidence parmi l'aristocratie et les hauts fonctionnaires. Certes, on

---

[1] E. MEYER pp. 167–170, EPPEL p. 32 et BECKER 1970 p. 375.

[2] L'hypothèse ne s'accorde pas avec l'histoire de la composition des *Testaments* telle que nous l'avons conçue au chapitre III du vol. II. Elle peut pourtant être justifiée en partie, dans la mesure où les invectives contre le sacerdoce de la source écrite, l'*Apocryphe de Lévi*, ont été reprises par le *Testament de Lévi*.

[3] Le récit de Josèphe dans les *Antiquités* XII: 237–241 ne rapporte que la rivalité entre les grand-prêtres sous Antiochus Epiphane et pour la description des juifs hellénisants, il dépend entièrement de *1 Macc.* 1: 11–15. Le *livre de Daniel* ne reflète que rarement la polémique à l'endroit des juifs renégats. La confession des péchés en 9: 4–19 s'applique, conformément à la conception deutéronomiste et des prophètes, à la nation entière. En 11: 30 et 32 les juifs renégats sont appelés « ceux qui ont violé l'Alliance » mais leurs transgressions ne sont pas précisées. « Les impies » de 12: 10 visent probablement les mêmes adversaires, car ils sont opposés ici encore aux *maśkīlīm*.

[4] *Macc.* 1: 11 et 34, 6: 21, 7: 5, 9: 23. On les désigne en général par les adjectifs ἄνομοι ou παράνομοι.

114

trouvait aussi des prêtres dans les groupes hellénisants, comme le montre surtout le *Deuxième livre des Maccabées*[1]. Mais il n'en reste pas moins que les *livres des Maccabées* et les *Testaments* n'ont pas les mêmes destinataires.

L'accusation capitale portée contre les juifs infidèles dans les *livres des Maccabées* c'est d'être des apostats et de vivre à la grecque. Les textes nous apportent des précisions : la construction d'un gymnase avec tout ce que cette institution entraîne, l'opération d' ἀκροβυστία et l'abandon de « l'alliance sainte » pour mettre fin à l'isolement du peuple juif dans le monde environnant (*1 Macc.* 1: 14–15). Le grand-prêtre Jason est accusé d'amener les prêtres à mépriser le Temple et à négliger les sacrifices, car au lieu de faire le service de l'autel, les prêtres se hâtent de participer aux jeux du gymnase (*2 Macc.* 4: 10–15). Ce ne sont là que des exemples pour illustrer l'adoption de la culture hellénique par des juifs, mais ils sont choisis pour mettre en valeur le reproche essentiel qui est d'avoir abandonné l'héritage paternel et assimilé une culture étrangère. Cet abandon impliquait sans doute aussi des assouplissements de la théologie traditionelle, mais cet aspect n'est pas évoqué dans les sources[2]. Or, dans le *Testament de Lévi* on ne trouve aucune accusation précise qui porte sur ce type de transgressions, c'est à dire l'assimilation de la culture hellénique. En revanche, les transgressions qui dominent la polémique du *Testament de Lévi* présentent un caractère différent : on pille les offrandes du Seigneur, on a commerce avec les prostituées, on viole les vierges etc. L'accusation de falsifier la *tōrāh* (*Lévi* 14: 4 et 16: 2) ne peut guère être interprétée comme désignant les péchés de pratiquer la vie grecque. Les analogies qui restent sont tout à fait de caractère général : de commettre l'impiété ou être coupable d'idolâtrie (*Lévi* 10: 2, 14: 1, 17: 11; *1 Macc.* 1: 15 et 52, *2 Macc.* 4: 17) et de souiller le sanctuaire (*Lévi* 16: 1; *1 Macc.* 1: 37)[3]. Un trait commun à la polémique des *livres des Maccabées* et le *Testament de Lévi* est l'accusation de persé-

---

[1] *2 Macc.* 4: 14, mais cela ressort indirectement aussi de *1 Macc.* 4: 42. Selon le *Deuxième livre des Maccabées* (1: 7 et 4: 10–11) c'est Jason qui est coupable d'avoir introduit l'hellénisme et donné le signal de l'apostasie, alors que le *Premier livre des Maccabées* semble plus proche de la vérité lorsqu'il en accuse toute une génération (1: 11). Il y a une tendance dans le *Deuxième livre des Maccabées* à faire retomber la culpabilité sur les grand-prêtres (cf. aussi 14: 3 sur Alcime).

[2] On peut quand même se faire indirectement une idée de la théologie des juifs hellénisants. Voir surtout l'analyse de BICKERMANN 1937 pp. 90–116, mais qui doit être complétée par celle de HENGEL pp. 532–554.

[3] L'accusation du *Testament de Lévi* se lit « vous souillerez les sacrifices », tandis que dans le *Premier livre des Maccabées* ella a la forme conventionnelle « ils ont souillé le sanctuaire ». Cette accusation porte sur les habitants de l'Acra qui renfermait à la fois des Gentils et des juifs.

cuter les justes[1], mais cette accusation ne trouve pas de développement qui permette des rapprochements suggestifs[2].

En conclusion, on ne saurait prouver que la polémique du *Testament de Lévi* renvoie au sacerdoce hellénisant de l'époque pré-maccabéenne par un renvoi aux *livres des Maccabées*.

Il y a cependant un passage dans le *Testament de Juda* (23: 1–2) qui pourrait contenir des réminiscences de l'apostasie des juifs à l'époque séleucide pour pratiquer la vie grecque. L'auteur des *Testaments* semble avoir dans ce passage travaillé sur une source écrite qu'il a adaptée au cadre fictif de son ouvrage[3]. Parmi les accusations de ce texte qui portent en 23: 1 sur l'idolâtrie et la sorcellerie, on trouve au v. 2 celles de faire de ses filles des musiciennes et des prostituées et de prendre part aux abominations des nations. Cependant, ces traits sont trop vagues[4] pour désigner l'époque pré-maccabéenne. Tant qu'on ne pourra identifier la source utilisée par l'auteur, la question devra rester ouverte.

Si la comparaison avec les données des *livres des Maccabées* n'a pas confirmé un rapport historique entre la critique contre des groupes attaqués dans les *Testaments* et celle des *ḥasīdīm* contre les juifs hellénisants sous Antiochus IV Epiphane, on trouve dans d'autres écrits une polémique à l'égard des groupes opposants à l'intérieur du judaïsme qui s'exprime par une opposition nette entre les justes et les impies. Ces écrits qui sont tous plus ou moins contemporains des *Testaments*, sont les *Psaumes de Salomon*, les *Textes de Qumran*, et l'*Epître d'Hénoch*. Dans l'étude des descriptions de péchés dans les *Testaments* nous avons déjà renvoyé par endroits à certains passages de ces écrits, mais il est nécessaire de comparer systématiquement ces accusations de caractère polémique.

Les Psaumes de Salomon

Or, une critique analogue à celle des *Testaments* dirigée non pas expressément contre les prêtres, mais surtout contre les hommes au pouvoir appa-

---

[1] En ce qui concerne les *livres des Maccabées* nous n'entendons naturellement que la persécution qui provient de la part des juifs hellénisants. Celle-ci est indiquée en *1 Macc.* 7: 9, 9: 26–27 et *2 Macc.* 1: 7–8.

[2] *Lévi* 16: 2–3. L'expression « du sang innocent » du v. 3 est à première vue un point de contact avec *2 Macc.* 1: 8 où Jason et ses partisans font répandre « du sang innocent » (cp. aussi *1 Macc.* 1: 37). Cette expression a cependant le caractère d'une locution, un « topos » tiré de la Bible.

[3] Voir plus haut p. 109.

[4] « Commettre les abominations des nations » est comme nous l'avons vu plus haut p. 87 un « topos » deutéronomiste. Quant à l'accusation relative aux « musiciennes » elle a bien sa place dans une critique de l'adoption de la culture hellénique; il n'en est pas de même avec la mention des « prostituées ». Aucun de ces traits n'est mentionné au sujet des juifs hellénisants dans les *livres des Maccabées*.

raît dans les *Psaumes de Salomon*, et offre à première vue des parallèles assez frappants avec la polémique des *Testaments de Lévi* et de *Juda*[1]. Le jugement apporté sur ces analogies ne va pas sans difficulté[2]. Il faut donc chercher à élucider autant que faire se peut, la relation exacte de ces deux écrits pour ce qui est de la polémique. Dans cette comparaison nous prendrons spécialement en considération ceux à qui sont adressées ces accusations.

Dans le premier *Psaume de Salomon*, ce sont apparemment les habitants de Jérusalem, sans autre précision, qui sont en butte aux invectives du psalmiste anonyme. Le « je » du texte, c'est la ville elle-même et les habitants sont appelés ses enfants (v. 3). Il est dit que leur richesse et leur rénommée se sont étendues jusqu'aux extrémités du pays[3] (v. 4). Leurs péchés sont ensuite dénoncés aux vv. 7–8. L'auteur les résume par les mots ἐβεβήλωσαν τὰ ἅγια κυρίου ἐν βεβηλώσει (v. 8b). Comme le premier psaume paraît être une introduction à l'ensemble du recueil, cette phrase peut passer comme une sorte de rubrique pour toutes les transgressions décrites dans la suite. L'accusation a un équivalent en *Lévi* 14: 8 καταπαίξετε τὰ ἅγια ἐν καταφρονήσει γελοιάζοντες, ce qui joue également le rôle d'un résumé. Alors que le *Psaume de Salomon* reprend directement une phraséologie biblique[4], la formulation du *Testament de Lévi* est entièrement indépendante au point de vue littéraire.

Dans le psaume deux on trouve des accusations lancées contre « les fils de Jérusalem » qui, par leur contenu, ressemblent à celles dirigées contre les fils de Lévi dans les *Testaments* : souillure du sanctuaire et profanation des offrandes faites au Seigneur (v. 3)[5]. Admettons que ces reproches visent probablement en premier lieu le sacerdoce jérusalemite mais ce sont là des transgressions qui se présentent naturellement à l'esprit de tout critique de la prêtrise juive et qui conviennent presqu'à toute époque. L'équivalent le plus proche se retrouve en *Lévi* 16: 1 τὰς θυσίας μιανεῖτε. D'autre part, les

---

[1] Signalés d'abord par Bousset 1900 p. 190. Ce rapprochement est dans la suite repris par nombre de critiques : Charles 1908 comm. p. lviii, Dupont-Sommer 1952 p. 46, Philonenko 1960 p. 6, Jaubert 1963 p. 273, Becker 1970 p. 304.

[2] Comparez à cet égard les auteurs cités ci-dessus. D'un point de vue méthodologique on ne doit pas comparer des phrases parallèles sans tenir compte de leur contexte respectif.

[3] Le mot γῆ vise sans doute ici la Palestine et non l'*oikoumene* proposée par Viteau p. 255, Holm-Nielsen 1971 p. 560).

[4] Cf. *Lév.* 18: 21, 21: 12, 23, *Ez.* 22: 26, 24: 21, *Mal.* 2: 11 : קדש יהוה חלל LXX : βεβηλοῦν τὰ ἅγια κυρίου.

[5] *Ps. Sal.* 2: 3
Οἱ υἱοὶ Ἰερουσαλὴμ ἐμίαναν τὰ ἅγια κυρίου
ἐβεβηλοῦσαν τὰ δῶρα τοῦ θεοῦ ἐν ἀνομίαις.

péchés en *Lévi* 14: 5 sont déjà précisés de sorte qu'une comparaison avec *Ps. Sal.* 2: 3 qui est de caractère général, n'apporte rien en soi. Au reste, *Ps. Sal.* 2: 3 est, par la formulation tout à fait dépendant de passages bibliques[1], à la différence de *Lévi* 14: 5 et 16: 1. Les transgressions qui sont décrites dans la suite du psaume deux ne s'adressent pas spécialement aux prêtres. Ce sont les fils et les filles de Jérusalem (v. 6) qui ont fait le mal (v. 8). Les filles de la ville (v. 13) sont devenues profanes parce qu'elles se sont souillées elles-mêmes par des unions illicites (v. 13). Le contexte manifeste encore que ce sont les vainqueurs non-juifs, les soldats étrangers qui ont profané les filles de Jérusalem tandis que le parallèle allégué du *Testament de Lévi* accuse les prêtres de ce crime[2]. Le v. 11 du même psaume rapporte le châtiment des habitants de Jérusalem à cause des prostituées qu'on trouve au milieu d'elle, ἀντὶ πορνῶν ἐν αὐτῇ. C'est là une affirmation de nature générale qui sans doute relève du langage des prophètes de la Bible utilisé dans leur polémique à l'égard de Jérusalem[3]. Par contre, en *Lévi* 14: 5, les prêtres sont mis en relation avec les prostituées en des circonstances toutes particulières. Dans l'appellation τοῖς ἀμαρτωλοῖς au v. 16 le psaume deux comprend, semble-t-il, tous les destinataires des griefs déjà énoncés. Le texte précise en outre que Dieu a dévoilé les péchés des impies (v. 17).

Le psaume quatre présente un caractère particulier en ce qui concerne les accusations de péchés. On attaque avec véhémence les hypocrites qui ont l'air d'être pieux, mais qui commettent en réalité les transgressions les plus graves. C'est donc pour le fond, un contexte différent de celui trouvé dans le *Testament de Lévi* où le reproche d'hypocrisie n'est pas faite aux prêtres impies. On notera dans les invectives de ce psaume le passage du singulier (vv. 1–5, 10–18) au pluriel des vv. 6–9, 19–22), parfaitement conforme au style sémitique. Les accusations visent donc en premier lieu un groupe de pécheurs, que l'on ne peut définir de façon plus précise. On a voulu[4] reconnaître un trait précis dans la phrase introductive décrivant le profane qui siège ἐν συνεδρίῳ ὁσίων[5]. Il s'agirait dans ce psaume de « la contradiction entre la sévérité hypocrite du juge au tribunal et le relâchement absolu de

---

[1] Pour la phrase « souiller les choses saintes ou « le sanctuaire du Seigneur » voir *Lév.* 20: 3, *Nomb.* 19: 20, *Is.* 43: 28, *Ez.* 5: 11, 7: 24, 23: 38, *2 Chron.* 36: 14 et pour la seconde moitié du verset, voir *Ez.* 43: 8.

[2] Le rapprochement de cette profanation des filles de Jérusalem dans le *Ps. Sal.* 2: 14 avec *Lévi* 14: 6 que font Charles 1908 comm. p. 57 et Philonenko 1960 p. 17 n'est donc pas probant.

[3] Cf. *Is.* 1: 21, *Jér.* 5: 7, 13: 27 et *Ez.* chapitres 16 et 23.

[4] Viteau p. 271.

[5] Texte d'après ms J et le syriaque.

sa conduite privée »[1] mais la phrase introductive s'explique mieux comme une métaphore; on comparera par exemple le *Psaume* 1: 1 de la Bible[2]. Les transgressions spécifiques que le psaume quatre reproche aux hypocrites ne présentent que sur certains points des ressemblances avec les péchés décrits dans le *Testament de Lévi*. Ainsi on peut rapprocher le v. 4 où il est parlé des yeux du pécheur qui se fixent sur toutes les femmes « sans distinction » de *Lévi* 14: 6 qui dit que les prêtres sont coupables d'avoir souillé et les vierges et les femmes mariées[3]. Au v. 24 du *Psaume de Salomon* on implore Dieu d'exterminer « ceux qui commettent toute sorte de transgressions dans l'orgueil »; cet orgueil dans le péché est appliqué également aux prêtres en *Lévi* 14: 7 et 17: 11. Il faut admettre que les ressemblances traitées sont trop vagues pour en tirer des conclusions de dépendance historique ou littéraire.

C'est du psaume huit qu'on a tiré les affinités jugées les plus éclairantes pour la comparaison avec le *Testament de Lévi*. De nouveau, ce sont les habitants de Jérusalem dont il est question (v. 4) et leurs iniquités sont décrites aux vv. 9–13. Dans les souterrains cachés ils ont commis l'inceste et l'adultère (vv. 9–10). On continue de leur faire le grief suivant (v. 11) : τὰ ἄγια τοῦ θεοῦ διηρπάζοσαν. On doit interpréter cela en fonction du stique suivant qui se lit : ὡς μὴ ὄντος κληρονόμου λυτρουμένου. Il s'agit donc d'une usurpation des τὰ ἄγια τοῦ θεοῦ par un sacerdoce jugé illégitime[4]. On souligne au reste qu'il y avait des héritiers légitimes. L'analogie prétendue avec *Lévi* 14: 5 où il est question d'un pillage des *offrandes* n'est par conséquent pas soutenable[5]. Les péchés d'ordre cultuel que mentionne ensuite le psaume huit, au v. 12, consistent, il est vrai, en une profanation du sanctuaire, mais cette profanation ne se produit pas de la même manière que dans le *Testament de Lévi*. Le psaume huit entend au v. 12b selon toute vraisemblance l'impureté des femmes menstruées qui a souillé en quelque sorte le sanctuaire[6]. La première moitié (v. 12a) doit se comprendre de façon analogue : les prêtres fréquentent l'autel après avoir rencontré leurs femmes en état d'impureté[7]. La profanation du temple, décrite en *Lévi* 14: 5 est, comme nous l'avons vu plus haut, d'un tout autre caractère et d'autres

---

[1] Viteau p. 271.

[2] Cf. aussi Holm-Nielsen 1971 p. 567.

[3] Ce rapprochement est fait par Charles 1908 comm. p. 57.

[4] Pour Viteau l'usurpateur est Aristobule et l'héritier légitime son frère Hyrcan ou le « descendant de David » du psaume 17. Le texte est sans doute moins précis et vise, semble-t-il, de façon générale, l'usurpation du sacerdoce par les Hasmonéens.

[5] Ce sont Charles 1908 comm. p. 57 et Philonenko 1960 p. 17 qui accentuent cette analogie.

[6] Cf. Viteau p. 295.

[7] Les lois régulant cette forme d'impureté se retrouvent en *Lév.* 15: 19, 24; cp. aussi *Ez.* 22: 10.

passages du *Testament de Lévi* parlent, sans préciser, d'une souillure du sacerdoce et des sacrifices (16: 1) et d'une souillure inouïe (17: 8). La description des péchés est, dans le psaume huit, reprise ensuite de façon plus ramassée aux vv. 21–22. Si, auparavant, on accusait les habitants de Jérusalem (vv. 9–13), et aux vv. 12–13 plus spécialement les prêtres, il est maintenant question, selon toute apparence, des « dirigeants du pays » (vv. 16 et 20), parmi lesquels on doit évidemment compter des prêtres. Les vv. 21–22 ne sont qu'un résumé des vv. 9–13, car le reproche « ils ont agi selon leur convoitises impures » (v. 22) se réfère aux péchés sexuels commis par les habitants de la ville (vv. 9–10), alors que le v. 22 « ils ont souillé Jérusalem et ce qui est consacré pour le nom de Dieu » renvoie aux transgressions cultuelles des prêtres mentionnées aux vv. 12–13. Ces griefs ne s'accordent que de façon générale avec les invectives trouvées en *Lévi* 14: 8 et 16: 1.

Enfin dans le psaume dix-sept, c'est le terme général de « pécheurs » qui est utilisé (v. 5). On les accuse d'avoir usurpé le pouvoir et le trône de David (vv. 6–8). Plus loin aux vv. 19–20 le psalmiste souligne la culpabilité de la nation entière, depuis les dirigeants jusqu'aux plus humbles; ils ont péché, c'est pourquoi le châtiment est venu sur Jérusalem par l'intermédiaire « d'un homme étranger à notre race » (v. 7). Ici encore c'est avant tout une affinité de pensée qu'on relève dans la comparaison avec le *Testament de Lévi* : on utilise un thème commun, celui de « péchés-châtiment-restauration ». On pourrait aussi interpréter *Ps. Sal.* 17: 5 en termes de persécution et rapprocher ce trait de *Lévi* 16: 2 et de *Juda* 21: 9.

En conclusion, les parallèles entre les *Psaumes de Salomon* et les *Testaments*, dans leur accusations de péchés, frappants à première vue, ne résistent pas à un examen approfondi. Les analogies qu'on a relevées sont d'un caractère trop général pour en tirer des conclusions d'un rapport historique et littéraire précis (*Ps. Sal.* 1: 8b, 4: 4, 24, 17: 5) ou elles s'expliquent par l'utilisation, de part et d'autre, d'une même phraséologie biblique (*Ps. Sal.* 2: 3, 13). Parfois même, le contexte différent, donné à une formulation commune, exclut un rapprochement réel (*Ps. Sal.* 2: 13, 8: 11, 12). Il n'est donc pas possible d'utiliser la description des transgressions dans les *Psaumes de Salomon* pour retrouver le « Sitz im Leben » plus exact de la polémique des *Testaments* qu'on place volontiers, à partir des données des *Psaumes de Salomon*, à Jérusalem aux alentours de l'an 63 av. J.-C. ou peu après. Si les allusions des *Psaumes de Salomon*, du moins pour les psaumes 2, 8 et 17, reflètent clairement la prise de Jérusalem par Pompée, les *Testaments* ne présentent pas des détails qui pourraient révéler dans quelle époque précise se situe leur polémique. Néanmoins, un rapprochement entre les *Psaumes de Salomon* et les *Testaments* est justifié dans les grandes lignes.

Le recueil des *Psaumes de Salomon* est tout entier traversé par l'opposition des justes et des impies. Les justes prennent ici clairement les contours d'un groupe social et religieux qui se donne les noms ὅσιοι ou δίκαιοι correspondant à l'aspect religieux, ou πτωχοί et ταπεινοί termes où prédominent l'aspect social. Cette communauté est opposée aux pécheurs, ἁμαρτωλοί[1] qui semblent former également un groupement assez défini à l'intérieur du pays[2]. Même si l'on tient compte des passages où la nation entière est jugée coupable de transgressions, il ne saurait faire de doute que la polémique à l'endroit « des pécheurs » vise l'aristocratie juive et le haut sacerdoce[3], et donc les groupes qui sont en butte aux accusations dans les *Testaments de Lévi* et *de Juda*. On obtient pour la formulation de la pensée une structure analogue. D'une part, on accentue, conformément à la conception deutéronomiste, la culpabilité du peuple entier (p. ex. en *Ps. Sal.* 17: 19 s.; dans les *Testaments* cette fonction est exercée par les descriptions de péchés en *Iss, Zab, Nepht, Dan* et *Aser*); d'autre part, on polémique en particulier avec un groupe défini de pécheurs à l'intérieur de la société, la caste sacerdotale et l'aristocratie (*Ps. Sal.* 2: 3, 11, 8: 8 ss., 17: 5 ss., les descriptions de péchés en *Lévi* et *Juda*). De même, comme la critique des *Psaumes de Salomon* et des *Testaments* vise des adversaires analogues, elle semble provenir aussie des mêmes milieux juifs, milieux qu'on ne devra identifier ni avec les esséniens de Qumran ni avec les pharisiens.

Les écrits de Qumran

Parmi les textes de Qumran ce sont en particulier l'*Écrit de Damas* et les *Pesharim* qui présentent des analogies avec les *Testaments* en ce qui concerne la polémique avec des groupements adversaires. L'*Écrit de Damas* attaque avec véhémence un groupe à l'intérieur du judaïsme auquel on donne des noms divers comme « la congrégation des traîtres » (*CD* I: 12), « les fils de la Fosse » (*CD* VI: 15) « les hommes de raillerie » (*CD* VIII: 34). Sous l'influence de passages bibliques on trouve les appellations « les déplaceurs de limite » (*CD* V: 20)[4] et « les bâtisseurs du mur » (*CD* IV: 19, VIII: 18)[5]. A leur tête se retrouve un homme appelé tantôt « l'homme de raillerie » (*CD* I: 14) ou « l'homme de mensonge » (*CD* VIII: 37–38) tantôt « Ṣaw » (*CD*

---

[1] Ici il faut écarter les cas, peu nombreux d'ailleurs, où le mot « pécheurs » a un sens plus large où indéfini, p. ex. 2: 1 s., 3: 11 ss. et 4: 2.

[2] VITEAU pp. 66–68 dégage bien, quoique en d'autres termes, cette opposition.

[3] Le psaume 4 semble viser pourtant les pharisiens. Voir infra p. 125 n. 6.

[4] Cf. *Os.* 5: 10.

[5] Cf. *Ez.* 13: 10.

IV: 19)[1]. Ce personnage est décrit comme l'instigateur de l'égarement qui frappe Israël.

Dans l'*Écrit de Damas* I: 14–17 les transgressions de cet homme sont énumérées, puis vient aux lignes 18–21 la description des péchés commis par ses partisans. Les accusations de violation de la loi, ויפירו חוק et de persécution des justes ויגודו על נפש צדיק et וירדפום לחרב de la part des impies correspondent bien à *Lévi* 16: 2 « vous obscurcirez la loi » et « vous persécuterez des hommes justes » (Cf. aussi *Juda* 21: 9). Les autres griefs qu'on fait aux partisans de l'homme de raillerie présentent un caractère différent de ceux qui sont consignés dans les *Testaments de Lévi* et *de Juda*. Les trois filets de Bélial ont, selon *CD* IV: 15 ss. attrapé les partisans de « Ṣaw »[2]. Ces trois filets qui consistent en la luxure, הזנות, la richesse ההון et la souillure du sanctuaire טמא המקדש, peuvent servir de résumé, quoique assez imprécis, des transgressions diverses attribuées dans les *Testaments* aux fils de Lévi, et, pour la richesse, à οἱ βασιλεύοντες de *Juda* 21: 6 ss. Il est remarquable que l'*Écrit de Damas* cite pour ces trois péchés un apocryphe de Lévi. En vue de la concordance générale entre la notice sur les trois filets de Bélial et les descriptions de péchés dans le *Testament de Lévi*, il est bien probable que l'*Écrit de Damas* se réfère ici, soit à la source écrite sous-jacente au *Testament de Lévi* soit à ce testament lui-même mais sous sa forme initiale[3]. Cependant l'*Écrit de Damas* en fait une réinterprétation qui dans les détails s'écarte du *Testament de Lévi*. La luxure des partisans de « Ṣaw », c'est qu'ils épousent deux femmes de leur vivant (*CD* IV: 20–21)[4] et qu'ils transgressent les prescriptions de *Lévitique* sur l'inceste (*Lév.* 18: 13) prescriptions sur lesquelles la secte de Qumran a renchéri. Dans l'explication on passe sous silence le filet de richesse[5], mais le troisième filet, la souillure du sanctuaire consiste à avoir des rapports avec des femmes menstruées (cp. *Lév.* 15: 19 ss.) et à entrer ensuite dans le domaine du Temple. C'est précisément ce qu'entend le *Psaume de Salomon* 8: 13 par la souillure du sanctuaire; il y est toutefois question expressément des prêtres.

Cependant, le point sur lequel l'*Écrit de Damas* et les *Testaments* sont le plus proches dans leurs descriptions de péchés, c'est l'accusation d'altérer

---

[1] Le modèle biblique de ce sobriquet se trouve en *Os.* 5: 11 et *Is.* 28: 10, 13. Cf. Dupont-Sommer 1968 p. 143 n. 10.

[2] Sur ce passage de *CD*, voir l'article de Kosmala 1965 pp. 89–113.

[3] Dans le texte actuel du *Testament de Lévi* aucune allusion à ces trois filets ne subsiste, mais *Dan* 2: 4 parle du « filet d'égarement ».

[4] Pour ce reproche voir l'explication de Dupont-Sommer 1968 p. 144 n. 1.

[5] L'explication du filet de richesse manque : ou elle a disparu par accident, comme le propose Dupont-Sommer 1968 p. 144 n. 7, ou elle a été délibérément omise. Comme ce sont les pharisiens qui sont en butte à la critique, on pouvait difficilement les accuser d'amas des richesses.

et de violer la *tōrāh* de Dieu. Ce reproche, fait aux impies, se retrouve en *CD* I: 20, V: 12 et 21 et en *Lévi* 14: 4 et 16: 2. Les partisans de « Ṣaw » blasphèment « contre les commandements de l'alliance de Dieu » et ils disent לא נכונו qu'il faut de toute évidence interpréter ainsi « ils (les commandements) ne sont plus applicables sans modification » (*CD* V: 12). En *CD* V: 20–21 les « déplaceurs de limite » sont coupables d'avoir égaré Israël (cp. *Lévi* 10: 2) car ils enseignent ce qui diffère des commandements de Dieu ou les contredit. La même accusation revient en *CD* VIII: 34–35 lancée contre ceux qui ont abandonné la communauté essénienne pour se joindre aux hommes de raillerie. La formulation en *CD* V: 20–21 est presque identique à celle de *Lévi* 14: 4 où elle vise les prêtres[1]. L'*Écrit de Damas* ajoute en VI: 1 que les « déplaceurs de limite » prophétisent le mensonge שקר ce qui rappelle les « faux prophètes » de *Juda* 21: 9. Il s'agit cependant de part et d'autre d'un « topos » tiré de l'*Ancien Testament*[2]. En *CD* VI: 14–VII: 6 on trouve un résumé des obligations essentielles des membres de la communauté de Qumran, parmi lesquelles figure celle de se préserver des biens d'iniquité, qui sont devenus impurs, comme on le précise, par un vœu, un anathème ou par les richesses du sanctuaire. Si l'on considère notamment la troisième précision[3], on critique, semble-t-il, l'amas des richesses acquises de façon illégitime à Jérusalem, surtout dans le Temple. Il n'est donc pas question d'un pillage des biens du sanctuaire, comme on l'a cru[4]. Aux yeux des esséniens de Qumran, la richesse est quelque chose qui souille (*CD* VIII: 5) et cette attitude hostile à l'égard des biens et de la fortune s'explique en premier lieu par l'idéal ascétique professé par cette communauté, mais semble aussi être provoquée par l'amas de richesses de l'aristocratie sadducéenne[5].

Les mêmes motifs que dans l'*Écrit de Damas*, qu'on pourrait rapprocher des *Testaments* reviennent dans les *Pesharim* mais tantôt on les développe,

---

[1] En voici les deux textes : *CD* V: 21 כי דברו סרה על מצות אל, *Lévi* 14: 4 : ἐναντίας ἐντολὰς διδάσκοντες τοῖς τοῦ θεοῦ δικαιώμασι.

[2] L'expression שקר (ב ou ל) נבא se trouve chez *Jérémie* 5: 31, 14: 14, 27: 15, 29: 9 ce qui est rendu en *LXX* par προφητεύειν ψευδῆ. La *Septante* précise d'après le contexte en quelques passages l'hébreu נבי־אים en ψευδοπροφῆται (p. ex. *Jér.* 6: 13, 33 (26): 7 s., 11 et *Zach.* 13: 2). Soulignons que l'utilisation d'un « topos » n'infirme pas le caractère réel de ce qu'on critique.

[3] Voici le texte de ce passage en *CD* VI: 15–: 16. ולהנזר מהון הרשעה הטמא בנדר ובחרם ובהון המקדש.

[4] C'est ainsi que DUPONT-SOMMER 1968 p. 147 comprend le texte. A la base de cette interprétation PHILONENKO 1960 p. 17 rapproche ce passage de *Lévi* 14: 5.

[5] Cf. ce qui est dit sur le prêtre impie en *1QpHab* VIII: 10–12 et sur le Lionceau furieux (Alexandre Jannée) en *4QpNah* I: 11–12 qu'il faut probablement interpréter dans ce sens.

tantôt on les résume. Les divergences doctrinales entre le groupe critiqué et la congrégation des justes apparaissent dans l'accusation de mépriser la loi ou les préceptes de Dieu (*1Qp Hab.* I: 10, II: 14–15, V: 11–12, *4Qp Ps. 37* IV: 2, *4Qp Hos* II: 3 s.). Le reproche d'égarement (cp. *Lévi* 10: 2) est développé avec plus d'intensité ici que dans l'*Écrit de Damas*, c'est l'Homme de mensonge et ses partisans qui sont coupable d'avoir égaré beaucoup d'hommes en Israël[1]. La haine des esséniens de Qumran pour les richesses se manifeste en deux passages du *Pésher d'Habacuc*. Dans le premier (VIII: 11–12) on accuse le Prêtre impie d'avoir trahi les commandements à cause de la richesse; et dans l'autre (IX: 4–5), on stigmatise l'amas de richesses par « les derniers prêtres de Jérusalem ». La persécution des justes, trait qui dans l'*Écrit de Damas* est moins apparent, est mentionnée plusieurs fois dans les *Pesharim* mais ne se rattache plus à l'Homme de mensonge ou à « Şaw ». C'est en premier lieu le Prêtre impie qui, dans les *Pesharim*, est l'instigateur de la persécution dirigée contre le Maître de justice et ses adeptes, appelés « les hommes de son conseil » ou « les pauvres » (*1Qp Hab* IX: 9, XI: 4–6, XII: 3, *4Qp Ps. 37* IV: 8). Dans le *Pésher du Psaume 37* ce sont trois groupements, « les violents de l'Alliance » (II: 13) et « les impies d'Ephraïm et Manassé » (II: 17) qui sont censés persécuter la congrégation des justes. On ne trouve pas dans les textes de Qumran de détails sur cette persécution qui nous permettraient d'en saisir la portée et l'importance. L'*Écrit de Damas* (I: 21) semble vouloir dire que la persécution des justes avait fait des martyrs, si l'on tient compte de l'expression « par le glaive ». Le *Pésher d'Habacuc* tout en supposant, comme l'*Écrit de Damas* l'existence de la persécution, n'apporte pas de précisions notables[2]. En revanche, le *Pésher du Psaume 37* fait penser que la persécution ne s'est pas encore déclenchée, mais que la communauté en sent la menace tout proche. C'est l'impression qui se dégage de la terminologie utilisée : les persecuteurs « *songent* à exterminer » (II: 14), ils « *cherchent* à porter la main sur … » (II: 17–18) et le Prêtre impie « *guette* » le juste pour le mettre à mort (IV: 8). Cela indique que les perspectives dans lesquelles furent rédigés d'une part le *Pésher du Psaume 37*, d'autre part le *Pésher d'Habacuc* et l'*Écrit de Damas*, n'étaient pas les mêmes. Avant de quitter le thème de la persécution des justes, notons que les *Hodayot* témoignent clairement d'une persécution

---

[1] En *1QpHab* X: 9 et *4QpPs. 37* I: 26 c'est l'Homme de mensonge qui en est accusé, et en *4QpHos.* II: 5–6, *4QpNah.* II: 8–9, III: 5, 7–8 ce sont ses partisans « ceux qui recherchent les choses flatteuses ».

[2] On parle d'une « iniquité » עוון commise contre le Maître et ses adeptes (*1Qp Hab* IX: 9), d'une persécution du Maître afin de l'engloutir (*1QpHab* XI: 5) et d'un châtiment du prêtre impie en réponse à ce qu'il a fait aux Pauvres (*1QpHab* XII: 2–3).

dirigée contre l'auteur des « Hymnes », de toute évidence le Maître de justice lui-même[1].

Si la polémique émane incontestablement de la communauté essénienne de Qumran, il importe de savoir quels en sont les destinataires. Cette question nous engage dans les problèmes compliqués que posent l'identification du Maître de justice et ses ennemis, notamment le Prêtre impie, et l'époque de leurs ministères respectifs ainsi que la datation des écrits de Qumran. Nous nous bornons à les aborder seulement là où cela nous apparaît nécessaire[2]. Il faut noter quelle place prédominante que tiennent dans l'*Écrit de Damas* et les *Pesharim* les accusations d'altération de la *tōrāh* et d'égarement du peuple. Ces accusations se reflètent de façon précise dans les divers sobriquets donnés aux destinataires de la polémique : « les rechercheurs des choses flatteuses », « les déplaceurs de limite » etc.[3]. Il est hors de doute que ses appellations visent un même groupement à l'intérieur du judaïsme. Il y a dans les *Hodayot* un passage (IV: 6–20) qui constitue une véhémente diatribe prononcée contre ce groupement et où sont passées en revue toutes ses transgressions. Voici quelques unes des accusations les plus caractéristiques : ils ont troqué la *tōrāh* contre les paroles flatteuses qu'ils adressent au peuple, ce sont des hypocrites qui recherchent Dieu avec un cœur double, interprètes de mensonge ils estiment que la *tōrāh* n'est plus applicable sans édulcoration[4]. CARMIGNAC a bien démontré que les adversaires du Maître de justice[5] dans les *Hodayot* sont précisément les pharisiens[6]. Il est significatif que les mêmes accusations qui se trouvent dans les *Hodayot* reviennent dans la critique dirigée contre les pharisiens dans les *Évangiles* : p. ex. l'hypocrisie (*1Q H* IV: 14–15, *Matt.* 23: 1 ss., *Luc* 12: 1), le recours à l'image de la vipère et du venin du serpent (*1Q H* II: 27 s., III: 17 s., V: 10, 27 s., *Matt.* 3: 7, 12: 34, 23: 33, *Luc* 3: 7). Les

---

[1] Pour la description des persécutions dans les *Hodayot*, voir CARMIGNAC 1960 pp. 203–214.

[2] Nous laissons de côté la question de l'identité du Maître de justice qui nous paraît insoluble en l'état actuel de notre documentation, cf. aussi RINGGREN 1963 A p. 35, DUPONT-SOMMER 1968 p. 370.

[3] Il faut distinguer de ce groupe de noms les appellations suivantes qui ne désignent pas, semble-t-il, le même groupement adversaire : « Ephraïm », « Manassé » et « les violents de l'Alliance », voir infra p. 127.

[4] Nous estimons que l'expression « la vision de connaissance » (l. 18) vise la révélation écrite, la *tōrāh* dont on dit לֹא נבין (cf. *CD* V: 12).

[5] Nous nous rallions à l'opinion générale qui considère le Maître comme l'auteur de la majorité des hymnes des *Hodayot*, cf. p. ex. G. JEREMIAS 1963 p. 176 s., CARMIGNAC 1960 p. 221, DUPONT-SOMMER 1968 p. 215 s.

[6] CARMIGNAC 1960 pp. 215–220. Ajoutons que les données fournies à cet égard par les *Hodayot* permettent de voir dans les adversaires du *Psaume de Salomon* 4 des pharisiens.

Évangiles semblent sur ce point réutiliser contre les pharisiens des formulations polémiques esséniennes.

Le *Pésher de Nahum*, qui est vraiment un texte-clef[1], confirme de façon évidente que les accusations de falsification de la *tōrāh* et d'égarement du peuple d'Israël dans les écrits de Qumran font allusion au parti pharisien. On admet communément[2] que l'arrière-plan historique du début du *Pésher de Nahum* est constitué par ce que Josèphe rapporte dans les *Antiquités* XIII: 377–383[3]. L'invasion de Démétrius III en Judée sur le conseil d'une partie des juifs — les דורשי החלקות du *Pésher de Nahum* — et la répression sanglante de ce groupe en révolte par Alexandre Jannée après la retraite du roi séleucide. Il ressort de quelques autres passages des *Antiquités* que ce groupe se composait principalement de pharisiens[4]. L'expression péjorative « ceux qui recherchent les choses flatteuses » qui dénonce donc les pharisiens[5], et les autres sobriquets du même genre sont toujours combinés avec la même sorte de transgressions; et les précisions qu'apportent les divers passages mettent constamment en relief le point capital des accusations : une fausse interprétation de la *tōrāh* qui a pour conséquence un enseignement trompeur par lequel on égare la nation[6]. Or, nous savons que c'était précisément sur la manière d'interpréter la *tōrāh* que les divergences entre les sadducéens et les pharisiens étaient les plus marquées, divergences que Josèphe fait remonter à l'époque des derniers Hasmonéens. Si l'on ne doit pas transposer telles quelles les assertions sur les doctrines des pharisiens fournies par Josèphe[7], nous avons toutefois dans le trait de la réinterprétation et l'adaptation de la *tōrāh* la marque caractéristique du parti pharisien qui l'aura signalé dès le début[8]. On comprend que cette modification et altération de la *tōrāh* ne pouvait que provoquer la haine de la communauté

---

[1] Cp. les jugements de Dupont-Sommer 1963 p. 226 et Yadin 1971 p. 1.

[2] P. ex. Cross Jr. pp. 92–94, Amoussine p. 391 s., Allegro 1964 p. 105. Dupont-Sommer 1963 pp. 203 ss.

[3] Cp. aussi *Bell.* I: 90–98.

[4] *Ant.* XIII: 402 s. où Alexandre Jannée au point de mourir conseille à sa femme de faire la paix avec les pharisiens auxquels il avait, dit le texte, infligé beaucoup de souffrances.

[5] Cf. van der Woude 1957 p. 240 qui reconnaît aussi que les partisans de « Ṣaw » sont les pharisiens, Dupont-Sommer 1963 p. 205, Amoussine p. 391.

[6] Cela est bien exprimé dans le *Pésher de Nahum* II: 7–8 où les « rechercheurs des choses flatteuses » sont accusés d'égarer beaucoup בתלמוד שקרם.

[7] Josèphe écrivant au lendemain de l'an 70 ap. J.-C. ne pouvait guère distinguer entre les doctrines professées par les pharisiens contemporains et les pharisiens de l'époque de Jean Hyrcan, époque où il les nomme la première fois.

[8] Cette adaptation de la *tōrāh* écrite a obtenu sa légitimation dans la conception de la *tōrāh* orale transmise à Moise sur le Sinaï qui est devenue une idée maîtresse du judaïsme rabbinique consignée déjà dans les *Pirqe Aboth*.

essénienne issue de milieux sacerdotaux, marqués par l'attitude sadducéenne envers la *tōrāh*[1].

S'il est clair que le groupe qu'on attaque est le parti pharisien, quel est donc le personnage qui est censé de les diriger et qu'on appelle « l'Homme de mensonge », « Ṣaw » ou « l'Homme de raillerie »[2]? De plus, est-ce que ce personnage est identique au « Prêtre impie »[3]? L'examen des accusations lancées contre le Prêtre impie montre que celles-ci ne reprennent jamais les reproches sur l'altération de la *tōrāh* et de l'égarement du peuple. Ce dont on l'accuse c'est de persécuter la communauté des justes et son Maître et d'amasser les richesses. Le Prêtre impie est selon toute apparence l'un des grand-prêtres hasmonéens[4]. Or, il est invraisemblable que l'un de ces prêtres et dynastes serait le dirigeant des pharisiens en matière de doctrines et de conduite, car c'est cette fonction que la polémique essénienne attribue à l'Homme de mensonge. Tout porte donc à croire que le Prêtre impie et l'Homme de mensonge sont deux personnages distincts, l'un grand-prêtre, l'autre docteur et chef des pharisiens[5].

Nous avons montré que la polémique des écrits de Qumran est dirigée contre un groupe particulier de la nation juive, les pharisiens, et que l'on accuse un grand-prêtre hasmonéen d'avoir persécuté le Maître de justice et sa communauté. On trouve cependant des textes où l'on entrevoit une polémique adressée à ce qui pourrait être d'autres groupements à l'intérieur du judaïsme. C'est le cas avec le *Pésher de Nahum* et le *Pésher du Psaume 37* où se trouvent les appellations Ephraïm et Manassé, qui sont, dans ce contexte, assurément des noms symboliques. Il nous semble évident que Ephraïm désigne principalement la multitude des juifs, ceux qui sont en dehors de la communauté des justes proprement dit[6]. C'est clairement le sens de *4Qp Nah*

---

[1] Comme le montrent les origines sacerdotales de la secte essénienne : le Maître de justice était prêtre, la prédominance assignée aux prêtres dans le *Rouleau de la Régle* et l'expression « les fils de Sadoq » pour désigner le noyau de la communauté essénienne. On sait que les sadducéens s'opposaient à toute innovation et adaptation par rapport à la *tōrāh* écrite.

[2] Que ses appellations, y inclus le nom « le Prédicateur de mensonge » en *1Q pHab* X: 9, visent la même personne, est hors de doute car elles s'emploient toujours dans le même contexte et sont combinées aux mêmes accusations.

[3] L'identité des deux personnes est soutenue par Dupont-Sommer 1968 p. 138 et 143.

[4] Cf. Ringgren 1963 A p. 33, G. Jeremias pp. 73 ss. et Carmignac 1963 pp. 48 ss.

[5] Il y a beaucoup en faveur de l'hypothèse émise d'abord par Segal 1951 p. 131 et reprise entre autres par van der Woude 1957 p. 239 s., qui voient dans « l'Homme de mensonges » le docteur pharisien Siméon ben Shetah, mentionné plusieurs fois dans le *Talmud*.

[6] On joue, semble-t-il, sur la signification que revêt Ephraïm dans certains passages bibliques où le vocable a valeur négative et vise surtout l'idolâtrie p. ex. *Os.* 4: 17, 5: 3; cf. Pardee p. 180.

II: 2 et 8[1]. Partant de là, le commentateur essénien fait allusion, si besoin est, à certains groupements à l'intérieur d'Ephraïm. C'est ainsi qu'il précise en *4Qp Nah* II: 5 « les simples d'Ephraïm » par opposition aux « impies d'Ephraïm (IV: 5, *4Qp Ps. 37* II: 17). Seul le *Pésher du Psaume 37* rapporte explicitement la transgression des impies d'Ephraïm : ils cherchent à porter la main sur le Maître et les pieux. Etant donné que l'*Écrit de Damas* (I: 20–21) accuse « ceux qui recherchent les choses flatteuses » d'avoir persécuté les justes, il est possible que l'expression « les impies d'Ephraïm » visent les pharisiens sans qu'on puisse, pour autant, exclure la possibilité qu'on fait allusion à d'autres groupes de juifs qui se sont opposés aux esséniens de Qumran. Le problème se complique par la mention dans le *Pésher du Psaume 37* d'un autre groupe appelé « les violents de l'Alliance »[2] qui sont accusés, eux aussi, de vouloir exterminer la congrégation des justes. Tout invite à voir dans cette expression un autre surnom des « impies d'Ephraïm ».

Pour ce qui est de Manassé, le sens de cette appellation ne se laisse pas non plus saisir aussi facilement qu'on le prétend[3]. On est en présence dans les textes mêmes d'une oscillation curieuse entre une interprétation collective et individuelle[4], et des traits significatifs pour permettre une identification font défaut. Tout ce qu'on peut dire c'est que le contexte sug-

---

[1] En II: 2 le commentateur essénien applique à « la ville d'Ephraïm », c'est à dire à la Jérusalem de son époque, la malédiction du prophète sur Ninive. L'expression « c'est la ville d'Ephraïm » est immédiatement suivie de la phrase « ceux qui recherchent les choses flatteuses dans les derniers temps, qui marchent dans la perfidie et le mensonge ». Cela n'implique pas que « la ville d'Ephraïm » et « ceux qui recherchent les choses flatteuses » soient synonymes comme l'entendent AMOUSSINE p. 394 et DUPONT-SOMMER 1963 p. 208, mais que Jérusalem est dominée par les mensonges des « rechercheurs des choses flatteuses »; comparez ce qui est dit en l. 4 » sur ממשלת דורשי החלקית. Dans le pésher, l'expression « la ville d'Ephraïm » renvoie à « la ville sanguinaire » du texte biblique commenté tandis que l'assertion sur « ceux qui recherchent les choses flatteuses » renvoie aux mots « tout entière adonnée à la perfidie, pleine de rapines » (*Nahum* 3: 1). En II: 8, le terme « Ephraïm » est nettement distingué des pharisiens, car ce sont eux qui égarent le peuple selon les esséniens : « son explication vise ceux qui égarent Ephraïm ... » Aussi dans le passage *4Qp Hos* (nr. 167: 2 dans *DJD* V) Ephraïm a le sens fondamental de « la multitude des juifs ». Il y est question du « Prêtre dernier » qui a levé la main « pour tuer parmi Ephraïm --- ».

[2] Le terme hébreu est עריצי הברית (*4Qp Ps 37* II: 13, III: 12, IV: 1).

[3] DUPONT-SOMMER 1963 p. 217 s. reconnaît dans Manassé Aristobule II, AMOUSSINE p. 395 y voit le parti des sadducéens.

[4] Dans le *Pésher de Nahum* III: 9 on trouve cette oscillation dans la même ligne : « Amon, ce *sont* Manassé » et « les Nils, ce sont les grands de Manassé », où une interprétation collective s'impose au premier regard. En IV: 1 et 6 Manassé se prête bien à l'une et l'autre conception, mais en 3–4 on a l'impression que c'est un individu. *4Qp Ps 37* II: 17 ne nous mettra pas non plus sur la voie d'une solution. Peut-être, joue-t-on parfois en même temps sur les deux significations.

gère qu'il s'agit du parti rassemblé autour de son chef politique qui doit être un prince hasmonéen. Le parti figuré par Manassé peut être l'aristocratie sadducéenne. Notons que ce groupe également est censé de persécuter la congrégation des justes et le Maître (*4Qp Ps. 37* II: 17–18).

En conclusion, on peut certainement rapprocher par endroits les *Testaments* des écrits de Qumran en ce qui concerne leur polémique à l'égard de groupes adverses. La comparaison analytique montre cependant que certains rapprochements allégués ne sont pas probants. D'autres rapprochements, et ce sont les plus nombreux, sont de nature générale, et ne permettent pas des conclusions sur des dépendances historiques ou littéraires. Les analogies s'expliquent souvent par l'utilisation d'une même terminologie biblique : les accusations de souillure du sanctuaire[1], de mépris de la *tōrāh*[2], de persécution des justes[3], de fausses prophéties[4] et d'égarement du peuple[5]. Tandis que ce dernier reproche est développé et précisé par la communauté essénienne avec une intensité toute particulière et de façon indépendante par rapport aux données bibliques, l'auteur du *Testament de Lévi* n'entre pas dans les détails. Il en est de même pour l'accusation de persécution des justes qui est beaucoup plus précisée dans les textes de Qumran alors que les formulations des *Testaments* sont de caractère général[6]. Comme nous l'avons vu plus haut l'*Écrit de Damas* a emprunté au cycle de Lévi l'idée des trois filets de Bélial dont on a fait une réinterprétation qui s'écarte des données du *Testament de Lévi*. Cela indique que la formulation presque identique en *CD* V: 2 et *Lévi* 14: 4 quant à l'accusation d'altérer la *tōrāh*,

---

[1] *CD* IV: 18; cp. *Ps. Sal.* 2: 3 et *Lévi* 16: 1 qui n'est pas pourtant un équivalent exact. Pour les passages bibliques voir supra p. 118 n. 1.

[2] Les passages qumraniens sont cités plus haut p. 123. Cette accusation a dans le *Testament de Lévi* 14: 8 une plus grande portée : le culte, le temple et la *tōrāh*. Les modèles bibliques de la formulation de ce reproche, en particulier dans les écrits de Qumran, se retrouvent en *2 Rois* 17: 15, *Is.* 5: 24, *Ez.* 20: 13, 24, *Amos* 2: 4.

[3] *Lévi* 16: 2 et *Juda* 21: 9. Quant aux écrits de Qumran voir plus haut p. 122. Bien que la persécution des justes soit un événement vécu par les esséniens et dans une certaine mesure aussi par les milieux d'où émanent les *Testaments*, on s'inspire sans doute également de la tradition bien répandue sur la persécution et la mise à mort des prophètes et des hommes justes qui se retrouve p. ex. en *1 Rois* 19: 10, 14, *2 Chron.* 36: 14–16, *Jér.* 2: 30, 29: 17 ss., *Neh.* 9: 26–30, *2 Rois* 17: 7–20, *Dan.* 11: 33, *1 Hén.* 47. *Jub.* 1: 12, *Mart. Is.* 2: 5, 5: 1 ss. *Vit. Proph.* rec. anonyma sur Ezéchiel et Josèphe *Ant.* IX: 265 ss. et X: 38 s.

[4] Sur cette accusation voir plus haut p. 123 et n. 2.

[5] *Lévi* 10: 2. Pour les passages qumraniens voir plus haut p. 125. On s'inspire ici de certains passages bibliques notamment chez les prophètes p. ex. *Is.* 3: 12, *Jér.* 23: 13, 32, *Ez.* 13: 10, *Mich.* 3: 5.

[6] *Lévi* 16: 3 pourrait faire exception. Pour les relations de ce passage avec les textes de Qumran voir supra p. 105.

doit s'expliquer par la supposition que l'*Ecrit de Damas* utilise sur ce point la terminologie du *Testament de Lévi*; ceci concorde avec la date de la rédaction des *Testaments* qui est, selon nous, antérieure à celle de l'*Écrit de Damas*. Par ailleurs, la critique d'un faux enseignement est plus développée dans les textes de Qumran qu'elle ne l'est dans les *Testaments*. C'est aussi l'accusation capitale dans la polémique des esséniens de Qumran contre leurs adversaires.

Cela nous amène à souligner une différence importante entre les écrits de Qumran et les *Testaments* : leur polémique principale est dirigée contre des adversaires nettement distincts. D'une part les pharisiens, d'autre part, l'aristocratie et le haut sacerdoce. On trouve cependant un point de contact où l'on entrevoit des destinataires communs et c'est dans l'accusation d'amasser les richesses[1], accusation portée, de part et d'autre, contre le sacerdoce princier de l'époque hasmonéenne. En ce qui concerne le reproche de persécuter les justes, un rapport historique est difficile à préciser, car la persécution, dans la mesure où elle n'est pas dans les *Testaments* un « topos », atteint des groupes différents : la communauté essénienne et son chef, le Maître de justice[2] et les milieux d'où proviennent les *Testaments des Douze Patriarches*.

L'Epître d'Hénoch

Nous avons déjà rapproché de l'*Epître d'Hénoch*[3] certaines accusations trouvées dans les *Testaments*[4]. Il importe de préciser ici les rapports entre ces deux écrits quant à leur polémique avec des groupes opposants. Les justes auxquels appartient l'auteur de l'*Epître*, apparaissent clairement comme un groupement défini qui se donne le nom de δίκαιοι[5]. La congréga-

---

[1] *Lévi* 14: 5–6 et *Juda* 21: 6–7, *CD* VI: 16, *1Qp Hab* VIII: 10–12, *4Qp Nah* I: 11–12. Il ne faut pas confondre l'aversion naturelle des esséniens pour les richesses qui s'exprime en *CD* VI: 15 et VIII: 5 avec ces passages.

[2] La communauté essénienne a été frappée par plusieurs persécutions qui n'étaient pas, semble-t-il, coordonnées : par un grand-prêtre hasmonéen (le Prêtre impie) et l'aristocratie sadducéenne (Manassé), et par les pharisiens (*CD*: I: 20–21, *4Qp Ps* 37 II: 14, 17–18). Les *Hodayot* paraissent refléter deux persécutions distinctes contre le Maître et ses adeptes, cf. CARMIGNAC 1960 p. 207 s.

[3] *Hén.* 91–104. Ces chapitres constituent un écrit primitivement indépendant (voir p. ex. CHARLES 1912 pp. 218 ss. MILIK 1971 pp. 360 ss.). Le titre 'Επιστολή 'Ενώχ se retrouve comme subscription dans le papyre grec et dans le texte grec en 100: 6. L'original était écrit en araméen ce que montrent les fragments qumraniens. Voir MILIK 1976 p. 47 ss.

[4] *Lévi* 16: 2 (voir supra p. 101 et *Juda* 21: 6–9 (voir supra p. 111).

[5] Dans le texte éthiopien *ṣādqān*. Ce nom se retrouve d'un bout à l'autre du livre, mais on trouve aussi d'autres appellations : εὐσεβεῖς (100: 5, 103: 3), ἅγιοι (100: 5) et ὅσιοι (103: 9, 104: 12).

tion des justes se trouve dans une opposition marquée avec « les pécheurs »
qui est l'appellation courante de ses adversaires[1]. Quels sont ces adversaires
dans l'*Epître d'Hénoch* et est-ce qu'il faut les situer à l'intérieur du judaïsme? Il ressort clairement de certains griefs qu'on leur fait qu'on pense
en premier lieu à des juifs. Si non, on ne saurait comprendre les accusations
d'oublier Dieu dans la richesse (94: 8), d'égarement (98: 15, 99: 1), d'altération de la *tōrāh* (99: 2, 104: 9), de ne pas en suivre les prescriptions rituelles
(98: 11) et de mépriser l'héritage de leurs pères[2]. Comme la distinction entre
pécheurs juifs et non-juifs est absente dans la description des transgressions,
les cas mentionnés plus haut permettent de supposer qu'on vise partout un
même groupe à l'intérieur du judaïsme. Toute cette polémique farouche
avec les « pécheurs » serait bien surprenante si les destinaires étaient des
païens; ce qui provoque la haine des justes, c'est précisément le fait que les
pécheurs sont des compatriotes[3]. Si la polémique des justes s'adresse principalement à des juifs impies, on trouve néanmoins des indices qui suggèrent
qu'un autre groupe, chargé du gouvernement politique s'est associé aux
« pécheurs », attaqués par l'auteur de l'*Epître*. Le fait que le milieu de
l'auteur semble bien éloigné de Jérusalem, indique que cet autre groupe
n'est pas constitué par des juifs. Le passage où intervient ce groupe (103:
11–15) est difficile à interpréter avec exactitude parce que le texte n'est pas
parfaitement clair[4]. Il en ressort cependant que les justes, opprimés par
leurs adversaires juifs, ont fait appel aux autorités[5] pour être délivrés de
l'oppression, mais celles-ci n'ont pas accueilli les pétitions des justes. Le
texte paraît vouloir indiquer que les autorités ne veulent rien faire contre les
oppresseurs[6], qui sont, semble-t-il, les détenteurs réels du pouvoir. On peut

---

[1] P. ex. 94: 5, 96: 1, 3. 98: 4, 6, 10. 100: 3, 4, 9 et 104: 5. On les désigne parfois par
d'autres noms : ἄνομοι (94: 11, 103: 11), ἄδικοι (100: 7) σκληροκάρδιοι (100: 8).

[2] L'accusation d'idolâtrie portée en 99: 7 contre les pécheurs n'infirme pas comme
le croit MILIK 1971 p. 361 la conclusion que la polémique vise un groupe juif, car elle
peut s'appliquer aussi bien à des juifs qui se sont écartés de la conception orthodoxe.
On doit cependant envisager la possibilité que l'auteur dans ce passage s'adresse à des
concitoyens nonjuifs aussi.

[3] On peut se représenter quels sentiments agitaient les justes par le passage 98: 12
où l'on avertit les pécheurs qu'ils seront livrés aux mains des justes qui les tueront sans
pitié.

[4] Les textes grec et éthiopien diffèrent visiblement sur plusieurs points. De plus,
trois lignes manquent dans le papyrus grec. Enfin, on ne sait pas toujours à qui se réfèrent les verbes à la troisième personne du pluriel.

[5] C'est ce que vise le mot *malākət* du texte éthiopien; la partie correspondante du
papyrus grec est perdue.

[6] Cela doit être le sens de l'expression maladroite du texte grec, qui semble plus
proche ici de l'original : οὐχ εὑρόντες κατὰ τῶν βιαζομένων καὶ κατεσθόντων ἡμᾶς
(103: 15). Le participe εὑρόντες est ici une erreur de traduction : l'original araméen

tirer de ce passage quelques informations supplémentaires sur la situation des justes. Dans le verset 12 (texte grec) il est dit des ennemis, « ceux qui ont le pouvoir » qu'ils rassemblent les justes et les enferment[1], de sorte qu'ils ne peuvent pas se réfugir ailleurs. On entend probablement par « ceux qui ont le pouvoir » à la fois les autorités et les oppresseurs juifs qui ont donc pris des mesures pour enserrer le groupement orthodoxe dans un véritable ghetto. Que dit le texte de plus précis sur les opposants juifs des justes dans l'*Epître d'Hénoch*? Ils sont riches et ils mènent une vie d'abondance et de luxe (p. ex. 94: 8, 97: 8 s., 98: 2 et 100: 2). Pour l'auteur, c'est là la véritable impiété. Appuyés sur leurs richesses ils possèdent en même temps le pouvoir économique et politique (p. ex. 96: 8, 100: 10, 103: 12). Cela aboutit à l'oppression et à la persécution des justes qui du point de vue social appartiennent à la multitude économiquement faible. Une autre conséquence de cette situation que le texte fait bien sentir, est l'exploitation des justes-pauvres de la part des « pécheurs » qui souvent de façon illégitime cherchent à augmenter leurs propres richesses (97: 8, 10, 99: 12 s., 102: 9 et 103: 11).

En ce qui concerne le cadre géographique de l'*Epître d'Hénoch* il paraît être situé loin de Jérusalem : on ne fait jamais mention des prêtres, et du culte sacrificiel, le Temple n'apparaît que dans la rétrospective sur l'histoire d'Israël (91: 13, 93: 7–8). Certaines particularités de l'orthographe et de la langue de l'original araméen soulignent également l'éloignement des centres spirituels du judaïsme palestinien[2]. Sans être décisive, l'image en 104: 4–8 sur les capitaines des navires qui montre la familiarité de l'auteur avec les choses de la mer pourrait suggérer « un port de la côte palestinienne »[3]. Plus important pour préciser le milieu d'origine est, selon nous, le rôle tout à fait prédominant que joue, comme l'arrière-plan, l'opposition entre riches et pauvres. Celle-ci, combinée avec l'allusion en 103: 12 au ghetto des justes,

---

portait une forme de verbe שכח qui peut signifier « trouver » ou « pouvoir ». Cela est bien attesté dans le syriaque, mais les attestations, relevées jusqu'ici dans l'araméen, sont rares, cf. BLACK 1967 p. 134.

[1] En voici le texte grec de 103: 12a : οἱ κυριεύουσιν, οἱ ἐχθροὶ ἡμῶν ἐγκεντρίζουσιν ἡμᾶς καὶ περικλείουσιν ἡμᾶς.

[2] Pour ces particularités voir MILIK 1971 p. 362.

[3] MILIK 1971 p. 362. Il propose d'identifier cette ville avec Gaza, en partie à cause de l'influence nabatéenne qu'il croit découvrir dans le texte araméen. Les images portant sur la mer et la navigation nous orientent, il est vrai, vers des régions maritimes mais cela n'implique pas une localisation à proximité immédiate de la mer. N'oublions pas que la Palestine toute entière peut être considérée comme une région maritime où ce genre d'images n'est pas surprenant. On ne peut pas non plus exclure la probabilité que l'image en 101: 4–8 s'inspire d'une autre θάλασσα à savoir le lac de Tibériade, appelé jadis « la mer de Chinnereth » (p. ex. *Nombr*. 34: 11).

fait penser à une assez grande ville, dominée par le commerce, en Palestine ou dans sa proximité[1].

Tout donne donc à penser que les adversaires des justes dans l'*Epître d'Hénoch* sont constitués par la bourgeoisie juive d'une ville hellénistique où se mêlent divers éléments ethniques et où le gouvernement n'est pas, du moins officiellement, aux mains des juifs. Le texte ne nous renseigne pas seulement sur les richesses et le pouvoir de cette bourgeoisie juive. On critique des gens lettrés, car une activité littéraire assez intense se produit au sein de leur groupement (98: 15 et 104: 10). Certains passages font bien sentir le scepticisme qu'ils montrent dans le domaine de la religion. Ce scepticisme des « pécheurs » est sous-jacent partout dans l'*Épître* mais apparaît nettement en 102: 6–7 et 104: 7 où l'auteur reproduit les arguments de ses adversaires qui se moquent des croyances sur l'au-delà professées par les justes.

Faut-il rattacher la communauté des justes dans l'*Épître d'Hénoch*, à un parti? On doit certainement se garder de les situer dans l'un des enclos traditionnels que constituent les sadducéens, pharisiens et esséniens décrits par Josèphe. On insiste en général sur le fait que les justes de l'*Épître* sont des pharisiens[2], mais, à vrai dire, les traits qui leur sont attribués dans l'*Épître* peuvent être retrouvés dans d'autres milieux du judaïsme contemporain. De plus, répétons qu'on n'a pas le droit de faire remonter à l'époque hasmonéenne ce que Josèphe et la littérature rabbinique disent sur les doctrines des partis juifs. Ce qu'on peut dire c'est que l'*Épître d'Hénoch* est l'expression du mouvement général des $\d{h}^a s\bar{\imath} d\bar{\imath} m$ dont les porte-parole sont ici les $\d{h}^a k\bar{a} m\bar{\imath} m$, οἱ φρόνιμοι du texte grec. Leur activité apparaît notamment en 99: 10 (texte grec): c'est par l'intermédiaire de leur groupe que la sagesse de la *tōrāh* sera répandue parmi le peuple[3].

---

[1] MILIK 1971 p. 361 pense à « une ville grecque prospère où les Juifs vivaient en minorité défavorisée » dans laquelle il reconnaît Gaza (voir cidessus n. 3). Si l'on veut proposer une identification, on pourrait songer à Gadara de la Décapole; le territoire de la ville s'étendait jusqu'au lac de Tibériade (Jos. *Bell.* III: 37, *Mt.* 8: 28) et les monnaies de la ville portaient l'image d'un vaisseau, cf. ABEL 1938 II p. 323. Pour l'arrière-plan général, voir ROSTOVTZEFF pp. 877–879 qui décrit l'opposition sociale entre la bourgeoisie et les » laoi » dans les territoires des Séleucides.

[2] Voir CHARLES 1912 p. 221 qui énumère les traits qui indiqueraient de façon incontestable que les justes de l'Epître sont des pharisiens. De plus BEER p. 230 s., HAMMERSHAIMB 1956 p. 74.

[3] Dans le texte grec: καὶ τότε μακάριοι πάντες οἱ ἀκούσαντες φρονίμων λόγους καὶ μαθήσονται αὐτοὺς ποιῆσαι τὰς ἐντολὰς τοῦ ὑψίστου. Cp. aussi 100: 6. Le texte éthiopien lit dans 99: 10 *nagara ṭabab* "la parole de la sagesse", ce qui est certainement secondaire en comparaison du texte grec: "les paroles *des sages*".

La date de la rédaction de l'*Épître d'Hénoch* se situe selon toute vraisemblance aux alentours de l'an 100 av. J.-C. Le *terminus ante quem* est donné par le fragment araméen

Si nous résumons les résultats de l'étude comparative entre la polémique des *Testaments* et de l'*Épître d'Hénoch*, nous constatons des points de contact incontestables : *Lévi* 16: 2 et *Juda* 21: 6–9 fournissent des analogies apparentes avec l'*Épître*. Il est cependant plus difficile d'en apprécier la nature. Les ressemblances sont en général trop vagues pour permettre de préciser les rapports. La persécution des justes, est en outre plus développée et plus concrète dans l'*Épître d'Hénoch* que dans *les Testaments de Lévi* et *de Juda*, et l'opposition entre les justes et pauvres et les riches et puissants témoigne seulement d'une orientation commune. Les formulations voisines qu'on a relevées, peuvent s'expliquer par une situation analogue de polémique de la part des justes et des pauvres avec les pécheurs altérant la *tōrāh* et avec les riches et puissants. Quoi qu'il en soit, la critique du *Testament de Juda* et de l'*Épître d'Hénoch* vise à peu près les mêmes groupes : l'aristocratie et la haute bourgeoisie juives de l'époque hellénistique. En ce qui concerne *Lévi* 16: 2 c'est en premier lieu le haut sacerdoce qui est accusé, même si on emploie un langage voisin à celui de l'*Épître* pour s'en prendre à ceux qui altèrent la *torah*. Ce qui n'est pas sans intérêt, c'est le fait que la polémique des *Testaments* et de l'*Épître d'Hénoch* provient d'un même courant du judaïsme, les milieux plus populaires dont les porteparole sont avant tout les *ḥᵃkāmīm*. Cependant la situation qui a fait naître cette polémique n'est pas la même.

Conclusions

Au bout de cette analyse des descriptions de péchés, trouvées dans divers écrits juifs, il nous faut, pour conclure, chercher à situer la polémique des *Testaments* par rapport à celle des autres textes, et aussi résumer les résultats de notre étude.

Il y a tout lieu, assurément, de faire des rapprochements entre les *Testaments* et les écrits étudiés quant à leur polémique avec des groupements adverses. Cependant, ce qui importe, c'est de préciser la nature exacte de ces rapprochements. Or, nous avons pu constater que dans bien des cas, les analogies relevées sont de caractère général et s'expliquent souvent par l'utilisation de la même phraséologie biblique. Dans d'autres cas, même si l'on est en présence de ressemblances assez frappantes, la polémique ne s'adresse pas aux mêmes adversaires, ou bien le contexte est différent.

---

le plus ancien, qui est écrit vers la fin de la première moitié du Ier siècle av. J.-C. Le *terminus post quem* est constitué par la rédaction du « livre des Veilleurs », (chap. 1–36 du recueil d'Hénoch) c'est à dire la première moitié du II siècle av. J.-C. L'auteur de l'*Épître* a eu connaissance de ce livre, comme le soulignent CHARLES 1912 p. 219 s. et MILIK 1976 p. 52 s. Certains indices d'orthographe nous orientent vers 100 av. J.-C., voir MILIK 1976 p. 48 s.

Ces faits infirment naturellement la valeur des rapprochements en ce qui concerne les dépendances historiques et littéraires.

Au fur et à mesure qu'on cherche à pénétrer la situation historique dans laquelle s'est élaborée la polémique des écrits en question, les différences de détail s'accentuent. Mais, en même temps, les analogies en ce qui concerne les grandes lignes apparaissent plus nettement. Tout en tenant compte des particularités propres à la communauté essénienne de Qumran, on peut affirmer que la critique de ces écrits contre les opposants est issue des mêmes groupements à l'intérieur du judaïsme : des milieux pieux qui représentent les *'am ha-areṣ* et dont les maîtres spirituels sont les *ḥᵃkāmīm* qui, méditant sur la *tōrāh*, formulent les idées théologiques de ces milieux et articulent la situation existentielle de la multitude du peuple juif[1]. Car il est remarquable de voir comment l'opposition entre pécheurs et justes coïncide avec la différenciation sociale entre les riches et les puissants d'une part, et les pauvres et les simples d'autre part[2]. Les cercles au pouvoir, l'aristocratie et le haut sacerdoce, constituent la cible priviligiée de ces accusations.

La date de composition des écrits en question se situe à l'époque hasmonéenne. Il ne fait guère de doute que les *Psaumes de Salomon* (notamment *Ps.* 2, 8 et 17) reflètent les événements de 63 av. J.-C. De même, tout invite à placer la rédaction de l'*Écrit de Damas* es des *Pesharim*[3] aux alentours de cette année décisive[4]. Les allusions historiques sont aussi plus nettes dans la polémique de ces textes que dans les *Testaments* et l'*Épître d'Hénoch*. Il n'y a pas de vestiges clairs de la catastrophe de 63 ni dans les *Testaments* ni dans l'*Épître*. Si l'on tient compte en outre des considérations que nous faisons dans le deuxième volume il est évident que la polémique des *Testaments* doit se situer antérieurement aux *Psaumes de Salomon* et aux *écrits de Qumran*. Elle doit en revanche être rapprochée de celle de l'*Épître d'Hénoch*.

On ne trouve pas, dans les passages polémiques des *Testaments*, d'allusions claires au temps de l'insurréction maccabéenne ou à l'époque pré-maccabéene. En revanche, il y a des allusions à l'époque hasmonéenne, allusions qui fournissent un critère assez certain de la date des *Testaments*.

---

[1] Même les esséniens de Qumran se donnent dans une certaine mesure le rôle de porte-parole des *'am ha-areṣ*, cp. *1QpHab* XII: 4–5 et *4QpNah* III: 4–5 où ceux-ci apparaissent comme « les simples de Juda » ou « d'Ephraïm ».

[2] Quant au terme אביונים dans les textes de Qumran, on a remarqué qu'il a le plus souvent un sens figuré mais ce sens figuré reste assez proche du sens propre du mot; cf. la discussion dans RINGGREN 1963 A pp. 140–144. De toute façon, même si le mot אביונים est presqu'un terme technique pour la communauté essénienne, il garde toujours, nous semble-t-il, une connotation sociale.

[3] Le *pesher du Psaume* 37 fait peut-être exception et paraît être un peu antérieur aux autres (voir plus haut p. 124).

[4] Cf. notamment DUPONT-SOMMER 1963 p. 221 et 1968 p. 136.

Indiquons, pour terminer, la marque distinctive des descriptions de péchés, consignées dans les *Testaments*. Ces descriptions sont, à l'exception des *Testaments de Lévi* et de *Juda*, essentiellement une rétrospective sur l'histoire d'Israël. Le caractère de prédictions s'explique par la fiction que l'auteur a pris pour cadre. Cette rétrospective est cependant formulée de sorte que l'on pouvait aisément l'adapter à l'époque de l'auteur. Dans les *Testaments de Lévi* et de *Juda*, l'élément rétrospectif est au second plan, les accusations sont formulées pour faire allusion plus directement à l'époque contemporaine. Les descriptions de péchés des *Testaments* ne visent en fait donc pas l'avenir ou la fin des temps. Elles n'ont pas la fonction de « signes de la fin », bien qu'on aborde parfois des thèmes semblables à ceux dont se composent ces « signes »[1].

Le châtiment

Le deuxième élément du thème « péchés-châtiment-restauration » décrit les conséquences des péchés, commis par les descendants du patriarche. Cet élément a la forme d'une prédiction et commence souvent par une tournure, qui indique directement que le châtiment résulte de la transgression : διὰ τοῦτο (*Lévi* 16: 4, 17: 9, *Dan* 5: 8 et *Aser* 7: 6), διὰ ταῦτα (*Lévi* 15: 1) et ἀνθ'ὧν (*Juda* 23: 3). On reconnaît là clairement une influence du style prophétique[2], où le châtiment divin est souvent introduit par les mots על כן ou לכן[3].

Cette particularité stylistique n'est qu'un des traits, qui révèlent la dépendance de la tradition biblique. Les détails de ce châtiment divin s'inspirent pour une grande partie de traditions bibliques, qui figurent dans un contexte analogue. Ce contexte biblique se présente sous deux aspects différents, mais qui peuvent être confondus. L'un comprend un schéma strict, qui peut être formulé de la façon suivante : l'obéissance à *Yahvé* et à ses commandements amène le bonheur et le progrès, mais le rejet de *Yahvé* et la transgression de ses commandements, entraînent un châtiment. Ce schéma a son origine dans la « formule d'alliance ». *Lév.* 26: 3–33 et *Deut.* 11: 13–17 en sont des exemples significatifs. L'autre aspect met l'accent sur la perspective historique. Israël a péché, le châtiment est venu ou viendra, mais la repentance amènera la restauration par *Yahvé*. Cet aspect prédomine chez les prophètes p. ex. *Is.* 28: 5–22, 59: 1–20, *Jér.* 16: 10–15.

---

[1] Pour « les signes de la fin » de l'eschatologie juive de l'époque, voir les exposés de BOUSSET-GRESSMANN pp. 250–251, VOLZ pp. 147–163 et L. HARTMAN 1966 pp. 28–34.

[2] Cette influence est notée aussi par BECKER 1970 p. 176.

[3] P. ex. *Is.* 24: 6, 59: 9, *Jér.* 5: 6 et 14, 7: 20, 9: 14, 23: 39, 25: 8, *Ez.* 5: 8, *Os.* 13: 3, *Amos* 3: 11.

Pour illustrer l'influence des traditions bibliques sur l'élément du châtiment dans les *Testaments*, nous avons dressé le tableau ci-dessous. Nous indiquons dans la colonne gauche les thèmes dont se compose cet élément dans les *Testaments*. Dans l'autre colonne, on trouvera les parallèles de l'*Ancien Testament*, qui, il faut le rappeler, sont transmis dans un contexte analogue :

dispersion parmi les nations; *Lévi* 10: 4, 15: 1, 16: 5, 17: 9, *Juda* 23: 3, *Iss* 6: 2, *Zab* 9: 6 et 9, *Dan* 5: 8 *Nepht* 4: 5, *Aser* 7: 2 et 6.	*Lév.* 26: 33, *Deut.* 4: 27, 28: 32, 36 et 64, 29: 27, *1 Rois* 8: 46, *Jér.* 8: 3, 9: 15, 13: 24, 24: 9, *Ez.* 5: 10, 12, 11: 16, 12: 14 s., 20: 23, 22: 15, 36: 19 s. *Os.* 9: 17, *Ps.* 106: 27, *Zach.* 7: 14, 13: 7, *Dan.* 9: 7.
captivité parmi les nations; *Lévi* 10: 4 15: 1, 17: 9, *Zab* 9: 6, *Dan* 5: 8, *Nepht* 4: 2.	*1 Rois* 8: 46s. *Esdr.* 9: 7, *Ps.* 78: 61, *Amos* 7: 11 et 17, *Zach.* 14: 2, *Is.* 5: 13, *Ez.* 39: 23, *Jér.* 13: 17, 15: 2.
objet de honte, d'opprobre et de mépris parmi les nations; *Lévi* 10: 4, 15: 2 s., *Juda* 23: 3, *Aser* 7: 2.	*Deut.* 28: 25 et 37, *1 Rois* 9: 7, *Jér.* 24: 9, 25: 9 et 18, 29: 18, 42: 18, 44: 12, *Ez.* 5: 15, 36: 4, *Joël* 2: 17, *Esdr.* 9: 7, *Ps.* 79: 4, *Dan.* 9: 16, *Michée* 6: 16.
dévastation du pays; *Lévi* 17: 9, *Juda* 23: 3, *Aser* 7: 2.	*Lév.* 26: 32 s., *Jér.* 4: 27, 9: 10, 10: 22, 25: 11, *Ez.* 5: 14, 6: 14, 12: 19s., 15: 8, 33: 28, *Zach.* 7: 14.
servitude chez l'ennemi ou parmi les nations; *Juda* 23: 3, *Iss* 6: 2, *Nepht* 4: 2.	*Deut.* 28: 48 et 68, *2 Chron.* 36: 20, *Jér.* 5: 19.
perte (ἀπώλεια) et extermination; *Juda* 23: 3, *Nepht* 4: 2, *Benj* 9: 1.	*Lév.* 26: 33, 38 et 41, *Deut.* 4: 26, 11: 17 28: 20 s., 45, 51, 61 et 63, *1 Rois* 9: 7, *Jér.* 9: 15, 24: 10, *Ez.* 22: 31, *Ps.* 106: 43.

L'utilisation de passages bibliques tirés d'un contexte analogue est également apparente pour les thèmes ou les formules, qui sont uniques dans la description du châtiment dans les *Testaments*, comme le montrent les exemples suivants :

« vous recevrez les plaies d'Egypte » *Dan* 5: 8.	*Deut.* 28: 27 et 60, *Amos* 4: 10.
« vous serez livrés aux mains de vos ennemis » *Aser* 7: 2.	*Lév.* 26: 25, *1 Rois* 8: 46, *2 Rois* 21: 14, *Ps.* 106: 41, *Néh.* 9: 27 s., *Ez.* 39: 23.
« vous serez dans la malédiction » *Lévi* 16: 5	*Jér.* 24: 9, 25: 18, 42: 18, *Deut.* 28: 20.
« vous serez ... destinés à être foulés aux pieds » *Lévi* 10: 4.	*Is.* 28: 18.

« vous serez jetés (ἀπορριφήσεσθε) parmi les nations » *Zab* 9: 9.	*Jér.* 7: 15, 16: 13.
« ils seront dans l'état d'une dé-pouille » (ἐν προνομῇ) *Lévi* 17: 9.	*2 Rois* 21: 14.
« après que vous aurez été réduits en nombre et aurez diminué » *Nepht* 4: 3 (cp. *Sim* 5: 6).	*Lév.* 26: 22, *Deut.* 4: 27, 28: 62, *Bar.* 2: 13 et 34, *LXX* et *Théod. Dan.* 3: 37 (Prière d'Asarja)

Parfois la dépendance est si étroite qu'il est légitime de parler de citation. *Aser* 7: 2 καὶ παραδοθήσεσθε εἰς χεῖρας ἐχθρῶν ὑμῶν dérive de *Lévitique* 26: 25, comme le montre le texte de la *Septante* : καὶ παραδοθήσεσθε εἰς χεῖρας ἐχθρῶν. Dans *Benj* 9: 1, l'expression καὶ ἀπολεῖσθε ἕως βραχύ rend ואבדתם מהרה de *Deut.* 11: 17 qui est traduit dans la *Septante* par καὶ ἀπολεῖσθε ἐν τάχει. Cet exemple montre également que les *Testaments*, sur ce point, ne dépendent pas directement de la *Septante*. C'est une règle générale, démontrée par l'examen de toutes les formules qui sont influencées par les traditions bibliques[1].

Il est donc clair que la plus grande partie des matériaux qui constituent la description du châtiment des *Testaments* est tirée de contextes vétéro-testamentaires analogues. Les passages qui reviennent constamment dans les tableaux sont *Lévitique* 26 et *Deutéronome* 28. Ce n'est point pour surprendre, car ces chapitres contiennent les listes les plus développées des maux qui frapperont ceux qui transgressent les commandements de *Yahvé*.

Ces textes sont devenus, dans la tradition ultérieure, les appuis scriptu-raires par excellence pour décrire les détails du châtiment divin[2]. Déjà *Néhémie* 1: 8 s'y réfère explicitement, comme le fait aussi le *livre de Baruch* 2: 28 s. Dans le *livre de Daniel* 9: 11, le renvoi à « la malédiction et l'impréca-tion qui sont écrites dans la *tōrāh* de Moïse, le serviteur de Dieu » remplace l'énumération des détails du châtiment.

On doit également noter l'influence qu'ont exercé les prophéties du *livre de Jérémie* sur les formulations du châtiment dans les *Testaments*. Toutefois, il faut souligner que les *Testaments* ne reproduisent pas rigidement les thèmes trouvés dans les écritures saintes, mais qu'ils en font un choix et les adaptent à une tradition vivante. L'idée « péchés-châtiment-restaura-tion » reste à travers l'époque post-exilique un thème vivant et essentiel, ancré également dans le culte[3].

---

[1] Voir à ce sujet aussi les exemples relevés dans le précédent.

[2] On le voit par l'insistance avec laquelle les textes post-exiliques y reviennent.

[3] Le thème « péchés-châtiment-restauration » se trouve souvent dans des psaumes, des prières et des liturgies pénitentielles; cf. STECK pp. 110–128.

Il est utile de voir comment les *Testaments* adaptent les thèmes du châtiment divin.

Le caractère de tradition vivante qu'ont les passages du châtiment, apparaît d'abord par le fait qu'on refond la formulation des thèmes qui s'inspirent de l'*Ancien Testament*. Prenons comme exemple le thème le plus courant, la dispersion d'Israël. Le *Testament d'Aser* exprime cette idée à l'aide d'une formule qui n'apparaît pas dans le contexte biblique :

« et vous, vous serez dispersés aux quatre coins de la terre et vous serez dans la dispersion, méprisés comme de l'eau inutile », *Aser* 7: 2.

De même, dans *Nepht* 4: 5 « et le Seigneur les dispersera sur la face de toute la terre ». Si on examine ainsi les formulations des thèmes tirés de la tradition biblique, on peut constater qu'elles sont, à quelques exceptions, indépendantes des formulations bibliques.

Parfois, on est en présence d'une combinaison de deux thèmes bibliques. C'est ainsi que *Lévi* 10: 4 « vous serez un objet de honte et destinés à être foulés aux pieds » combine *Jér.* 24: 9, 25: 9 etc. et *Is.* 28: 18. Les thèmes de dispersion (*Lév.* 26: 33 etc.) et de malédiction (*Jér.* 24: 9, 25: 18) sont juxtaposés en *Lévi* 16: 5 « et vous serez dans la malédiction et la dispersion parmi les nations ». De même pour *Lévi* 17: 9, où ce sont la captivité (*1 Rois* 8: 46 etc.) et « l'état d'une dépouille » (*2 Rois* 21: 14), qui sont réunis dans la même phrase.

La destruction du Temple comme expression du châtiment divin se trouve dans *Lévi* 15: 1, 16: 4, *Juda* 23: 3 et *Aser* 7: 2. Il est ici moins question d'un « topos » biblique que d'une actualisation de faits historiques. L'*Ancien Testament* n'utilise pas volontiers ce thème dans le contexte de l'idée « péchés-châtiment-restauration ». Cela s'explique en partie par le fait que seuls les textes rédigés après 587 peuvent entrer en considération[1]. Toutefois, il reste surprenant que même les écrits contemporains ou post-exiliques fassent rarement état de la déstruction du Temple en 587 dans les descriptions du châtiment de Dieu. L'utilisation de ce thème dans le cadre « péchés-châtiment-restauration » ne se trouve explicitement que dans *2 Chron.* 36: 19 et *Ez.* 23: 47[2]. Les attestations d'une époque plus tardive, qui sont

---

[1] Le thème de la destruction du Temple est donc absent dans les textes essentiels *Lév.* 26: 3–33 et *Deut.* 11: 13–17. La mention en *Lév.* 26: 31 d'une dévastation des מקדשים des Israélites ne vise pas le Temple de Jérusalem, mais les sanctuaires syncrétistes.

[2] On pourrait situer dans ce contexte également *Is.* 64: 9–11 et *Ps.* 74, mais la destruction du Temple n'y est pas explicitement considérée comme le châtiment de Yahvé. *Jér.* 9: 10, *Mich.* 3: 12 et *Ez.* 23: 25 parlent en termes vagues d'une dévastation de Jérusalem sans mention du Temple. Dans *Zach.* 14: 2, il est seulement dit que « la ville sera prise et les maisons seront pillées ».

peu nombreuses, tendent à éviter la mention de la destruction du Temple. On y fait simplement allusion. « La prière d'Asaria » en *Dan. LXX* 3: 28 parle seulement de tout ce que Dieu a fait venir sur la ville sainte et *Baruch* 2: 26 dit que Dieu a mis le Temple dans l'état où il est « en ce jour-ci ». L'*Écrit de Damas* déclare: « Il a caché sa face à Israël et à son temple et il les a livrés au glaive » (I: 3–4). Le parallèle le plus éclairant à l'emploi du thème de la destruction du Temple dans les *Testaments* se trouve dans le *livre de Tobit*, qui dans une prédiction fictive fait mention de la dévastation du Temple et de la ville comme un châtiment divin[1]. Le thème de la destruction du Temple est donc, dans les *Testaments*, particulièrement mis en relief.

En ce qui concerne la formulation de ce thème, l'influence des passages bibliques ne s'est pas exercée sauf pour *Lévi* 16: 4. La dévastation du temple implique également qu'il sera « souillé jusqu'au sol ». Cette tournure reprend clairement le *Psaume* 74: 7, où la mention de la destruction du temple est suivi par les mots : « ils ont souillé jusqu'au sol la demeure de ton nom »[2].

Le fait que l'idée « péchés-châtiment-restauration » est transmise comme une tradition vivante apparaît également dans l'introduction de nouveaux thèmes par rapport aux données bibliques. Le châtiment de la dispersion est dans *Aser* 7: 6 précisé par un nouveau détail. Les descendants du patriarche, tout comme ceux de Gad et de Dan perdront leur identité nationale : dans la dispersion ils oublieront leur pays, leur tribu et leur langue. Cette affirmation est rétrospective car, selon le cadre fictif de l'ouvrage, tous les testaments s'adressent à des juifs[3]. Dans *Lévi* 15: 3, on ajoute au thème que les juifs seront un objet de honte, l'idée que tous ceux qui les voient, fuiront loin d'eux.

Retenons également *Juda* 23: 4 où le châtiment sera la castration des descendants du patriarche pour en faire des eunuques au service des femmes étrangères. Cela rappelle *2 Rois* 20: 18[4]. Le prophète Isaïe prédit que les fils d'Ezéchias seront סריסים dans le palais du roi de Babylone. Le mot סריסים est rendu dans la *Septante* par εὐνοῦχοι, mais le terme סריס semble avoir dans la Bible le sens plus général de « fonctionnaire de cour » et

---

[1] *Tobit* 14: 4 « et Jérusalem sera dévastée et la maison de Dieu sera dans la désolation et sera brûlée, pour quelque temps seulement ». *1 Hén.* 89: 66–67, qui contient également une allusion à la destruction du Temple, fait partie d'une section qui n'est pas directement formulée d'après le thème « péchés-châtiment-restauration ».

[2] Notons que le *Testament de Lévi* n'utilise pas pour ce passage la terminologie de la *Septante*. Le texte hébreu לארץ חללו משכן שמך est rendu ainsi par *LXX*: εἰς τὴν γῆν ἐβεβήλωσαν τὸ σκήνωμα τοῦ ὀνόματός σου.

[3] Sur l'interprétation de ce cadre fictif, voir vol. II chap. II.

[4] OTZEN 1974 p. 735 utilise ce passage pour montrer que *Juda* 23: 3–4 fait allusion aux événements de 587 av J.-C.

n'implique pas toujours une castration[1]. C'est cependant sur ce trait que le *Testament de Juda* met l'accent. Le texte précise qu'on fera la castration des descendants du patriarche pour les mettre au service des *femmes* païennes. *Juda* 23: 4 peut donc faire allusion à une coutume contemporaine dont témoigne l'un des papyri de Zenon. Dans une lettre de Toubias à Apollonios, ministre du roi ptolemaïque, datant du IIIᵉ siècle av. J.-C., ce juif rapporte qu'il lui envoie de la Coële-Syrie comme cadeau quatre esclaves du pays, accompagnés par un eunuque[2]. Le texte ne précise pas l'origine de l'eunuque, mais il est vraisemblable qu'il est, lui aussi, du pays de Toubias. Le papyrus montre que la haute classe juive de l'époque hellénistique utilisait des eunuques lors des échanges de cadeaux, qui étaient habituelles dans la fréquentation des juifs et des païens de haut rang.

Attirons enfin l'attention sur la manière dont les *Testaments* regardent la dispersion. Les textes bibliques, qui utilisent ce thème comme une expression du châtiment divin, ne précisent pas en général les malheurs qu'impliquent la dispersion[3]. Dans les *Testaments*, le thème de la dispersion est constamment développé de manière à souligner le caractère néfaste. On parle volontiers de l'oppression et de la contrainte, qui frapperont les juifs dispersés parmi les mations; on lira à cet égard *Zab* 9: 6, *Dan* 5: 8 et *Nepht* 4: 2. Pareille attitude apparaît également dans les formulations que le thème des juifs comme un objet de honte et de mépris a reçu dans *Lévi* 10: 4, 15: 2, 16: 5 et *Aser* 7: 2. Cette dépréciation de la dispersion s'explique le mieux dans l'horizon de juifs palestiniens qui, attachés à la patrie, se représentent volontiers l'exil en terre étrangère comme un grand malheur[4]. Au point de vue des juifs de la diaspora une telle attitude négative est moins vraisemblable, du moins avant les pogromes du IIᵉ siècle ap. J.-C.

Testament de Juda 23: 3–4

Trois passages diffèrent des autres textes du même genre dans leur description du châtiment. Ce sont *Juda* 22: 1–2a, 23: 3–4 et *Benj* 9: 1.

Ce qui frappe dans *Juda* 23:2–4 c'est l'énumération des détails du châtiment. Tandis que, dans les autres passages, on exprime ces détails par des formes verbales : « vous y servirez vos ennemis » (*Iss* 6: 2), « votre

---

[1] Cf. GESENIUS-BUHL p. 502.

[2] *Corpus Pap. Jud.* nᵒ 4. Deux des esclaves étaient circoncis ce qui indique une origine juive.

[3] Mais il y a des exceptions: *Lév.* 26: 38 s.

[4] Cette attitude n'est pas contraire à celle exprimée en *Lévi* 13: 8 où il est dit que la sagesse, c'est à dire la *tōrāh*, sera comme une patrie pour celui qui est dans un pays étranger.

pays sera dévasté » (*Aser* 7: 2), etc., le *Testament de Juda* 23 emploi seulement des substantifs : « servitude parmi les nations », « dévastation du pays », « perte » etc. Cette particularité formelle indique une origine différente du fond de *Juda* 23: 3–4. Cela est corroboré par le fait que la description des péchés de la même péricope aux versets 1–2, est composée à partir d'une source que nous ne pouvons plus identifier[1]. Ce qui caractérise aussi la description du châtiment en *Juda* 23: 3, c'est l'amas de thèmes, dont certains ne se trouvent qu'ici. Le passage entier (v. 3) a le caractère d'un résumé succinct des thèmes qui figurent le plus souvent dans le contexte du châtiment divin. Ce petit « manuel » s'inspire largement de la tradition biblique, dont il résume les thèmes par un ou deux mots. Nous venons de démontrer la dépendance des traditions bibliques pour les thèmes qui sont communs à *Juda* 23: 3 et à d'autres passages des *Testaments*[2]. Dans le tableau suivant, nous retenons seulement les thèmes qui sont particuliers à *Juda* 23: 3 et dans la colonne de droite les parallèles juifs dont le *Testament de Juda* s'inspire. Rappelons que les passages bibliques se trouvent dans le contexte « péchés-châtiment-restauration ».

Testament de Juda 23: 3	*passages bibliques*
λιμόν καὶ λοιμόν, θάνατον καὶ ῥομφαίαν ἐκδικοῦσαν	*Lév.* 26: 25 s., *Deut.* 28: 21 s., *1 Rois* 8: 37, *Is.* 51: 19, *Jér.* 14: 12, 15: 3, 16: 4 et 6, 21: 7 et 9, 24: 10, 27: 13, 29: 18, 32: 24 et 36, 42: 17 et 22, *Ez.* 5: 12, 6: 12, 7: 15, 12: 16 et 14: 21.
κύνας εἰς διασπασμόν	*Jér.* 15:3
σφακελισμόν ὀφθαλμῶν	*Lév.* 26: 16, *Deut.* 28: 32 et 65
νηπίων ἀναίρεσιν	*Lév.* 26: 22, *Os.* 9: 16 et 14: 1, *2 Rois* 8: 12 (cf. 13: 3), *Jér.* 9: 20, 44: 7, *Ez.* 9: 6
ὑπαραρχόντων ἁρπαγήν	*Deut.* 28: 29 et 31 et 51, *Soph.* 1: 13, *Esdr.* 9: 7, *Jér.* 15: 13
συμβίων ἀφαίρεσιν	*Deut.* 28: 32 et 41, *Bar.* 4: 16

Il est nécessaire d'étudier comment les motifs bibliques sont réutilisés, pour comprendre la structure de *Juda* 23: 3. Le texte, comme il nous est transmis, n'a pas besoin d'être corrigé[3]. Les seuls thèmes de ce passage qui ont le caractère d'une citation sont ceux de κύνας εἰς διασπασμόν et

---

[1] Voir à ce sujet supra p. 109.

[2] Voir supra p. 137.

[3] C'est ce que l'on a fait cependant; voir CHARLES 1908 éd. p. 99 s. et comm. p. 93 s., OTZEN 1974 p. 735, BECKER 1974 p. 76, RIESSLER p. 1190.

ῥομφαίαν ἐκδικοῦσαν[1]. Le premier thème mis à part, les autres résument de façon caractéristique l'idée des passages bibliques dont l'auteur s'inspire. D'un point de vue formel, il utilise soit un substantif seul, soit, et plus souvent, un substantif précédé de son complément au génitif. Il juxtapose tout simplement les thèmes ou bien il les associe par un καί, mais il ne suit pas sur ce point un ordre cohérent. Les critiques, à partir de CHARLES, veulent rattacher ἐχθρῶν à πολιορκίαν, et c'est pourquoi on écarte καὶ κύνας εἰς διασπασμόν comme une interpolation, rompant la cohérence du texte. Mais, dans cette opération, on obtient un complément génitif *postposé*, ce qui est tout à fait contraire à la structure du texte. De plus, les traditions bibliques montrent que, d'habitude, l'insulte vient des ennemis. Il est donc clair que le mot ἐχθρῶν se rapporte à ὀνειδισμούς. L'expression prend ainsi un sens satisfaisant : les amis *et* les ennemis couvriront les descendants du patriarche d'insultes. Les deux cas où l'on emploie un nom sans complément au génitif ne font pas difficulté. Ils s'expliquent de façon naturelle. Le mot πολιορκία renferme en soi toujours la notion d'un acte d'hostilité. De même, ἀπώλεια est tout à fait clair ici sans un complément, et n'a rien à faire avec la tournure σφακελισμὸν ὀφθαλμῶν. Ces mots aussi sont omis par les critiques, qui dépendent de CHARLES. Il est cependant parfaitement évident que cette expression résume l'idée de *Lévitique* 26: 16 et de *Deutéronome* 28: 32 et 65. Le thème de σφακελισμόν ὀφθαλμῶν est par conséquent tout à fait conforme à son contexte[2].

Pour ce qui est de l'idée « famine et fléau, mort et épée vengeresse » elle s'inspire, il est vrai, de textes bibliques où les trois maux « famine », « peste » et « épée » forment souvent une unité (p. ex. *Jér.* 14: 12, 21: 7, *Ez.* 6: 12)[3]. Mais on adapte et combine ici des passages bibliques différents de sorte qu'on crée des thèmes indépendants « famine et fléau », « mort » et « épée vengeresse »[4].

Ce qui caractérise les formulations de *Juda* 23: 3, c'est la marque d'une certaine influence grecque sur le style. La juxtaposition λιμὸν καὶ λοιμόν qui semble choisie en raison de l'assonance, et qui est inconnue dans la

---

[1] Voici le texte hébreu et celui de la *Septante* pour les deux passages scripturaires : *Jér.* 15: 3 הכלבים לסחב *LXX:* κυνὰς εἰς διασπασμόν *Lév.* 26: 25 חרב נקמת *LXX:* μάχαιραν ἐκδικοῦσαν cp. aussi *Sir.* 39: 30.

[2] CHARLES 1908 comm. p. 93 ne le voit pas parce qu'il insiste à regarder ἀπώλειαν καὶ σφακελισμὸν ὀφθαλμῶν comme un ensemble. Dans cette perspective, on comprend naturellement que le texte ne prend pas de sens.

[3] CHARLES 1908 comm. p. 93 suggère que λοιμόν est une dittographie de λιμόν et on serait alors en présence de l'idée des trois maux contenus dans les passages mentionnés ci-dessus. OTZEN 1974 p. 735 critique à bon droit l'élimination de καὶ λοιμόν.

[4] CHARLES 1908 comm. p. 93 écarte ἐκδικοῦσαν comme une addition; en cela il est suivi par RIESSLER p. 1190.

Septante, se retrouve chez des auteurs grecs comme Hésiode et Hérodote[1], dont les œuvres étaient très appréciés dans l'Antiquité. Retenons également νηπίων ἀναίρεσιν καὶ συμβίων ἀφαίρεσιν, qui est clairement une figure rhétorique. Comme le v. 4 contient un sémitisme apparent ἐκτεμοῦσιν ἐξ ὑμῶν εἰς εὐνούχους et comme les formulations du v. 3 ne dépendent pas de la *Septante*[2], il est difficile de voir dans la description du châtiment aux vv. 3–4 une addition provenant d'un milieu juif de langue grecque. Il est aussi frappant que dans le v. 4 l'annonce du châtiment est, d'un point de vue formel, entièrement conforme à celles des autres passages des *Testaments*. Une autre solution doit cependant être envisagée, selon nous. L'auteur s'est inspiré pour la description des péchés aux vv. 1–2 et du châtiment au v. 3 d'une source étrangère aux *Testaments*. Lors de la traduction en grec ou lors de quelque réédition ultérieure, le traducteur ou le rédacteur, a formulé ou retouché le texte dans un style grec, jugé plus élégant.

Testament de Juda 22: 1–2 a

Le caractère particulier de Juda 21: 6–22: 3 comme péricope « péchés-châtiment-restauration » apparaît également dans l'élément du châtiment (22: 1–2a). On n'y trouve aucun des thèmes de la tradition biblique, utilisés par les passages correspondants des *Testaments*. Notons cependant que le thème relatif aux divisions, qui se produiront en Israël, figure ici comme châtiment, alors que dans *Zab* 9: 5 il fait fonction de description des péchés[3].

Dans *Juda* 22: 1–2a, les événements contemporains sont mis en relief de sorte que les allusions éventuelles à l'histoire plus lointaine d'Israël passent au second plan. Notons que les thèmes courants du châtiment font défaut[4]. En revanche, on trouve l'affirmation que Dieu fera venir des divisions sur les βασιλεύοντες mentionnés dans 21: 7 ss. De plus, il y aura des guerres continuelles en Israël, et ἐν ἀλλοφύλοις συντελεσθήσεται ἡ βασιλεία μου, affirmation mise dans la bouche de Juda. Cela n'est pas

---

[1] Hérodote 7.171; Hésiode *Op.* 243 : λιμὸν ὁμοῦ καὶ λοιμόν, cf. aussi Plutarque, *De Isid. Os.* 47 qui résume des idées iraniennes, et *Luc* 21: 11 : λοιμοὶ καὶ λιμοί.

[2] On le voit par la citation du *Lévitique* 26: 25. A première vue, il semble que θάνατον de *Juda* 23: 3 dépend de l'usage de la *Septante*. Dans les passages bibliques où les ravages de la peste sont annoncés comme un élément du châtiment, le mot דבר est couramment traduit par θάνατος (p. ex. *Lév.* 26: 25, *Deut.* 28: 21, *1 Rois* 8: 37). Mais si l'on tient compte du caractère de résumé qu'a la description du châtiment en *Juda* 23, il est clair que le mot θάνατον résume les passages bibliques où *Yahvé* menace les Israélites rebelles de la mort (p. ex. *Jér.* 16: 4 et 6, *Ez.* 5: 12 et 6: 12). L'idée de la peste comme châtiment est en *Juda* 23 sans doute contenue dans le mot λοιμός, inusité dans la *Septante*.

[3] Voir supra p. 88.

[4] Voir ci-dessus p. 137.

conforme au style des descriptions du châtiment, trouvées dans les autres péricopes « péchés-châtiment-restauration ». Comme 21: 7–9 présente des particularités analogues par rapport aux passages correspondants, en ce qui concerne la description des péchés, *Juda* 22: 1–2a est donc conforme à son contexte[1]. Dans 21: 7–9, les invectives à l'endroit de « ceux qui ont le pouvoir » sont dirigées contre les derniers Hasmonéens. Ce sont sans doute les vicissitudes de leur époque qui sont au premier plan aussi dans 22: 1–2a. Les querelles intestines de cette dynastie apparaissent en toute brutalité sous Aristobule I[2] et continuent sous Alexandre Jannée[3] pour finir avec les luttes fratricides d'Hyrcan II et d'Aristobule II[4]. Le règne d'Alexandre Jannée est caractérisé par les guerres civiles qui déchirent Israël[5].

L'affirmation finale de 22: 1–2a présente des difficultés d'interprétation, vu le caractère ambigu des mots-clefs. Le verbe συντελεσθήσεται est ainsi susceptible de deux interprétations. D'ordinaire, le sens en est neutre ou positif « avoir une fin », « achever ». Il peut néanmoins, surtout en grec hellénistique, revêtir une signification négative « mettre fin à », « détruire »[6]. De plus, βασιλεία ce mot a-t-il ici le sens de « royaume » ou « royauté »? On peut à la rigueur comprendre le passage comme une allusion à la chute du royaume de Juda en 587[7]. Le terme ἀλλόφυλοι viserait donc les Babyloniens. Toutefois, cette interprétation ne s'accorde pas à ce qui précède (21: 7–9 et 22: 1), où la situation contemporaine est assurément au premier plan. Il faut prendre, selon nous, le mot ἀλλόφυλος au sens littéral, « d'une autre tribu ». Ce sens est sous-jacent à *Lévi* 9: 10, le seul passage où ce mot figure en dehors de *Juda* 22: 2. Il est dit que *Lévi* ne doit pas prendre une femme d'une autre tribu ou une païenne, μήδε ἀπὸ γένους ἀλλοφύλων ἢ ἐθνῶν[8].

L'idée qui est exprimée en *Juda* 22: 2a est que la royauté de Juda finira par passer à une autre tribu. Tout comme 21: 1–5, ce passage présuppose donc l'usurpation du titre royal par les Hasmonéens; c'est encore dans cette perspective qu'écrit l'auteur, car l'annonce de l'ère eschatologique vient immédiatement après.

[1] BICKERMANN 1950 p. 254 le souligne justement.

[2] Voir Josèphe *Ant.* XIII: 302–310 et 320 et *Bell.* I: 71–77.

[3] Voir Josèphe *Ant.* XIII: 323.

[4] Josèphe *Bell.* I: 117–132 et *Ant.* XIV: 4–21 et 29–45.

[5] Josèphe *Bell* I: 88–98 et *Ant.* XIII: 377–383.

[6] Cf. LIDDELL-SCOTT p. 1726 qui renvoie à *LXX 2 Chron.* 20: 23.

[7] C'est ce que fait OTZEN 1974 p. 735.

[8] Ce sens propre de ἀλλόφυλος est soutenu par le passage correspondant de l'*Apocryphe de Lévi* (v. 17), où Isaac recommande à Lévi de prendre une femme de sa propre lignée משפחתי. Dans *LXX* ἀλλόφυλος a presque exclusivement la signification de « philistin ». Le mot peut de façon générale se traduire par « étranger ».

Testament de Benjamin 9: 1

Ce passage dont nous avons indiqué le caractère obscur, aborde au v. 1 b le thème du « châtiment » par une prédiction générale de la ruine des descendants du patriarche (cp. le tableau supra p. 137). L'affirmation suivante selon laquelle les fils de Benjamin éveilleront un désir violent chez les femmes, se comprend comme une accusation et devrait donc appartenir à l'élément des « péchés ». Il n'est pas clair qu'est-ce qu'on entend par cette affirmation et elle a eu peut-être un sens différent à l'origine. La description du châtiment continue avec une prédiction qui est en fait une rétrospective : « le royaume du Seigneur » ne sera plus parmi les fils de Benjamin. Cela vise selon toute vraisemblance le passage du règne sur Israël, de Saül à David; Saül était, on le sait, de la tribu de Benjamin[1]. L'expression ἡ βασιλεία κυρίου doit être rapprochée de *1 Chron.* 28: 5 où, dans le contexte d'une promesse dynastique, מלכות יהוה désigne Israël.

La signification des passages du châtiment

Il ne fait aucun doute que, sauf pour *Juda* 22: 1–2 a, la description du châtiment est pour le fond, de caractère rétrospectif. Ce sont les grandes catastrophes de 722 et de 587 et leur conséquences, qui sont visées[2]. Les mentions de la captivité, de l'exil et de la destruction du Temple ne s'expliquent pas autrement. La dispersion est, elle aussi, au regard de l'auteur une suite de ces événements. Toutefois, cette rétrospective renferme toujours une actualisation. Les malheurs qui ont frappé Israël dans le passé, à cause de sa désobéissance à *Yahvé*, peuvent se répéter dans un avenir immédiat, si l'on abandonne Dieu et sa *tōrāh*. C'est la fonction propre qu'ont ces catastrophes de l'histoire d'Israël dans la description du châtiment. On adapte aussi dans ce but parénétique des thèmes tirés du contexte de l'Alliance, à savoir les malédictions qui sont transmises dans *Lévitique* 26 et *Deutéronome* 28. On s'inspire même de l'époque contemporaine pour décrire certaines particularités du châtiment.

Il y a quelque thèmes qui se prêtent, plus que d'autres, à des réinterprétations et qui soulignent leur caractère actualisant. C'est d'abord la destruction et la profanation du Temple. Dans une perspective juive, les événements de 587 se sont en quelque sorte répétés sous Antiochus IV Épiphane. Les *livres des Maccabées* en parlent en termes de dévastation et de souillure[3]. Las formulations analogues du *Testament de Lévi* 15: 1

---

[1] Cf. CHARLES 1908 comm. p. 210 et OTZEN 1974 p. 787.

[2] BICKERMANN 1950 p. 253 s. reconnaît l'importance de ces événements pour la formulation du châtiment, mais ne considère pas leur fonction parénétique. BECKER 1970 p. 176 en revanche, a bien saisi le caractère de « theolougoumenon » comprimé qu'ont souvent les descriptions du châtiment.

[3] *1 Macc.* 1: 39 τὸ ἁγίασμα αὐτῆς ἠρημώθη ὡς ἔρημος et 1: 46 : καὶ μιᾶναι ἁγίασμα;

et 16: 4, où l'accent est mis sur la souillure du sanctuaire renferment certainement une allusion aux événements, qui se produisirent sous Antiochus IV Épiphane.

Le thème de la dispersion est d'une actualité pressante dans les *Testaments*. La dispersion représente clairement le temps de l'auteur et tout le temps, qui s'écoulera jusqu'à l'intervention divine, qui amènera la restauration[1]. Cette perspective, sous-jacente à tous les passages, apparaît le plus nettement en *Zab* 9: 9 « et vous serez jetés parmi les nations jusqu'au temps de la fin », et en *Nepht* 4: 5a « et le seigneur les dispersera sur la face de toute la terre jusqu'à ce que vienne la miséricorde du Seigneur ».

La restauration

Si les éléments des « péchés » et du « châtiment » sont pour l'essentiel une rétrospective et une actualisation, la description de la restauration est formée, pour la plus grande partie, de prédictions réelles. Ce n'est qu'ici que nous sommes en présence d'une eschatologie proprement dite. L'élément de la « restauration » est pour les formulations plus variable que les autres éléments. Il paraît donc préférable d'étudier d'abord cet élément dans le contexte des passages particuliers.

Ensuite, nous traiterons ensemble les thèmes caractéristiques de la restauration, comme le rôle de la repentance, le retour des dispersés, et l'avènement de Dieu.

Analyse des passages relatifs à la restauration

Iss 6: 3–4, *Zab* 9: 7 et *Nepht* 4: 3. Ces passages ont une structure analogue qui est fondée sur trois thèmes. On souligne d'abord la repentance comme condition de la restauration, qui amènera le retour des juifs de la dispersion et de la captivité. Cette restauration est, par les formes verbales, explicitement décrite comme l'œuvre de Dieu. On tient également à préciser que c'est grâce à la *miséricorde* divine que le retour des dispersés se fera. Le fait même de la restauration ne reçoit pas plus d'attention que les thèmes du repentir et de la miséricorde divine. Dans les cas de *Zab* 9: 7 et de *Nepht* 4: 3 l'explication en est que la perspective rétrospective domine ici l'élément de la « restauration ». La description de l'eschatologie réelle vient après (9: 8 et 4: 5)[1]. La miséricorde divine fait dans *Zab* 9: 7 l'objet d'une petite

---

de même 4: 38 : τὸ ἁγίασμα ἠρημωμένον. 2 *Macc.* 5: 15 ss., où la profanation par Antiochus est décrite comme un châtiment des péchés de la ville. 8: 2 parle du sanctuaire souillé.

[1] Sur ce sujet voir infra p. 194.

digression[1]. Dieu n'impute pas aux hommes la malice, car il sait, qu'ils sont de la chair et que les esprits d'égarement les font trébucher. Notons à la fois l'inspiration biblique et la marque de l'auteur des *Testaments*[2]. Le repentir est associé à un rappel à une expérience antérieure de la divinité, qui est exprimée par les tournures μνησθήσεσθε κυρίου (*Zab* 9: 7) ou ἐπιγνώσεσθε κύριον[3] (*Nepht* 4: 3.) Dans le *Testament d'Issacar* (6: 3), l'idée du repentir est présentée sous la forme d'une exhortation pour en souligner l'importance. Il est caractéristique que les thèmes du repentir et du retour de la dispersion sont liés, dans ces trois passages, d'une façon particulière, comme le montre le jeu de mots sur ἐπιστρέφω :

> *Iss* 6: 3 « dites-cela à vos enfants que, s'ils commettent des péchés, ils se convertissent (ἐπιστρέψουσι) tout de suite au Seigneur, car il est miséricordieux et les délivrera pour les ramener (ἐπιστρέψαι αὐτούς) dans leurs pays ».

> *Zab.* 9: 7 « et vous vous convertirez (ἐπιστρέψετε)[4] et il (Dieu) vous ramènera (ἐπιστρέψει ὑμᾶς) ».

> *Nepht.* 4: 3 « vous vous convertirez (ἐπιστρέψετε) et vous reconnaîtrez le Seigneur, votre Dieu et il vous ramènera (ἐπιστρέψει ὑμᾶς) dans votre pays ».

Cette particularité présuppose l'emploi caractéristique de שוב dans les traditions bibliques du contexte « péchés-châtiment-restauration ». Prenons comme exemple *1 Rois* 8: 33 s. et son parallèle dans *2 Chron* 6: 24–25[5].

> « Si ton peuple Israël est battu par l'ennemi parce qu'ils ont péché contre toi, mais qu'ils se convertissent (ושבו) à toi et rendent gloire à ton nom; s'ils t'adressent des prières et des supplications dans cette maison, exauce-les du ciel et pardonne le péché de ton peuple Israël et ramène-les (והשבתם) à la terre que tu as donnée à leurs pères »[6].

La *Septante* n'a su préserver qu'exceptionellement ce jeu de mots[7], fait qui souligne l'indépendance des *Testaments*.

---

[1] Becker 1970 p. 212 considère la possibilité que la phrase introduite par διότι soit une addition. C'est moins probable puisque la doctrine sur les esprits est dans ce passage tout conforme à celle de l'ouvrage primitif.

[2] Comparez *Juda* 19: 4 et notez la doctrine sur les esprits, typique des *Testaments*.

[3] Cf. *Jér.* 31: 34.

[4] Sur cette leçon, voir vol. II chap. IV.

[5] Alléguons également *Deut.* 30: 2–3, *Jér.* 4: 1.

[6] *2 Chron.* lit « que tu as donnée à leur et à leurs pères ».

[7] *Jér.* 4: 1(2). Dans *1 Rois* 8: 33–34 et *2 Chron* 6: 24–25 la *Septante* ne conserve que partiellement le jeu de mots en lisant ἐπιστρέψουσιν — ἀποστρέψεις αὐτούς. Pour les deux שב indiquant l'action divine dans *Deut.* 30: 3, *LXX* substitue le premier de ἰάσεται et omet l'autre.

Dan 5: 9. Ce texte indique brièvement, avec une terminologie analogue aux passages que nous venons de traiter, les thèmes du repentir et de la miséricorde divine. L'idée de la restauration est au fond la même que dans *Iss* 6: 4, *Zab* 9: 7 et *Nepht* 4: 3, mais elle revêt une forme particulière. Au lieu de parler d'un retour d'exil, *Dan* 5: 9 exprime la restauration en termes d'un rassemblement dans le sanctuaire de Dieu, c'est à dire à Jérusalem. Le passage s'achève par l'affirmation que Dieu donnera la paix à son peuple. C'est là une promesse d'une restauration dans le pays d'Israël, qui implique plus qu'un retour de la captivité et de la dispersion. C'est l'état de bonheur et d'harmonie, envisagé sous tous les aspects que renferme le terme hébreu *šālōm*. Il est clair que *Dan* 5: 9 s'inspire, par ce trait, en premier lieu de *Lévitique* chapitre 26, qui dans le contexte des bénédictions promet la paix au peuple fidèle : « Je mettrai le *šālōm* dans le pays ». Notre texte pourrait être également une actualisation de *Jér.* 33: 6, *Is.* 2: 4, 32: 17 s. et 60: 17 et *Aggée* 2: 9[1].

Dan 5: 13. Tout porte à voir dans ce verset la suite de *Dan.* 5: 9–10a. Le passage intermédiaire, les vv. 10b–12, constitue un développement secondaire, qui est amené par l'évolution des croyances messianiques dans les milieux des *Testaments*. Il est en 5: 10b–12 et 5: 13 question de deux eschatologies différentes, comme l'a montré BECKER[2].

Le retour des dispersés et le rassemblement du peuple au Temple, indiqués en 5: 9, sont suivis en 5: 13 par la promesse divine selon laquelle Jérusalem ne supportera plus la dévastation et Israël ne sera plus emmené en captivité. Le lien avec 5: 9 est donc apparent. Le reste du v. 13 est en général considéré comme un passage chrétien[3] ou du moins remanié par une main chrétienne[4] : Dieu vivra parmi les hommes et sera leur roi dans l'humilité et dans la pauvreté. Il est aussi dit que celui qui croit en lui régnera en vérité dans les cieux.

Toutefois, le fond juif de ce passage ne saurait être mis en doute. L'avènement de Dieu est un élément important dans la restauration future d'Israël[5]. La formulation en *Dan.* 5: 13 s'inspire directement de *Lévitique* 26: 12[6]. *Yahvé* comme roi est un motif central dans la religion israélite et juive[7]. Le

---

[1] CHARLES 1908 comm. et après lui DE JONGE 1953 p. 92 et p. 130 retiennent seulement *Aggée* 2: 9.

[2] BECKER 1970 p. 352.

[3] DE JONGE 1953 p. 92.

[4] BOUSSET 1900 p. 152, CHARLES 1908 comm. p. 131, BECKER 1970 p. 352 et 1974 p. 96, OTZEN 1974 p. 752.

[5] Voir infra pp. 174 ss.

[6] Voir infra p. 180 et 190.

[7] Voir p. ex. *Ps.* 10: 16, 93: 1, 96: 10 et 146: 10, *Is.* 24: 23, 52: 7, 66: 1, *Jér.* 10: 7 et 10, *Mich.* 4: 7, *Ob.* v. 21, *Tobit* 13: 7, 13 et 16 s. et *3 Macc.* 2: 2 et 9.

titre « le saint d'Israël » pour *Yahvé* est bien enraciné dans les traditions juives[1]. On trouve dans *Dan.* 5: 9 et 13 une eschatologie de la même sorte que celle consignée dans le *livre de Tobit* 13: 10–18 : rassemblement autour du Temple à Jérusalem (v. 10 et 15), apparition de Dieu (v. 13 a) et l'établissement du *šālōm* eschatologique (v. 15 b, notez le mot εἰρήνη). L'idée de *Yahvé* comme roi caractérise également cette eschatologie (vv. 11, 13 et 16).

Dans la phase chrétienne de la transmission des *Testaments*, on a interprété *Dan.* 5: 13 comme une prophétie sur le Christ. Cette réinterprétation a laissé des marques visibles dans le texte. L'idée selon laquelle le croyant régnera dans les cieux, n'est pas dans la ligne de l'eschatologie du fond juif, centrée sur la Jérusalem terrestre. De plus, le rattachement de l'expression « dans l'humilité et dans la pauvreté » à Dieu se comprend le mieux dans une perspective chrétienne. Le texte primitif avait sans doute ici une teneur différente. Peut-être exprimait-il l'idée du règne de Dieu, apportant le salut et le bonheur aux pauvres et aux opprimés[2]. *Tobit* 13: 12 montre que cette idée n'est pas étrangère à la forme d'eschatologie que représente *Dan.* 5: 13[3].

Aser 7: 7. La restauration y est envisagée comme un rassemblement — ἐπισυνάξει ὑμᾶς κύριος — de la dispersion que le verset précédent annonçait. L'indication habituelle de la fidélité et de la miséricorde divines est transformée dans *Aser* 7: 7 de la façon suivante : Dieu rassemblera les dispersés ἐν πίστει δι᾽ ἐλπίδα εὐσπλαγχνίας αὐτοῦ. La première assertion se rapporte à *Dieu* et souligne sa fidélité, dont la restauration dépend. Il est évident que le *Testament d'Aser* prolonge l'idée trouvée dans *Jérémie* 32: 41, qui vise le rassemblement des dispersés :

> « Je les planterai avec fidélité (באמת) dans ce pays ».

Le contexte de ce verset, *Jérémie* 32: 26–41, est formulé d'après la conception « péchés-châtiment-restauration » et le verset 41 répète en termes différents le contenu du verset 37 où on lit :

> « Voici, je les rassemblerai de tous les pays où je les ai chassés, dans mon courroux, dans ma fureur et dans ma grande irritation, mais je les ferai retourner dans ce lieu et je les y ferai habiter en sûreté. »

---

[1] Voir p. ex. *Ps.* 71: 22, *Is.* 1: 4, 12: 6, 17: 7, 45: 11, *Jér.* 50: 29 et *3 Macc.* 2: 2 et 13.

[2] Voir aussi le texte et la traduction de *Dan* 5: 13 en vol. II chap. IV.

[3] On prie Dieu de donner, sur l'emplacement même de Jérusalem, le bonheur à ceux qui sont exilés (τοὺς αἰχμαλώτους) et opprimés (τοὺς ταλαιπώρους).

Notons aussi que les textes de Qumran désignent souvent les justes comme « les pauvres » (עבירנים) et « les opprimés » (ענוים), termes qui n'avaient pas chez les esséniens un sens figuré seulement. Cf. la discussion chez RINGGREN 1963 A p. 140 ss. et supra p. 135. Voir aussi SOPHONIE 3: 12.

On a donc tort d'interpréter ἐν πίστει en *Aser* 7: 7 par « dans (par) la foi »[1]. Il ne faut pas penser dans ce contexte à une disposition de l'homme. Cet aspect est cependant articulé dans ce qui suit : δι' ἐλπίδα εὐσπλαγχνίας αὐτοῦ. Sur ce point aussi, on est clairement dans la ligne de la pieté israélite. La confiance dans la providence divine en est un thème essentiel. La *Psaume* 33 pourra servir d'exemple pour éclairer l'interprétation d'*Aser* 7: 7. Cet hymne d'action de grâces souligne la fidélité de *Yahvé* et l'amour divin. « Toutes ses œuvres se font avec fidélité (באמונה *LXX:* ἐν πίστει) dit le verset 4, et le verset suivant affirme que «le *ḥæsæd* de *Yahvé* remplit la terre ». L'attitude de l'homme pieux est indiquée dans le verset 18.

« Voici, l'œil de *Yahvé* est sur ceux qui le craignent, sur ceux qui espèrent en son *ḥæsæd*. »[2]

Remarquons dans ce contexte que le terme εὐσπλαγχνία d'*Aser* 7: 7 correspond à ἔλεος utilisé pour décrire le *ḥæsæd* de Dieu[3]. La formulation de la restauration est dans le *Testament d'Aser* l'expression d'une tradition vivante qui prolonge des thèmes essentiels de la religion israélite. Ce prolongement caractérise également les *Psaumes de Salomon* qui présentent des rapports étroits avec les *Testaments*. Dans le psaume huit, qui est composé sous l'influence de l'idée « péchés-châtiment-restauration », on trouve une formulation de l'élément de la « restauration » qu'il faut rapprocher d'*Aser* 7: 7 et qui souligne cette affinité entre les deux écrits :

« Rassemble les dispersés d'Israël avec miséricorde (μετὰ ἐλέους) et bonté, car ta fidélité (ἡ πίστις σου) est avec nous. » *Ps. Sal.* 8: 28

L'attitude que doivent montrer les pieux est caractérisée par les mots suivants : καὶ ἐπὶ σὲ ἡ ἐλπὶς ἡμῶν κύριε, *Ps. Sal.* 8: 31. Outre la fidélité

---

[1] Les termes hébreux אמונה et אמת s'emploient souvent dans la Bible pour désigner la fidélité de *Yahvé* et la fermeté de ses promésses d'alliance. Dans les passages suivants, ces termes, dans le sens indiqué ci-dessus, sont rendus dans la *Septante* par πίστις : *Jér.* 5: 3, 28: 9, 32: 41 et 33: 6; *Ps.* 33: 4; *Os.* 2: 22.

[2] Le second hémistiche se lit dans la *Septante* τοὺς ἐλπίζοντας ἐπὶ τὸ ἔλεος αὐτοῦ. Il n'est donc pas possible d'expliquer la formulation grecque d'*Aser* 7: 7 à partir de la *Septante*.

[3] Le mot ἔλεος rend dans la *Septante* presque exclusivement le terme hébreu חסד. Il est clair que cette signification du mot ἔλεος est à retenir aussi pour les *Testaments des Douze Patriarches* : *Zab* 5: 1, 3 et 4 et *Nepht* 4: 3 et 5 et pour les *Psaumes de Salomon* : 2: 33 et 36, 4: 25, 5: 12 et 15, 6: 6, 8: 27 s., 9: 8, 10: 3 s., 11: 9, 13: 12, 16: 3 et 6, 17: 45, 18: 1 et 3. Le mot εὐσπλαγχνία, ne se retrouve ni dans la *Septante*, y inclus les *Apocryphes*, ni dans les *Psaumes de Salomon*. Dans les *Testaments*, qui présentent un emploi caractéristique du groupe des mots σπλάγχνον, εὐσπλαγχνος, κτλ, (cf. aussi Köster p. 551 s.), le mot εὐσπλαγχνία fonctionne dans le sens de חסד également en *Zab* 5: 1 et *Benj* 4: 1.

divine, *Aser* 7: 7 ajoute encore une raison à l'intervention salvifique de *Dieu*. Les patriarches Abraham, Isaac et Jacob en sont pris comme garants. Il en est de même dans *Lévi* 15: 4, où ce trait constitue la seule indication de la « restauration ». Cette particularité s'explique par le rôle important que joue dans les *Testaments* cette triade vénérable.

Lévi 16: 5b. La restauration n'y est que brièvement décrite, mais l'auteur a cependant réussi à en indiquer les éléments essentiels. La miséricorde divine, οἰκτειρήσας, provoque le rassemblement des dispersés. C'est ce que veut dire ici προσδέξηται ὑμᾶς, car il faut interpréter ces mots dans la perspective du verset 5a, qui décrit le fait de la dispersion. L'intervention divine s'énonce dans *Lévi* 16: 5 sous la forme d'une visite, ἐπισκέψηται ὑμᾶς. Cette idée de l'avènement de Dieu est significative, comme nous le verrons[1], de l'eschatologie de base des *Testaments des Douze Patriarches*. Du point de vue de l'interprétation de *Lévi* 16: 5, ce n'est que la tournure ἐν πίστει καὶ ὕδατι qui fait difficulté. La majorité des commentateurs y voient une retouche chrétienne, qui ferait allusion au baptême[2]. Certains critiques, au contraire, en soutiennent l'origine juive en se référant à diverses pratiques baptismales juives[3]. De part et d'autre, on interprète ἐν πίστει comme une attitude de l'homme en traduisant « par la foi »[4]. Remarquons d'abord que la conception d'un retour des dispersés, associé à des pratiques baptismales, que ce soient les purifications rituelles des esséniens ou le baptême des prosélytes, est totalement étrangère au contexte et à l'orientation des péricopes « péchés-châtiment-restauration »[5]. La combinaison des idées « par la foi » et « par l'eau » dans *Lévi* 16: 5, ne se comprend que dans une perspective chrétienne[6]. La tradition manuscrite ne justifie pas non plus

---

[1] Voir infra p. 173.

[2] Citons pour cette interprétation SCHNAPP 1884 p. 34, BOUSSET 1900 p. 190, CHARLES 1908 comm. p. 60, DE JONGE 1953 p. 85 et 1960 p. 221, BECKER 1970 p. 286 s., OTZEN 1974 p. 721. CHARLES admet dans les notes qu'on peut en partie défendre l'origine juive de cette tournure.

[3] DUPONT-SOMMER 1952 p. 43 note et p. 44, MICHEL 1954 p. 70 n. 23, PHILONENKO 1960 p. 16.

[4] CHARLES 1908 comm. « through faith », RIESSLER p. 1169 « durch Glauben », PHILONENKO 1960 p. 13 « dans la foi », BECKER 1970 p. 287 et 1974 p. 59 « durch Glauben », OTZEN 1974 p. 721 « ved tro ».

[5] Cf. aussi la remarque de BECKER 1970 p. 287 n. 1.

[6] L'association de la foi au baptême apparaît clairement dans le christianisme antique; cf. *Act.* 8: 12. Just. *Ap.* 1: 61 où l'on trouve l'assertion que seuls ceux qui πιστεύωσι ἀληθῆ ταῦτα τὰ ὑφ' ἡμῶν διδασκόμενα καὶ λεγόμενα peuvent être admis au baptême. Cyrille de Jérusalem nous fait connaître dans ses catéchismes mystagogiques (I: 9) la formule que le catéchumène doit réciter immédiatement avant le baptême lui-même : πιστεύω εἰς τὸν πατέρα καὶ εἰς τὸν υἱὸν καὶ εἰς τὸ ἅγιον πνεῦμα καὶ εἰς ἕν βάπτισμα

qu'on écarte les mots ἐν πίστει καὶ ὕδατι[1]. Toutefois, ce n'est pas là le sens initial du texte. Le passage parallèle, *Aser* 7: 7, prouve que l'expression ἐν πίστει de *Lévi* 16: 5 se réfère à Dieu et veut souligner sa *fidélité* qui se manifeste dans le fait qu'il rassemble les dispersés. Le texte original ne connaissait donc pas la mention « par l'eau ». Par cette retouche chrétienne, l'Église a adapté le passage à ses besoins. Notons que le sens du verset entier est ainsi transformé. Dans l'étape chrétienne de transmission, le texte veut affirmer que les juifs ont, après tout, la chance d'être sauvés à condition qu'ils se convertissent au christianisme. La marque de cette conversion est le baptême : Dieu accueillera « par l'eau » les juifs qui sont « dans la foi ».

Juda 23: 5. Ce qui caractérise ce passage est la place dominante qu'occupe l'idée de repentance. On précise ici le fait du retour au Seigneur en indiquant comment il doit se produire. On doit se repentir « d'un cœur parfait », c'est à dire qu'il est question d'une conversion totale de la personnalité à Dieu. La manière de préserver cette disposition spirituelle, consiste dans une vie placée sous l'autorité de la *tōrāh*. Ces deux aspects sont tout à fait dans la ligne de l'enseignement parénétique des *Testaments*. La restauration se fait par l'intervention de Dieu, ἐπισκέψεται κύριος ὑμᾶς, conformément à son *ḥæsæd*, ἐν ἐλέει, et amène le rassemblement des juifs hors de la captivité des nations.

Aser 7: 3. Tout comme dans *Lévi* 16: 5 et *Juda* 23: 5, l'avènement de Dieu est ici le point de départ de la restauration. Dans la suite, cependant, au lieu des thèmes traditionnels, on trouve une allusion au mythe de la victoire de *Yahvé* sur le monstre primordial, conservé dans quelques passages de l'*Ancien Testament*[2]. La question, qui se pose tout de suite, est de savoir si ce thème, unique dans les *Testaments*, résulte d'un remaniement ultérieur, d'autant plus qu'une main chrétienne a retravaillé le passage. Remarquons d'abord que le thème de la lutte primordiale se retrouve dans un élément de composition qui est assez variable dans la formulation. De plus, la présence de ce mythe dans le *Testament d'Aser* doit être rapproché de

---

μετανοίας. Dans le passage cité par *Philonenko* 1960, p. 16 (*1QS* III: 8–9) pour réclamer l'origine essénienne de la phrase ἐν πίστει καὶ ὕδατι, il n'est pas question de « foi ». Le texte veut dire seulement que l'esprit doit être orienté vers Dieu afin que ces bains de purifications soient efficaces. Cf. DUPONT-SOMMER 1968 p. 62.

[1] C'est ce que font BOUSSET 1900 p. 190, CHARLES 1908 comm. p. 60 et BECKER 1970 p. 287 en alléguant le témoignage d'une partie de la version arménienne (A^α). En vue de l'état actuel de nos connaissances, ce n'est pas possible; voir vol. II chap. I et IV.

[2] *Is.* 27: 1, 51: 9, *Ps.* 74: 13, 89: 11, *Job* 26: 12 s. Cf. aussi WAKEMAN 1973 pp. 56 ss.

l'utilisation qu'on en a fait à l'époque postexilique. Les textes bibliques qui font allusion à la victoire de *Yahvé* sur le monstre primordial sont rédigés pendant ou après l'exil[1], bien que le mythe lui-même remonte à une époque ancienne[2]. L'adaptation qu'en a fait *Aser* 7: 3 est analogue à celle qu'on trouve en *Isaïe* 27: 1. Le mythe primordial y prend une signification eschatologique. Notons également que le chapitre 27 contient des promesses de restauration, par exemple le retour des dispersés au v. 12 s., promesses qui présupposent l'idée « péchés-châtiment-restauration (vv. 7–9). La fonction qu'a la lutte primordiale de *Yahvé* dans le *Psaume* 74 montre que la transition en thème du salut futur peut se faire facilement. Le psalmiste réconforte ses compatriotes, accablés par la catastrophe nationale, en ranimant les hauts faits de *Yahvé* dans le passé. Il exprime par là la conviction que Dieu pourra répéter le salut primordial, la victoire sur les forces destructives. Il est significatif que le *Testament d'Aser* mentionne parmi les châtiments la dévastation du temple, qui a amené dans le *Psaume* 74 l'évocation de la lutte primordiale de *Yahvé*[3]. De même, on tiendra compte du rapport étroit qui unit en *Isaïe* 51 *Yahvé* sauveur et créateur. Les *Psaumes de Salomon* 2: 25 reprend de façon libre ce mythe biblique en l'appliquant à Pompée et aux ennemis d'Israël :

> « ne tarde donc pas, ô Dieu, à faire retomber (la colère) sur leurs têtes (εἰς κεφαλάς) de manière à abattre[4] l'orgueil du dragon (τὴν ὑπερηφανίαν τοῦ δράκοντος) avec honte. »

Il est donc clair que le thème de la victoire de Dieu sur le dragon dans le *Testament d'Aser* s'inscrit dans la ligne de l'utilisation qui a été faite de ce mythe à l'époque post-exilique. Le christianisme antique applique quelquefois, dans l'enseignement du baptême, ce thème au Christ. C'est là une relecture de *Ps.* 74: 13 (*LXX:* 73) dont on reprend la formulation[5].

---

[1] Pour la date post-exilique des chapitres 24–27, d'*Isaïe* voir RINGGREN 1963 B p. 8, RUSSELL 1967 p. 213. Pour le *livre de Job*, voir HÖLSCHER 1952, p. 7. Le *Psaume* 74, du moins dans sa rédaction actuelle, présuppose évidemment la destruction du Temple de Jérusalem.

[2] Les textes d'Ougarit le présentent dans une formulation voisine à *Is.* 27: 1 et à *Ps.* 74: 13.

[3] NICKELSBURG p. 161 attire l'attention sur une structure parallèle entre *Aser* 6: 4–7: 3 et *Ps.* 73 et 74.

[4] Nous adoptons la conjecture de VITEAU p. 263 ῥίπτειν au lieu de εἰπεῖν du texte.

[5] Origène en *Jean* 10: 32 appelle Jésus ἄρχοντος ὑδάτων ἵνα συντρίψῃ τὰς κεφαλὰς τῶν δρακόντων ἐπὶ τοῦ ὕδατος. Epiphanius Constantiensis, *Hom.* 2, salue le Christ comme ὁ ἐν ὕδασι Ἰορδάνου συντρίψας κεφαλὰς τῶν δρακόντων ὑμῶν. Cyrille de Jérusalem, *Catéch.* III: 1 dit que le Christ est descendu dans le Jourdain ἐπεὶ οὖν ἔδει συντρίψαι τὰς κεφαλὰς τοῦ δράκοντος. DE JONGE 1953 p. 152 n. 222 et 1960 p. 232, s'appuyant sur le texte de Cyrille, pense qu'un rédacteur chrétien aurait introduit ce thème en *Aser* 7: 3.

Cette relecture chrétienne, qui n'est pas courante, ne peut expliquer pourquoi on aurait introduit le thème de la lutte contre le dragon dans le contexte d'*Aser* 7: 3.

L'adaptation du mythe sur la lutte primordiale que font les *Testaments* est plutôt l'expression d'une tradition vivante qu'une reprise directe de passages bibliques. La formulation d'*Aser* 7: 3 est indépendant de la Bible. Le *Testament d'Aser* n'est pas une citation du *Psaume* 74: 13 s., passage avec lequel *Aser* 7: 3 a cependant une certaine parenté[1]. En outre, nous avons l'expression ἐν ἡσυχίᾳ qui caractérise, selon *Aser* 7: 3, l'intervention salvifique de Dieu.

De prime abord, il est surprenant de trouver que la défaite du dragon se fait « dans la paix ». On a essayé d'écarter cette difficulté de façons diverses. La phrase « il viendra comme un homme, mangeant et buvant avec les hommes » serait une insertion chrétienne qui rompt la connexion entre la visite de Dieu et sa lutte contre le dragon. Le texte initial aurait alors été « jusqu'à ce que le Très-Haut visite la terre dans la paix et brise la tête du dragon ... »[2] On peut cependant considérer ἐν ἡσυχίᾳ comme provenant du remanieur chrétien, qui aurait introduit dans *Aser* 7: 3 aussi le thème de la lutte contre le dragon[3]. Enfin, tenant compte de l'omission de ἐν ἡσυχίᾳ par deux manuscrits, on pourrait considérer ces mots comme une addition d'un copiste chrétien[4].

Aucune des solutions proposées ne nous semble convaincante. Certes, le passage a subi un remaniement chrétien, mais, l'expression même ἐν ἡσυχίᾳ s'explique difficilement dans une perspective chrétienne. L'expression et le mot ne se retrouvent que deux fois dans le *Nouveau Testament :* 1 *Tim.* 2: 11 et 12. C'est dans la partie qui traite de la subordination de la femme. Elle doit apprendre « en silence » et vivre « en tranquillité ». Un passage, un peu plus explicite pour le contexte, nous est fourni par Ignace (*Ép. ad Eph.* XIX). La virginité de Marie, son enfantement et la mort du Christ sont τρία μυστήρια κραυγῆς ἅτινα ἐν ἡσυχίᾳ θεοῦ ἐπράχθη. Mais ces quelques passages tirés de la littérature chrétienne primitive ne peuvent évidemment pas être la source de ἐν ἡσυχίᾳ dans *Aser* 7: 3. Même si on peut justifier dans une certaine mesure l'élimination de la phrase « lui,

---

[1] Le *Psaume* 74: 13 se lit « tu as brisé les têtes des monstres sur les eaux », et voici la traduction d'*Aser* 7: 3 : « il brisera tranquillement la tête du dragon sur l'eau. »

[2] C'est la solution proposée par SCHNAPP 1884 p. 74 s. et BECKER 1970 p. 369 s.

[3] DE JONGE 1960 p. 232, qui suggère que le rédacteur chrétien aurait repris la teneur du *Ps.* 74 (73): 13 en ajoutant ἐν ἡσυχίᾳ et en changeant ἐπὶ τοῦ ὕδατος en διὰ τοῦ ὕδατος.

[4] BOUSSET 1900 p. 154 et CHARLES 1908 comm. p. 170. L'omission des mss *c f* doit ici être secondaire; voir vol. II chap. IV.

il viendra comme un homme mangeant et buvant avec les hommes »,
le texte ne permet pas de faire de la tournure « dans la paix » un complément à « jusqu'à le Très-Haut visite la terre ». Il est donc prudent de voir
dans ἐν ἡσυχίᾳ un élément du texte initial et de chercher à en donner une
explication qui puisse convenir dans le contexte juif. Or, la *Septante* rend
dans *Ez.* 38: 11 l'expression לבטח « en sécurité », « sans crainte ni danger »
par ἐν ἡσυχίᾳ. Cette tournure grecque doit traduire également dans 1
Macc 9: 58 un original hébreu portant לבטח[1]. Si l'on interprète ἐν ἡσυχίᾳ
dans *Aser* 7: 3 de façon analogue, la contradiction prétendue avec ce qui
suit disparaît et on a une signification qui est conforme au contexte juif :
Dieu brise tranquillement, sans être ébranlé, la tête du dragon.

Si le fond d'*Aser* 7: 3 est incontestablement juif, il est néanmoins évident
que le texte a subi un remaniement chrétien. On a transformé le passage
en une prophétie sur l'incarnation de Dieu dans le Christ, et il n'est plus
possible de reconstituer dans le détail la teneur de la version initiale. Les
thèmes de la visite de Dieu, sa victoire sur le dragon ainsi que la délivrance
d'Israël et des nations ont certainement formé l'élément juif.

Pour ce qui est de l'interprétation chrétienne les mots « mangeant et
buvant avec les hommes » servent ici pour souligner le fait tout réel de
l'Incarnation et ne sont pas une allusion à la Cène. Cela ressort d'un passage
d'Ignace d'Antioche où le dogme de Jésus-Christ est formulé dans une
polémique anti-docète :

ὃς ἀληθῶς ἐγεννήθη, ἔφαγέν τε καὶ ἔπιεν, ἀληθῶς ἐδιώχθη ἐπὶ Ποντίου
Πιλάτου .... (*ad Trall.* IX).

La dernière phrase d'*Aser* 7: 3 doit également s'interpréter comme une
assertion sur l'Incarnation bien que la formulation soit un peu curieuse et
difficile à traduire[2]. Ὑποκρίνομαι dans le sens d' « agir », « jouer le rôle
de quelqu'un » est d'ordinaire suivi de l'accusatif pur; dans le sens de
« répondre » le complément de personne est au datif. Dans les deux cas,
la construction avec εἰς est frappante. En grec hellénistique, cependant,
εἰς peut revêtir une nuance locale et même instrumentale[3]. Le sens de
εἰς ἄνδρα ici doit, conséquemment, être « dans un homme » ou « par un
homme ». L'emploi du verbe ὑποκρίνομαι comme terme pour l'incarnation

---

[1] Voice le texte de ce passage : καὶ ἐβουλεύσαντο πάντες οἱ ἄνομοι λέγοντες Ἰδοὺ
Ιωναθαν καὶ οἱ παρ' αὐτοῦ ἐν ἡσυχίᾳ κατοικοῦσιν πεποιθότες.

[2] Cf. les traductions de CHARLES 1908 comm. p. 170 « God speaking in the person
of man », de DE JONGE 1960, p. 233 « God playing the part of man. », de PHILONENKO
1960, p. 40 « Dieu parlant par l'intermédiaire d'un homme. » OTZEN 1974 p. 770 « Gud
i ett menneskes skikkelse », BECKER 1974 p. 117 « Gott zum Menschen redend ».

[3] Cf. DEBRUNNER 1954, II, p. 118. BAUER 1963, p. 456 s.

du Christ est surprenant. Attesté seulement deux fois dans la littérature chrétienne primitive, *Luc* 20: 20 et *Herm. Sim.* IX: 19, le verbe y a son sens négatif « feindre, se conduire en hypocrite »[1].

Benj 9: 2. Le passage « péchés-châtiment-restauration » qui est conservé dans le chapitre neuf du *Testament de Benjamin* présente des difficultés considérables d'interprétation[2]. Le texte de ce passage a été visiblement remanié de sorte qu'il est difficile d'en restituer la teneur initiale. Le châtiment est décrit dans le verset 1b et l'élément de la restauration commence évidemment avec le verset 2. Le mot πλήν fait ressortir le contraste avec ce qui précède. Le passage promet aux descendants du patriarche que le temple de Dieu sera construit dans leur territoire. Le texte affirme encore que Jacob a élevé Benjamin, car il a été glorifié par la présence du temple. Déjà *Deutéronome* 33: 12 fait allusion à la liaison entre Benjamin et le temple de Jérusalem. Toutefois, c'est dans la tradition targumique que ce rapport est nettement souligné. On le fait dans le cadre de la bénédiction de Jacob dans la *Genèse* chapitre 49. Les différents targums, affirment unanimement que le Temple sera construit sur le territoire de Benjamin et que la *šᵉkināh* de *Yahvé* demeurera sur son héritage[3]. L'accord de tous les targums sur ce point justifie qu'on fasse remonter cette conception, greffée sur *Gen.* 49: 27, assez haut dans le temps. La version du *Testament de Benjamin* constitue le premier témoignage de cette tradition, car l'allusion à une bénédiction de Jacob est évidente.

Le temple mentionné dans *Benj* 9: 2 « sera plus glorieux que le premier ». Sur ce point, on voit comment l'aspect rétrospectif se transforme en prédiction réelle. L'auteur fait d'abord, de façon rétrospective, allusion au Second Temple, construit après l'exil, mais qui existera, à ses yeux, aussi lors de la restauration. Pour ce qui est de la formulation, l'auteur s'inspire d'*Aggée* 2: 7–9, qui parle de la gloire du nouveau temple dont la construction sera assurée par Zorobabel et Josué. On comparera surtout le verset 9

---

[1] La *Septante* n'éclaire pas non plus l'emploi de ὑποκρίνομαι dans *Aser* 7: 3. Dans *Job* 39: 32 on trouve le sens de « répondre »; les autres passages, figurant seulement dans la partie apocryphe, ont la signification « feindre ».

[2] Cf. DE JONGE 1960 p. 225 et BECKER 1970 p. 253 s.

[3] *T. Onqelos* : « Benjamin, dans son pays la *šᵉkināh* demeurera, et sur son héritage le sanctuaire sera construit ... » *T. Pseudo-Jonathan* : « Benjamin, tribu forte, sa proie comme celle d'un loup; dans son pays demeurera la *šᵉkināh* du Seigneur du monde et sur son héritage sera construit le Temple ... » *T. Fragmentaire* : « Benjamin tribu forte; je le compare à un loup ravageur. Dans son territoire le Temple sera construit et sur son héritage la gloire de la *šᵉkināh* du Seigneur demeurera ... » *T. Neofiti* : « Benjamin, tribu forte, dans son territoire le Temple sera construit et sur son héritage la gloire de la *šᵉkināh* de Dieu ... » Cf. aussi *Mekilta*, Vayehi. 6.

« la gloire de ce dernier sanctuaire sera plus grande que celle du premier, dit *Yahvé Sebaot* »[1].

Dans ce qui suit en *Benj* 9: 2 : « et les douze tribus s'y rassembleront ainsi que toutes les nations » l'auteur exprime une espérance eschatologique. Cette espérance est le prolongement de deux idées, essentielles à certains prophètes de la Bible. Le rassemblement des dispersés et du peuple sauvé à Sion d'une part[2], et la marche ou le rassemblement des nations à Jerusalem pour glorifier Sion et adorer *Yahvé*, d'autre part[3]. Il faut souligner cependant que ces deux thèmes sont le plus souvent juxtaposés dans les traditions prophétiques. Le rassemblement d'Israël et des nations à Jérusalem appartiennent clairement au même événement eschatologique[4]. Parfois le lien est encore plus fort. Les nations apporteront avec eux les dispersés d'Israël[5]. Cet arrière-plan biblique montre que la présence des nations dans la restauration, comme elle est décrite en *Benj* 9: 2, est tout à fait naturelle dans ce contexte, et non une addition chrétienne[6].

Notre interprétation de *Benj* 9: 2 à la lumière des traditions prophétiques est confirmée par l'utilisation que font certains écrits, plus ou moins contemporains des *Testaments*, des idées sur la marche des nations vers Jérusalem et le rassemblement du peuple juif en ce lieu. Cette utilisation montre que ces thèmes ont constitué un élément vivant des espérances eschatologiques dans certaines communautés juives de l'époque. Le *livre de Tobit* chapitre 13, est une louange au Dieu d'Israël. Le passage présente l'idée que Dieu punit les transgressions de son peuple, mais qu'il apporte le salut, si on se repent. Le verset 10 contient l'idée d'un rassemblement d'Israël à Jérusalem, ville sainte, pour y louer *Yahvé*[7]. Dans la suite, le v. 13 mentionne le thème de la marche des nations vers Jerusalem. La formulation qu'ils viennent πρὸς τὸ ὄνομα κυρίου τοῦ θεοῦ[8] révèle que l'auteur pense spécialement au Temple.

Le passage « péchés-châtiment-restauration » de *Tobit* 14: 4–7 présente plusieurs affinités avec *Benj* 9: 2. L'élément de la restauration commence

---

[1] Remarquons que la version du *Testament de Benjamin* est indépendante de la *Septante*. CHARLES 1908 comm. p. 210 le note à bon droit.

[2] *Is.* 4: 2 s., 27: 12 s., 35: 10, 49: 18, 51: 11 et 60: 4 ss., *Jér.* 3: 14 et 17 et *Zach.* 8: 7 s.

[3] *Is.* 2: 2 ss., 11: 10 s., 25: 6 ss., 60: 4–17, *Jér.* 3: 17, *Mich.* 4: 1 ss, *Zach.* 8: 20–23.

[4] *Is.* 11: 10–11 et 12, *Jér.* 3: 14–17, *Zach.* 8: 7–23.

[5] *Is.* 60: 4 ss., 66: 18–20, *Zach.* 8: 20–23.

[6] JERVELL 1969 p. 41, estime que la mention des nations est une interpolation chrétienne.

[7] Voici le texte grec : λεγέτωσαν πάντες καὶ ἐξομολογείσθωσαν αὐτῷ ἐν Ἱεροσολύμοις, Ἱεροσόλυμα πόλις ἁγία. Texte d'après le Vaticanus et l'Alexandrinus. Le codex Sinaïticus omet par homoioteleuton, βασιλέα τῶν αἰώνων, les vv. 8–11a.

[8] Le Sinaïticus : πρὸς τὸ ὄνομα τὸ ἁγιόν σου.

par une mention de caractère rétrospectif de la construction du second Temple qui ne sera pas comme le premier καὶ οὐχ ὡς τὸν πρῶτον. Ce temple existera à travers les âges jusqu'aux temps eschatologiques (v. 5a). Ces temps sont marqués par les événements suivants : les dispersés reviendront (v. 5b), les juifs vivront à jamais en sécurité dans le pays d'Israël[1], et tout le peuple sauvé se rassemblera à Jérusalem (v. 7)[2], les nations se convertiront pour adorer et bénir Yahvé, ὁ θεὸς τοῦ αἰῶνος. La description du temps eschatologique sur laquelle s'achève le *Livre des Songes* (1 *Hén.* 83–90) est également importante pour éclairer *Benj* 9: 2[3]. L'ère eschatologique débute par la construction à Jérusalem d'un nouveau temple, plus grand et plus haut que le premier (*1 Hén.* 90: 29). Tout Israël et toutes les nations s'y rassembleront pour adorer Dieu (vv. 29b, 30 et 33).

Le *Psaume de Salomon* 17 contient dans sa deuxième partie (vv. 21–46) des thèmes de restauration qu'on doit rapprocher du *Testament de Benjamin*. Le rôle central que joue Jérusalem dans ce psaume apparaît dans les vv. 15, 22 et 30. Le messie rassemblera son peuple (v. 26) et l'auteur pense aussi aux dispersés[4]. Il les distribuera dans le pays d'Israël selon leurs tribus (v. 28). La marche des nations vers Jérusalem pour voir le *kābōd* de *Yahvé*, qui se manifestera sur la ville, est décrite dans le v. 31. Notons que les nations apporteront une partie des dispersés. Le rassemblement d'Israël est encore exprimé sous forme d'un *macarisme* au v. 44

> « heureux ceux qui vivront en ces jours-là pour voir le bonheur d'Israël dans le *rassemblement des tribus* ».

Ces textes, tirés de trois écrits qui, sur d'autres points encore, manifestent un rapport avec les *Testaments*, éclairent donc et confirment le fond juif de *Benj* 9: 2[5].

Si les thèmes du rassemblement des tribus d'Israël et des nations à Jérusalem dans *Benj* 9: 2 s'inscrivent dans les lignes des prophètes de la Bible et des idées du judaïsme post-exilique, la suite du verset 2 fait difficulté :

---

[1] Comme dans *Zab* 9: 8, il n'y a pas une contradiction entre le retour dans la patrie et la rassemblement à Jérusalem. Dans l'ère eschatologique, Jérusalem continuera à être l'endroit préféré pour le culte de *Yahvé* et le lieu de théophanie, auquel viennent les habitants d'Israël futur.

[2] Voici le texte du Sinaïticus : πάντες οἱ υἱοὶ τοῦ Ισραηλ οἱ σῳζόμενοι ἐν ταῖς ἡμέραις ἐκείναις μνημονεύοντες τοῦ θεοῦ ἐν ἀληθείᾳ ἐπισυναχθήσονται καὶ ἥξουσιν εἰς Ιερουσαλημ καὶ οἰκήσουσιν τὸν αἰῶνα ἐν τῇ γῇ Αβρααμ μετὰ ἀσφαλείας.

[3] PHILONENKO 1960 p. 22 souligne à bon droit l'importance de *1 Hén.* 90: 28 ss. comme parallèle de *Benj* 9: 2.

[4] Cf. *Ps. Sal.* 11, qui est consacré au thème du retour des dispersés.

[5] Cf. aussi *Bar.* 4: 36 s. et 5: 5 s. *Jub.* 1: 17 et *1 Hén.* 90: 29.

« jusqu'à ce que le Très-Haut envoie son salut dans la visite d'un prophète unique. »

Ce qui a été dit dans le v. 2 a renferme déjà une part de l'œuvre salvifique. La formulation « *jusqu'à ce que* le Très-Haut envoie *son salut* » est donc surprenante. De plus, ce salut se fera par l'avènement « d'un prophète unique ». Un prophète eschatalogique ne se retrouve pas ailleurs dans les *Testaments*[1]. Cette figure doit du reste, dans la tradition juive, introduire l'avènement du salut, et non en constituer comme dans *Benj.* 9: 8, l'acte final. Le terme μονογενής appliqué au prophète eschatologique est singulier et rappelle le υἱὸς μονογενής de la christologie de l'Église[2]. Le titre de prophète pour désigner Jésus est d'ailleurs bien connu dans le *Nouveau Testament*[3]. La visite d'un prophete unique, qui convient mal dans le contexte, s'explique le mieux dans une perspective chrétienne. Ajoutons pour soutenir l'interprétation chrétienne un texte de l'*Evangile de Luc* où l'apparition de Jésus comme prophète est considérée comme une visite divine : καὶ ἐδόξαζον τὸν θεὸν λέγοντες ὅτι προφήτης μέγας ἠγέρθη ἐν ἡμῖν καὶ ὅτι ἐπεσκέψατο ὁ θεὸς τὸν λαὸν αὐτοῦ. (*Luc* 7: 16)[4]

La conclusion qui s'impose, est que la teneur de *Benj* 9: 2 c provient d'une retouche chrétienne. Le texte juif sous-jacent a sans doute décrit l'étape finale du salut. La description de l'ère eschatologique dans *1 Hénoch* 90: 28–38 montre qu'après le rassemblement d'Israël et des nations au Temple, il y aura encore un acte du déroulement eschatologique. Une connaissance spéciale de la divinité (90: 35) et une sorte de transfiguration (v. 38) Dans *Benj* 9: 2, le rassemblement d'Israël et des nations au Temple paraît avoir été suivi d'une révélation du *šālōm* eschatologique, tout comme dans *Dan* 5: 9. Le mot σωτήριον a en *Benj* 9: 2 un sens analogue à celui des passages « Lévi et Juda »[5]. On doit rapprocher de ce texte la description de la restaura-

---

[1] Dans *Lévi* 8: 14 s., passage qui a été remanié ultérieurement, il n'est pas question de la figure qui, du point de vue phénoménologique, peut être qualifié de « prophète eschatologique ».

[2] D'abord dans *Jean* 3: 16 et 18 et dans la *Première Épître de Jean* 4: 9; cf. aussi *Jean* 1: 14 et 18. Puis, il faut retenir Justin *Dial.* 105: 1 et le *Symbolum Romanum*, rédigé certainement avant 200.

[3] *Mc* 8: 28 (*Mt.* 16: 14 *Luc* 9: 19). *Mc* 6: 15 (*Luc* 9: 8). *Luc* 7: 39, 13: 33 et 24: 19. *Mt.* 21: 11 et 46 *Jn.* 7: 52. De plus *Act.* 3: 20 ss.

[4] L'hypothèse que la visite d'un prophète unique dans *Benj* 9: 2 viserait le prophète eschatologique (ou le Maître de justice) des esséniens de Qumran n'est donc pas recevable. Mis à part l'influence chrétienne, les critiques qui la soutiennent, ne tiennent pas compte du fait que le contexte « péchés-châtiment-restauration » des *Testaments* est étranger à l'idée d'un prophète eschatologique.

[5] Voir supra pp. 75.

tion dans les *Jubilés* 1: 15 ss. où après le rassemblement des dispersés, Dieu leur révélera la plénitude de son *šālōm* et de sa *ṣᵉdāqāh*.

Les versets 3–5 du chapitre neuf du *Testament de Benjamin* ne s'expliquent que dans une perspective chrétienne. Ils constituent de toute évidence une addition au texte initial. On peut même retrouver la méthode qui a guidé le rédacteur chrétien dans son travail. Il reprend quelques mots-clefs du texte primitif dans 9: 2 autour desquels il développe ses précisions christologiques. Le tableau suivant illustrera cette méthode :

9: 2	9: 3–5
« Mais dans votre part sera le *temple* de Dieu et Jacob m'a *élevé* à cause de la maison du Seigneur pour que je sois *glorifié* par là, et il (le temple) sera plus *glorieux* que le *premier*; et les douze tribus s'y rassembleront et toutes les *nations* ... »	« et il entrera dans le *premier temple* et le Seigneur y sera outragé, et méprisé, et il sera *élevé* sur le bois. Et le rideau du *temple* sera déchiré et l'esprit de Dieu passera sur les *nations*; et revenant de l'Hadès il passera de la terre au ciel; je sais comment il sera humble sur la terre et *glorieux* dans le ciel .»

Le but de cette addition est de retracer brièvement le dogme de la passion, de la résurrection et de l'ascension de Jésus. Le rédacteur chrétien indique par quelques mots les événements, comme ils se déroulent selon le récit des *Évangiles* en les interprétant à la lumière des traditions de son temps. *Benj* 9: 3–5 présente le caractère d'un symbole, d'une confession de foi, et le passage est conforme aux premiers essais de formuler les points essentiels de la foi chrétienne. Voici les points du dogme christologique de *Benj* 9: 3–5 et ses sources :

1° « et il entrera dans le premier temple. » Cela vise sans doute l'entrée de Jésus à Jérusalem (*Mc.* 11: 1–10 et parallèles), qualifiée de « premier temple » par contraste à la Jérusalem céleste.

2° « le Seigneur y sera outragé » (ὑβρισθήσεται). Jésus devant le Sanhedrin où il est maltraité par certains des présents (*Mc.* 14: 65, *Mt.* 26: 67 s., *Luc* 22: 63 ss., cf. *Jn.* 19: 1). Comparez aussi la prédiction de sa souffrance que fait Jésus selon *Luc* 18: 32 : « il (le fils de l'homme) sera livré aux païens et sera insulté et outragé (ὑβρισθήσεται) ... »

3° « et il sera méprisé. » On fait allusion à l'épisode de *Mt.* 27: 27–31 et de *Mc.* 15: 16–20, où Jésus est tourné en dérision par les soldats romains.

4° « et il sera élevé sur le bois. » Allusion évidente à la crucifixion de Jésus. La terminologie employée rappelle l'usage caractéristique que fait l'*Évangile de Jean* du mot ὑψόω, qui désigne à la fois la crucifixion et l'élévation de Jésus (*Jn.* 3: 14, 8: 28 et 12: 32). La mention de la crucifixion en termes influencés par *Deutéronome* 21: 22 s. « pendu sur le bois » dans *Actes* 5: 30, 10: 40 et *Gal.* 3: 13 constitue également une partie de l'arrière-plan de la formulation dans *Benj* 9: 3.

5° « et le rideau du temple sera déchiré. » Le voile du Temple se déchire en deux au moment de la mort de Jésus (*Mc.* 15: 38, *Mt.* 27: 51 *Luc* 23: 45; cf. aussi l'*Évangile de Pierre* 20).

6° « et l'esprit de Dieu passera sur les nations comme du feu répandu. » On combine ici l'effusion de l'esprit à la Pentecôte (*Actes* chap 2) avec la conception que l'esprit de Dieu a abandonné Israël au moment de la mort de Jésus, indiquée par le déchirement du voile du sanctuaire. Cette conception se retrouve plusieurs fois dans les traditions du christianisme antique[1].

7° « et revenant de l'Hadès, il passera (ἔσται μεταβαίνων) de la terre au ciel. » La résurrection et l'ascension de Jésus. (*Mc.* 16: 1–8, *Mt.* 28: 1–10, *Luc* 24: 1–12 et 50–53, *Jean* 20: 1–10 *Act.* 1: 9–11.) L'affirmation « revenant de l'Hadès » indique à la fois l'idée de la descente du Christ aux enfers et sa résurrection. Comparez le *Symbolum Apostolicum* (T) : *descendit ad inferna*. Justin souligne que Jésus n'a pas resté dans l'Hadès ἐν ᾅδου μένειν comme un homme ordinaire (*Dial.* 99: 3).

Pour la tournure « et il passera de la terre au ciel », il faut rappeler les formules voisines qui reviennent constamment dans le contexte des symboles et des résumés de la foi.

Aristide, *Apol.* 15: 2   « on dit qu'il est ressuscité après trois jours et qu'il est monté au ciel. »

Justin, *Apol.* I, 21: 1   ἀναστάντα, ἀνεληλυθέναι εἰς τὸν οὐρανόν (cf. aussi 26: 1, 31: 7, 42: 4, 46: 5 et 50: 12).

Dial. 17: 1   ἀναστάντα ἐκ νεκρῶν καὶ ἀναβάντα εἰς τὸν οὐρανόν (cf. aussi 39: 7, 63: 1, 85: 2, 87: 6, 126: 1 et 132: 1).

Symbolum Romanum: ἀναστάντα ἐκ νεκρῶν, ἀναβάντα εἰς τοὺς οὐρανούς.

Remarquons que la formulation ἔσται μεταβαίνων ressemble au langage

---

[1] DE JONGE 1953 p. 124 en donne des exemples parmi lesquels *Didascalia* 23 est le plus significatif.

du quatrième Évangile : *Jean* 13: 1 rapporte que Jésus sait que l'heure est venue ἵνα μεταβῇ ἐκ τοῦ κόσμου τούτου πρὸς τὸν πατέρα.

8° « Je sais comment il sera abaissé (ταπεινός) sur la terre et glorieux (ἔνδοξος) dans le ciel. » Cette phrase résume les deux parties du dogme des vv. 3–5a : l'humilition du Christ dans sa passion et sa glorification dans la résurrection et l'ascension. Un résumé analogue de ces deux phases du drame christologique est donné par Justin dans son *Dialogue*. En commentant le *Psaume* 110, il trouve dans la fin de ce psaume le « typos » de ces deux phases :

> « Qu'il sera d'abord abaissé (ταπεινός) comme homme, qu'ensuite il sera élevé (ὑψωθήσεται), la fin du psaume le révèle. » (*Dial.* 33: 2)

Zab 9: 8. Comme nous le verrons plus bas[1], ce verset contient la restauration eschatologique qui achève le passage « péchés-châtiment-restauration », dont les vv. 5–7 sont la partie rétrospective et dont le v. 9 décrit la situation contemporaine de l'auteur. Le texte court, qui semble plus proche de l'original[2], commence par décrire l'apparition du salut en termes qui s'inspirent de certains passages prophétiques, à savoir *Is.* 62: 1–2 et *Mal.* 3: 20[3]. Le soleil du salut שמש צדקה[4] qui se lèvera pour ceux qui craignent le nom de Dieu, évoque dans *Malachie* le bonheur et le salut qui sont réservés aux justes lors de l'avènement du Jour de *Yahvé*. Les impies seront au contraire frappés par son courroux. Dans *Isaïe* 62: 1, c'est le salut de Sion, qui est décrit de la façon suivante :

> « À cause de Sion je ne me tairai pas, à cause de Jérusalem je ne me reposerai pas jusqu'à ce que son salut (צדקה) se lève comme la lumière et que sa délivrance (ישועתה) luise comme un flambeau. »[5]

L'expression φῶς δικαιοσύνης de *Zab* 9: 8 se retrouve dans la *Sagesse* qui l'utilise dans un contexte analogue de *Mal.* 3: 20, s'inspirant sans doute de cette prophétie. Il s'agit dans la *Sagesse* du jour du Jugement, de la punition des méchants et de la récompense des justes. Voyant leur destinée et celle des justes, les impies disent en se repentant :

> « la lumière de justice n'a pas resplendi pour nous et le soleil ne s'est pas levé sur nous. » (*Sap.* 5: 6)[6].

---

[1] Voir infra p. 194.

[2] Sur les deux versions du *Testament de Zabulon* voir vol. II chap. I et IV.

[3] Les critiques notent, à la suite de CHARLES 1908 comm. p. 121, seulement l'influence de *Mal.* 3: 20.

[4] L'expression est unique dans la Bible.

[5] La *Septante* lit « mon salut » et « ma délivrance ».

[6] Τὸ τῆς δικαιοσύνης φῶς οὐκ ἐπέλαμψεν ἡμῖν καὶ ὁ ἥλιος οὐκ ἀνέτειλεν ἡμῖν. Cf. sur ce passage PHILONENKO 1958 p. 86 s.

Le contexte de ces trois passages montre que c'est Dieu qui fait apparaître la lumière du salut. De plus, les termes *ṣædæq*, *ṣᵉdāqāh* et δικαιοσύνη traduisent le *salut* de *Yahvé*.

L'arrière-plan biblique ainsi que le parallèle dans la *Sagesse*, nous aidera à préciser la signification de *Zab.* 9: 8. On interprète généralement ce passage dans le sens que c'est le sujet κύριος qui apparaît comme « lumière de justice »[1]. Le verbe ἀνατέλλω doit cependant être pris ici dans son sens transitif, tout comme le fait la version arménienne. C'est aussi l'interprétation qui s'impose à la lecture des textes cités ci-dessus.

Dieu fera donc apparaître « la lumière du salut », qui amènera le retour des dispersés dans la patrie. Mais ce n'est là qu'un aspect de l'apparition de la « lumière du salut ». *Isaïe* 62: 1 s. indique clairement le lien entre Sion et l'avènement de la lumière du salut. Dans *Zab* 9: 8, le retour de la dispersion sera suivi d'un rassemblement à Jérusalem, où *Yahvé* apparaîtra à cause de son nom. C'est, au fond, cette idée qui, comme nous venons de le montrer, caractérise *Benj* 9: 2. On rapprochera de notre texte *Tobit* 14: 5–7. Le retour de la captivité (v. 5) sera suivi par l'arrivée de « tous les fils d'Israël » à Jérusalem[2]. Le contenu du salut est décrit comme une vie paisible et sûre « dans la terre d'Abraham » à jamais. Pour l'auteur, il y aura dans l'Israël futur un rassemblement, peut-être annuel à Jérusalem, rassemblement qui n'est qu'en partie celui des dispersés.

L'avènement de la « lumière du salut » est dans *Zab* 9: 8 étroitement lié à l'apparition de *Yahvé* à Jérusalem. Ce lien semble supposer qu'il y a dans l'expression « lumière du salut » plus qu'une image pour transcrire la délivrance de Dieu. Le texte souligne que le peuple délivré verra le Seigneur « à cause de son nom ». Les promesses de restauration dans *Ezéchiel* 20: 39–44 et 36: 21–24 utilisent cette précision dans un contexte et une fonction analogues à *Zab* 9: 8. Israël rassemblé de la dispersion (v. 41 s.), servira *Yahvé* sur le mont de Sion (20: 40), les *bᵉné Yiśra'el* auront une connaissance de *Yahvé*, donnée dans une sorte d'apparition divine (v. 42). Le verset 44 reprend le thème ainsi :

> « Et vous reconnaîtrez que je suis *Yahvé*, quand j'agirai avec vous par égard pour mon nom. »

De même dans 36: 21–23, qui est centré autour du thème du nom de *Yahvé*, le prophète affirme que Dieu agit, non à cause de « la maison d'Israël » mais à cause de son saint nom (v. 22) pour rassembler les dispersés

---

[1] Schnapp 1900 p. 483, Charles 1908 comm. p. 121, Riessler 1927 p. 1202, de Jonge 1953 p. 91, Philonenko 1960 p. 36, Becker 1970 p. 212, Otzen 1974 p. 747.

[2] Le texte grec de ce passage est donné plus haut p. 159 n. 2.

(v. 24). L'emploi que le prêtre-prophète Ezéchiel fait du nom de *Yahvé*, s'explique sans doute par son intérêt cultuel. Or, le nom de *Yahvé* est particulièrement attaché au Temple de Jérusalem. Le *kābōd* de *Yahvé* remplit le sanctuaire d'une présence, qui ne se manifestera pleinement que dans l'ère eschatologique. Selon Ezéchiel, le nom de la Jérusalem future sera « *Yahvé*-est-là » (*Ez.* 48: 35) et Zacharie prédit que *Yahvé* habitera au milieu de la ville (*Zach.* 8: 3). *Jérémie* 3: 17 exprime la conviction que les nations se rassembleront « en ce temps-là » au nom de *Yahvé* à Jérusalem.

Revenons à *Isaïe* 62 et au caractère réaliste de son image de la lumière. Le verset 2 affirme que les nations verront le *ṣædæq* de Sion, c'est à dire, d'après le contexte, la lumière du salut répandue à Jérusalem. Le rapport qui lie, au temps eschatologique, le nom de Dieu, la lumière de son salut et le sanctuaire à Jérusalem apparaît dans le chapitre 13 du *livre de Tobit*. Nous venons d'indiquer l'importance de ce passage pour l'interprétation de *Benj* 9: 2, mais il éclaire également la rencontre de la lumière du salut et de la théophanie à Jérusalem dans le *Testament de Zabulon*.

Le verset 6 du chapitre 13 de *Tobit* présente l'apparition de Dieu comme thème essentiel de la restauration :

« alors, il retournera à vous et ne cachera plus sa face de devant vous. »

Le développement hymnique, qui suit, souligne le rôle de Jérusalem comme lieu d'apparition divine (v. 10) et réaffirme dans les vv. 11–13 l'événement eschatologique. La demeure de *Yahvé*, sera de nouveau établie et les captifs et les pauvres se réjouiront (vv. 11–12). Le texte continue : « une lumière brillante luira à toutes les extrémités de la terre.[1] » Les nations viendront de loin vers le nom de Dieu pour adorer le Seigneur du ciel (v. 13). Cette lumière brillante est la présence de Dieu dans la Jérusalem future, et les nations se rassemblent autour de son nom, c'est a dire au Temple.

Une conception analogue se retrouve aussi dans le *livre de Baruch*. Le retour des captifs et des dispersés et leur arrivée à Jérusalem, est le moment essentiel du salut divin, qui viendra aux juifs avec un grand éclat et dans une lumière de l'Éternel (4: 18–24)[2]. Cette « lumière de l'Eternel » est identique à « la lumière du salut » de *Zab* 9: 8.

Le lien entre l'apparition de la « lumière du salut » et la théophanie à Jérusalem est donc étroit dans le *Testament de Zabulon* 9: 8. Φῶς δικαιοσύνης

---

[1] Pour le texte grec, voir infra p. 188,

[2] *Bar.* 4: 24 Les voisins de Sion verront bientôt τὴν παρὰ τοῦ θεοῦ ὑμῶν σωτηρίαν, ἣ ἐπελεύσεται ὑμῖν μετὰ δόξης μεγάλης καὶ λαμπρότητος τοῦ αἰωνίου. On peut comparer également *Bar* 5: 9 où Dieu conduira le retour à Sion par son *kābōd* brillant, cf. infra p. 188.

désigne à la fois les hauts faits du salut de Dieu et la parousie divine dans le sanctuaire à Jérusalem.

L'arrière-plan que nous venons d'esquisser manifeste également que le *Testament de Zabulon* reflète de façon indépendante une structure de pensée, qui apparaît en particulier dans *Ezéchiel* 20: 39–44 et *Tobit* chapitre 13; c'est l'indication de l'avènement du salut de Dieu, qui se fait d'abord dans le retour des dispersés. Puis, le rassemblement à Jérusalem où se produit l'apparition divine, qui est liée en quelque sorte au Temple et au nom divin.

Dans *Zab* 9: 8, il est évident que χύριος, conformément, à l'usage des *Testaments*, ne vise que le Dieu d'Israël[1]. L'interprétation chrétienne a dû voir dans χύριος de *Zab* 9: 8 le Christ. La version longue en témoigne visiblement, mais le texte court peut se lire également, même sans retouches, dans une perspective chrétienne[2]. Comment les chrétiens ont dû interprétér *Zab* 9: 8 « et vous verrez le Seigneur à Jérusalem à cause de son nom », on le voit par un passage de Justin Martyr dans le *Dialogue avec Tryphon*. En interprétant *Lévitique* 16, Justin aborde la question des « deux parousies du Christ ». Dans la première parousie les juifs et leur prêtres ont porté la main sur Jésus et l'ont mis à mort dans la ville sainte. Cependant, lors de son avènement glorieux, la deuxième parousie, les juifs reconnaîtront, sur l'emplacement même de Jérusalem, Jésus, le Christ, celui qu'ils ont deshonoré :

καὶ τῆς δευτέρας δὲ αὐτοῦ παρουσίας, ὅτι ἐν τῷ αὐτῷ τόπῳ τῶν Ἰεροσολύμων ἐπιγνωσθήσεσθε αὐτὸν τὸν ἀτιμωθέντα ὑφ' ὑμῶν. (*Dial.* 40: 4).

Juda 22: 2–3. Nous avons indiqué plus haut[3] que le *Testament de Juda*

---

[1] PHILONENKO 1960 pp. 17 et 36 s. voit dans χύριος le messie, à savoir le Maître de justice réapparu. Pour ce qui est des écrits de Qumran le Maître de justice n'y est jamais qualifié de *'adōn* ou de *mār*. Le judaïsme antique n'a pas d'ailleur utilisé, d'après la documentation connue, χύριος comme titre du messie; cf. aussi VIELHAUER p. 147 ss. PHILONENKO se réfère à *Ps. Sal.* 17: 32 χριστὸς χύριος, mais nous y sommes en présence d'une retouche chrétienne de χριστὸς χυρίου. Cf. *Ps. Sal.* 18: 5 et 7 où nous rencontrons les expressions suivantes : ὑπὸ ῥάβδον παιδείας χριστοῦ αὐτοῦ et ἐν ἀνάξει χριστοῦ αὐτοῦ. Un cas analogue se trouve dans *LXX Lam.* 4: 20 où le grec χριστὸς χύριος doit rendre משיח יהוה du texte hébreu. Cf. BOUSSET 1926, p. 79, VOLZ 1934 p. 174 et DE JONGE 1960, p. 222 note. On peut même envisager une erreur du scribe, puisque on employait à l'époque ancienne la même ligature κυ pour χύριος et χυρίου. Cf. RAHLFS 1935 not. ad. *Lam.* 4: 20 et 1926 p. 21.

[2] MESSEL 1918 p. 366 et, dans une certaine mesure, DE JONGE 1960 p. 222, reconnaissent un remaniement chrétien également dans la version courte. Pour le problème compliqué, posé par l'application à Jesus du titre χύριος voir les résumés récents de CONZELMANN 1968, pp. 101–103.

[3] Voir supra p. 110 et p. 144.

21: 6–22: 3 ne présente pas la marque caractéristique des autres passages
« péchés-châtiment-restauration » des *Testaments*. Pour ce qui est de l'élément de la restauration, on doit noter que le retour des dispersés n'est
pas mentionné. La formulation de cet élément révèle également des traits
particuliers, bien que l'espérance eschatologique soit la même pour l'essentiel.
Juda 22: 2 indique d'abord que le salut viendra pour Israël. Ce salut se
fera par l'avènement de Dieu, conception qui est significative de l'élément
de la restauration des *Testaments*. On a mis en doute, cependant, l'authenticité de cette idée dans *Juda* 22: 2[1] exprimée par les mots ἕως παρουσίας τοῦ
θεοῦ τῆς δικαιοσύνης. Or, cette affirmation est nécessaire pour le contexte,
ce qui ressort d'une comparaison avec les autres péricopes de structure
analogue. La restauration y est expressément décrite comme l'œuvre
de Dieu, soit par l'annonce de son avènement[2], soit par l'indication que
c'est lui qui apporte le salut[3]. Si on élimine de *Juda* 22: 2 la conception de
l'avènement de Dieu, le texte devient exempt de toute allusion à l'intervention divine, fait entièrement contraire à la formulation du thème de
la restauration dans les *Testaments*.

Il est donc clair que l'avènement divin est un élément nécessaire à la
description du salut dans ce passage[4]. La teneur différente de cette description qui se manifeste dans les mots παρουσία et ὁ θεὸς τῆς δικαιοσύνης
s'explique par plusieurs facteurs. L'ensemble du passage 21: 6–22: 3 se
distingue des autres pericopes du même genre, ce qui a une incidence sur le
vocabulaire. On peut en outre dégager les motifs qui éclairent la formulation dans *Juda* 22: 2. La tournure « le salut d'*Israël* » est choisie en vue
de ce qui est dit dans le verset précédent : « il y aura des guerres continues
en *Israël* ». Pour ce qui est du titre ὁ θεὸς τῆς δικαιοσύνης, on se rappellera
que *Juda* 21: 1–22: 2a a été rédigé par l'auteur sous l'impression de la
situation comtemporaine, plus que ne l'ont été les passages correspondants
des *Testaments*. Pour lui, le progrès du mal, l'oppression et la persécution
des justes et des pauvres (21: 7–9) est quelque chose de vécu. Le « Dieu
de la *justice* » y mettra fin. Le mot δικαιοσύνη doit se comprendre ici dans
le sens du terme biblique *ṣᵉdāqāh* (*ṣædæq*); c'est a la fois l'aspect punissant

---

[1] BOUSSET 1900 p. 149 et BECKER 1970 p. 58 s. Ces deux critiques renvoient à
l'omission de la version arménienne. BECKER avance aussi d'autres arguments : 1° le
mot παρουσία n'est pas utilisé ailleurs dans les *Testaments* pour la venue de Dieu et ne
serait pas connu par le judaïsme dans son sens apocalyptique et « technique », indiquant
la venue de Dieu ou du messie. 2° Ce sens se retrouve dans le christianisme antique. 3°
Le titre θεὸς δικαιοσύνης n'apparaît dans les *Testaments* qu'en *Juda* 22: 2.

[2] *Lévi* 16: 5, *Juda* 23: 5, *Zab* 9: 8, *Aser* 7: 3.

[3] *Iss* 6: 4, *Zab* 9: 7, *Dan* 5: 9, *Nepht* 4: 3, *Aser* 7: 7 et *Benj* 9: 2.

[4] On doit aussi noter que le αὐτός de 22: 3 devient incompréhensible si l'on élimine
la phrase « jusqu'à l'avènement du Dieu de la justice ».

et l'aspect salvifique de la *ṣᵉdāqāh* divine que veut indiquer l'auteur par le titre ὁ θεὸς τῆς δικαιοσύνης.

Certains critiques ont reconnu dans *Juda* 22: 2–3 un remaniement chrétien plus ou moins marqué[1]. Dans le verset 2, ce seraient les tournures « jusqu'à l'avènement du Dieu de la justice » et « toutes les nations » qui en témoigneraient. Outre les considérations faites ci-dessus sur la terminologie de *Juda* 21: 6–22: 3, il faut souligner que le mot παρουσία n'a pas ici le sens « technique » qu'il a parfois dans le christianisme antique[2]. Rappelons que le texte grec est une version faite à partir d'un original sémitique. Παρουσία est donc choisi pour transcrire la notion d'un avènement quel qu'ait été le terme qu'il traduit dans l'original sémitique. La mention de « Dieu de la justice » précise le caractère divin de cet avènement. Alléguons un texte de Josèphe qui dans ses *Antiquités* montre que ce terme dans *Juda* 22: 2 s'applique également dans un contexte juif, à la venue de Dieu. Décrivant l'épiphanie de *Yahvé* au Sinaï, il rapporte que les éclairs et les foudres ἐδήλουν τήν παρουσίαν τοῦ θεοῦ (*Ant.* III: 80; cf. aussi III: 203 et IX: 55). En ce qui concerne le titre « Dieu de la justice », il faut remarquer que cette épithète divine est d'origine juive[3]. Il est par contre difficile d'en trouver des attestations dans le christianisme antique[4]. On ne peut, en effet, donner une interprétation cohérente de *Juda* 22: 2 que sur un fond juif. L'arrière-plan de *Juda* 22: 2 est, lui aussi, éclairé par les promesses de restauration, faites par les anciens prophètes d'Israël[5] :

Juda 22: 2b « jusqu'a ce que vienne le salut (τὸ σωτήριον) pour Israel, jusqu'à la venue du Dieu de la	*Jér.* 23: 6a (cf. 33: 15 s.) « En son temps, Juda sera sauvé et Israël habitera dans la sécurité (לבטח),

---

[1] BOUSSET 1900 p. 149 JERVELL 1969 p. 42 et BECKER 1970 p. 58 s.; DE JONGE 1953 p. 91 pousse le plus décidément l'interprétation chrétienne. Mettant la prêtrise de Lévi en parallèle avec la royauté de Juda, le compilateur des *Testaments* aurait pensé que l'une et l'autre seraient vouées à la disparition, mais que le Christ aurait assumé en sa personne les deux ministères. Cette idée serait exprimée, pour la prêtrise, en *Lévi* 18: 1 et, pour la royauté, ici en *Juda* 22. La promesse faite à Juda au v. 3 confirmerait ainsi l'éternité de la royauté du Christ.

[2] On doit noter que le sens « technique » de παρουσία dans le christianisme est limité à l'avènement de Jésus à la fin des temps; sous l'influence de cet emploi, une fois aussi sur la venue de l'Anti-Christ (*2 Thess.* 2: 9). Le mot παρουσία se trouve sans signification « technique » dans le sens « venue », « présence » en *1 Cor.* 16: 17, *2 Cor.* 7: 6, *Phil.* 1: 26, 2: 12. Dans la *Septante : Jud.* 10: 18, *2 Macc.* 8: 12, 15: 21, *3 Macc.* 3: 17.

[3] Voir *Ps.* 4: 2, *Tob.* 13: 7, *1 Q M* fr. 7: 8, *Ps. Sal* 8: 26. *1 Hén.* 90: 40 et 106: 3. Ces passages sont signalés par BECKER 1970 p. 58. Il faut ajouter *Jub.* 25: 15 et 21.

[4] Ce fait est admis par BECKER 1970 p. 58 n. 9. En renvoyant à DEICHGRÄBER 1967, il cite comme seul exemple la *lettre de Ptolémée à Flore*.

[5] D'autres passages bibliques qu'il faut rapprocher de *Juda* 22: 2 sont *2 Sam* 7: 10 s., *Lév.* 26: 5 s. *Is.* 56: 1 *Jér.* 32: 37 et 33: 6 s., *Ez.* 34: 27 s.

justice pour faire habiter Jacob dans la sécurité et dans la paix, ainsi que toutes les nations ». et voici le nom dont on l'appellera « *Yahvé*-notre salut (צדקנו) ».

Jér. 30: 10b–11a (cf. 46: 27 s.) « et Jacob retournera et il habitera en sécurité et en tranquillité, (ושקט ושאנן) et il n'y aura personne pour le troubler; car moi, je serai avec toi, dit *Yahvé*, pour te sauver ».

Is. 32: 17–18 : « et l'œuvre de la justice (צדקה) sera la paix (שלום) et le fruit de la justice sera la tranquillité et la sécurité pour toujours, et mon peuple habitera dans le séjour de la paix et dans des habitations sûres et des asiles tranquilles ».

Juda 22: 2 prolonge, pour la formulation et le contenu, les lignes des promesses de restauration, trouvées chez les prophètes de la Bible. Les passages cités apportent aussi un témoignage supplémentaire pour ce qui est de la fonction et de l'importance du titre « Dieu de la justice » dans *Juda* 22: 2.

La mention du salut des nations, faite dans ce contexte, exprime sans doute la conviction de l'auteur[1]. L'universalisme est bien enraciné dans les *Testaments*. Nous l'avons trouvé dans *Benj* 9: 2 dans le cadre « péchés-châtiment-restauration ». Les promesses bibliques de restauration pour Israël concernent parfois également les nations. *Isaïe* 49: 6, 51: 4 ss. et *Jérémie* 12: 14 ss. en sont des exemples significatifs.

La description de la restauration dans *Juda* 22 se termine par un oracle sur la pérennité de la royauté davidique. On a considéré ce verset comme une pièce indépendante[2] ou comme le résultat d'une rédaction chrétienne[3]. Toutefois, une analyse approfondie du passage et de son contexte montre que ce verset est parfaitement à sa place comme conclusion de la section *Juda* 21–22. Dès le début en 21: 1–5, la pointe anti-hasmonéenne est apparente et la royauté est réclamée pour Juda–David. La polémique à l'endroit des Hasmonéens se poursuit dans les vv. 6–9. Dans 22: 2a, on fait à nouveau allusion à l'usurpation de la royauté par les Hasmonéens. Une réaffirmation divine de l'élection et de la pérennité de la royauté davidique est donc naturel dans ce contexte de restauration. De plus, *Jérémie* 23:3–6, 30: 8–10

---

[1] BOUSSET 1900 p. 149. CHARLES 1908 comm. p. 92, JERVELL 1969 p. 42 et BECKER 1970 p. 58 regardent cette mention comme une interpolation chrétienne.

[2] BECKER 1970 p. 317.

[3] DE JONGE 1953 p. 91.

et 33: 15–17, qui sont au nombre des passages bibliques, cités plus haut pour avoir influencé la formulation de *Juda* 22: 2 s. font aussi allusion à l'apparition d'un davidide futur et à la pérennité de la royauté davidique.

Cette promesse de *Juda* 22: 3 sur la pérennité de la dynastie davidique continue la tradition des anciens oracles attestés dans la Bible[1], mais les parallèles les plus proches se retrouvent dans les *Psaumes de Salomon* et dans les écrits de Qumran. Ces textes confirment notre interprétation du rôle que joue la promesse dynastique dans le *Testament de Juda* 21–22. L'actualisation des anciens oracles sur la monarchie davidique dans les *Psaumes de Salomon* et les écrits de Qumran est clairement en rapport étroit avec une polémique anti-hasmonéenne. Le *Psaume de Salomon* 17 signale dès le début (v. 4) le thème central, qui est l'espérance messianique: « Toi, Seigneur, tu as choisi David comme roi sur Israël et tu lui as juré, quant à sa postérité, pour l'éternité, que sa royauté ne s'éteindrait pas devant toi. »
Voici la formulation grecque des deux dernières lignes :

καὶ σὺ ὤμοσας αὐτῷ περὶ τοῦ σπέρματος αὐτοῦ εἰς τὸν αἰῶνα τοῦ μὴ ἐκλείπειν ἀπέναντί σου βασίλειον αὐτοῦ.

La suite, vv. 5–9, révèle que cet idéal n'est pas réalisé. Des hommes impies ont usurpé et dévasté le trône de David. Tout ce passage est une polémique vigoreuse contre les Hasmonéens[2].

Pour ce qui est des écrits de Qumran, l'attitude hostile contre les Hasmonéens[3] explique très bien l'introduction d'une promesse en faveur de la royauté davidique dans la paraphrase de *Genèse* 49: 10 (*4 Q Patriarchal Blessings*):

עד בוא משיח הצדק צמח דויד כי לו ולזרעו נתנה ברית מלכות עמו עד דורות עולם·
« jusqu'à ce que vienne le messie de justice, le germe de David, car à lui et à sa postérité a été donnée l'alliance de la royauté de son peuple jusqu'aux générations de l'éternité. »

Si l'on compare les formulations de la promesse sur la pérennité de la monarchie de David, on constate que le *Psaume de Salomon*, le *Testament de Juda* et le fragment qumranien présentent la promesse dynastique de façon différente. Le fragment qumranien rattache explicitement la promesse dynastique à l'avènement du messie. La formulation du texte qumranien est un excellent parallèle à *Juda* 22: 2.

---

[1] *Gen.* 49: 10, *2 Sam.* 7: 16, *Ps.* 89: 4 s. et 132: 11.

[2] Cf. aussi *Ps. Sal.* 8: 11.

[3] Voir pour cette attitude supra pp. 127–130.

4 Q Patr. Bless « jusqu'à ce que vienne le messie de justice … »
Juda 22: 2 « jusqu'à l'avènement du Dieu de justice … »

Après cette affirmation, vient dans les deux textes la promesse sur la pérennité de la lignée davidique. De même, dans le *Psaume de Salomon* 17, le rôle du messie est développé et décrit en détail, même si l'on souligne en même temps sa subordination par rapport à Dieu. Le *Ps. Sal.* 17 s'ouvre et s'achève sur une formule qui met en relief la royauté suprême de *Yahvé* : « Toi-même, tu es notre roi pour l'éternité et à jamais » (v. 1) et « le Seigneur est notre roi pour l'éternité et à jamais » (v. 46). Ce n'est que Dieu qui est appelé « sauveur » (v. 3) et lui seul détermine l'intervention du davidide futur (v. 21). C'est dans cette ligne théologique que s'inscrit *Juda* 22: 2–3, mais de façon plus nette. Comme dans tous les passages du même genre dans les *Testaments*, l'intérêt est porté sur l'intervention de Dieu lui-même. Toutefois, en réunissant la promesse sur la pérennité de la royauté davidique et la description du salut, l'auteur montre que, lors de la restauration future d'Israël, il y aura un roi davidique. Conformément à la conviction que Dieu seul est l'agent du salut, l'auteur ne tient pas à préciser ici le rôle de ce davidide futur.

Traits caractéristiques de l'eschatologie des péricopes « péchés-châtiment-restauration »

En dépit de certaines variantes dans la formulation des passages de la restauration, il est possible de dégager des thèmes communs.

Dans nombre de passages « péchés-châtiment-restauration » on trouve l'idée que la repentance est nécessaire au salut divin. Ce sont *Juda* 23: 5, *Iss* 6: 3, *Zab* 9: 7, *Dan* 5: 9, et *Nepht* 4: 3. Il est difficile d'expliquer l'absence d'un élément analogue dans les passages « péchés-châtiment-restauration » de *Lévi* 14–15 et 16[1], *Nepht* 4: 4–5, *Aser* 7: 1–3 et 5–7 et *Benj* 9: 1–2[2]. L'absence de l'idée d'une repentance, préalable au salut, dans des passages essentiels « péchés-châtiment-restauration » interdit de considérer ce thème comme un élément constitutif des péricopes qui nous occupent[3]. Remarquons que dans les *Testaments* le rôle de la repentance, dans le contexte de la restauration, est tout à fait conforme à la théologie deutéronomiste[4] et à la prédication des prophètes[5].

---

[1] *Lévi* 10: 2–4 n'est pas complet et contient seulement les éléments de « péchés » et du « châtiment ».

[2] L'absence du thème de la repentance dans *Juda* 21: 7–22: 3 s'explique sans doute par le caractère différent que présente cette péricope vis-à-vis des autres passages « péchés-châtiment-restauration ».

[3] Cf. aussi les remarques de BECKER 1970 p. 176.

[4] Voir p. ex. *Deut.* 4: 30, 30: 2, *1 Rois* 8: 33, 47 s.   [5] Voir p. ex. *Ez.* 18: 32.

La miséricorde et la fidélité de Dieu

C'est là un thème dont l'empreinte sur l'eschatologie des péricopes « péchés-châtiment-restauration » est apparente. (*Lévi* 16: 5, *Juda* 23: 5, *Iss* 6: 4, *Zab* 9: 7, *Dan* 5: 9, *Nepht* 4: 3 et *Aser* 7: 7.) L'idée de la miséricorde et de la fidélité divines n'est jamais donnée dans une forme stéréotypée. L'auteur s'est appliqué à éviter ici toute monotonie. Il est clair que les mots grecs qu'il utilise doivent être compris à la lumière des termes hébreux analogues. Il s'agit tout d'abord dans le contexte de la restauration du *ḥæsæd* divin, indiqué par ἔλεος (*Juda* 23: 5, *Nepht* 4: 3), ἐλεήμων (*Iss* 6: 4, *Zab* 9: 7) ou ἐλεηθήσεσθε (*Dan* 5: 9). La qualité du *ḥæsæd* divin « fidélité », « grâce » peut être traduite aussi comme *raḥªmīm* « miséricorde »: οἰκτειρήσας (*Lévi* 16: 5) et εὔσπλαγχνος (*Zab* 9: 7). Dans *Aser* 7: 7 εὐσπλαγχνία a plutôt le sens de *ḥæsæd*[1]. L'accent mis sur la fidélité et la miséricorde de Dieu dans la description de la restauration, s'explique par le fait que les *Testaments* prolongent, en particulier dans le contexte « péchés-châtiment-restauration », les lignes bibliques. Les textes de la Bible, qui sont composés sous l'influence de l'idée « péchés-châtiment-restauration » soulignent volontiers que ce sont la miséricorde et la fidélité de Dieu, qui apportent la restauration. Prenons comme exemples *Deut.* 4: 31 et 30: 3, *Is.* 54: 6–10, *Jér.* 3: 12, 31: 3 et 33: 26 et *Ps.* 106: 45. Il en est de même pour certains textes « péchés-châtiment-restauration » dans la littérature juive des IIe et I[e] siècles av. J.-C. : *Tobit* 13: 5 et 10, 14: 5, *Ps. Sal.* 8: 27, 9: 8 et 11: 1.

La formulation des *Testaments* rappelle parfois de façon frappante celle des traditions bibliques. *Nepht* 4: 3 κατὰ τὸ πολὺ αὐτοῦ ἔλεος correspond ainsi à כרב חסדיו dans *Isaïe* 63: 7, qui se trouve dans un contexte analogue au thème « péchés-châtiment-restauration ».

Le retour des dispersés

Nous avons vu que, dans la description du châtiment, le thème le plus fréquent est celui de l'exil, de la dispersion et de la captivité parmi les nations. De même, dans la description de la restauration, c'est le retour des dispersés et des captifs, qui forme le thème tout à fait dominant. La correspondance entre châtiment et restauration est donc établie sur ce point. Les deux passages, qui ne font pas mention du châtiment de la dispersion et de la captivité, n'indiquent pas non plus le retour des dispersés lors de la restauration (*Juda* 21: 6–22: 3 et *Benj* 9: 1–2)[2].

---

[1] Cf. supra p. 151.

[2] Dans *Benj* 9: 2, il est cependant probable que l'auteur ait pensé sur un rassemblement aussi des dispersés. Mais cette idée n'est pas explicite dans la teneur du texte.

Cette insistance sur le retour des dispersés, élément essentiel de la restauration future, est le prolongement des promesses de restauration dans les milieux deutéronomistes et prophétiques d'Israël. Le retour ou le rassemblement des dispersés et des captifs au pays d'Israël ou à Sion est un élément constitutif du cadre « péchés-châtiment-restauration » dans la Bible[1].

Ce thème se retrouve également comme un élément important des espérances eschatologiques dans des écrits plus ou moins contemporains des *Testaments des Douze Patriarches*[2]. Comme dans les traditions bibliques, le rassemblement des dispersés joue un rôle central dans les passages, qui appartiennent au contexte « péchés-châtiment-restauration »[3]. Mais le thème du retour des dispersés revient aussi dans des passages où ce contexte n'est pas explicite[4].

L'intervention divine

Les péricopes « péchés-châtiment-restauration » tiennent à souligner que c'est Dieu lui-même qui intervient pour amener le salut. Cette intervention divine peut être indiquée par une formulation qui met en relief le fait que c'est toujours Dieu qui agit. « *Il vous ramènera* » (*Zab* 9: 7, *Nepht* 4: 3 cf. aussi *Iss* 6: 4) ou « *il vous conduira* à son sanctuaire et *il vous donnera* la paix » (*Dan* 5: 9). Ces formulations font allusion à la venue ou à l'apparition de la Divinité, qui est en d'autres passages clairement énoncée. Selon *Zab* 9: 8 le Seigneur se manifestera à Jérusalem et *Juda* 22: 2 annonce l'avènement personnel de Dieu. En trois passages l'intervention divine est indiquée par le mot ἐπισκέψεται (*Lévi* 16: 5, *Juda* 23: 5 et *Aser* 7: 3). Même dans les cas où ἐπισκέπτομαι signifie « visiter » et où c'est Dieu qui en est le sujet, ce verbe n'implique pas nécessairement un avènement de Dieu[5]. Toutefois, la formulation d'*Aser* 7: 3 ἐπισκέψεται τὴν γῆν suivi des mots καὶ αὐτὸς ἐλθών montre qu'il y est question d'une venue de Dieu. Il en

---

[1] *Deut.* 30: 3 s., *1 Rois* 8: 34, *Is.* 11: 11 s., 27: 12 s., 43: 5–7, 49: 6 et 9 ss., 60: 4 ss., *Jér.* 4: 1, 16: 15, 23: 8, 24: 6, 27: 22, 29: 14, 30: 3 et 10, 31: 8–10 et 16 s., 32: 37 et 42: 12, *Ez.* 11: 17 s., 20: 41 s., 34: 11–13, 36: 24, 37: 21 et 23, 39: 27 s., *Mich.* 4: 6 s., *Zach.* 10: 6–10.

[2] Cf. à ce sujet BOUSSET-GRESSMANN p. 236 s.

[3] *Bar.* 4: 36 s. et 5: 5–9, *Tobit* 13: 5 et 14: 5, *Ps. Sal.* 8: 28 et 17: 26 et 31, *Jub.* 1: 15, *1 Hén.* 90: 30 et 33.

[4] *Ps. Sal.* 11, *Sir.* 36: 10, *2 Macc.* 2: 18.

[5] L'emploi de ἐπισκέπτομαι au sens vague de « visiter » dans des textes juifs ne se comprend pas à moins qu'on ne l'envisage dans les fonctions qu'a le verbe *pāqad* dans la Bible. *Pāqad*, dans son aspect positif, est souvent traduit par « visiter »; le sens original en est cependant : « se rappeler », « prendre soin à, » « exaucer », « penser à, » cf. GEHMAN p. 200. Dans son aspect négatif, *pāqad* = « visiter » est souvent un synonyme de « punir ». Une venue personelle de Dieu ne doit pas être présupposée dans ces cas.

est de même, de toute évidence, pour *Lévi* 16: 5 et *Juda* 23: 5, car ἐπισκέψεται doit être interprêté à partir d'*Aser* 7: 3 et du thème de la « restauration ».

L'avènement de Dieu dans les *Testaments des Douze Patriarches* et son arrière-plan dans les traditions israélites et juives

L'insistance, mise sur la venue personelle de la Divinité dans les *Testaments* pourrait provenir d'un remaniement chrétien, si cette conception n'était pas clairement enracinée dans les traditions d'Israël. Il est important d'étudier cet arrière-plan pour comprendre l'idée de l'avènement eschatologique de Dieu dans les *Testaments*.

Les Testaments des Douze Patriarches

Notons d'abord que cette idée ne se retrouve pas seulement dans les passages « péchés-châtiment-restauration » des *Testaments*. Elle est transmise deux fois dans le contexte d'une bénédiction sur la tribu de Lévi, sous la forme d'une proposition introduite par « jusqu'à ce que … », qui caractérise également les promesses de restauration dans *Lévi* 16: 5, *Juda* 22: 2 et 23: 5, *Nepht* 4: 5 et *Aser* 7: 3. Voici les deux passages, où le thème de la venue de Dieu constitue l'affirmation finale d'une bénédiction :

Lévi 4: 4

« et une bénédiction sera donnée à toi et à toute ta postérité jusqu'à ce que le Seigneur visite (ἐπισκέψεται) toutes les nations par la miséricorde de son fils pour l'éternité. »

Lévi 5: 2

« et il (Dieu) me dit: Lévi, je t'ai donné les bénédictions du sacerdoce jusqu'à ce je vienne habiter (ἐλθὼν κατοικήσω) au milieu d'Israël. »

Le premier texte (4: 4) a évidemment subi un remaniement chrétien. Le parallélisme de 5: 2 montre cependant que l'idée d'une visite du Seigneur a fait partie du texte primitif[1].

Le chapitre six du *Testament de Siméon* contient une petite apocalypse[2], dont l'acte final est introduit par une apparition de Dieu sur la terre :

« Alors, Sem sera glorifié car le Seigneur Dieu, le Grand d'Israël se manifestera (φαινόμενος) sur terre comme un homme, et sauvant par lui les hommes » (6: 5).

---

[1] La mention de la visite de Dieu en *Lévi* 4: 4 est considérée comme secondaire par BOUSSET 1900 p. 164, DE JONGE 1960 p. 223 et BECKER 1970 p. 264. CHARLES 1908 comm. p. 31 renvoie à juste titre à *Lévi* 5: 2 comme argument pour l'originalité de 4: 4a.

[2] Voir infra p. 247 ss.

Une main chrétienne a visiblement retouché le texte, mais il n'y a pas lieu de douter de l'existence d'une apparition de Dieu, dans la version juive.

Enfin, dans le *Testament de Dan*, la section eschatologique de 5: 10–13 est terminée par l'affirmation que Dieu vivra au milieu des hommes :

> « et Jérusalem ne supportera plus la dévastation et Israël ne sera plus dans la captivité, car le Seigneur sera au milieu d'elle vivant (συναναστρεφόμενος) avec les hommes » (5: 13).

Le fond du verset 13 semble avoir constitué à l'origine la suite de la description de la restauration dans 5: 9[1]. Le texte se comprend, comme nous le verrons, parfaitement dans une perspective juive.

Remarquons que tous les passages discutés ci-dessus appartiennent à l'ouvrage primitif.

Les traditions bibliques

En abordant l'arrière-plan biblique, il sera utile de distinguer les différents contextes, où la conception d'une venue divine se trouve attestée. Par là se précisera le caractère de cette idée dans ses différentes représentations. On jugera plus sûrement aussi de l'influence qu'a exercé la tradition biblique sur les *Testaments*.

Il faut d'abord écarter de la discussion les théophanies et les interventions de *Yahvé* qui ont eu lieu dans le passé. Les passages où la « visite » divine est attendue ne peuvent, eux aussi, entrer en ligne de compte[2], à moins que les termes פקד ou פקודה ne soient rattachés à une venue personnelle de Dieu. Comme toute restauration future est considérée comme l'œuvre de *Yahvé*, les passages qui nous occuperont seront ceux où l'intervention divine se conclut par une théophanie.

La venue de Dieu dans le contexte du « Jour de Yahvé ». C'est d'abord dans ce contexte que l'avènement de Dieu joue un rôle central[3]. Certes, ce thème paraît impliquer une venue de la Divinité, mais celle-ci n'est pas toujours indiquée dans le texte. On trouvera cependant assez d'exemples pour confirmer que la venue de Dieu est au centre de l'idée du « Jour de Yahvé ».

Dans *Isaïe* 2: 10–22 les allusions à une apparition personelle de *Yahvé* sont indéniables. Il est dit que les hommes se cacheront dans les rochers

---

[1] Voir à ce sujet supra p. 149.

[2] Voir note 5 ci-dessus page 173.

[3] Pour l'origine et l'interprétation de cette conception, voir *Lindblom* 1962 pp. 316–318, von Rad 1962, II pp. 133–137.

175

et sous la terre devant l'apparition terrifiante et lumineuse de *Yahvé*. Le passage central (v. 19) l'annonce ainsi :

> « On entrera dans les cavernes des rochers et dans les cavités de la terre devant la terreur (פחד) de *Yahvé* et devant l'éclat de sa majesté (הדר גאונו) quand il se lèvera (בקומו) pour faire trembler la terre. »

La description du « Jour de *Yahvé* » au chapitre 13 commence par énoncer la théophanie :

> « Ils viennent d'un pays lointain et de l'extrémité du ciel, *Yahvé* et les instruments de sa colère » (v. 5).

Isaïe 66: 15 annonce clairement la venue de *Yahvé* et de son armée : « Car voici, *Yahvé* viendra dans le feu et ses chars seront comme un tourbillon. »

Le *livre de Sophonie* présente dans 1: 12 ss. une image concrète de l'apparition divine à ce « jour de ténèbres » (v. 15). *Yahvé* fouillera Jérusalem à la lumière de flambeaux pour visiter (*pāqad*) les hommes qui ne s'occupent plus de lui. Ici *pāqad* doit être pris dans un sens qui implique une venue personelle. La description du « Jour de *Yahvé* » dans *Joël* 2: 1–11 culmine dans les mots suivants : « et *Yahvé* fait entendre sa voix devant son armée, car sa troupe est immense » (v. 11 a). Cette image présuppose, elle aussi, une présence réelle de la Divinité : *Yahvé* marchera à la tête d'armée pour exercer le châtiment.

Le *livre de Zacharie* 14: 3–4 donne peut-être l'image la plus explicite de l'apparition divine dans le contexte qui nous occupe ici. *Yahvé* descend sur le mont des Oliviers[1] de façon à être tourné vers Jérusalem. La montagne se fendra par le milieu sous le poids de Dieu. Il faut situer également la théophanie conservée au chapitre 3 du *livre d'Habacuc* dans le contexte du « Jour de *Yahvé* ». Dieu se manifeste (עמד) et fait trembler la terre (v. 6). Il est décrit dans la suite comme un véritable Dieu guerrier, qui brise la résistance de ses ennemis. Bien qu'il soit indiqué que *Yahvé* « sort » pour sauver son peuple (v. 13), la description de sa venue ne concerne réellement que ses adversaires.

Ce qui caractérise ces apparitions, c'est qu'elles amènent le châtiment et le jugement. Selon les prophètes, même les Israélites seront frappés. L'avènement de Dieu est donc dans le contexte du « Jour de *Yahvé* », dominé par un aspect négatif. Dans les cas, où des oracles de salut se trouvent juxtaposés à cette description du « Jour de *Yahvé* » (*Is.* 66: 18 ss.,

---

[1] Voici le début du texte hébreu du v. 4 : ועמדו רגליו ביום ההוא על הר הזיתים.

Joël 2: 12–14, *Zach.* 14: 8 ss.), il semble que les rédacteurs aient voulu corriger par là cet aspect négatif. Quoi qu'il en soit, le but immédiat de l'apparition de *Yahvé* en son « jour » est incontestablement de punir et de juger.

La venue de Dieu dans le contexte des promesses de restauration. L'idée de l'avènement de Dieu qui est présentée dans les promesses de restauration, annoncées par les prophètes, a un caractère différent. L'apparition de *Yahvé* n' a pas pour but de châtier mais de sauver. On peut distinguer deux formes différentes de traditions. D'abord celle qui est représentée par le *Deutéro-Isaïe*, et qui est centrée sur le retour de *Yahvé* à Jérusalem accompagnant les *b^enē Yiśrā'el*, délivrés de la captivité. On s'imagine ce retour comme une procession triomphale, dont Dieu est le roi (52: 7). Un cri se répand : préparez le chemin de *Yahvé* (40: 3). Son *kābōd* se manifestera pour tous les hommes (40: 5). Dieu viendra dans toute sa puissance et révélera son bras (40: 10 et 52: 10). Les veilleurs de Jérusalem verront de leurs yeux *Yahvé* quand il s'approchera de Sion (52: 8)[1]. *Yahvé* marchera à la tête de la colonne de ceux qui retournent en les protégeant (52: 12)[2]. Il faut rattacher à cette tradition également le chapitre 35 du *livre d'Isaïe*. On y retrouve l'idée d'un chemin préparé dans le désert verdoyant où le peuple sauvé revient à Sion (vv. 8–10), mais sans qu'il soit dit expressément que *Yahvé* conduira la marche vers Jérusalem.

Les images d'une venue personelle de *Yahvé* sont vivantes et concrètes, dans la forme où cette tradition est conservée par le *Deutéro-Isaïe*. Tout comme, autrefois, *Yahvé* a accompagné les Israélites dans le désert par la colonne de feu ou de nuage (*Ex.* 13: 21 s., *Nombr.* 14: 14), il conduira maintenant en personne les *b^enē Yiśrā'el* retournant de l'exil.

Cette forme de la tradition sur l'avènement de Dieu se retrouve, moins explicite, aussi en *Trito-Isaïe* chap. 60 (et 62: 10 s). *Yahvé* est ici représenté par son *kābōd* qui va se lever sur Jérusalem (60: 1–2). La ville sera illuminée (vv. 1 et 5) et les dispersés reviendront (v. 4). Cependant, il n'est pas dit que c'est Dieu lui-même qui les conduira, comme dans le *Deutéro-Isaïe*. Une croissance extraordinaire du peuple suivra (v. 22). Désormais, *Yahvé* lui-même sera présent à Jérusalem par son *kābōd* brillant :

« car *Yahvé* sera pour toi la lumière de toujours (לאור עולם) (v. 20 b).

L'autre forme, prise par la tradition, se trouve dans les *livres d'Ezéchiel*, de *Zacharie* 1–8 et de *Joël*[3]. Elle revêt des formulations différentes. Toutefois, l'apparition divine est toujours plus ou moins explicitement liée au Temple.

---

[1] Voici le texte hébreu de 52: 8b : כי עין בעין יראו בשוב יהוה ציון.

[2] La présence de *Yahvé* est ainsi decrite : כי הלך לפניכם יהוה. Cf. aussi *Is.* 58: 8 ss.

[3] On peut situer dans cette forme également *Sophonie* 3: 15 ss.

Les promesses de salut trouvent leur accomplissement dernier dans l'avènement de Dieu; le rassemblement des dispersés et les autres moments de la
restauration ont déjà eu lieu.

Le rapport avec le Temple est particulièrement net dans *Ezéchiel* 37: 26–28
et dans *Zacharie* 1: 16. *Yahvé* établira son sanctuaire pour l'éternité au
milieu du peuple d'Israël (*Ez.* 37: 26 b) et le texte continue « et ma demeure
(*miškān*) sera parmi eux » (v. 27 a). La promesse se termine (v. 28) par la
même affirmation que dans le v. 26 b. Dans *Zach.* 1: 16, il est dit que *Yahvé*
retournera à Jérusalem et que sa maison y sera construite. Il est caractéristique que la présence divine dans les textes qui nous occupent, est souvent
exprimée par le mot *šākan* « habiter », ce qui fait allusion à l'habitation
de Dieu dans le Temple de Jérusalem. C'est ainsi que l'espérance de l'avènement de *Yahvé* s'annonce dans deux autres passages de *Zacharie :*

> « Pousse des cris d'allégresse et réjouis-toi, fille de Sion, car voici
> que je viens pour habiter (הנני בא ושכנתי) au milieu de toi, dit *Yahvé.* »
> (v. 2: 14)

> « Ainsi parle *Yahvé* : je retourne à Sion et je veux habiter (שכנתי)
> au milieu de Jérusalem » (8: 3)

Il en est de même pour le *livre de Joël* dont les promesses de salut soulignent la présence divine :

> « Et vous saurez que je suis, *Yahvé*, votre Dieu, qui réside (שכן) à
> Sion, ma sainte montagne. » (4: 17 a)
> « Et vous saurez que c'est moi qui suis au milieu (בקרב) d'Israël, *Yahvé*,
> qui est votre Dieu, et qu'il n'y en a point d'autre. » (2: 27)

Le livret se termine par l'affirmation que *Yahvé* habitera à Sion :
ויהוה שכן בציון.

Le fait que *Yahvé* viendra pour habiter à Jérusalem et dans son Temple,
s'énonce aussi par une formulation où la venue divine est associée au *kābōd*
de *Yahvé*. Le *kābōd* est une manifestation de Dieu, et cette notion fut surtout transmise dans des milieux sacerdotaux[1]. On la trouve pour indiquer
l'apparition future de Dieu dans *Ez.* 43: 1 ss. et dans *Zach.* 2: 9. À ceux
qui veulent ériger une muraille autour de Jérusalem, Zacharie répond que
Yahvé va protéger lui-même la ville par sa présence :

> « Moi, je serai pour elle une muraille de feu tout autour, dit *Yahvé*,
> et je serai un *kābōd* au milieu d'elle. »[2] (2: 9)

---

[1] Cf. Ringgren 1963 B p. 80.

[2] C'est ainsi que nous traduisons le texte hébreu ואני אהיה לה נאם יהוה חומת אש סביב
ולכבוד אהיה בתוכה·

Ezéchiel, dans sa vision sur le nouveau Temple (40–44), voit comment le *kābōd* de *Yahvé* s'avance du chemin de l'Est, accompagné par un bruit fort et par un phénomène lumineux (43: 2). Le *kābōd* entre dans le sactuaire (v. 4 s.). Le prophète entend une voix, qui communique un oracle de *Yahvé* :

> « ô, fils de l'homme, tu vois le lieu de mon trône et le lieu où je poserai la plante de mes pieds, où j'habiterai (אשכן) éternellement au milieu des enfants d'Israël? » (v. 7 a)

Dans ce passage, les thèmes du *kābōd*[1] et de la demeure de *Yahvé* au milieu d'Israël sont intimément liés l'un à l'autre.

Ezéchiel utilise encore une formulation pour annoncer l'apparition future de *Yahvé*. La promesse de restauration dans 39: 25–29 s'achève ainsi :

> « Et je ne leur cacherai plus ma Face (פני), pour que je puisse répandre mon esprit sur la maison d'Israël, dit le Seigneur *Yahvé* » (v. 29)

Le *pānīm* est ici certainement une manifestation réélle de *Yahvé*, comme il l'est dans certains passages de l'*Ancien Testament*[2].

Si nous envisageons l'idée de la venue de Dieu dans le cadre des promesses de restauration, une question se pose. Comment a-t-on compris les rapports entre l'avènement future de *Yahvé* et la conception qu'il a depuis longtemps sa demeure en Sion? Cette conception est, on le sait, bien enracinée dans les traditions d'Israël et se fonde sur le fait que le sanctuaire de *Yahvé* est à Jérusalem (*Ex.* 25: 8, *Deut.* 12: 5, *Ps.* 74: 2 et 135: 21, *1 Chron.* 23: 25 et *Is.* 8: 18). Deux réponses peuvent être prises en considération. On a pu penser que la présence de *Yahvé* dans son Temple n'était pas totale mais fragmentaire. Le Dieu d'Israël et de l'univers ne peut être complètement enfermé dans un sanctuaire. Selon une conception répandue dans le Proche-Orient ancien, le temple est le lieu où la présence divine devient matériellement sensible. *Yahvé* demeure donc dans le sanctuaire de Jérusalem sans qu'il soit question d'une présence totale. Celle-ci ne se réalisera que lors de son apparition future dans l'Israël restauré. Cette interprétation rendrait bien compte des passages où il est fait mention de l'avènement de *Yahvé* et de son habitation au milieu d'Israël. Il y a cependant des indications qui font apparaître encore un aspect de la question.

Aux deux passages d'*Ezéchiel* qui parlent de l'apparition future du *kābōd* et du *pānīm* de *Yahvé* (43: 1 ss. et 39: 29) correspondent évidem-

---

[1] La manifestation du *kābōd* de *Yahvé* est aussi indiquée en 39: 21, mais c'est pour juger les nations.

[2] Notons en particulier *Ex.* 33: 14, *Deut* 4: 37; sur sette manifestation de *Yahvé*, voir RINGGREN 1963 B p. 79 s.

ment les affirmations du même livre aux termes desquelles *Yahvé* a abandonné Israël et le Temple. Dans 11: 23, le prophète voit que le *kābōd* du Dieu d'Israël s'élève du santuaire et quitte la ville vers l'Est. Le contexte montre que cela est une conséquence des péchés, commis par les Israélites. De même, dans 7: 22, *Yahvé* dit qu'il va détourner sa Face והסבתי פני מהם du peuple à cause de l'injustice qui est commise dans le pays (v. 23). Une perspective analogue est indiquée par la formulation que revêt le thème de l'apparition future de *Yahvé* dans *Zacharie* 1–8 et dans le *Deutéro-Isaïe*. On doit préparer la voie pour le retour du *kābōd* de *Yahvé* (*Is.* 40: 3). Les veilleurs verront *Yahvé* retourner à Sion (*Is.* 52: 8). Si les *b°nē Yiśrā'el* se repentent (שובו אלי), *Yahvé* retournera à eux (אשוב אלהם), (*Zach.* 1: 3; de même v. 16). D'après *Zach.* 8: 3, *Yahvé* retournera à Sion pour habiter au milieu de Jérusalem. Mentionnons également *Joël* 2: 14 : « Qui sait qu'il (Dieu) ne reviendra pas. » L'insistance sur le fait que *Yahvé* retournera à Jérusalem révèle que l'on pense qu'il n'y est plus présent. L'idée exprimée par Ezéchiel est donc implicitement sous-jacente également dans le *Deutéro-Isaïe*, dans *Zacharie* 1–8 et dans *Joël*. La présence d'une idée de Dieu venant habiter à Jérusalem ou en Israël n'est pas fortuite chez ces prophètes. L'arrière-plan de leur prédication est la catastrophe de 587. La chute du royaume de Juda et la destruction du Temple sont interprétées comme un châtiment divin pour les transgressions du peuple. Sur ce fond, on comprend que ces prophètes, issus d'un milieu sacerdotal, aient éprouvé une difficulté à maintenir la présence de *Yahvé* dans Sion et en Israël. D'autre part, ils apparaissent dans une époque où le second Temple n'est pas encore construit. Tout porte donc à croire que la tradition de l'avènement de Dieu pour habiter à Jérusalem dans le *Deutéro-Isaïe*, *Zacharie* 1–8, *Ezéchiel* et *Joël*[1] est en rapport étroit avec l'idée que *Yahvé* ne se manifeste plus en ce lieu.

Enfin, on trouve encore un contexte particulier où le thème de l'avènement divin est mentionné. Ce sont les formules de malédiction et de bénédiction de *Lévitique* 26, enracineés dans un rituel d'Alliance. Les versets 11–12 garantissent la présence de *Yahvé* à condition que le peuple garde toutes ses prescriptions et commandements :

> « Et j'établirai ma demeure (משכני) au milieu de vous et mon âme ne vous aura pas en horreur, je marcherai (התהלכתי) au milieu de vous, et je serai votre Dieu et vous serez mon peuple. »

---

[1] On aura dans cette perspective un critère supplémentaire pour situer la rédaction du *livre de Joël* dans le temps après la chute de Jérusalem en 587 mais avant la reconstruction du Temple à la fin de ce siècle.

Les traditions post-bibliques

Le thème de l'avènement de Dieu s'est conservé comme une tradition vivante tout au long de l'époque post-exilique. La description de l'apparition de Dieu sur le mont des Oliviers dans *Zach.* 14: 4 ss. ne doit pas avoir été rédigée longtemps avant le premier livre du corpus hénochique (*1 Hén.* 1–36)[1], qui s'ouvre sur une théophanie où Dieu descend sur la terre (1: 3–9). Les différentes formes de traditions dans lesquelles s'est transmise, dans la Bible, l'idée de la venue de Dieu se sont perpétuées également dans les écrits postérieurs, mais avec certaines modifications.

1 *Hénoch* 1: 3–9 prolonge clairement les lignes de la conception du « Jour de Yahvé », mais apporte des précisions, absentes de la tradition antérieure. Le « Grand Saint »[2] sortira (ἐξελεύσεται) de sa demeure dans le ciel pour descendre sur la terre (ἐπὶ γῆν πατήσει) sur le mont de Sinaï. Il se manifestera (φανήσεται) avec son armée (v. 4). Puis vient la description de l'épouvante qui saisit les veilleurs (v. 5) et des cataclysmes, qui se produisent sur la terre : écroulement des montagnes, qui fondent dans le feu, et tremblement de terre (v. 6). Un jugement définitif sera rendu et tout ce qui est sur la terre périra (v. 7). Mais les justes et les élus seront préservés[3]. Dieu leur donnera le *šālōm* et la lumière apparaîtra pour eux (v. 8)[4]. Le verset 9 répète et résume ce qui se déroulera lors de l'avènement du Seigneur; la parousie de Dieu est ici annoncée par le mot ἔρχεται. Toute cette description relève clairement du style des épiphanies de *Yahvé* en son « Jour ». L'avènement de Dieu est cependant plus explicitement prononcé dans *1 Hénoch* 1: 3–9; il s'agit d'une véritable descente sur terre. La promesse du salut des justes est ici bien integrée dans le thème de l'apparition divine, ce qu'on ne peut dire des descriptions du « Jour de Yahvé » dans la tradition antérieure, à l'exception de *Zacharie* 14. Il est d'ailleurs intéressant de noter les affinités entre ce texte et *1 Hénoch* 1: 3–9. Outre l'intégration de la promesse du salut, *Zach.* 14: 5 présuppose une descente sur une montagne de la terre. La continuité de la tradition de l'avènement de Dieu est donc ici confirmée.

---

[1] La date des manuscrits qumraniens les plus anciens du premier livre (1–36) se situe à la première moitié du IIe siècle av. J.-C., cf. MILIK 1971 p. 344 s. L'ouvrage est certainement prémaccabéen; MILIK 1971 p. 347 pense que l'auteur vivait « vers le milieu du IIIe siècle ». La rédaction des matériaux de ZACHARIE 14 est en général considérée comme tardive. Le début de l'époque hellénistique est peut-être le temps le plus vraisemblable; cf. PLÖGER 1962 pp. 98 et 115.

[2] Texte araméen *qdyšh rbh* (MILIK 1976 p. 142). Le grec porte ὁ ἅγιος μου ὁ μέγας; l'éthiopien « le saint et le grand ».

[3] D'après la formulation du texte grec : καὶ ἐπὶ τοὺς ἐκλεκτοὺς ἔσται συντήρησις.

[4] Voici le texte grec : καὶ φανήσεται αὐτοῖς φῶς καὶ ποιήσει ἐπ' αὐτοὺς εἰρήνην.

C'est en premier lieu dans le corpus hénochique que la tradition du « Jour de *Yahvé* » s'est perpétuée, mais elle adapte des thèmes qui ont leur origine dans d'autres expressions de l'avènement de Dieu, comme le montre le passage eschatologique du *livre des Songes* (*1 Hénoch* 90: 16 ss.). « Et je vis jusqu'à ce que le Seigneur des brebis vint auprès d'elles ... » (v. 18). La terre tremble et se fend et les ennemis d'Israël s'y engouffrent. Dieu prend place sur un trône qui est élevé « sur la terre agréable », *bamədr ḥawāz*, c'est à dire en Palestine (v. 20)[1]. Le jugement se déroule; les astres, les 70 pasteurs et les renégats d'Israël sont punis (vv. 20–27). L'ancien sanctuaire, « la vieille maison », est éloigné (v. 28) pour faire place à « la nouvelle maison » dont la description s'achève par l'affirmation suivante :

« Et le Seigneur des brebis était au milieu d'elle (la maison). »[2]

Cette présence divine est sous-jacente également dans ce qui suit; on doit noter les formulations dans les vv. 33–34 et 38. Remarquons que l'auteur du *livre des Songes* a adapté pour sa description du temps eschatologique un thème que nous avons trouvé en premier lieu dans *Ezéchiel*, *Zacharie* 1–8 et *Joël*; la croyance que *Yahvé* demeurera au milieu de Jérusalem.

Deux autres écrits du recueil hénochique font mention de l'apparition de Dieu dans un contexte qui rappelle nettement la conception du « Jour de *Yahvé* ». L'*Épître d'Hénoch* annonce le jugement divin par les mots suivants :

« Et le Seigneur, le Saint, sortira en courroux avec un fléau pour faire un jugement sur la terre » (*1 Hén.* 91: 7 b).

L'indication habituelle sur la défaite des nations et l'extermination de toute idolâtrie et impiété vient dans les vv. 8–9. Un oracle de salut pour les justes y est juxtaposé (v. 10), suivi d'une nouvelle affirmation que les pécheurs et l'impiété disparaîtront[3].

---

[1] Cette expression pour désigner la terre de Palestine se retrouve aussi en 89: 40.

[2] En éthiopien = *wa'əgzi'a 'abāgə' mā'kalā*. C'est cette leçon qu'il faut préférer, selon nous, car elle est plus conforme au contexte. La présence divine dans le Temple est la conséquence naturelle de l'apparition de Dieu sur la terre d'Israël; cf. aussi les passages cités ci-dessus des *livres d'Ezéchiel*, de *Zacharie* 1–8 et de *Joël*. La suite du récit eschatologique semble entendre que Dieu reste sur la terre au milieu d'Israël, vv. 33–34 et 38. L'autre leçon, par contre, *wak^ulōmū 'abāgə' mā'kalā* « et toutes les brebis étaient au milieu d'elle » ne convient pas à cette place, car ce n'est qu'aux vv. 33 et 34 que les brebis entrent dans le Temple. Pour l'attestation des deux leçons dans la tradition manuscrite, voir CHARLES 1906 p. 187. La suggestion de CHARLES ad. loc. présuppose des émendations qu'il est inutile de faire quand le texte offre un sens clair.

[3] Le texte de ce passage donne une impression d'incohérence. Cela dépend, selon nous, d'un abrègement, car l'original araméen de 91: 1–10 était plus développé d'après la communication de MILIK 1971 p. 360.

Les grottes de Qumran ont fourni quelques fragments d'un écrit hénochique, adapté par les manichéens sous le titre « *livre des Géants* ».[1] Cet écrit, qui a fait partie jadis du corpus hénochique, date au plus tard de la première moitié du Ier siècle av. J.-C.[2] Le géant qui joue le rôle central dans le livre, Ohyah[3], a vu dans un songe pendant la nuit une chose remarquable : « voici, le souverain du ciel descendit sur la terre[4] ». Une description du jugement suit cette affirmation[5].

Cette croyance de la descente de Dieu sur la terre lors du jugement qui caractérise les passages hénochiques que nous venons d'étudier se retrouve sous une forme modifiée dans *1 Hén.* 25: 3. Pendant son voyage sur la terre, Hénoch arrive en un lieu, où il voit sept montagnes. La septième montagne, la plus haute, ressemble à un trône (24: 3) et est entourée par des arbres odoriférants; l'un de ces arbres est l'arbre de la vie. À la question d'Hénoch l'ange interprète répond :

> « Cette haute montagne dont le sommet ressemble au trône de Dieu,
> est le siège, où sera assis le Grand Seigneur, le Saint de gloire, le Roi
> d'éternité, lorsqu' il descendra visiter la terre pour le bien » (25: 3).

Les derniers mots ὅταν καταβῇ ἐπισκέψασθαι τὴν γῆν ἐπ' ἀγαθῷ montrent la nature de la modification qu'a subi ici le thème de la descente de Dieu. L'accent est mis presque exclusivement sur l'aspect positif de l'apparition divine, comme le montrent également les versets suivants (vv. 4–7), où le thème du bonheur des justes est largement développé. L'aspect négatif du jugement n'est que brièvement indiqué par les mots ἐκδίκησις πάντων (v. 4).

Même le livre astronomique (1 *Hénoch* 72–82) contient une allusion à la descente de Dieu sur la terre. C'est dans le contexte d'une explication des points cardinaux. L'auteur nous informe que le second point cardinal s'appelle le sud, parce que c'est là que le Très-Haut descend (77: 1)[6].

La tradition des anciennes théophanies du « Jour de *Yahvé* » est reprise dans le *Testament de Moïse* (ou *Assomption de Moïse*). Le chapitre 10

---

[1] Les restes du livre manichéen ont été rassemblés et édités par HENNING p. 52 ss. Sur les fragments qumraniens, voir l'étude de MILIK 1976 p. 298 ss.

[2] C'est la date du plus ancien manuscrit. 4Q Hén G[b]; voir MILIK 1971 p. 367.

[3] On le voit dans les fragments édités par HENNING et par le titre donné au *livre des Géants* dans le décret Gélasien : *Liber de Ogia gigante.*

[4] Texte araméen (MILIK 1976 p. 305) : הא שלטן שמיא לארעא נחת

[5] Selon la communication de MILIK 1976 p. 305.

[6] Les noms des quatre points cardinaux sont des jeux de mots sur leurs appellations en araméen ou hébreu, cf. MARTIN p. 178, CHARLES 1912 p. 165 et HAMMERSHAIMB 1956 p. 135. Le nom du sud en hébreu *dārōm* fait ainsi allusion à *yārad* « descendre ». Mais le texte araméen (MILIK 1976 p. 289) évoque la racine *dwr* « habiter ».

contient la description d'une épiphanie de Dieu qui est accompagnée par des bouleversements d'ordre cosmique (vv. 4–6). Dieu se lèvera de son trône et sortira de sa demeure céleste (v. 3). Il se lèvera et se manifestera aux yeux de tous (*palam veniet*) pour punir les nations et exterminer leurs idoles (v. 7). Le salut d'Israël est ensuite décrit en termes d'élevation du peuple (vv. 8–10).

Les écrits de Qumran prolongent la ligne du « Jour de *Yahvé* » pour l'idée de l'avènement de Dieu. Toutefois, seuls quelques textes attestent clairement la venue personelle de Dieu dans l'ère eschatologique.

La conception qui est au premier plan de l'eschatologie des esséniens de Qumran, se rattache au terme *pᵉquddāh*[1]. Comme les mots *pᵉquddāh* et *pāqad*, se référant à Dieu, n'impliquent pas en soi une venue personelle, il faut tenir compte de la fonction qu'ont ces termes dans leur contexte. On fait assez souvent mention d'une « visite » future de Dieu, où le terme *pᵉquddāh* revêt une signification particulière. L'instruction sur les deux esprits du *Rouleau de la Règle* précise que Dieu a disposé ces esprits pour l'homme « jusqu'au temps fixé pour sa visite », עד מועד פקודתו (*1QS* III: 18). Plus loin, l'auteur explique ce qu'apportera cette visite divine. Dieu a mis un terme pour l'existence du Mal, car « au temps fixé de la visite » il l'exterminera pour toujours (IV: 18–19). La conséquence en sera que la justice (אמת) se répandra sur la terre. La *pᵉquddāh* divine signifie dans ces passages la même chose que le jugement de Dieu. On peut donc utiliser, dans IV: 20, l'expression « jusqu'au temps fixé du jugement définitif » עד מועד משפט נחרצה comme un équivalent de la tournure » au temps fixé de la visite » à la ligne précédante (l. 19). L'instruction sur les deux esprits se termine, tout comme elle a débuté, par une référence à cette visite finale de Dieu. (*1QS* IV : 26.)

Il n'est pas cependant possible de dire avec certitude si les esséniens de Qumran s'imaginaient cette « visite » à la fin des temps comme un avènement personnel de Dieu. Les passages dans les *Hodayot*, qui font allusion au jugement final, le décrivent, il est vrai, en termes de théophanie, mais il n'est pas question explicitement d'une apparition de Dieu sur la terre[2]. C'est le châtiment divin qui est l'idée centre dans les descriptions

---

[1] Sur ce terme eschatalogique des esséniens, voir RINGGREN A 1963 pp. 152 ss.

[2] L'hymne de III: 19–36 aboutit à une sorte de théophanie après les calamités qui auront frappé le monde. Dieu mugit avec un grondement puissant et sa demeure sainte retentit de sa justice glorieuse. (1. 34.). Mais il ne sort de sa demeure ni descend sur la terre. Il semble en revanche que ce soient seulement ses anges, « les vaillants du ciel », qui accompliront le jugement sur la terre dont la dévastation sera totale (1. 35–36). Dans *1QH* VI: 29 ss., on trouve une courte description de la guerre finale contre les forces du Mal qui indique une intervention plus réelle de la divinité. Dieu bandera son arc et mettra fin au siège des justes (30–31).

de l'épiphanie divine. Il en est de même pour les deux textes de l'*Écrit de Damas*, où une venue de Dieu est évoquée. Dans VII: 9 (cf. XIX: 6) l'auteur annonce ainsi le châtiment des apostats :

> « Mais tous ceux qui méprisent (les commandements), quand Dieu visitera la terre, il fera retomber sur eux la rétribution, destinée aux impies. »

Dans XX: 25–26, il aborde à nouveau ce thème :

> « Et tous ceux qui ont rasé la limite de la *tōrāh*, parmi ceux qui sont entrés dans l'alliance, quand le *kābōd* de Dieu se manifestera pour Israël, ils seront retranchés du milieu du camp et, avec eux, tous les impies de Juda. »

Lorsqu'on évoque ici l'apparition divine, il s'agit donc de la punition des apostats et des juifs impies. Il est surprenant de trouver, dans ce contexte de châtiment, le thème de l'apparition du *kābōd* de Dieu. Dans la tradition antérieure, ce thème appartient au contexte des promesses de restauration[1].

C'est le *Règlement de la Guerre* qui, dans les textes de Qumran, donne la conception la plus cohérente de la présence divine. C'est que le *Règlement* n'est dans son ensemble qu'un grandiose développement de l'ancien thème du « Jour de *Yahvé* »[2]. Lors de l'exhortation avant le combat, le grand-prêtre rappelle les promesses faites jadis par *Yahvé* :

> « C'est toi qui as déclaré que tu serais au milieu de nous (בקרבנו), ô Dieu grand et redoutable, pour piller tous nos ennemis devant (nous) » (X: 1–2).

Le grand-prêtre termine son exhortation par les mots :

> « Car votre Dieu marche (הולך) avec vous pour combattre pour vous contre vos ennemis afin de vous délivrer » (X: 4)[3].

La même croyance est affirmée plus loin dans XII: 7–8 :

> « Le roi de gloire est avec nous » et « le vaillant du combat est dans notre congrégation. »

On exhorte Dieu à se lever pour commencer le combat (XII: 9). La conviction que Dieu sera présent lors du combat eschatologique est donc

---

[1] Voir plus haut p. 178.

[2] Cela devient apparent déjà en I: 1–14, qui est un résumé introductif de ce qui sera la bataille finale contre les forces du Mal. On appelle cette bataille eschatologique « le jour où tomberont les Kittim » (I: 9) et « le jour fixé » (יום יעוד) déterminé par Dieu dès autrefois (I: 10); cf. aussi XIII: 14.

[3] On s'inspire ici de la formulation d'*Exode* 34: 9.

fermément établie. Mais il faut chercher à préciser comment les esséniens se sont imaginés cette présence divine. Or, on trouve des indications qui laissent penser que la présence de Dieu ne fut pas considérée comme une irruption au milieu du combat. L'auteur du *Règlement de la Guerre* affirme à plusieurs reprises que c'est *par la main* de ses élus que Dieu vaincra Bélial et les forces du Mal[1]. Ce sont eux qui mènent la guerre. Lorsqu'on veut souligner que c'est après tout Dieu qui intervient dans le combat, on précise que c'est sa « main » sa « grande main » ou son « épeé » qui frappent les ennemis[2]. Il est vraisemblable que les esséniens ont imaginé être eux-mêmes cette « main » ou cette « épeé » combattante de Dieu[3]. L'intervention personnelle de Dieu n'est indiquée qu'une fois, mais, le fait est caracté-ristique, Dieu ne descend pas alors sur la terre, mais reste dans sa demeure céleste : « Car tu combattras contre eux (du haut) du ciel. »[4] Il semble donc que les esséniens de Qumran se soient représentés la présence de Dieu pendant le combat final de façon spirituelle ou symbolique; il en serait de même pour la présence des anges et les troupes célestes mais leur présence est peut-être considérée comme réelle[5]. Dans le préambule (I: 1–14) qui résume le déroulement et le résultat de la lutte eschatologique, on trouve cependant l'idée d'une apparition divine qui se fera sans doute lorsque les bruits du combat auront cessé :

> « Et, au moment de Dieu sa sublime grandeur brillera à toutes les extrémités de la terre pour le *šālōm* et la bénédiction. »[6]

Cette formulation indique qu'il est question d'une manifestation réelle de Dieu sous l'éclat de son *kābōd*, manifestation qui introduira un règne de bonheur et de paix. En conclusion, les esséniens de Qumran ont, en général, évité de donner une formulation explicite à la présence de Dieu sur la terre dans le temps eschatologique de crainte de faire place à une

---

[1] *1QM* XI: 9 « ... pour vaincre (להפיל) les sept bandes de Bélial, le peuple de vanité, par la main de tes pauvres que tu as rachetés ». XI: 13 « car c'est par la main des pauvres que tu enfermeras les ennemis de tous les pays et par la main de ceux qui sont courbés dans la poussière que tu abaisseras les vaillants des nations ». XIV: 7 « et par les parfaits de voie seront exterminés les peuples impies ».

[2] *1QM* I: 14, XI: 11, XIII: 12–13, XV: 13, XVI: 1, XVII: 9, XVIII: 1, XIX: 11.

[3] Renvoyons à *1QM* XIII: 13–14 où il est dit que la main puissante de Dieu est avec les « pauvres » et à XVI: 1 « par les saints de son peuple il (Dieu) déploie sa valeur. »

[4] *1QM* XI: 17.

[5] *1QM* I: 10–11 et 14, XII: 7–9, XVII: 6.

[6] Voici le texte hébreu de ce passage (*1QM* I: 8–9) : ובמועד אל יאיר רום גודלו לכול קצי [הארץ] לשלום וברכה. *Tobit* 13: 13 a (texte du Sinaïticus), qui présente une formulation analogue à *1QM* I: 8–9 de la manifestation de Dieu, montre qu'il faut interpréter קצי au sens local. On doit donc suppler avec עולם dans le sens de « monde » ou avec הארץ.

conception trop antropomorphique de la Divinité. Dans deux passages cependant (*CD* XX: 25–26 et *1QM* I: 8–9), où Dieu se manifestera sous l'éclat de son *kābōd*, on est en présence d'une venue personnelle de la Divinité.

Nous avons jusqu'ici trouvé la croyance en l'avènement de Dieu dans un contexte qui prolonge les lignes du thème « Jour de *Yahvé* » mais avec des modifications, parfois notables. C'est dans le contexte de ce prolongement du « Jour de *Yahvé* » qu'il faut situer également le *Psaume de Salomon* 15. Ce psaume est consacré au thème de la préservation des justes, et à la perte des impies. Le verset 12 énonce un « jour de jugement » que fera le Seigneur quand il visitera la terre pour la châtier[1]. La visite de Dieu se fait directement pour punir les pécheurs. Il est dit cependant qu'au jour du jugement, les justes seront l'objet du *ḥæsæd* divin (v. 13).

Le recueil des *Psaumes de Salomon* ne fait pas mention aussi souvent qu'on l'aurait attendu de l'avènement de Dieu. Dans le *Psaume* 17, ce n'est pas Dieu lui-même qui se manifeste, mais sa présence est, pour ainsi dire, symbolisée par son messie, le davidide futur, qui est la figure centrale dans le temps du salut. Le terme ἐπισκέπτομαι est dans 3: 11 et 9: 4 utilisé pour la «visite » de Dieu, sans qu'il soit question d'une venue personnelle. On demande à Dieu, à la fin de presque chaque psaume, que son *ḥæsæd* (ἔλεος, χρηστότης) ou son *šālōm* (σωτηρία) soit sur Israël et les justes[2], mais ce n'est pas sur sa venue qu'on insiste. L'idée selon laquelle le nom de Dieu demeure à Jérusalem (*Ps. Sal.* 7: 1 et 6) ne s'applique pas à l'avenir mais à la présence actuelle de Dieu dans le Temple[3].

Notons que l'idée d'une venue de Dieu se retrouve aussi dans le *Psaume* 11 mais dans un contexte différent.

Ce psaume, qui a un équivalent dans le *livre de Baruch* 5 présente l'avènement de Dieu dans la formulation attestée par le *Deutéro-Isaïe*. Dans le *Psaume de Salomon* 11 le thème a connu un développement : toute la diaspora est concernée. La description du retour des dispersés se termine ainsi : ἵνα παρέλθῃ Ἰσραὴλ ἐν ἐπισκοπῇ δόξης θεοῦ αὐτῶν. Les juifs dispersés arrivent à Jérusalem conduits par le *kābōd* (δόξα) de Dieu dans lequel il se manifeste. Le mot ἐπισκοπή revêt par la le sens d'une apparition divine aussi dans le verset 1 « car Dieu a eu pitié d'Israël en les visitant » (ἐν τῇ ἐπισκοπῇ αὐτῶν).

---

[1] Voici le texte grec : καὶ ἀπολοῦνται ἁμαρτωλοὶ ἐν ἡμέρᾳ κρίσεως κυρίου εἰς τὸν αἰῶνα, ὅταν ἐπισκέπτηται ὁ θεὸς τὴν γῆν ἐν κρίματι αὐτοῦ.

[2] *Ps. Sal.* 2: 33, 4: 25, 5: 18, 6: 6, 7: 10, 9: 11, 10: 8, 11: 9, 12: 6, 13: 12, 15: 13, 16: 15, 17: 45.

[3] Cette présence a été sans doute considérée comme fragmentaire (cf. supra p. 179). *Ps. Sal.* 18: 10 où il est dit que Dieu habite dans le ciel, confirme cette interprétation de la présence divine en 7: 1 et 6.

Le *livre de Baruch* met en relief plus nettement encore la forme caractéristique de cette tradition. Chaque montagne sera abaissée et les vallées seront comblées. La terre deviendra plate :

> « pour que Israël marche en sécurité par le *kābōd* de Dieu » (τῇ τοῦ θεοῦ δόξῃ), *Bar.* 5: 7.

On souligne aussi dans le verset précédent que c'est Dieu qui les fait entrer à Jérusalem. La formulation qui termine le *livre de Baruch* (v. 9) est bien dans la ligne du *Deutéro-Isaïe* :

> « Car Dieu conduira Israël dans la joie par la lumière de son *kābōd* (τῷ φωτὶ τῆς δόξης αὐτοῦ).

La forme qu'a revêtu l'idée de l'avènement de Dieu chez les prophètes Ezéchiel, Zacharie et Joël s'est maintenue comme tradition vivante aussi dans l'époque qui nous occupe. La venue de Dieu, qui vient habiter au milieu de son peuple, et sa manifestation sous l'éclat de son *kābōd*, décrivent la présence divine aux derniers jours. L'absence de toute transition nette entre le passé et l'avenir, pour ce qui est de l'idée de la présence de Dieu dans les *livres de Tobit* et des *Jubilés*, est caractéristique.

Dans *Tobit* 13, il semble que la première partie, les vv. 1–6, soit pour le fond une rétrospective. Rappelons que, selon la fiction, le cadre temporel du livre se situe immédiatement après la chute du Royaume du Nord en 722 (cf. 1: 1–2). L'affirmation du v. 6 « alors, il retournera à vous et ne cachera plus sa Face devant vous » fait sans doute allusion au retour de l'exil de Babylonie. Elle a pu être interprétée cependant, par les lecteurs contemporains du livre, comme visant également une parousie future de Dieu. Dans la suite de sa prière (v. 11), Tobit exprime l'espérance que la demeure du Seigneur sera construite de nouveau à Jérusalem. Ici, nous sommes encore dans une perspective historique, mais dès le verset suivant (v. 12), nous sommes dans le futur :

> « Et qu'il (Dieu) réjouisse en toi (Jérusalém) tous les captifs et qu'il aime en toi tous les opprimés. »

Ce retour eschatologique des dispersés et la marche des nations vers Jérusalem pour adorer Dieu (v. 13 b) sont guidés par l'immense lumière du *kābōd* divin qui, fixé à Jérusalem, jette son éclat flamboyant jusqu'aux extrémités de la terre (v. 13 a), φῶς λαμπρὸν λάμψει εἰς πάντα τά πέρατα τῆς γῆς[1]. On passe donc, selon l'auteur, sans transition du temple de Zorobabel au temple eschatologique. Le même saut du passé à l'avenir caractérise

---

[1] Texte d'après le Sinaïticus.

aussi les descriptions du salut divin dans 13: 14 ss. et 14: 4 ss. Dans 13: 16s., l'auteur exprime l'espérance que les juifs verront le kābōd de Dieu à Jérusalem.

La péricope « péchés-châtiment-restauration » des *Jubilés* 1: 8–18 contient dans l'élément de restauration l'affirmation que Dieu construira son sanctuaire au milieu d'Israël pour habiter chez eux (v. 17a). La description précédente du châtiment montre que cette affirmation fait allusion à la reconstruction du Second Temple, mais elle n'est pas purement rétrospective. La formulation des promesses du salut des vv. 17b et 18 est typique des affirmations prophétiques sur la situation future de l'Israël idéal[1]. Les mots « pour habiter chez eux » visent donc à la fois la présence partielle de Dieu dans son Temple et sa présence totale dans le temps eschatologique. En revanche, dans 1: 26, la formulation montre clairement qu'il est question de l'avènement futur de Dieu :

> « *jusqu'à ce que* je descende pour habiter avec eux pour toute éternité ».

Ici, la descente de Dieu pour manifester sa présence eschatologique au milieu d'Israël est associée à l'idée de l'apparition future de Dieu dans le Temple de Jérusalem. Cette idée est nettement énoncée dans 1: 28 :

> « et le Seigneur apparaîtra aux yeux de tous et tout le monde connaîtra que c'est moi qui est le Dieu d'Israël et le père des fils de Jacob et roi sur la montagne de Sion pour l'éternité de l'éternité ».

Le passage eschatologique des *Oracles Sibyllins* III: 767–795 indique comme l'un des éléments de salut également l'avènement de Dieu à Jérusalem comme une apparition lumineuse du kābōd divin :

> « réjouis-toi, ô vierge, et exulte, car celui qui a créé le ciel et la terre, t'a donné une joie éternelle : il habitera au milieu de toi (ἐν σοί δ' οἰκήσει) il sera pour toi une lumière immortelle (σοὶ δ'ἔσσεται ἀθάνατον φῶς). »[2]

Le thème de l'avènement de Dieu tel qu' il se trouve dans les *livres de Tobit*, dans les *Jubilés* et dans le *Troisième livre des Oracles Sibyllins* est donc centré sur une apparition de Dieu à Jérusalem, car c'est là que sa maison a été construite. *Tobit* et les *Oracles Sibyllins* font allusion pour décrire cette apparition à la conception du kābōd lumineux de *Yahvé*.

---

[1] *Jub.* 1: 17b doit être rapproché d'*Ex.* 25: 8 et 29: 45 et v. 18 de *Lév.* 26: 12, *Jér.* 24: 7, 30: 22 et *Ez.* 14: 11, cf. CHARLES 1902 p. 5 s.

[2] La dernière phrase est une citation d'*Is.* 60: 20. Cf. aussi *Or. Sib.* V: 420–427 qui fait mention d'une manifestation du kābōd de Dieu dans le Temple futur. Ce passage est cependant rédigé assez tardivement.

Au temps où furent rédigés ces trois écrits, le Temple existait et était considéré comme le haut lieu du judaïsme, puisque Dieu lui-même y avait fait habiter son nom. Il ressort nettement de *Tobit* 13: 6 et 10 et des *Jubilés* 1: 17 que l'on croyait à une présence divine dans le Temple actuel. Ces milieux ont résolu la tension entre cette conception et l'idée d'une parousie future de Dieu, liée au Temple par la pensée qu'une parcelle du divin était actuellement présente dans le sanctuaire, mais qu'une présence totale de Dieu était réservée au temps eschatologique.

Conclusions

L'idée d'une venue personnelle de Dieu dans l'avenir est donc un élément bien intégré dans les espérances eschatologiques d'Israël. Elle est d'abord transmise dans des contextes précis qui ne se confondent pas, mais qui peuvent être discernés dans les grandes lignes également à une époque plus tardive, où ces contextes tendent à être mêlés. Le développement post-exilique de l'idée de l'avènement de Dieu met en relief le caractère personnel de cet avènement. (*1 Hén.* 1: 4, 25: 3, 90: 20, *4Q Hén* G[b], *Jub.* 1: 26 et 28). On est amené à proposer de nouvelles formulations de cette croyance (*Tobit* 13: 13a, *1QM* 1: 8), et à modifier les formulations antérieures de la venue de Dieu (*1 Hén* 25: 3 et 90: 29, *Jub.* 1: 26).

C'est sur ce fond juif que l'idée de l'avènement de Dieu dans les *Testaments des Douz Patriarches* doit être comprise. Les formulations des *Testaments* mettant l'accent sur l'apparition personnelle de Dieu sont parfaitement dans la ligne des croyances juives[1]. C'est ainsi que la formule de *Sim* 6: 5, φαινόμενος ἐπὶ γῆς s'explique à partir de *1 Hénoch* 1: 4 et que *Zab* 9: 8 « Et vous le verrez à Jérusalem » doit être interprété à la lumière de *Jubilés* 1: 28. *Dan* 5: 13 τοῖς ἀνθρώποις συναναστρεφόμενος s'inspire de *Lévitique* 26: 12; le chapitre 26 a influencé clairement, comme nous l'avons vu, les formulations de la description du châtiment. On trouve dans les *Testaments*, conformément à la tendance des écrits post-exiliques, une juxtaposition de formulations différentes sur l'avènement de Dieu. *Lévi* 5: 2 prolonge les lignes d'*Ezéchiel*, de *Zacharie* 1–8 et de *Joël*, comme le fait aussi *Jub.* 1: 26. Dans *Zab* 9: 8, c'est l'apparition de Dieu associée à son *kābōd* éclatant, thème qui est au premier plan également dans *Tobit* 13: 13a, le *Règlement de la Guerre* I: 8 et les *Oracles Sibyllins* III: 787.

Ce qui frappe dans les *Testaments*, c'est que l'avènement de Dieu n'y est jamais annoncé dans un contexte négatif. Son apparition ne se fera pas pour juger et punir mais pour sauver et pour couronner le déroulement eschatologique. Cela dépend en premier lieu du fait que la venue de Dieu

---

[1] PHILONENKO 1960 p. 34 le souligne à bon droit à propos de *Dan* 5: 13.

190

fait partie des promesses de salut dans le contexte « péchés-châtiment-restauration ». Du point de vue phénoménologique, ce qui correspond au jugement divin est dans ce contexte formé par la description du châtiment. Mais l'aspect positif de l'avènement de Dieu caractérise également les autres passages des *Testaments*, qui en font mention (*Sim* 6: 4, *Lévi* 5: 2 et *Dan* 5: 13). Notons aussi que le terme ἐπισκέπτομαι pour décrire la « visite » de Dieu n'est utilisé dans les *Testaments* que dans son sens positif[1], ce qui marque bien le contraste avec l'emploi que font les écrits de Qumran de *pāqad* et *p*ᵉ*quddāh* et les *Psaumes de Salomon* de ἐπισκέπτομαι et ἐπισκοπή.

Remarquons enfin que l'idée d'une venue personelle de Dieu, si caractéristique de la pensée eschatologique du judaïsme à l'époque du Second Temple, a préparé de façon décisive la doctrine sur l'Incarnation dans le christianisme.

Les péricopes « péchés-châtiment-restauration » et la composition des *Testaments*

Il ne fait pas de doute que ces péricopes ont formé dès le début un élément constitutif de la composition des *Testaments*. Dans sa formulation stricte, le thème « péchés-châtiment-restauration » constitue l'ensemble ou presque l'ensemble des prédictions dans les *Testaments d'Issacar, Zabulon, Nephtali* et *Aser*. La partie essentielle des prédictions dans les *Testaments de Lévi*, (10: 1 – 4, 14: 1 – 16: 5) et de *Juda* (21: 7 – 23: 5) est formée par les péricopes « péchés-châtiment-restauration ». Ces péricopes sont un élément important des prédictions des *Testaments de Dan* (5: 6–9) et de *Benjamin* (9: 1–2). De plus, le même mode de penser caractérise également d'autres parties des *Testaments*, mais qui ne présentent pas la structure caractéristique des passages « péchés-châtiment-restauration » proprement dits. Ce sont *Sim* 5: 4 – 6: 7, *Lévi* 17, *Nepht* 6 et *Gad* 8: 2.

Outre l'insistance avec laquelle les péricopes « péchés-châtiment-restauration » reviennent dans la trame de la composition des *Testaments*, il y a également des rapports nets entre ces péricopes et l'ensemble des *Testaments*, surtout en ce qui concerne l'élément des « péchés ».

L'exemple le plus significatif se trouve dans le *Testament d'Issacar*. L'énumération des transgressions futures des descendants du patriarche y est en rapport étroit avec les thèmes principaux de ce testament. Voici la description des « péchés » dans *Iss* 6: 1–2a et ses rapports avec l'ensemble du *Testament d'Issacar* :

---

[1] Outre l'emploi dans les passages sur l'avènement de Dieu, indiquons aussi *Iss.* 2: 2, *Gad* 5: 3 (ἐπισκοπεῖ) *Jos* 1: 6 et *Benj* 6: 6., où c'est toujours dans le sens positif que le terme ἐπισκέπτομαι est utilisé.

« vos fils abandonneront la simplicité »	la simplicité est évoquée comme la vertu principale dans ce testament: 3: 1s., 4, 6, 7, 8, 4: 1 et 6, 5: 1 et 8, 7: 7.
« vous quitterez l'innocence »	« marchez dans l'innocence » 5: 1
« vous abandonnerez les commandants du Seigneur »	« gardez la loi de Dieu » 5: 1
« vous vous attacherez à Béliar »	l'accomplissement de l'idéal éthique entraîne la fuite des esprits de Béliar de devant les hommes: 7: 7
« vous quitterez l'agriculture »	l'éloge de l'agriculture et Issacar comme agriculteur est un thème caractéristique du testament: 3: 1 et 6, 5: 3–6

On voit que la description des péchés dans le chapitre 6 retient tout ce qui est contraire aux exhortations morales du testament et à l'idéal professé par le patriarche. C'est là une téchnique de composition, élaborée par l'auteur des *Testaments* lui-même. Comme les *Testaments* reprennent dans le thème « péchés-châtiment-restauration » un genre traditionnel, il n'y a donc aucune contradiction entre l'éloge qu'on fait d'un patriarche et les accusations qu'on lance contre ses descendants. Ceux-ci représentent dans le contexte « péchés-châtiment-restauration » le peuple israélite et non les tribus particulières[1].

Utiliser cette prétendue contradiction pour relever dans les péricopes « péchés-châtiment-restauration » des additions à l'ouvrage primitif, est donc une faute de méthode[2].

Pour ce qui est de l'élément de la « restauration », on trouve également des points de contact avec d'autres composantes des *Testaments*. Nous les indiquerons plus bas[3].

---

[1] Les *Testaments de Lévi* et de *Juda* y font exception; voir pour cette question supra p. 86.

[2] BOUSSET 1900 pp. 188 ss. écarte ainsi *Lévi* 10, 14–16, *Juda* 22–23 et les descriptions des péchés dans *Dan* 5 et *Zab* 9. CHARLES 1908 comm pp. lvii-lix voit dans *Lévi* 10, 14–16, *Juda* 21: 6–23, *Zab* 9, *Dan* 5: 6–7, *Nepht* 4, *Gad* 8: 2, *Aser* 7: 4–7 des additions qui ont en commun la même tendance : « the denunciation of the present evil state of things under the later Maccabees ». PHILONENKO 1960 p. 5 s. assigne à l'interpolateur les mêmes passages que CHARLES, mais ajoute en outre *Iss* 6, *Dan* 5: 4–13, *Aser* 7: 1–7 et *Benj* 9: 1. Les trois commentateurs sond d'accord pour situer ces additions dans la période 70–40 av. J.-C.; l'événement décisif auquel fait allusion l'élément du châtiment serait la conquète de Jérusalem par Pompée en 63 et la chute de la monarchie hasmonéenne.

[3] Voir infra p. 200 ss.

L'idée d'un repentir du peuple, préalable à la restauration[1], a son équivalent dans la repentance de l'individu, à laquelle les *Testaments* attachent une importance particulière[2].

Seule la description du châtiment ne présente pas des rapports nets avec les autres éléments des *Testaments*. Mais c'est précisément dans cette description que les thèmes traditionnels abondent. Étant donné que les péricopes « péchés-châtiment-restauration » prolongent une tradition bien établie, qui se compose de thèmes traditionnels, il est néanmoins remarquable qu'on trouve tant de points de contacts avec l'ensemble des *Testaments*. Ce fait souligne l'authenticité de ces péricopes.

La juxtaposition dans les *Testaments* de *Lévi*, *Juda*, *Zabulon*, *Nephtali* et *Aser* de deux passages « péchés-châtiment-restauration », plus ou moins parallèles, pose un problème qu'il est nécessaire d'aborder. On a parfois résolu ce problème en supposant qu'il s'agit là de doublets, ajoutés postérieurement à l'ouvrage primitif[3]. Cette manière d'expliquer la juxtaposition de passages parallèles pose plus de questions qu'elle n'en résout. Nous ne nions pas naturellement la possibilité d'additions à l'ouvrage primitif. Mais il faut alors expliquer *dans quel but* ces additions ont été faites. Cette explication reste difficile. En revanche, la juxtaposition de péricopes « parallèles » dès la composition initiale peut, selon nous, être expliquée par des motifs précis.

Analysons d'abord la « répétition » du thème « péchés-châtiment-restauration » dans le *Testament de Nephtali* chapitre 4. Les vv. 1–3 développent le schéma habituel. La description des péchés contient les thèmes courants : les descendants du patriarche abandonneront le Seigneur pour marcher dans l'impiété des nations (v. 1). Mais le châtiment suivra : captivité et servitude parmi les ennemis (v. 2). La restauration, précédée par le repentir, consiste dans le retour des captifs dans leur patrie (v. 3). Toutefois le verset 4 rapporte qu'après le retour, les juifs oublieront de nouveau le Seigneur et pécheront. Comme châtiment, ils seront dispersés sur toute la terre jusqu'à ce que Dieu aura pitié d'eux (v. 5)[4]. Comme nous l'avons souligné, les éléments des « péchés » et du « châtiment » ont pour l'essentiel un caractère rétrospectif. En *Nepht* 4: 3, l'élément de « restauration » a aussi ce caractère.

---

[1] Voir supra p. 171,

[2] Cf. *Rub* 1: 9, *Sim* 2: 13, *Juda* 15: 4, *Gad* 5: 6 ss.; 6: 3 et 6; 7: 5, *Aser* 1: 6, *Jos* 6: 6, *Benj* 5: 4.

[3] C'est en particulier BECKER 1970 qui recourt à cette explication. Mais cf. aussi BICKERMANN 1950 pp. 248–251, BALTZER 1960 p. 165, OTZEN 1974 p. 718, STECK p. 151 n. 1.

[4] Sur ce passage, voir aussi infra p. 299.

Ce verset décrit le retour après l'exil de Babylonie[1] et le verset 4 prolonge la rétrospective jusqu'au temps de l'auteur. La perspective future ne s'ouvre que dans la restauration au verset 5. On doit noter la terminologie différente utilisée pour décrire le châtiment dans ces deux passages. Cette terminologie a été adaptée à la perspective historique de chaque époque. Dans le verset 2, on parle d'une *captivité* parmi les ennemis, ce qui convient parfaitement à la situation de l'exil en Babylonie. Dans le verset 5, la perspective s'est élargie. Il y est question d'une *dispersion* dans l'*oikoumene* tout entière, ce qui correspond bien à l'époque de l'auteur. Le *Testament de Nephtali* 4: 1–5 se présente dès le début comme une unité[2].

Le *Testament de Zabulon* 9: 5–9 présente un cas analogue, mais plus compliqué. Les versets 5–7 développent le thème « péchés-châtiment-restauration » dans le style normal. Or, dans le verset 8 nous sommes en présence d'une nouvelle description du salut divin, qui, comprend également le thème du retour des dispersés dans leur pays. Mais cela a été déjà énoncé dans le verset 7. Cette description du salut au v. 8 est suivie dans le v. 9 par l'annonce de nouvelles transgressions et d'un nouveau châtiment, et d'une nouvelle dispersion semblable à celle du v. 6. Le verset 9 paraît impliquer que cette seconde dispersion est totale et définitive. Comment interpréter ces données?[3]

Le caractère rétrospectif des versets 5–6 est évident. La division indiquée au v. 5 est celle qui intervint entre Juda et Israël après Salomon. Au verset 6, la captivité, décrite en termes voisins de *Nepht* 4: 2, désigne l'exil de Babylonie. La restauration, que décrit le v. 7, retour dans la patrie, est comme dans *Nepht* 4: 3 le retour de la captivité de Babylonie. La restauration eschato-logique est celle qu'on trouve au verset 8. Il est improbable que l'auteur

---

[1] Cf. aussi DE JONGE 1953 p. 85, qui voit cependant dans le v. 5 a une allusion à la dispersion des juifs après la chute de Jérusalem en 70 ap. J.-C. D'une façon analogue interprète OTZEN 1974 p. 757. BECKER 1970 p. 221 admet que l'addition des vv. 4–5 fait de l'élément de « restauration » du v. 3 un événement historique, qui vise le retour de l'exil de Babylonie.

[2] Le passage, dans le v. 4, de la seconde à la troisième personne n'est pas un critère décisif, comme le pense BECKER 1970 p. 218, pour faire de 4: 4–5 une addition. Ce changement peut être dû à l'intention de l'auteur de marquer l'entrée dans l'époque contemporaine, bien éloignée du point de vue du patriarche Nephtali; car c'est lui qui parle d'après la fiction.

[3] DE JONGE 1960 p. 230 est d'avis qu'il y a une influence chrétienne sur les versets 8 b et 9. BECKER 1970 pp. 211–213 considère le verset 8 comme une addition parce qu'il est un parallèle « en concurrence » avec le verset 7. Le verset 9 formerait la conclusion du passage entier. Par le retour de l'exil, indiqué au v. 7, la chance de repentir est donnée au peuple. Mais Israël ne l'utilise pas et reste donc dans la répudiation. L'élé-ment de « restauration » est, selon BECKER, indiqué dans la tournure finale ἕως καιροῦ συντελείας.

juif ait terminé ce passage par l'affirmation d'un châtiment définitif sans l'espoir d'une restauration, ce qui serait tout à fait contraire, d'ailleurs, au sens des péricopes « péchés-châtiment-restauration ». L'explication qui s'impose est de voir dans le verset 9 les éléments de péchés et de châtiment qui, à l'origine, auraient dû précéder la restauration, annoncée dans le verset 8. Il y aurait eu un déplacement du verset 9 au cours de la transmission, ce qui n'est pas sans analogies dans la littérature juive de l'époque[1]. Nous aurions donc, tout comme dans *Nepht* 4, une partie rétrospective, les versets 5–7, qui aurait glissé à l'époque de l'auteur dans la description du châtiment au verset 9. La perspective eschatologique s'ouvre avec les mots ἕως καιροῦ συντελείας dans le verset 9 et est développée ensuite dans le verset 8. Les deux éléments de restauration, l'élément rétrospectif (v. 7) et l'élément prospectif (v. 8), montre également un parallélisme formel; ils sont introduits par la formule μετὰ ταῦτα. Le *Testament de Zabulon* 9: 5–9 est donc d'un seul jet, bien que le texte actuel soit en désordre et ait subi un remaniement chrétien dans la version représentée par les manuscrits *b k g l dm*. La perspective de *Nepht* 4 et *Zab* 9: 5–9 n'est pas aussi succincte que dans les autres péricopes « péchés-châtiment-restauration » des *Testaments*. Mis à part *Juda* 21: 7 – 22: 3, ces péricopes ont fondu ensemble le rappel du retour de l'exil en Babylonie et l'espérance d'un rassemblement des dispersés.

On trouve dans les écrits des IIe et Ier siècles av. J.-C. des passages « péchés-châtiment-restauration » qui sont très voisins de ceux des *Testaments des Douze Patriarches*. Or, il est significatif que l'aspect rétrospectif y est nettement indiqué aussi pour l'élément de la restauration. Ces écrits sont sur ce point plus explicite que les *Testaments*. Dans les *Jubilés* 1: 17, la formulation « et je construirai mon sanctuaire au milieu d'eux » montre que toute la restauration décrite aux versets 15–17 est essentiellement une rétrospective sur le retour de l'exil en Babylonie et la reconstruction du Temple. Mais la description est formulée de sorte qu'elle peut aisément être appliquée à l'époque de l'auteur et, pour l'élément de restauration, aussi à l'avenir. Il est frappant que dans la suite du texte des *Jubilés*, en 1: 22 ss., on trouve l'équivalent de la deuxième description des péchés de *Nepht* 4: 4 et de *Zab* 9: 9 a, qui concerne la génération de l'auteur. La restauration future, introduite par « et après cela », vient dans les vv. 23–26. La restauration est décrite en termes de purification et de sanctification pour aboutir à l'apparition personnelle de Dieu (v. 26). Nous avons apparemment dans les *Jubilés* 1: 7–26 un passage « péchés-châtiment-

---

[1] Sur cette question, voir vol. II chap. III. On pourrait même envisager la possibilité d'une transposition délibérée du v. 9, faite par quelque rédacteur ou copiste chrétien pour exprimer ainsi les vues de l'Église sur la destinée des juifs.

restauration », qui par la structure est analogue à *Nepht* 4 et à *Zab* 9: 5–9 et dont on ne peut mettre l'unité en doute[1].

Tobit 14: 4–7 est encore plus explicite pour ce qui est de l'aspect historique de la restauration. Dieu fera retourner les exilés au pays d'Israël et ils reconstruiront la maison du Seigneur (v. 5a). Mais de là, le texte passe directement à la description de l'ère eschatologique[2]. Le caractère rétrospectif de la restauration est également net dans le *Troisième Livre* des *Oracles Sibyllins*, qui décrit aux vv. 265–294 la catastrophe de 587, la captivité de Babylonie, le retour et la reconstruction du Temple sous la perspective « péchés-châtiment-restauration ».

Dans le *Testament de Juda* 21: 7–22: 3 et 23: 1–5, nous sommes en présence de deux passages qui sont composés sous l'influence de la conception « péchés-châtiment-restauration ». Ces passages ne sont pas, à vrai dire, parallèles. Nous avons souligné à plusieurs reprises[3] le caractère particulier de 21: 7 – 22: 3, qui est un passage-clef pour comprendre l'orientation polémique et pour fixer la date des *Testaments*. L'unité de ce passage ne peut être non plus mise en doute[4]. On fait ici directement allusion aux circonstances contemporaines, sans utiliser les « topoi » qu'on trouve d'ordinaire dans les péricopes « péchés-châtiment-restauration ». Dans 23: 1–5, au contraire, c'est l'aspect rétrospectif qui domine et qui semble même être au premier plan dans l'élément de « restauration » au verset 5. Les thèmes du chapitre 23 sont traditionnels et l'influence des passages bibliques « péchés-châtiment-restauration » sur leur formulation est évidente[5]. L'orientation différente en ce qui concerne la description des péchés est clairement indiquée par la teneur du texte. Dans 23: 1, la polémique vise les davidides, détenteurs de la royauté dans l'ancien Israël. C'est pourquoi le patriarche s'adresse directement à ses descendants et annonce les transgressions qu'ils commettront εἰς τὸ βασίλειον. *Juda* 21: 7 – 22: 3, en revanche, est dirigé, non contre les descendants du patriarche, mais contre οἱ βασιλεύοντες, qui sont ici les Hasmonéens et le groupe au pouvoir[6]. C'est pourquoi 21: 7 – 22: 3 est à la troisième personne. Il faut noter que *Juda* 21: 7 – 22: 3 a des rapports nets avec le cadre général des *Testaments*. A la fin de son testament, Juda exprime le désir suivant :

---

[1] Cf. Davenport pp. 19 ss.

[2] Cf. aussi supra p. 158 s.

[3] Voir supra pp. 144 et p. 166 s.

[4] Du point de vue formel αὐτοῖς en 22: 1 renvoie apparemment à οἱ βασιλεύοντες critiqués en 21: 7–9. En outre, l'orientation anti-hasmonéenne est le lien qui unit 21: 7– 22: 3, du point de vue du contenu. Becker 1970 p. 316 s. ne voit pas ce lien et ne tient pas compte du fait que le mot αὐτοῖς se rapporte à ce qui précède.

[5] Voir supra p. 142 s.

[6] Voir supra p. 110 s.

196

μηδείς με ἐνταφιάσῃ πολυτελῇ ἐσθῆτι ἢ τὴν κοιλίαν μου ἀναρρήξῃ ὅτι ταῦτα μέλλουσι ποιεῖν οἱ βασιλεύοντες. *Juda* 26: 3.

C'est là une critique contre ceux qui ont le pouvoir et les riches, qui est parfaitement dans la ligne de *Juda* 21: 6–9. Le terme οἱ βασιλεύοντες qui ne se trouve qu'en *Juda* 21: 7 et 26: 2 désigne en 26: 2 le même groupe. En conclusion, si les deux péricopes 21: 7 – 22: 3 et 23: 1 – 5 se présentent dans une perspective et une formulation différentes, elles se complètent l'une l'autre et ne peuvent être considérées comme des « doublets ».

Il en est de même pour les deux passages « péchés-châtiment-restauration » que contient le chapitre 7 du *Testamant d'Aser*. Le premier, 7: 2–3, est rédigé dans le style traditionnel, et utilise des thèmes bibliques. Si on compare les éléments des « péchés » et du « châtiment » de 7: 2 avec ceux de 7: 5–6, il ressort que, dans 7: 2, c'est l'aspect rétrospectif qui domine, mais dans 7: 5–6, c'est l'aspect actualisant.

7: 2	7: 5
a. « vous péchérez »	a. « vous lui désobéirez par l'infidélité et vous insulterez à lui par l'impiété en ne prêtant pas attention à la loi de Dieu, mais aux commandements des hommes, corrompus que vous êtes par la malice »
b. « vous serez livrés dans les mains de vos ennemis et votre terre sera dévastée »	
c. « et votre sanctuaire sera détruit »	
d. « et vous, vous serez dispersés aux quatre coins de la terre et vous serez dans la dispersion, méprisés comme de l'eau inutile »	d. « à cause de cela vous serez dispersés comme Gad et Dan, mes frères, qui ignorent leur pays et leur tribu et leur langue »

On voit que dans 7: 2, l'élément des « péchés » est brièvement indiqué mais il est dans 7: 5, plus développé et précisé ce qui caractérise les passages où l'époque contemporaine est au premier plan (cp. *Lévi* 14: 1–8, 16: 2–3 et *Juda* 21: 7–9). La mention de la *tōrāh* dans 7: 5 révèle aussi la pointe actualisante de ce passage. Les moments dans 7: 2 se succèdent et sont formulés de façon à former une rétrospective des catastrophes en 722 et 587 :

a. = les transgressions pré-exiliques, qui ont provoqué le châtiment divin.
b. = la conquête d'Israël et de Juda par les Assyriens et les Babyloniens.
c. = la destruction des sanctuaires de Béthel et de Jérusalem.
d. = l'exil dans les pays des conquérants.

Toutefois, le quatrième moment prend dans 7: 2 déjà une nuance actualisante, car il désigne en même temps la dispersion des juifs à l'époque de l'auteur jusqu'à l'avènement du salut divin (7: 3). Pour ce qui est de la formulation du thème de la dispersion, 7: 2 prolonge les lignes bibliques, alors que 7: 6 emploie une formulation indépendante et originale.

La restauration vise dans ces passages l'intervention future de Dieu, qui est décrite en évoquant des aspects différents. Dans 7: 3, on a repris le thème de la lutte de *Yahvé* contre le monstre primordial pour exprimer l'espérance que Dieu brisera tout ce qui empêchera la restauration d'Israël. Dans 7: 7, on énonce le rassemblement des dispersés qui se fera par le ḥæsæd divin et à cause d'Abraham, d'Isaac et de Jacob.

Nous sommes donc en présence de deux passages « péchés-châtiment-restauration », qui sont destinés dès le début à se compléter.[1] La transition rédactionelle, faite par l'auteur des *Testaments*, est constituée par le verset 4[2].

On peut donc trouver facilement des raisons pour la juxtaposition dans les *Testaments* de matériaux empruntés au thème « péchés-châtiment-restauration ». La raison principale en est cependant à chercher dans le fond sémitique de notre ouvrage, qui explique ce phénomène de juxtaposition[3]. Prenons des exemples, de la littérature sémitique, exemples, qui relèvent du contexte « péchés-châtiment-restauration ».

La grande prière de pénitence dans *Néhémie* 9: 6–37 contient deux passages « péchés-châtiment-restauration » en juxtaposition. L'un et l'autre sont rétrospectifs et sont continués jusqu'à l'époque de l'auteur. Les versets 26–31 décrivent l'histoire d'Israël depuis l'établissement en terre de Canaan jusqu'au temps de Néhémie. L'histoire est considérée sous l'aspect de plusieurs moments « péchés-châtiment-restauration » (vv. 26–27, v. 28, vv. 29–31). Dans les versets 32–37, on commence par indiquer l'élément de « restauration » (v. 32 a), suivi d'une description du châtiment (v. 32 b – 33 a). L'élément des péchés se trouve dans les vv. 33 b – 35. On termine par une description de la situation actuelle qui est encore, comme dans les *Testaments*, sous le signe du châtiment. Les deux pericopes se complètent d'abord par le fait que la seconde présente les élements dans un ordre inverse. Puis, on énumère les différentes catégories du peuple israélite, qui dans le premier passage (vv. 26–31) était abordé comme une unité. La formulation est, enfin, différente de celle utilisée dans les vv.

---

[1] BECKER 1970 p. 369 considère 7: 1–3 et 7: 4–7 comme « störende Dubletten » et penche pour voir dans 7: 1–3 le passage qui serait ajouté.

[2] Pour le rapport entre les trois passages « péchés-châtiment-restauration » du *Testament de Lévi*, voir le chap. III du vol. II.

[3] Voir à ce sujet vol. II chap. III.

26–31. Les deux péricopes sont transmises dans le même cadre, une prière de pénitence.

Dans la fin du *livre de Tobit*, on trouve juxtaposés deux passages « péchés-châtiment-restauration », 13: 1–18 et 14: 4 b – 7. Le premier a la forme d'une prière d'action de grâces, alors que le second est une prédiction de Tobit sur son lit de mort, composée strictement d'après le schéma qui apparaît dans les *Testaments*. Ce sont les mêmes thèmes qui se retrouvent dans l'un et l'autre passage de *Tobit*, mais les formulations en sont différentes. Ici les passages se complètent sur un plan formel plus que sur le fond.

La littérature prophétique de l'*Ancien Testament* fournit également des exemples qui éclairent le mode de composition des *Testaments*. Dans les livres des prophètes, les problèmes littéraires sont en partie d'une nature différente, mais on trouvera néanmoins des analogies à la répétition des passages « péchés-châtiment-restauration » dans les *Testaments* et où l'explication d'additions successives est moins probable. Alléguons *Jérémie*, chapitre 7, où l'on trouve deux péricopes « péchés-châtiment » (vv. 5–15 et vv. 16–20) et *Isaïe*, chap. 65, qui est composé de deux passages « péchés-châtiment-restauration » (vv. 2–10 et vv. 11–25). Certes, il n'est pas pour autant absolument certain que ces passages parallèles ont le même auteur ou qu'ils aient été prononcés à la suite et dans cet ordre par le prophète. L'essentiel pour notre propos est que les collecteurs des matériaux prophétiques ou peut-être le prophète lui-même, ont juxtaposé ces passages dès la rédaction intiale du livre ou de la section en question.

LES GRANDS THÈMES ESCHATOLOGIQUES

Nous avons jusqu'ici trouvé, à l'intérieur des péricopes « péchés-châtiment-restauration », une eschatologie succincte mais cohérente. Une intervention divine, qui amènera le rassemblement des dispersés à la terre de Palestine et à Jerusalem. Israël vivra en paix et en sécurité. L'intervention divine aboutit parfois à une apparition personnelle de Dieu. Des passages « Lévi et Juda »[1] et de *Juda* 22: 3[2] on peut déduire que, dans le milieu des *Testaments*, on espérait pour cet Israël futur un grand sacerdoce et une royauté davidique, dans la ligne de *Jérémie* 33: 17–18. Mais cette attente n'est qu'au second plan des espérances eschatologiques.

On trouve dans les *Testaments*, en dehors des péricopes « péchés-châtiment-restauration », nombre de croyances eschatologiques plus développées et souvent contradictoires, dont l'étude pose bien des problèmes. Nous les

---

[1] Voir surtout supra pp. 74 et 80.
[2] Voir supra p. 170.

aborderons en cours de route. Il faut d'abord traiter de la question de savoir quels sont les rapports de ces croyances avec l'eschatologie des péricopes « péchés-châtiment-restauration ». Comme, selon certains critiques[1], ces péricopes sont des additions juives à l'ouvrage primitif, l'eschatologie, qui s'y trouve, devient secondaire par rapport à ce qu'on regarde comme l'eschatologie initiale. BECKER, au contraire, soutient que l'espérance eschatologique des passages « péchés-châtiment-restauration » est primitive[2]. Toutes les autres croyances eschatologiques représenteraient des additions, faites succesivement à l'ouvrage primitif[3]. Or, il ne fait pas de doute, selon nous, que la plus grande partie des éléments eschatologiques, trouvés dans les *Testaments*, est l'expression du milieu d'où est sorti l'auteur de l'ouvrage initial.

Il est d'abord évident que des idées eschatologiques semblables à celles des péricopes « péchés-châtiment-restauration » se retrouvent ailleurs dans les *Testaments*, mais sous des formes différentes. Ces idées y apparaissent souvent plus développées. Le caractère schématisé et succinct des passages « péchés-châtiment-restauration », surtout en ce qui concerne le dernier élément, ne permet pas autant de précisions que dans les autres formes sous lesquelles sont transmis les éléments eschatologiques des *Testaments*. Abordons pour commencer le thème de la restauration d'Israël, qui est annoncé dans deux textes, qui ne sont pas des passages « péchés-châtiment-restauration ».

L'unité retrouvée d'Israël

Testament de Nephtali 6: 1–10

Comme nous l'avons vu[4], l'idée « Lévi et Juda » est exprimée, en dehors des passages de style parénétique, sous la forme d'un songe du patriarche dans le *Testament de Nephtali* 5: 1–5. De même, le rassemblement des dispersés, élément essentiel dans la restauration[5], est trouvé sous la forme d'un songe dans ce testament. C'est le second songe de Nephtali en 6: 1–10[6]. Ce songe est un bon équivalent aux péricopes « péchés-châtiment-restauration »[7]. *Nepht* 6: 1–10 est une revue succincte sur l'histoire d'Israël, transposée dans un songe prémonitoire du patriarche.

---

[1] Voir n. 2 supra p. 192.

[2] Notons que BECKER ne retient qu'une partie des péricopes » péchés-châtiment-restauration » comme appartenant à l'ouvrage primitif.

[3] BECKER 1970 pp. 403–406.

[4] Supra p. 63.

[5] Cf. supra p. 172.

[6] Sur les rapports de ce songe au *Testament hébreu* de *Nephtali* voir vol. II chap. III.

[7] Le rapport de *Nepht* 6: 1–10 avec ces péricopes est justement indiqué par BECKER 1970 p. 225. Cf. aussi OTZEN 1974 p. 748.

La teneur du texte n'est pas cohérente dans tous ses détails, mais on peut quand même en suivre les grandes lignes. La figure de Jacob semble traduire l'unité du peuple d'Israël, qui est représenté ici par les douze tribus. L'image introductive (v. 1) veut indiquer l'unité initiale d'Israël en tant que peuple. Le navire que Nephtali voit, qui est sans matelots et sans capitaine, mais qui porte l'inscription « le navire de Jacob », représente sans doute Israël en tant que nation et pays. Le *Testament hébreu de Nephtali* montre aussi que le texte primitif du testament grec faisait allusion à l'abondance du pays d'Israël, en précisant la cargaison du navire[1]. Si l'embarquement (v. 3) a une symbolique plus profonde, on pourrait penser à l'entrée des douze tribus en terre de Canaan et la formation d'un état israélite. La tempête qui se lève et qui finira par briser le bateau symbolise la ruine graduelle d'Israël. C'est d'abord la division en deux royaumes, qui est considéré comme une transgression, conformément à la perspective deutéronomiste. C'est pourquoi Jacob, symbole de l'unité, disparaît à la vue de ses fils quand l'ouragan commence (v. 4). Le verset 5 décrit les catastrophes des années 722 et 587, qui écrasera en définitive le navire d'Israël. L'exil et la dispersion sont ensuite annoncés dans les versets 6 et 7. Les douze fils de Jacob sont dispersés aux extrémités du lac (v. 7). C'est là une allégorie de la dispersion des juifs dans l'*oikoumene*[2]. Comme dans la plupart des péricopes « péchés-châtiment-restauration », l'exil en Babylonie et la dispersion des juifs à l'époque de l'auteur sont insérés dans la même perspective. Jusqu'au verset 7 l'aspect rétrospectif domine. Mais ce qui suit dans les versets 9–10, transcrit la restauration future d'Israël. La tempête s'apaise et le canot ou la planche de Nephtali[3] touche la terre en sécurité (v. 9). Jacob vient et tous se réjouissent ensemble (v. 10). Il est permis de supposer d'après le contexte, que, tout comme Nephtali, les autre fils sont sauvés et se retrouvent. Ce passage (vv. 9–10) annonce claire-ment le retour des dispersés et le rassemblement des douze tribus dans la terre d'Israël. L'unité du peuple retrouvé est symbolisée par la réapparition de Jacob. Le vocabulaire du verset 9 rappelle celui des péricopes « péchés-châtiment-restauration »[4].

---

[1] Voir vol. II chap. III.

[2] Notez aussi l'emploi de διασπείρω.

[3] Le mot σκάφος montre qu'il ne peut s'agir du πλοῖον mentionné dans le précédent qui est d'ailleurs brisé, selon le v. 5. C'est l'une des dix σανίδες sur lesquelles les fils sont dispersés. Comme c'est Nephtali qui raconte le songe, ce doit être son canot ou sa planche qui est visé au v. 9.

[4] Notons ἐπὶ τὴν γῆν et ἐν εἰρήνῃ qu'il faut comparer avec la formulation du thème du retour des dispersés, εἰς τὴν γῆν ὑμῶν (αὐτῶν), trouvée dans *Iss* 6: 4, *Zab* 9: 8, *Nepht* 4: 3 et avec le thème du šālōm eschatologique, dans *Juda* 22: 2 et *Dan* 5: 9.

On doit aussi souligner les particularités de *Nepht* 6: 1–10. C'est, dans le verset 6, le fait qu'on met particulièrement en relief Joseph d'un côté, et Lévi et Juda de l'autre. Joseph se sauve sur un canot tandis que Lévi et Juda sont ensembles[1]. La meilleure explication de la mention particulière de ces trois patriarches est qu'elle reflète deux des éléments constitutifs des *Testaments*. L'importance attachée à Joseph parcourt l'ouvrage d'un bout à l'autre[2]. L'idée « Lévi et Juda » est essentielle dans la composition des *Testaments*. Le verset 6 indique clairement que c'est bien l'auteur des *Testaments* qui a rédigé ce songe[3]. Dans le verset 8, Lévi, revêtu d'un sac, prie Dieur pour le salut de tous ses frères. La prière accomplie, la tempête s'apaise. Ce trait correspond du point de vue structurel à l'élément du repentir qu'on trouve souvent dans les péricopes « péchés-châtiment-restauration » et qui est la condition du salut. Cette notice sur la fonction expiatoire de Lévi dans *Nepht* 6: 8 veut souligner également le rôle du sacerdoce lévitique, jugé nécessaire pour la restauration d'Israël. Cela est parfaitement dans la ligne de la prééminence accordée à Lévi dans les *Testaments*. Ce rôle est précisé dans ses fonctions principales dans le *Testament de Ruben* 6: 8. Comme l'auteur des *Testaments* représente des milieux de $h^a k\bar{a}m\bar{\imath}m$ lévitiques, *Nepht* 6: 8 est un témoignage authentique de la position spéciale qu'ils occupent à leurs yeux.

Pour conclure, sous la forme d'un songe de Nephtali, l'auteur des *Testaments* reprend le thème « péchés-châtiment-restauration », mais le modifie légèrement sur certains points. Il y a donc dans le *Testament de Nephtali* deux formulations différentes de la même idée : un songe du patriarche (6: 1–10) et une péricope « péchés-châtiment-restauration ». L'un et l'autre se complètent et marquent l'importance de cette idée pour l'auteur de l'ouvrage. L'élément du salut consiste tout comme dans ces péricopes, en premier lieu dans un retour des dispersés et l'unité retrouvée d'Israël.

Testament de Benjamin 10: 11 – 11: 2

Le *Testament de Benjamin* 9: 2 exprime cette espérance en termes d'un rassemblement futur des tribus au sanctuaire de Jérusalem et sous la forme d'une péricope « péchés-châtiment-restauration ». Or, on retrouve ce thème du rassemblement du peuple dans le même testament, mais sous une forme

---

[1] Voir vol. II chap. IV.

[2] CHARLES 1908 comm. p. 145 suggère que Joseph représente ici Samaria. Ce serait cependant tout à fait contraire à l'emploi de la figure de Joseph dans les *Testaments*.

[3] BECKER 1970 p. 225 souligne que les vv. 6 et 8 sont étrangers au contexte, mais estime que l'auteur des *Testaments* a introduit les thèmes de ces versets dans un songe traditionnel.

différente. La partie appartenant au cadre (12: 1–4) est précédée par un passage cohérent 10: 11–11: 2, qui exprime une espérance eschatologique. Il est caractéristique de l'orientation générale des *Testaments* que cette espérance eschatologique se développe à partir d'une exhortation.

> « Vous donc, si vous marchez en sanctification devant le Seigneur, vous habiterez de nouveau en sécurité avec moi, et tout Israël se rassemblera auprès de moi. » (10: 11).

Un retour des dispersés et un rassemblement du peuple au Temple sont ici clairement énoncés. Car le Temple est, comme le patriarche l'indique, construit sur son territoire. Ce qui suit, dans 11: 1, ne s'explique qu'à la lumière du verset précédent (10: 11)[1]. Le rassemblement eschatologique de tout Israël sur le territoire de Benjamin, abrogera le jugement défavorable, prononcé sur cette tribu par Jacob dans la *Genèse* 49: 27. Benjamin ne sera plus appelé «un loup ravisseur », qui disperse, mais le bien-aimé du Seigneur (*Deut.* 33: 12) auprès de qui on se rassemble. C'est là, de toute évidence, le sens du texte primitif, mieux conservé par la version arménienne[2]. Ce texte initial a subi en cours de transmission des remaniements chrétiens visibles[3]. *Benj.* 9: 2 et 10: 11 – 11: 1 s. constitue donc encore un exemple de la technique dont l'auteur des *Testaments* procède en composant son livre. Il élabore un même thème sous des formes différentes pour en indiquer l'importance[4].

Le messie

Nous avons aussi constaté que le milieu des *Testaments des Douze Patriarches* a espéré le rétablissement d'une royauté davidique[5]. Toutefois, les textes que nous avons étudié jusqu'ici, n'ont accordé aucune place à une *figure messianique*, à qui on assignerait des fonctions précises. Or, il semble que d'autres textes sont plus explicites sur ce point. Mais l'attente d'un messie dont témoignent ces textes, est-elle l'expression du milieu d'où

---

[1] BECKER 1970 p. 256 ne voit pas les rapports entre 10: 11 et 11: 1 s. Au contraire, il considère 10: 11 comme appartenant à l'ouvrage primitif alors que 11: 1 s. serait ajouté ultérieurement. L'un de ses argument selon lequel le texte le plus ancien, représenté par la version arménienne, est tenu à la troisième personne, n'est plus valide car les meilleurs manuscrits arméniens ont, comme le grec κληθήσομαι, la première personne.

[2] Voir vol. II chap. IV.

[3] Sur ces remaniements, voir vol. II chap. III.

[4] Comparez également le thème de l'avènement de Dieu, qui se retrouve dans l'ouvrage primitif, en dehors des péricopes « péchés-châtiment-restauration », aussi en *Lévi* 4: 4 et 5: 1 s. et *Sim* 6: 5; voir sur ces passages supra p. 174 s.

[5] Voir supra p. 80 et p. 170.

est sorti l'auteur ou a-t-elle été introduite ultérieurement dans les *Testaments*[1]? Pour répondre à cette question, il nous faut faire une analyse approfondie des deux péricopes capitales, que sont *Juda* 24 et *Joseph* 19. Il nous faudra aussi examiner leurs rapports avec le contexte immédiat, ainsi qu'avec l'ensemble des *Testaments*.

Testament de Juda 24

Ce passage en forme d'hymne constitue, à côté de *Lévi* 18, le texte le plus important sur les croyances messianiques des *Testaments des Douze Patriarches*. Son interprétation, toutefois, soulève des difficultés considérables. Le désaccord entre les critiques en témoigne clairement. Les problèmes que pose *Juda* 24 concerne aussi bien la transmission du texte que le contenu. Retenons brièvement les différents essais de solutions, mis en avant par les critiques[2]. À remarquer que, même si l'on est d'accord par exemple sur l'unité littéraire de l'hymne, on peut néanmoins différer sensiblement sur la question de l'identité de la figure messianique.

a) *Juda* 24 est composé de deux fragments qui sont indépendants l'un de l'autre. Le premier (vv. 1–3 ou vv. 1–4) décrit le messie lévitique tandis que le second présente le messie traditionnel, issu de Juda[3].

b) L'hymne comprend deux parties, ce qui s'explique par le fait que deux passages bibliques (*Nombr.* 24: 17 et *Is.* 11: 1 ss.) sont à la base du chapitre, qui doit néanmoins être considéré comme une unité. Le poème dans son ensemble glorifie une figure messianique, issue de Juda. Ce messie royal est selon certains interprètes le Christ[4]. D'autres y voient, en revanche, le messie traditionnel, le germe de David. A cette figure correspondrait le messie sacerdotal de *Lévi* 18, conformément à la doctrine bi-messianiste des esséniens de Qumran[5]. Pour PHILONENKO *Juda* 24 glorifie le Maître de justice en faisant appel aux catégories du messianisme royal[6].

c) La raison pour laquelle l'hymne se divise en deux parties résulte du fait que *Juda* 24 parle de deux figures messianiques bien distinctes, d'après

---

[1] CHARLES 1908 comm. p. lvii s., BECKER 1970 p. 404 s. estiment que cette attente ne se trouvait pas dans l'ouvrage primitif.

[2] On trouvera un exposé détaillé de l'histoire des interprétations faites sur *Juda* 24 chez BECKER, 1970 p. 319 s. BECKER divise, toutefois, de façon différente les divers essais d'interprétation.

[3] CHARLES, 1908, comm. p. 95, qui en outre précise que le deuxième fragment serait ajouté postérieurement à l'ouvrage primitif.

[4] DE JONGE 1953 p. 90 et 1960, pp. 200 ss., CHEVALLIER, 1958 p. 132, HIGGINS 1966 p. 226.

[5] SCHUBERT 1957 pp. 231 ss., KUHN 1957 p. 58, BEASLEY-MURRAY 1947 p. 5 s., CAQUOT 1969 p. 217, GRUNDMANN 1968 p. 103, LAURIN 1963 p. 44.

[6] PHILONENKO 1960 p. 10.

le modèle qumranien : le grand-prêtre messianique (vv. 1–3) et le messie royal (vv. 4–6)[1].

d) Le texte initial serait représenté seulement par la seconde partie du poème, à savoir les vv. 5–6. Le reste serait dû à un remaniement chrétien[2].

e) La première partie, les vv. 1–3 (4), quoique recomposée par un chrétien, représenterait le texte primitif qui visait la même figure salvatrice que *Lévi* 18, à savoir l'un des Hasmonéens, de toute évidence Jean Hyrcan. Les versets 5–6 seraient une addition pour rendre plus explicite la réinterprétation de l'hymne, qui se rapporterait à un messie de Juda[3].

Il est préférable de commencer l'analyse de *Juda* 24 en abordant le problème textuel. Tandis que, pour les versets 5–6, la tradition manuscrite est presque uniforme, les divergences entre le texte grec et la version arménienne pour la première partie sont manifestes[4]. C'est en particulier dans les versets 1 et 4 que le texte arménien s'éloigne du texte grec. Bien qu'on trouve dans l'arménien pour les chapitres 21–25 du *Testament de Juda* quelques omissions secondaires, il ne s'agit pas dans 24: 1 et 4 seulement d'omissions de la part de l'arménien. L'organisation du texte est aussi différente. Il semble que, du moins pour les versets 1 et 4, la version arménienne représente pour le fond une étape plus proche de l'original. C'est ainsi que l'organisation du texte grec dans le verset 1 a repose évidemment sur *Nombres* 24: 17 dans la version de la *Septante*, alors que l'arménien n'en sait rien. Dans le verset 4, le texte grec a transféré de son contexte (vv. 5–6) la mention du βλαστός messianique et l'a adaptée à la figure salvifique, décrite dans les versets 1–3.

La chapitre 24 se divise nettement en deux parties. La première comprend les versets 1–3, dans le grec également le verset 4. La deuxième est formée par les versets 4–6 dans l'arménien et 5–6 dans le grec. Il est clair que la deuxième partie introduit une nouvelle affirmation, l'annonce d'une figure messianique issue de Juda : « alors un germe se lèvera de moi ...» (texte arménien) ou « alors le sceptre de ma royauté resplendira ... » (texte grec).

Mais fait surprenante, on vient de décrire dans les versets 1–3 (4) une figure messianique qui même, d'après le texte grec, sera de la tribu de Juda (ἐκ τοῦ σπέρματός μου). Cette rédaction ne peut être originale. Comme les rapports des vv. 4–6 avec le patriarche Juda sont beaucoup plus nets,

---

[1] VAN DER WOUDE 1957 p. 207 s., BRAUN 1960 p. 540 s., GNILKA 1960 p. 401 s.

[2] LAGRANGE 1931 p. 129 et OTZEN 1974 p. 736 qui cependant retiennent la phrase « et après cela se lèvera l'astre de paix » comme primitive. GRELOT 1962 p. 40 et BECKER 1970 p. 323.

[3] HAUPT pp. 113–116. Les versets 5–6 sont selon lui « eine sekundäre Konkretisierung der in v. 1–3 (Grundbestand) vorliegenden Erwartung auf den Stamm Juda hin. »

[4] Pour les détails du texte, nous renvoyons le lecteur au vol. II chap. IV.

c'est leur description de la figure messianique qui doit être la primitive. On a indiqué les affinités entre la figure salvifique de *Juda* 24: 1–3 et le « nouveau prêtre » de *Lévi* 18. Nous les étudierons plus tard[1]. Constatons seulement qu'il est question, ici et là, de la même figure messianique. La figure salvifique de *Juda* 24: 1–3 est en outre secondaire par rapport à celle énoncée dans les versets 4–6.

La question se pose de savoir si les versets 1–3 constituent une interpolation ou s'ils sont une refonte d'un texte sous-jacent. C'est la deuxième solution qui s'impose, selon nous. On trouve dans le *Testament de Zabulon* 9: 8 une description de la restauration future à partir de l'image de « la lumière du salut ». Les descriptions du salut eschatologique sont introduites dans *Zab.* 9: 8 et *Juda* 24: 1 par une formule analogue :

Testament de Juda	*Testament de Zabulon*
καὶ μετὰ ταῦτα ἀνατελεῖ ὑμῖν ἄστρον εἰρήνης καὶ ἥλιος δικαιοσύνης …[2]	καὶ μετὰ ταῦτα ἀνατελεῖ ὑμῖν αὐτός ὁ κύριος φῶς δικαιοσύνης ….

Zab 9: 8 décrit comment Dieu fait apparaître[3] « la lumière du salut », image qui vise l'ensemble de la restauration eschatologique et qui comprend aussi une apparition divine[4]. Or, cette idée est de toute évidence également à la base du texte de *Juda* 24: 1, où apparaît le même symbolisme de la lumière que dans *Zab* 9: 8. La teneur du texte, même en état actuel, peut se rapporter à Dieu : « Et après cela il (renvoyant au sujet de 23: 5) fera apparaître l'étoile de paix » etc. Ce qui suit, continue cette image mais ajoute l'idée d'une apparition divine. La lueur douce de l'étoile apportant le *šālōm* et l'éclat du soleil, apportant la *ṣᵉdāqāh* accompagneront les hommes[5]. La formulation συμπορευόμενος τοῖς υἱοῖς τῶν ἀνθρώπων implique donc à la fois l'avènement du salut et la présence de la Divinité. La croyance que Dieu apparaîtra en personne aux temps eschatologiques est bien enracinée dans les *Testaments*[6]. Elle est nettement exprimée dans le texte parallèle *Zab* 9: 8. Pour la formulation, *Juda* 24: 1 est à rapprocher aussi de *Dan* 5: 13 τοῖς ἀνθρώποις συναναστρεφόμενος, qui s'inspire de *Lévi*-

---

[1] Voir infra p. 291.

[2] Le texte arménien retraduit en grec, mais supplémenté avec ὑμῖν du texte grec, mot qui a été sans doute perdu dans la version arménienne; cp. *Zab* 9: 8, où l'arménien le garde.

[3] Voir supra p. 164. La réminiscence de *Malachie* 3: 20 « le soleil de justice » apparaît clairement en *Zab* 9: 8 et en *Juda* 24: 1, mais est plus explicite dans le dernier passage.

[4] Voir supra p. 164 s.

[5] Il est clair que πραότητι renvoie à « l'étoile de paix » et δικαιοσύνη au « soleil de justice ».

[6] Voir notre exposé supra pp. 173–175.

tique 26: 12[1]. C'est en premier lieu ce passage biblique que reflète la formule
« marchant avec les hommes » de *Juda* 24: 1, mais aussi des passages comme
Exode 33: 16 et 34: 9[2]. Plusieurs traits dans les versets 2 et 3 indiquent
également qu'à l'origine, le texte ne mettait en scène que Dieu.

Dans le verset 2, il est évident que c'est Dieu qui agit; on traduit, comme
souvent à l'époque qui nous occupe, l'action divine par le passif. En outre,
les mots καὶ αὐτὸς ἐχχεεῖ peuvent se rapporter également à Dieu, même
d'après la teneur actuelle du texte. Quoi qu'il en soit, en doit souligner que
dans la tradition juive, c'est Dieu qui répand l'esprit et non le messie.
On trouvera facilement des parallèles à *Juda* 24: 2 dans les textes bibliques :
Isaïe 44: 3, *Joël* 3: 1 s., *Ezéchiel* 11: 19, 36: 26 et 39: 29 et *Zacharie* 12: 10.
Il faut remarquer que ces passages se trouvent dans le contexte « péchés-
châtiment-restauration » et que l'effusion de l'esprit effectuée par Dieu
est un élément significatif dans la restauration future d'Israël. Citons
seulement *Zach.* 12: 10, qui présente une formulation voisine de *Juda*
24: 2

> « et je répandrai sur la maison de David et sur les habitants de Jéru-
> salem un esprit de grâce et de prière (רוח חן ותחנונים *LXX:* πνεῦμα
> χάριτος καὶ οἰκτιρμοῦ).

De plus, notons que c'est précisément dans les livres de *Joël, Ezéchiel*
et *Zacharie* que l'idée d'une venue future de Dieu pour habiter au milieu
d'Israël se trouve. C'est cette formulation de l'avènement divin qui est la
plus proche de ce thème tel qu'il est développé dans les *Testaments. Ezéchiel*
39: 29, passage que nous avons cité plus haut (p. 179), combine l'avènement de Dieu avec l'effusion de l'esprit. L'apparition divine, indiquée
dans *Juda* 24: 1, qui est suivie d'une effusion de l'esprit par Dieu dans le
verset 2, s'insère donc bien dans la ligne des promesses prophétiques
antérieures.

La première affirmation du verset 3 « et vous serez pour *lui* des fils en
vérité » s'explique mieux comme une référence à Dieu qu'à une figure
messianique. Le rapport étroit entre *Yahvé* et son peuple Israël est parfois
exprimé par la métaphore que les Israélites sont les fils de Dieu. *Deutéro-*

---

[1] Voir supra p. 180,

[2] Les deux passages soulignent que la présence divine est un signe du fait qu'Israël
a trouvé grâce aux yeux de *Yahvé*. Voici le texte de 33: 16 (c'est Moïse qui parle) :
« Comment sera-t-il donc certain que j'ai trouvé grâce à tes yeux, moi et ton peuple, à
moins que tu ne marches avec nous (בלכתך עמנו, *LXX:* συμπορευομένου σου μεθ' ἡμῶν).
De même 34: 9.

nome 14: 1 en est un exemple significatif : « Vous êtez les fils de *Yahvé*, votre Dieu. »[1]

Ici, dans *Juda* 24: 3a, les liens intimes entre Dieu et son peuple dans le temps eschatologique sont symbolisés par la désignation des juifs comme fils de Dieu. Les *Psaumes de Salomon* confirment l'interprétation que nous venons de faire de *Juda* 24: 3a. Le *Psaume* 17 de ce recueil, utilise également la métaphore « fils de Dieu » désignant les justes dans un contexte eschatologique. Il est significatif que c'est le messie qui veillera sur la pureté et la sanctification du peuple d'Israël (vv. 26–27). Il reconnaîtra les *b*ᵉ*nē Yiśrā'el* ainsi sanctifiés, comme étant tous les fils de Dieu :

γνώσεται γὰρ αὐτοὺς ὅτι πάντες υἱοὶ θεοῦ εἰσιν αὐτῶν.

Bien que le rôle du messie le davidide futur, soit bien plus développé dans ce psaume que dans les *Testaments*, on ne change pas la métaphore « justes-juifs-fils de Dieu » en « justes-juifs-fils du messie ».

L'adoption des *b*ᵉ*nē Yiśrā'el* comme fils de Dieu, implique en même temps un retour total à *Yahvé*. C'est ce que veut dire le verset 3 b :

« vous marcherez dans ses commandements, les premiers et les derniers » (*Juda* 24: 3 b).

Cette affirmation convient, de toute manière, mieux à Dieu qu'au messie. C'est à Dieu qu'il revient d'instituer les ordonnances que les hommes doivent suivre. Cette croyance est commune au judaïsme et au christianisme[2]. L'expression en soi est un sémitisme qui rend l'hébreu הלך בחקות qui renvoie presque toujours aux commandements de *Yahvé*[3]. Alléguons à l'appui de notre interprétation de Juda deux passages significatifs tirés d'*Ezéchiel*. Il s'agit du même contexte que dans *Juda* 24, des promesses faites à Israël par *Yahvé* d'une restauration future du peuple entier. Dans 11: 19–20, on trouve d'abord l'idée d'une sorte d'effusion d'esprit :

« je mettrai un esprit nouveau en eux »[4] (v. 19)

et l'intention en sera :

« pour qu'ils marchent dans mes commandements et qu'ils gardent mes ordonnances » (v. 20).

---

[1] Voici le texte hébreu : בנים אתם ליהוה אלהיכם. Comparez également *Ex.* 4: 22 *Os.* 11: 1 *Jér.* 31: 20.

[2] Les passages des écrits du christianisme primitif qui utilisent le mot πρόσταγμα montrent que c'est Dieu qui les a institués : *1 Clem.* 3: 4, 20: 5, *2 Clem.* 19: 3, *Diog.* 12: 5, *Herm. Sim.* 5, 1: 5. Le premier et le dernier de ces passages emploient l'expression sémitisante πορεύεσθαι ἐν προστάγμασιν αὐτοῦ.

[3] *Lév.* 26: 3, *1 Rois* 8: 61, *Bar.* 1: 18, *Ez.* 18: 9 et 17, 20: 16, 19 et 21. *Testament de Joseph* 4: 5 et 18: 1 reflètent également cette expression sémitisante.

[4] Il faut lire בקרבם comme le montrent les versions.

L'autre passage décrit le rassemblement des *bᵉnē Yiśrā'el* dispersés et leur purification par *Yahvé* pour qu'ils deviennent son peuple (37: 21–23). Puis vient une proclamation sur le roi futur de la maison de David :

> « et mon serviteur David sera leur roi et ils auront tous un seul pasteur et ils marcheront dans *mes* ordonnances et garderont *mes* commandements et les mettront en pratique » (v. 24).

Notons qu'il est question des ordonnances de *Dieu* bien que la mention du davidide future précède immédiatement cette assertion.

En ce qui concerne l'expression « les premiers et les derniers » on l'a rapprochée de deux passages des écrits de Qumran qui relèvent une tournure semblable en connexion avec un mot comme « ordonnances », ou « loi ». Les ordonnances dernières seraient celles qui seront promulguées par le prophète eschatologique, précurseur des deux messies. De même, dans *Juda* 24, cette tournure indiquerait par les premiers commandements, la loi de Moïse, et par les derniers, les nouvelles ordonnances du temps ultime, instituées par le Maître de Justice ou le messie sacerdotal[1].

Toutefois l'expression « les premiers et les derniers » existe également dans l'*Ancien Testament*, liée au mot « paroles »[2]. Cet emploi est limité presque exclusivement au second *Livre des Chroniques*[3] et désigne évidemment la totalité des דברים, c'est à dire des paroles, actions et événements rattachés à un personnage quelconque. On trouve l'expression « les paroles, les premières et les dernières » aussi dans les *Jubilés* 1: 26 pour désigner l'ensemble des révélations, faites par l'ange interprète à Moïse.

Il est donc vraisemblable que, dans *Juda* 24, « les commandements, les premiers et les derniers » signifie « l'ensemble des commandements »[4]. Nous ne voulons pas cependant écarter entièrement l'interprétation des « commandements derniers » comme ceux promulgués à la fin des temps. C'est en tout cas Dieu qui les institue.

Pour conclure, tout invite à voir dans *Juda* 24: 1–3 une description du salut divin sans mention d'une figure messianique, description analogue à celle des passages « péchés-châtiment-restauration ». Retenons en particulier comme parallèle *Zab* 9: 8. Le texte primitif de *Juda* 24: 1–3 ne se laisse cependant pas reconstituer dans le détail, mais on peut en distinguer les moments suivants :

---

[1] Van der Woude, 1957, pp. 75 n. 3 et 84 s. Dupont-Sommer, 1968, p. 109 s. n. 3, Philonenko, 1960, p. 11. Laperrousaz 1971 p. 408 s. estime que le Maître de justice fut l'auteur des « ordonnances premières » ainsi que des « ordonnances dernières ».

[2] Cf. Chevallier 1958 p. 118 n. 4, de Jonge 1960 p. 203.

[3] *1 Chron* 29: 29, *2 Chron.* 9: 29, 12: 15, 16: 11, 25: 26, 26: 22, 28: 26 et 35: 27.

[4] Cf. de Jonge 1960 p. 203.

1° annonce de l'avènement du salut dans le cadre d'un symbolisme astral	cp. *Malachie* 3: 20
2° indication d'une apparition divine dont la formulation reprend l'image astrale du stique précédent	cp. *Exode* 33: 16, 34: 9 *Lévitique* 26: 12
3° Dieu répand son esprit et sa bénédiction sur le peuple	cp. *Isaïe* 44: 3, *Ezéchiel* 11: 19, 36: 26, 39: 29, *Joël* 3: 1
4° Dieu déclare les *b^enē Yiśrā'el* pour ses fils, et ceux-ci garderont désormais tous ses commandements	cp. *Deutéronome* 14: 1 *Ezéchiel* 11: 20, 37: 24

Cette description de la restauration future d'Israël est un peu plus développée par rapport à celle qu'on trouve d'ordinaire dans les péricopes « péchés-châtiment-restauration ». Elle reste néanmoins dans la ligne des espérances eschatologiques, propres à ces péricopes. L'influence des traditions bibliques apparaît clairement dans la composition de *Juda* 24: 1–3, mais on les adapte et on les combine.

Ce texte a ensuite été remanié pour introduire une figure messianique. Les versions arméniennes et grecques représentent deux étapes dans ce remaniement. Nous étudierons plus tard les problèmes relatifs à cette figure messianique et à cette rédaction[1].

L'interprétation que nous venons de proposer, fait ressortir plus nettement les liens du chapitre 24 avec le chapitre 23, qui est une péricope « péchés-châtiment-restauration ». Dans *Juda* 24: 1–3, nous avons la description de la restauration eschatologique proprement dite, alors que la restauration décrite dans 23: 5 a un caractère rétrospectif puisque c'est le retour de l'exil de Babylone qui est présent à l'esprit de l'auteur, retour qui est aussi le modèle du rassemblement futur des juifs. La description de la restauration après l'exil passe donc directement en celle de l'ère eschatologique. Ce mode de pensée caractérise également le passage « péchés-châtiment-restauration » dans *Tobit* 14: 4–7, où la mention du retour des juifs de l'exil en Babylonie et de la reconstruction du Temple au verset 5 se transforme en description du bonheur du temps eschatologique (vv. 6–7).

Si, à l'origine, *Juda* 24: 1–3 visait l'intervention salvifique de Dieu pour restaurer Israël, la juxtaposition des versets 4–6 ne fait plus difficulté. Le τότε qui introduit cette partie n'apparaît plus étranger au contexte; en revanche, ce mot indique clairement le rapport avec ce qui précède.

---

[1] Voir le chap. III.

L'annonce du messie davidique dans les vv. 4–6 n'est plus contraire au contenu des versets 1–3. Voici le début de la seconde partie de *Juda* 24:

« Alors un germe montera de moi et le sceptre de ma royauté resplendira. »[1]

Ces deux stiques, qui forment un parallélisme sémitique, indiquent la venue du messie en termes (notez : ἀναλάμψει) qui rappellent le symbolisme utilisé dans 24: 1 et qui renvoient, par βλαστός, à l'image qui suit dans les vv. 5 et 6a. Ces versets décrivent l'apparition du davidide futur par l'image d'un arbre grandissant : de la racine monte le tronc sur lequel pousse une branche, « la verge de justice ». Cela rappelle les images qu'emploie Ezéchiel pour désigner la maison royale de Juda. Dans 17: 22–24, il est dit que *Yahvé* prendra un rejeton et le plantera sur la plus haute montagne d'Israël. Ce rejeton produira des branches et deviendra un cèdre magnifique. Dans 19: 10–14, le prophète utilise l'image d'une vigne, qui abonde en rejetons et d'où poussent des branches, qui deviendront « des sceptres de souverain »[2]. Le fond sur lequel cette idée se détache est constitué par les conceptions rattachées au roi et à l'arbre de la vie dans le Proche-Orient antique[3].

Le verset 6b de *Juda* 24 précise enfin la fonction qu'aura ce messie royal. Elle est envisagée par rapport aux nations. Le messie les jugera et les punira, mais il sauvera tous ceux qui invoquent le Seigneur.

Les versets 4–6 forment donc un morceau cohérent, d'un bel élan littéraire, dont on ne saurait mettre en doute l'authenticité juive, comme le montre un examen de la terminologie. Retenons d'abord le mot βλαστός. La signification propre en est : « rejeton », « germe ». Le sens figuré du mot tel qu'on le trouve ici, n'est pas attesté dans le christianisme antique[4]. Dans le passage de Justin Martyr, où le mot serait appliqué au Christ[5], il garde cependant son sens propre : « une verge, celle d'Aron qui poussa un rejeton, l'institua (le Christ) grand-prêtre »[6] (*Dial.* 86: 4 cf. *Nombr.* 17: 23). Ce qui importe pour Justin est de trouver des passages dans les « Écritures »

---

[1] Le texte est principalement celui de la version arménienne, mais restitué à l'aide du grec. La teneur initiale du texte grec se lisait probablement ainsi : τότε ἀνατελεῖ βλαστὸς ἀπ᾽ ἐμοῦ καὶ ἀναλάμψει σκῆπτρον βασιλείας μου.

[2] En voici le texte hébreu de 19: 11a שבטי משלים אל עז מטות לה ויהיו. Pour le chapitre 19 d'*Ezéchiel*, voir l'étude de BROWNLEE 1972.

[3] Pour ces conceptions voir WIDENGREN, 1951. *Juda* 24 est examiné sous cet aspect, pp. 54 ss.

[4] Le terme βλαστός ne figure pas du tout dans le *Nouveau Testament* et dans les écrits des Pères Apostoliques. Dans *Acta* 12: 20 le mot se trouve cependant comme nom d'une personne.

[5] *Lampe*, 1961, p. 299.

[6] Voici le texte grec : ῥάβδος ἡ ᾽Ααρὼν βλαστὸν κομίσασα ἀρχιερέα αὐτὸν ἀπέδειξε.

où ῥάβδος préfigure le Christ : βλαστός n'est ici mentionné qu'en passant pour préciser de quelle verge il s'agit. On doit remarquer les ébauches d'une interprétation messianique de βλαστός dans la *Septante*. Dans le *livre d'Ezéchiel*, ce terme se rencontre en connexion avec la lignée royale de Juda : *Yahvé* plantera un germe sur la plus haute montagne d'Israël lequel produira un rejeton, ἐξοίσει βλαστόν (*LXX Ez.* 17: 23, l'hébreu porte ענף « rameau »). Dans la lamentation sur les rois de Juda, la mère de la race royale est comme une vigne, καὶ ὁ βλαστὸς αὐτῆς ἐγένετο ἐξ ὕδατος πολλοῦ (19: 10, l'hébreu ענפה). La *Septante* traduit, dans la bénédiction de Juda par Jacob (*Gén.* 49: 9), l'hébreu טרף par βλαστός[1] : ἐκ βλαστοῦ, υἱέ μου, ἀνέβης. Le *Siracide* loue le grand-prêtre Simon comme βλαστὸς Λιβάνου ἐν ἡμέραις θέρους (le texte hébreu porte פרח)[2]. Curieusement la *Septante* n'a pas traduit l'hébreu צמח désignant le germe de David par βλαστός mais par ἀνατολή[3]. Cela montre bien l'indépendance de *Juda* 24: 4–6 par rapport à la Septante, car βλαστός correspond évidemment dans le *Testament de Juda* à צמח désignant le davidide futur. De plus, deux fragments de Qumran[4] attestent l'emploi de צמח comme terme pour désigner le messie. L'emploi de βλαστός par Symmaque en *Isaïe* 11: 1[5] confirme le caractère non-chrétien de ce mot comme terme messianique.

Indiquons dans ce contexte aussi l'emploi du terme dans le syncrétisme hellénistique pour désigner Osiris[6].

En ce qui concerne le mot σκῆπτρον, il ne figure que deux fois dans la littérature du christianisme primitif. Dans un passage nous trouvons le sens « tribu » (*1 Clém.* 32: 2), dans l'autre, au contraire, il signifie « sceptre » et est appliqué à Jésus : « le sceptre de la magnificence de Dieu, le Seigneur Jésus-Christ ...» (*1 Clém.* 16: 2).

Dans la *Septante* σκῆπτρον, qui est d'un emploi assez restreint, rend presque toujours שבט au sens de « tribu »[7]. Ce n'est que dans la *Sagesse* qu'on trouvera la signification « sceptre » (6: 21, 7: 8) ainsi que l'expression σκῆπτρα βασιλείας (10: 14).

---

[1] טרף, qui signifie d'ordinaire « proie » ou « nourriture, » se rencontre deux fois avec le sens « feuille verte » (*Gen.* 8: 11, *Ez.* 17: 9).

[2] Un exemple du transfert des attributs royaux au grand-prêtre. Dans *Ez.* 31: 2–9 le roi est comme un cèdre du Liban. Sur ce passage voir WIDENGREN 1951 p. 56.

[3] *Jér.* 23: 5, *Zach.* 3: 8, 6: 12. A noter que *Jér.* 33: 15 manque dans *LXX*.

[4] *4Q Patr. Bless.* et *4Q Flor.* qui font mention de צמח דויד désignant le messie royal.

[5] Eusèbe, *Commentaire d'Isaïe* 62 cite pour *Is.* 11: 1 la traduction de Symmaque καὶ βλαστὸς ἐκ τῶν ῥιζῶν αὐτοῦ αὐξηθήσεται. Le mot βλαστός traduit ici נצר.

[6] C'est dans le texte de Diodore Siculus I 27, 3–6, appelé « l'inscription d'Osiris » : βλαστὸς ἐκ καλοῦ τε καὶ εὐγενοῦς ᾠοῦ. Sur l'arrière-plan égyptien de cette terminologie et les points de contacts avec l'orphicisme, voir BERGMAN 1968 p. 33 s. et 1970 pp. 76–87.

[7] *LXX* rend שבט dans le sens de « verge », « sceptre » par ῥάβδος.

Nous n'avons pas pu relever l'expression ῥάβδος δικαιοσύνης ailleurs. On pourrait la rapprocher de ῥάβδος εὐθύτητος de *Psaume* 44: 7, symbole du pouvoir de *Yahvé* et appliqué à Jésus par l'*Épître aux Hébreux* (1: 8 s.). De même, l'*Apocalypse* transpose sur le Christ ce que le *Psaume* 2: 9 dit du roi de *Yahvé* : il paîtra les nations ἐν ῥάβδῳ σιδερᾷ (*Apoc.* 2: 27, 12: 5, 19: 15). Le *Psaume de Salomon* 17: 24 s'inspire évidemment de ce Psaume biblique quand il est dit que le messie écrasera ἐν ῥάβδῳ σιδερᾷ tous les projets des pécheurs. Le *Psaume de Salomon* 18: 7 parle de ῥάβδος παιδείας du messie avec lequel il gouvernera le peuple d'Israël. Dans *LXX Ezéchiel*, le roi de la race de David est appelé ῥάβδος ἰσχύος (19: 11 ss.). Comme nous l'avons vu, Justin Martyr regarde ῥάβδος comme une figure du Christ, notamment à la base de *Nombres* 17: 23 (*Dial.* 100: 4, 126: 1). Les esséniens de Qumran utilisent le sceptre (שבט) comme symbole du messie royal (*1QSb* V: 27, *CD* VII: 19–21). Notons aussi que ῥάβδος δικαιοσύνης de *Juda* 24: 6 apparaît comme une transcription du titre « messie de justice », trouvé dans *4 Q Patr Blessings*.

Enfin nous avons le mot πυθμήν qui signifie ici « tronc ». Notons d'abord qu'il est absent du *Nouveau Testament* et des écrits des Pères Apostoliques. On trouve dans la littérature patristique quelques passages, mais non avec le sens de « tronc ». La *Septante* l'utilise rarement[1] et l'emploi n'a pas de connexion avec celui de *Juda* 24.

On voit que la formulation de *Juda* 24: 4–6 est tout à fait indépendante de la terminologie christologique de l'Église. L'influence de l'*Ancien Testament* n'est pas non plus marquée. Il y a cependant certains points de contact avec les écrits de Qumran dans leur emploi de צמח et שבט pour le messie royal.

On est donc en présence dans le *Testament de Juda* de deux péricopes d'une structure analogue 21: 6 – 22: 3 et 23: 1 – 24: 6, qui sont composées d'après le modèle « péchés-châtiment-restauration ». L'une et l'autre s'achèvent par une description de l'avènement de Dieu, du bonheur et du *šālōm* d'Israël et de la restauration de la royauté davidique. Seul *Juda* 24: 4–6 la décrit explicitement en termes d'une figure messianique et précise sa fonction.

Testament de Joseph 19

Ce chapitre contient un songe de Joseph, qui porte sur l'histoire d'Israël et les événements eschatologiques. Cette petite apocalypse doit être, sur plusieurs points, l'abrégé d'un original plus développé, car le texte est souvent obscur et difficile à interpréter. Il y a également un manque de

---

[1] *Gén.* 40: 10 et 12, 41: 5 et 22. *Prov.* 14: 12, 16: 25.

cohérence, assez sensible en comparaison avec l'apocalypse au bestiaire de *1 Hénoch* 85–90.

Tout comme dans *Juda* 24, on trouve des différences notables entre le texte grec et la version arménienne. Tout d'abord, la version arménienne a conservé une section (vv. 3–7), qui a été perdue dans le grec. De plus, l'arménien présente pour les versets 2, 8 et 9 un texte d'une teneur différente. Une comparaison approfondie montre cependant que le grec a conservé des mots et des phrases, qui ont été perdus dans la version arménienne en cours de transmission[1]. On ne peut donc préférer de façon constante l'une version à l'autre.

Dans l'interprétation nous essayerons de dégager les lignes essentielles de ce chapitre. Certains détails significatifs nous permettent néanmoins d'indiquer plus nettement le sens général du texte. La vision est composée de plusieurs scènes introduites par les formules « je vis » ou « après cela, je vis » caractéristiques du langage apocalyptique[2]. On n'est donc pas en présence de plusieurs visions indépendantes[3]. Remarquons au préalable que *Joseph* 19 prolonge les lignes de la grande apocalypse au bestiaire de *1 Hénoch* 85–90. Il y a, en effet, des affinités assez précises quant à l'imagerie et à la phraséologie : En voici les plus notables :

1 Hénoch 83–90	*Testament de Joseph* 19
« et je vis et voici » (86: 4, 87: 2, 89: 28)	« après cela, je vis et voici » (v. 5)
« et les brebis se mirent à crier au sujet de leurs petits et à se plaindre à leur Seigneur » (89: 15, cf. aussi v. 19)	« et ils (les trois agneaux) criaient au Seigneur »
« et je vis les brebis jusqu'à ce qu'elles entrèrent dans une belle région » (89: 40)	« et il (Dieu) les conduisit dans un lieu verdoyant et arrosé » (v. 4)

---

[1] Pour les problèmes du texte, nous renvoyons le lecteur au vol. II chap. IV.

[2] Comparez p. ex. le *livre de Daniel* chap. 7, où les différentes scènes de la même vision sont liées avec des formules comme « après cela je vis ». La grande vision d'Hénoch en *1 Hén.* 85–90 commence ainsi : « et après cela je vis un autre songe et tout ce songe je vais te montrer, ô mon fils » (85: 1). Dans la suite la vision se déroule en des scènes introduites par « et je vis ».

[3] DE JONGE 1953 p. 28 s. voit, en s'appuyant sur la leçon des mss *b* et *c*, dans *Joseph* 19 deux visions indépendantes vv. 1–2 et vv. 8–10. Les vv. 3–7 constitueraient un développement secondaire par l'arménien dans le but de les rattacher. Vu les remarques dans n. 2 ci-dessus, cette hypothèse n'est pas soutenable. Cf. à ce sujet également VAN DER WOUDE 1957 p. 201 n. 1 et BECKER 1970 p. 61 et p. 243.

« et il (le bélier) extermina (ἀπώλεσεν) beaucoup de porcs sauvages » (89: 43)[1]

« et il (l'agneau) les extermina (ἀπώλεσεν) jusqu'à les fouler aux pieds » (v. 8)

« et les brebis grandirent (ηὐξή-θησαν) et se multipliaient » (89: 49)

« et ils (les brebis) grandirent (aččēin) et devinrent beaucoup de troupeaux » (v. 4)

« en leur temps » (90: 1)

« en leur temps » (v. 10)

« une grande corne monta » (90: 9)

« une autre corne monta » (v. 6)

Beaucoup d'animaux mentionnés sont communs aux deux apocalypses : bêtes sauvages, brebis, agneaux et jeunes taureaux. Il y a des transformations d'un animal en un autre (*1 Hén.* 90: 6, 38). L'objet des deux visions est le même : une rétrospective de l'histoire d'Israël qu'on prolonge jusqu'aux temps eschatologiques.

Indiquons et interprétons maintenant le déroulement de la vision du *Testament de Joseph* 19. La première scène (v. 2) montre douze cerfs qui paissaient ensemble. Mais neuf d'entre eux s'en séparent et sont dispersés sur la terre[2]. Trois cerfs sont cependant sauvés, mais seront dispersés plus tard eux aussi. Les cerfs représentent évidemment les douze tribus d'Israël. La séparation et la dispersion des neufs cerfs signifient la déportation et l'exil des tribus du Nord par les Assyriens. Le royaume du Sud échappe à ce sort pour un moment, mais plus tard il est également détruit et son peuple, « les trois cerfs », est exilé en Babylone[3].

La scène suivante (vv. 3–4) commence par une transformation : les trois cerfs deviennent trois agneaux. Ils crient au Seigneur qui les fait sortir des ténèbres à la lumière, et les conduit en un lieu verdoyant et arrosé. Là, ils crient au Seigneur jusqu'à ce que les neufs cerfs dispersés les rejoignent. Une nouvelle transformation a lieu : les cerfs deviennent douze brebis qui se multiplient en nombreux troupeaux. Il s'agit apparemment du retour de l'exil de Babylone. Les trois agneaux sont les tribus du Sud : Lévi, Juda et Benjamin[4]. Le fait que les neufs tribus du Nord reviennent en

---

[1] Pour 89: 42–49 nous suivons l'extrait grec (tachygraphie de Vaticane) qui, d'après MILIK 1971 p. 354 « est remarqueablement proche au texte araméen ».

[2] Pour cette phrase nous suivons le texte grec, mais l'arménien conserve seul la mention du salut des trois cerfs.

[3] Cf. aussi CHARLES 1908 comm. p. 191. VAN DER WOUDE 1957 p. 201 s., BECKER 1970 p. 62.

[4] CHARLES 1908 comm. p. 192 rapproche ce passage de *1 Hén.* 89: 72 où le retour de Babel est décrit par la phrase : « et trois de ces brebis revinrent ». Cf. également VAN DER WOUDE 1957 p. 202 qui allègue *1QM* I: 2 pour la division des tribus en neuf et trois; la division habituelle est en dix et deux.

Palestine pour se joindre au reste du peuple d'Israël indique que le récit dans le v. 4 prend un caractère prospectif[1]. Le rassemblement des douze tribus est clairement une croyance eschatologique[2]. Les transformations impliquent un trait, qui relève du style apocalyptique. On veut par ces transformations souligner, semble-t-il, qu'une nouvelle situation s'est réalisée. La signification de l'exil de Babylone est ainsi indiquée par la transformation des cerfs en agneaux (v. 3). De même, la restauration future du peuple entier est symbolisée par la transformation des trois agneaux et des neufs cerfs en douze brebis.

Une transformation est encore indiquée dans le début du v. 5. Les douze tribus sont maintenant devenus douze jeunes taureaux, qui tètent une vache, qui donne un grand lac de lait où s'abreuvent de nombreux tropeaux. Une nouvelle scène dans le déroulement du songe commence ici. Cette scène comprend également le verset 6. Dans ce verset, on apprend que les cornes du quatrième taureau s'élèvent jusqu'au ciel comme un rempart pour les troupeaux. Entre les cornes monte une autre corne.

Il ne fait pas de doute que la description du verset 5 symbolise le séjour bienheureux du peuple uni en Canaan, terre « ruisselant de lait et de miel »[3]. Le quatrième taureau est la tribu de Juda[4]. C'est d'elle qui sera issue la lignée royale de David dont la fonction comme protectrice de la nation contre les menaces extérieures est ainsi indiquée. La corne, comme symbole, est souvent un symbole dynastique et désigne même le davidide futur[5]. Le problème qui se pose, est de savoir si la scène des versets 5 et 6 continue la description eschatologique commencée dans le verset 4, ou si l'on aborde une nouvelle rétrospective, mais sous des aspects différents. Si l'on adopte la première interprétation, le verset 5 décrit le bonheur du temps eschatologique en mettant l'accent sur la fécondité de la terre et l'abondance de ses produits. Le verset 6 annoncerait alors l'apparition du davidide futur. L'interprétation rétrospective viserait l'existence initiale des douze tribus en terre du Canaan (v. 5) qui se transformerait en une

---

[1] CHARLES 1908 comm. p. 191 suggère que l'auteur vit à une époque où l'existence des douze tribus en Palestine fut considérée comme une réalité, à savoir l'époque maccabéenne.

[2] Voir supra p. 172.

[3] *Ex.* 3: 8 et 17, 13: 5 et 33: 3, *Lév.* 20: 24, *Nombr.* 14: 8 et passim. Cf. aussi DE JONGE 1960 p. 216 note 1.

[4] BOUSSET, 1900, p. 155, LAGRANGE, 1909 p. 77, VAN DER WOUDE, 1957, p. 202. CHARLES, 1908, comm. p. 193 pense cependant que *čorrord* « le quatrième » est une corruption d'*error*d « le troisième ». Il s'agirait donc de Lévi. Mais cette correction ne s'impose pas.

[5] *Ps.* 132: 17 et 148: 14, *Ez.* 29: 21.

annonce de l'essor de la dynastie davidique[1]. Il semble cependant que l'interprétation eschatologique convienne mieux dans le contexte. On souligne volontiers qu'à partir du verset 5 un symbolisme différent est introduite, qui marquerait une rupture entre les versets 4 et 5[2]. Toutefois, l'apparition des jeunes taureaux au verset 5, s'explique par une transformation semblable à celle des trois cerfs en trois agneaux ou des douze brebis (du v. 4) en douze taureaux. Rappelons qu'une transformation analogue caractérise le temps eschatologique dans l'apocalypse au bestiaire (*1 Hénoch* 85–90). Les brebis deviennent tous des taureaux blancs (90: 38). De plus, la mention des troupeaux (*hawtk'n*) dans *Joseph* 19: 5 renvoie clairement aux « tropeaux nombreaux » (*hawts bazums*) du verset 4. L'introduction dans le verset 6 d'un nouveau symbolisme de la « corne » s'explique par le fait qu'on aborde un nouveau sujet.

La scène suivante voit l'apparition d'un nouvel animal, un veau qui fait douze fois le tour de la corne apparue la dernière. Le veau devient une aide pour les taureaux. La signification et la fonction de ce verset reste obscure[3].

Avec le verset 8, le texte grec recoupe la version arménienne, mais sa teneur est différente du texte arménien. Les versets 8–9 constituent la scène finale de la vision. Ce passage a suscité de vives discussions, centrées sur la vierge et l'agneau, et les interprétations, présentées par les critiques, diffèrent sensiblement les unes des autres. Les problèmes que pose ce texte, se reflètent bien dans un résumé des interprétations proposées par les commentateurs. On trouve en général l'opinion que la vierge et l'agneau ne sont concevables que dans une perspective chrétienne. Le passage en question serait dû à un remaniement chrétien plus ou moins profond[4], ou serait tout simplement une composition chrétienne[5]. Pour

---

[1] Cf. aussi CHARLES 1908 comm. p. 193. Il penche cependant pour retenir la correction en *errord* (voir ci-dessus) et le verset 6 vise, selon lui, Lévi et l'essor de la dynastie maccabéenne. Les versets 5–6 reflèteraient donc la situation de l'époque, contemporaine de l'auteur; pour CHARLES cela veut dire la fin du IIe siècle av. J. C.

[2] CHARLES 1908 comm. p. 191 s., BECKER 1970 p. 62 s.

[3] Le texte est sans doute abrégé ou corrompu. CHARLES 1908 comm. p. 194 propose de voir dans le veau qui devient une aide pour les taureaux, une allusion aux Maccabées. Il renvoie à *Daniel* 11: 34 où les Maccabées sont visés par l'expression « une petite aide ».

[4] PREUSCHEN, 1900, p. 139 s. déclare le v. 8 a comme un doublet du v. 7, introduit par le remanieur chrétien, et élimine toute la partie du verset jusqu'à καὶ ἐξ ἀριστερῶν αὐτοῦ. BOUSSET, 1900, p. 155 s. souligne que la combinaison « vierge » et « agneau » s'explique seulement du point du vue chrétien. Il écarte donc précisément la même partie que PREUSCHEN. DE JONGE, 1960, p. 216 s. suppose une rédaction chrétienne du passage entier (vv. 8–11) qui se voit également dans le texte arménien. S'il existe un fond juif, on ne peut le distinguer dans le texte actuel. La mention de la vierge et de

certains commentateurs, seule la mention de la vierge est suspecte, tandis
que l'agneau appartiendrait au texte juif original[1]. D'autres critiques se
prononcent pour l'authenticité juive de l'ensemble du texte dans son état
actuel, en préférant soit la version arménienne soit la version grecque[2].

Pour ce qui est du fond dont s'inspirerait la description de la vierge
et de l'agneau victorieux dans le verset 8, les indications des critiques
divergent aussi, comme on peut s'y attendre. Pour la majorité, ce sont des
affirmations de la naissance et de la descendance de Jésus, une expression
de la christologie du *Nouveau Testament*[3]. D'autres songent au bi-messianisme
juif, professé par les esséniens de Qumran[4]. Selon certains critiques, l'arrière-
plan est constitué par l'apparition des Maccabées qui délivrèrent Israël

---

l'agneau est, de toute manière, introduite par le rédacteur chrétien. BECKER, 1970,
pp. 63 ss. soutient que l'empreinte chrétienne sur le v. 8 a été si profonde qu'il faut
renoncer à reconstituer le texte juif initial qui certainement ne connaissait pas la vierge,
et peut-être non plus l'agneau. De même, OTZEN 1974 p. 781.

[5] J. JEREMIAS, 1966, p. 218 s. en préférant le texte grec, réunit les parallèles néo-
testamentaires et en tire la conclusion que *Jos* 19: 8 est composé par un chrétien.
GOODENOUGH 1958, VII p. 25 s. pense que l'ensemble des vv. 8–12 est une composition chrétienne.

[1] CHARLES, 1908, éd. p. 210 s., KOCH, 1966, p. 88. Selon CHARLES, le début du v. 8
aurait décrit la transformation du veau mentionné au v. 7 en un agneau, parce que c'est
sans doute le même personnage, qui au v. 7 est désigné par « veau » et au v. 8 par
« agneau ». Dans la partie précédente on connaît déjà deux transformations semblables
(vv. 3 et 4). Sous l'influence chrétienne, on aurait substitué le « veau » par « la vierge »,
ce qui aurait donné naissance à l'addition « portant une robe de lin ». La comparaison
avec la version arménienne permet, selon CHARLES, d'éliminer certaines parties comme
des interpolations chrétiennes (voir p. 210 s. de son édition). CHARLES propose donc de
restituer ainsi le texte original : καὶ εἶδον ὅτι ἐν μέσῳ τῶν κεράτων μόσχος ἐγενήθη ἀμνός.
KOCH conserve la teneur de la version arménienne sauf qu'il suit CHARLES en rempla-
çant la vierge par un « veau » (Jungstier). « La vierge » provient, selon KOCH, d'une
confusion dans l'original sémitique entre עיגלא « veau » et עולימה « vierge », ce qui était
déjà proposé par *Preuschen* (voir BOUSSET 1900, p. 156 n. 1) sous les formes עגלה et
עלמה.

[2] VAN DER WOUDE 1957 pp. 201 ss. considère à juste titre le texte grec comme plus
remanié que la version arménienne. Quant au problème des éléments chrétiens dans
le v. 8, il constate seulement que « In A ist mit Sicherheit nirgends christlicher Einfluss
nachzuweisen », mais il n'apporte pas d'arguments précis. PHILONENKO 1960, p. 29 s.
préfère la teneur du texte grec, en s'appuyant en partie sur les conclusions de DE JONGE.
L'influence chrétienne serait visible seulement au v. 11 dans la leçon du ms *c* : ὁ αἴρων
τὴν ἀμαρτίαν τοῦ κόσμου. En s'appuyant sur la version arménienne MURMELSTEIN,
1967, pp. 273 ss. ne voit aucune influence chrétienne dans le passage.

[3] Ainsi, PREUSCHEN 1900 p. 139 s., BOUSSET 1900 p. 155 s., DE JONGE 1960 p. 216,
J. JEREMIAS 1966 p. 218 s., BECKER 1970 p. 63 s. et 1974 p. 129.

[4] VAN DER WOUDE 1957 p. 202 s.

et qui étaient de la tribu de Lévi[1]. On a pensé aussi, en combinaison avec la doctrine qumranienne des deux messies, à un mythe de la « Mère du Messie », qui serait refleté dans *Hodayot* III: 6–18 et dans l'*Apocalypse de Jean*, au chapitre 12[2]. Enfin, on a fait entrer en ligne de compte des idées de l'ancienne Égypte sur la naissance du pharaon[3].

Il nous paraît qu'on n'a pas jusqu'ici clairement reconnu quel est l'arrière-plan du *Testament de Joseph* 19: 8. La description de la vierge entre les cornes d'où surgit un agneau victorieux, a pour origine, selon nous, les idées de l'ancien Israël, centrées sur la naissance du nouveau davidide. Citons d'abord l'oracle d'*Isaïe* 7: 14–16, qui est intimément liée aux prophéties dans 9: 1 ss. et 11: 1 ss. Tous ces oracles, qui sont formulés sous l'influence du culte royal, rattaché au sanctuaire de Jérusalem, traitent de l'apparition du davidide futur[4]. Dans la phrase d'*Isaïe* 7: 14 « voici, la jeune femme a conçu et donnera naissance à un fils », qui reprend la formulation d'un oracle canaanéen, le mot « jeune femme » עלמה dans le texte ougaritique *ġlmt*, vise sans nul doute la reine d'où naîtra le roi attendu[5]. La désignation de la mère du nouveau roi en termes de « jeune femme », ou de « vierge » est clairement attestée aussi dans l'idéologie de l'ancienne Égypte[6].

Revenons au texte du *Testament de Joseph*, où pour les versets 8–9 la version arménienne est à préférer, mais complétée pour certains détails par la version grecque[7]. Le visionnaire voit entre les cornes une vierge (παρθένος)[8]. Cela renvoie aux cornes, qui s'élèvent du quatrième taureau

---

[1] CHARLES 1908 comm. p. 192 s. et KOCH 1966 p. 88, après avoir écarté le remaniement chrétien.

[2] PHILONENKO, 1960, p. 29 qui souligne qu'il n'y pas ici d'allusion à la naissance virginale telle que l'église chrétienne la comprend. La vierge symbolise ici, selon PHILONENKO, la communauté sainte des esséniens; il rapproche cette idée de l'*Apocalypse* 12, où la vierge représente l'église chrétienne.

[3] MURMELSTEIN 1967 pp. 273 ss. qui insiste sur l'exclusivité dans le judaïsme de la combinaison : « taureau — vierge — robe de lin — versicolore — naissance attendue du roi ». Cela ne s'expliquerait que par une influence égyptienne. Seule la mention de l'agneau serait d'origine juive.

[4] Cf. HAMMERSHAIMB 1966 et WIDENGREN 1969 B p. 288 s. dont nous suivons, pour l'essentiel, l'interprétation d'*Isaïe* 7: 14 ss.

[5] Cf., HAMMERSHAIMB 1966 p. 13.

[6] On trouve l'expression « la grande vierge » pour désigner la mère du roi déjà dans les textes des pyramides. La légende sur la naissance de Hatschepsut fournit un exemple significatif : la reine-mère est appelée *ḥwn.t* « vierge »; voir BERGMAN 1973 p. 873.

[7] Cf. nos remarques plus haut p. 214.

[8] Le mot עלמה d'*Isaïe* 7: 14 est traduit par παρθένος dans la *Septante*, ce qui n'implique pas toujours une virginité au sens biologique. Il y a des indices qu'à l'origine *Jos* 19: 8 ne portait pas παρθένος mais κόρη; voir vol. II chap. IV. Dans ce cas, on aurait une preuve supplémentaire pour l'indépendance de la formulation de *Jos* 19: 8 vis-à-vis de la *Septante* et de la tradition chrétienne.

(v. 6). C'est donc de Juda, la tribu royale que sera issue la vierge ou la jeune femme. Le texte précise qu'elle porte une robe multicolore. Le mot arménien, *čačanawuxt*, « multicolore » se retrouve une fois dans la Bible arménienne, dans *Ezéchiel* 16: 13, où il est appliqué à la Jérusalem personnifiée, décrite comme la reine-mère israélite. Ce passage manifeste également qu'on n'a pas le droit d'identifier *čačanawuxt* à βύσσινος[1] parce que le mot arménien correspondant *behez* est mentionné à côte de *čačanawuxt*[2]. Le mot βύσσινος du texte grec est secondaire, introduite sans doute sous l'influence de l'*Apocalypse de Jean* 19: 8 où l'épouse de l'agneau devra porter du lin fin, βύσσινον. La mention de la robe multicolore indique nettement l'arrière-plan de notre texte. La robe multicolore est en effet dans l'idéologie royale d'Israël un attribut particulier de la reine. C'est ce que montre le *Psaume* 45, qui témoigne de l'importance assignée au mariage du roi. La reine d'où naîtra le nouveau roi (cf. v. 17) est conduite à son époux dans une robe multicolore (v. 15. לרקמות *LXX* : περιβεβλημένη πεποικιλμένη). Ezéchiel confirme cette particularité dans sa parabole sur l'infidélité de Jérusalem, trouvée dans le chapitre 16. La ville, épouse de *Yahvé*, est décrite en termes qui s'inspirent de l'idéologie royale jérusalémite. L'apparence de la Jérusalem personnifiée est celle de la reine israélite. Or, le prophète dit qu'elle apparaît dans une robe multicolore (*Ez*.16: 10, 13 et 18 רקמה *LXX* : ποικίλα)[3]. À une époque plus tardive, ce trait se trouve également comme un attribut spécial du messie, ce qui vient à l'appui de notre interprétation. Dans le *pésher d'Isaïe*, dont quelque fragments ont été conservés, les esséniens de Qumran développent l'idéologie du messie. Il aura un trône de gloire, une couronne de sainteté et « des vêtements multicolores »[4]. Le détail de la robe multicolore, que porte la vierge dans *Jos* 19: 8, permet donc d'en préciser l'identité et de confirmer le caractère juif de ce trait[5]. C'est la mère du messie, et le messie est symbolisé par l'agneau qui surgit d'elle.

---

[1] J. JEREMIAS 1966, p. 218 est d'avis que CHARLES, en rendant l'arménien *čačanawuxt* par ποικίλος aurait produit une variante qui n'existe pas, parce que le mot arménien ne serait qu'une libre traduction du grec βύσσινος. CHARLES a toutefois raison, comme nous l'avons vu ci-dessus; de plus, l'ouvrage capital de la lexicographie arménienne *Nor baṙgirk' haykazean lezui* ne donne pour *čačanawuxt* que la signification ποικίλος, multicolor.

[2] Voici le texte arménien de ce passage dans *Ez*. 16: 13 : *ew handerj k'o behez ew zaṙnawuxt ew čačanawuxt*.

[3] Outre ces passages dans *Ezéchiel* et *Ps*. 45, le terme רקמה n'est appliqué à des personnes que dans *Ez*. 26: 16.

[4] *4QpIsa* fragm. D : בגדי רוקמו[ת.

[5] PHILONENKO, 1960, p. 29 et J. JEREMIAS, 1966, p. 218, en suivant la version grecque, rapprochent ce trait de l'*Apocalypse* 12: 1 : γυνὴ περιβεβλημένη τὸν ἥλιον. La ressemblance n'est pas pourtant très frappante. KOCH 1966 p. 89 voit dans cette

Cet agneau est caractérisé dans le texte grec comme ἄμωμος. Le mot correspondant ne se trouve pas dans la version arménienne. Il serait tentant d'y voir une retouche chrétienne, influencée par l'idée de Jésus comme un agneau sans tache, immolé et sacrifié pour les hommes[1]. Cette idée s'inspire du culte sacrificiel d'Israël, où il est souvent précisé que la victime sera sans tache (תמים LXX : ἄμωμος)[2]. Toutefois, l'hypothèse d'une retouche chrétienne reste douteuse. La version arménienne se caractérise, en effet, par nombre de petites omissions, qui sont secondaires en comparaison avec le texte grec[3], et dont certaines se trouvent dans *Joseph* 19[4]. Mais qui plus est, un arrière-plan juif pour l'expression ἀμνὸς ἄμωμος peut être dégagé. Rappelons en premier lieu qu'il ne s'agit nullement dans *Joseph* 19: 8 d'un contexte sacrificiel. La mention de l'agneau s'explique par le symbolisme utilisé dans la vision. L'agneau est ici un agneau combatif, qui triomphe sur tous ses adversaires. De plus, l'idée du messie, qui détruira les ennemis d'Israël et qui sera un homme parfait, libre de tout péché, est nettement évoquée par les *Psaumes de Salomon* et par les fragments messianiques de Qumran. Le *Psaume de Salomon* 17: 36 affirme que le messie davidique sera καθαρὸς ἀπὸ ἁμαρτίας τοῦ ἄρχειν λαοῦ μεγάλου (cf. aussi pour son caractère combatif vv. 24 et 35). Selon le *livre des Bénédictions*, le « prince de la congrégation », le messie royal, sera « parfait » תמים devant Dieu[5]. Sa fonction de détruire les adversaires d'Israël est rappelée dans plusieurs reprises dans ce passage[6]. Il n'est donc pas surprenant que le texte primitif de *Jos* 19: 8 ait ajouté à l'agneau l'épithète תמים ou son équivalent araméen, qui aura été ensuite traduit en grec par ἄμωμος. L'interprétation chrétienne a pu naturellement voir là une allusion à Jésus, mais une telle interprétation sacrificielle est tout à fait étrangère au contexte initial.

L'identité de l'agneau est soulignée par la phrase « et à sa gauche (il y avait) comme un lion ». Cette mention, faite comme en passant, n'a pas

---

robe multicolore le vêtement sacerdotal, décrit dans *Ex.* 28, après avoir d'abord remplacé « la vierge » par « le jeune tarueau ». MURMELSTEIN, 1967, p. 275 s. fait entrer en ligne de compte le fait que le lin fin est spécialement rattaché à Isis dont la robe est une robe cosmique.

[1] Voir la *Première Épître de Pierre* 1: 19, l'*Épître aux Hébreux* 9: 14. *Apoc.* 5: 12 et *Jean* 1: 29. C'est aussi le thème principal de l'*Homélie Pascale* par Méliton de Sardes ; cf. surtout 8, 12, 31–33, 44, 71 et 103.

[2] P. ex. *Nombr.* 6: 14 et 19: 2; c'est surtout *Isaïe* 53: 7 qui est à l'origine de cette idée sur Jésus sacrifié.

[3] Voir à ce sujet vol. II chap I.

[4] Relevons au verset 1 : τέκνα μου, au v. 2 : διαιρέθησαν et probablement ἐπὶ πᾶσαν τὴν γῆν, au v. 8 : ὡσ λέων et εἰς καταπάτησιν.

[5] Voici le texte hébreu de *1QSb* V: 22 : ‏ולהתהלך לפניו תמים בכול דרכי]אל[.

[6] *1QSb* V: 24–25 et 27–28.

pour but d'introduire une autre figure messianique dans le déroulement eschatologique[1]. C'est pour indiquer de façon plus claire que l'agneau est le messie davidique, issu de Juda[2]. Dans la suite, c'est contre l'agneau que les bêtes fauves s'élancent et c'est l'agneau qui les vaincra. L'interprétation qui voit dans l'agneau le messie sacerdotal et dans le lion le messie davidique est invraisemblable. Il serait surprenant, que le messie royal dans *Joseph* 19: 8 n'ait été qu'un figurant dans le combat eschatologique. Car c'est précisément la fonction de vaincre les ennemis d'Israël que les textes juifs assignent unanimement au messie davidique.

C'est là également la fonction de l'agneau-messie dans *Joseph* 19: 8. Les bêtes fauves représentent, comme dans l'apocalypse au bestiaire d'*Hénoch* (90: 18 s.), les nations, ennemies d'Israël. La mention des reptiles[3] est plus difficile à interpréter. Nous suggérons que cette mention fait allusion aux esprits mauvais dont le châtiment ultime est indiqué en d'autres passages des *Testaments* (*Sim* 6: 6, *Lévi* 3: 3, *Juda* 25: 3). Notons que ces esprits sont appelés précisément רוחי אפעה, « esprits d'aspic » dans les *Hodayot* III: 18.

Le verset rapporte enfin la joie qu'évoque la victoire de l'agneau chez les taureaux, la vache et les trois cornes. Les taureaux symbolisent ici encore les douze tribus, la vache de toute évidence la terre d'Israël[4]. La mention des trois cornes est toutefois difficile à interpréter. On peut voir dans les trois cornes les trois patriarches Abraham, Isaac et Jacob. Ceux-ci prennent part explicitement à la joie du salut final dans *Lévi* 18: 14; ils sont également mentionnés dans la restauration future décrite dans *Aser* 7: 7. Mais il y a là une difficulté. Les figures du verset 9 renvoient clairement à celles mentionnées dans les versets 5–6. Or, les trois cornes du verset 6 ont un rapport étroit avec la tribu de Juda; du moins la troisième d'entre elles semble représenter un individu. Dans le verset 9, les trois cornes seraient donc des représentants de la lignée messianique, issue de Juda. Il n'est pas possible cependant d'aller plus loin dans l'interprétation.

---

[1] CHARLES 1908 comm. p. 194 tient l'agneau = Lévi, pour l'un des Maccabées tandis que le lion symbolise Juda. Il n'explique pas cependant, quel personnage se cacherait derrière Juda. BEASLEY-MURRAY 1947 p. 10 s., PHILONENKO 1960 p. 30 et BECKER 1970 p. 65 s. voient dans la mention du lion le messie royal, issu de Juda, tandis que l'agneau représenterait le messie issu de Lévi.

[2] Le passage central concernant le lion comme rattaché spécialement à Juda, et par la suite au roi davidique est *Gen.* 49: 9. Cf. aussi *1QSb* V: 29.

[3] La mention des reptiles se trouve seulement dans la version arménienne, mais paraît originale. Quoi qu'il en soit, on ne peut l'expliquer comme une corruption de ·կոխումն =καταπάτησις en սողումէր , ce que suggère CHARLES 1908 éd. p. 211.

[4] Pour la joie de la nature dans l'ère eschatologique, comparez *Lévi* 18: 5, voir infra p. 278.

La vision se termine, conformément au style apocalyptique, par une allusion voilée au moment de l'histoire où ces événements auront lieu (19: 10).

Il est utile, pour conclure, de résumer et de préciser sur certains points notre interprétation de *Joseph* 19: 1–10. La vision se déroule en cinq scènes qui se suivent de façon cohérente. Le contenu de la vision est une rétrospective sur l'histoire d'Israël (vv. 2–3), qui se transforme par le verset 4, en une description de la restauration future (vv. 5–9). Les étapes eschatologiques de cette vision s'accordent avec celles de la version primitive du *Testament de Juda* 23: 5 – 24: 6 :

1° rassemblement des dispersés en terre d'Israël v. 4 cf. *Juda* 23: 5
2° description du bonheur de l'ère eschatologique (v. 5) cf. *Juda* 24: 1–3
3° apparition du messie davidique (vv. 6–8 a) cf. *Juda* 24: 4–6 a
4° action salvifique du messie (v. 8 b) cf. *Juda* 24: 6 b
5° indication de la joie qu'évoque l'action du messie (v. 9)

L'interprétation des rapports entre les cornes, issues de Juda dans le verset 6 et l'agneau issu de la vierge dans le verset 8, pose un problème particulier. Est-ce qu'il y a deux descriptions différentes de l'apparition du messie? Ou bien, est-ce qu'on est en présence d'*une* description cohérente, analogue à celle de *Juda* 24: 4–6 a? Le problème est compliqué par l'existence du verset 7 qui échappe à une interprétation satisfaisante. Il semble que le verset 6 commence à decrire l'avènement du messie sous un aspect rétrospectif : l'essor de la dynastie messianique, à savoir la lignée davidique. Cette description se prolonge au verset 8, tout comme dans *Juda* 24: 6 a, par la mention d'un rejeton futur né du tronc messianique, rejeton qui sera le messie-sauveur. Peut-être l'intention de l'auteur est-elle de faire apparaître une ligne de quatre rois-sauveurs, dont le dernier est le roi-sauveur à venir, et dont les trois premiers sont des figures historiques[1]. La mention des trois cornes et de l'agneau pourrait être rapprochée de la conception iranienne des quatre sauveurs[2]. Quoi qu'il en soit de cette hypothèse l'indication au verset 6 de l'essor de la lignée messianique prépare la description au verset 8 de l'apparition du messie-sauveur, le davidide futur.

---

[1] Remarquons qu'on trouve dans la secte des ébionites une ligne de quatres figures salvifiques; cf. WIDENGREN 1957.

[2] Ce schéma est le plus nettement exprimé dans les textes pehlevis, mais remonte clairement à des textes avestiques. Notons que le dernier sauveur, le *Saošyant*, naîtra d'une vierge *Yašt* 13: 142 (et cp. WIDENGREN 1968 p. 128 et HINNELLS 1969 p. 166); il a aussi un caractère apparent de sauveur combattant (*Yašt* 19: 92 ss.).

Pour ce qui est du style de la vision, elle est présentée dans le langage des apocalypticiens. L'imagerie ressemble à celle utilisée dans l'apocalypse au bestiaire dans *1 Hénoch* 85–90. Dans la version arménienne de *Joseph* 19, la figuration est cohérente, alors que le texte grec abandonne à partir du verset 8 la plupart des images, trouvées dans le texte arménien. Il semble que la version grecque ait transposé ce symbolisme en des termes plus explicites. C'est ainsi que, dans le verset 8, la phrase ἐκ τοῦ Ἰούδα ἐγεννήθη παρθένος traduit exactement le sens de l'arménien « (je vis) au milieu des cornes une vierge ». Les cornes du verset 8 sont celles mentionnées dans le verset 6, qui s'élèvent du quatrième taureau, c'est à dire de Juda. Le fait que la vierge se trouve au milieu des cornes veut sans doute exprimer qu'elle descend ou appartient à cette tribu royale. De même, dans le verset 9, οἱ ἄγγελοι du texte grec, cherche à préciser le sens des « (trois) cornes » attestées par la version arménienne; οἱ ἄνθρωποι et πᾶσα ἡ γῆ explicitent clairement la signification des « taureaux » et de « la vache » dans l'arménien, mais leur donnent en même temps un sens universel, absent du texte primitif. Car les taureaux signifient, comme nous l'avons vu, les douze tribus d'Israël, et la vache la terre d'Israël[1]. On comprend pourquoi le texte grec conserve quand même dans le verset 8 les figures de « l'agneau » et des « bêtes fauves », car elles sont devenues des symboles importants dans le christianisme antique[2].

Avant de quitter la question du symbolisme, ajoutons encore quelques remarques. Il n'y a rien d'extraordinaire à trouver la mention de la vierge dans le contexte d'une figuration animale[3]. Le style apocalyptique semble au contraire aimer un mélange des figures symboliques. Citons par exemple « l'apocalypse au bestiaire », où dans 89: 1 et 9 le taureau blanc (Noë) devient un homme. Dans 89: 59, les soixante-dix pasteurs sont introduits dans le songe, et les anges figurent sous la forme d'hommes en 90: 14–22[4].

L'image au verset 6, selon laquelle les cornes du quatrième taureau (Juda) s'élèvent jusqu'au ciel et deviennent comme un rempart, traduit évidemment la grandeur et la force du messie royal. Ces traits appartiennent à l'idéologie du messie davidique. Ils sont exprimés de façon analogue, mais dans un langage plus ordinaire, dans le *livre des Bénédictions*. Le

---

[1] Cf. CHARLES 1908 comm. p. 194 s.

[2] Pour l'agneau, voir ci-dessus p. 221. Pour θηρία, voir *Apoc.* 11: 7, chap. 13, 14: 9, 11, 15: 2; chap. 16 et 17, et 20: 4 et 10; et la quatrième *Vision d'Hermas* I: 6 ss.

[3] CHARLES 1908 comm. p. 194, KOCH 1966 p. 88 et BECKER 1970 p. 63 regardent la mention de la vierge comme secondaire, parce qu'elle serait étrangère au symbolisme du contexte.

[4] On peut mentionner aussi la figuration de l'*Apocalypse de Jean* qui présente un mélange de symboles humains et animaux.

« prince de la congrégation », c'est à dire le messie davidique, est béni
dans V: 23–24 par les mots suivants :

« Que le Seigneur t'élève jusqu'à la hauteur éternelle et comme une
tour forte dans une muraille escarpée. »

On peut, enfin, trouver dans certains symboles deux niveaux de signification. L'image sur la vierge au milieu des cornes (v. 8) s'explique en
premier lieu sur le fond des valeurs symboliques évoquées dans le verset 8.
Mais on devine derrière cette image l'influence du milieu qui entoure
l'auteur. Le langage symbolique des apocalypticiens juifs s'inspire souvent,
peut-être de façon inconsciente, des symboles religieux et des représentations artistiques du monde ambiant[1]. Or, la vierge, associée à deux cornes,
renferme dans *Joseph* 19: 8 une indication de l'identité de cette vierge.
Dans le Proche-Orient antique la reine était souvent mise en relation avec
une déesse de fécondité. Dans les milieux cananéens et syriens, la grande
déesse mère portait sur la tête des cornes de taureaux. Ce trait est attesté
surtout pour Astarté et pour Isis, importée d'Égypte[2]. Philon de Byblos
affirme qu'Astarté a mis des cornes de taureau comme symbole de la
royauté[3]. Rappelons également le nom donné à un lieu de Trans Jordanie
dans la *Genèse* 14: 5 עשתרת קרנים, c'est à dire « Astarté aux deux cornes »[4].
De plus, les déesses 'Anat et Astarté étaient désignées par l'épithète
« vierge »[5].

Pour comprendre le caractère de la vision, il importe de souligner ses
affinités avec les prédictions des autres testaments. *Joseph* 19: 1–5 est
un passage de structure semblable à celle de *Nepht* 6: 1–10, formulé sous
l'influence du thème « péchés-châtiment-restauration »[6]. L'abondance du
pays d'Israël, indiquée en *Jos* 19: 5, se trouvait de toute évidence aussi
en *Nepht* 6: 2. Les visions dans le *Testament de Nephtali* se terminent dans
7: 1 par une formule, de style apocalyptique, qui est très voisine de celle

---

[1] Sur cette particularité des apocalypticiens, voir p. ex. HOOKE 1935 p. 222 ss.,
CAQUOT 1955 p. 13, RUSSEL 1964 p. 122 ss., SCHREINER 1969 pp. 92 ss.

[2] Pour cette Isis de la Syrie, voir les figures en DU MESNIL DE BUISSON 1970 pp. 66,
68 et 104. La déesse 'Anat portait aussi, semble-t-il, des cornes; cf. CAQUOT–SZNYCER–
HERDNER 1974 p. 86.

[3] Eusèbe *Prép. év.* I, 10: 31 : ἡ δὲ Ἀστάρτη ἐπέθηκεν τῇ ἰδίᾳ κεφαλῇ βασιλείας
παράσημον κεφαλὴν ταύρου.

[4] Cf. RINGGREN 1973 p. 141.

[5] 'Anat, on le sait, porte régulièrement l'épithète *btlt* « vierge » dans les textes
ougaritiques. Pour Astarté, cf. Philon de Byblos, qui l'appelle παρθένον Ἀστάρτην
(Eusèbe *Prép. év.* I, 10: 22).

[6] BECKER 1970 p. 243 admet cette influence sur *Jos* 19.

qui conclut la vision du *Testament de Joseph*. En ce qui concerne la description du salut futur, les points de contact avec *Juda* 23: 5–24: 6 sont évidents. Les étapes eschatologiques sont presque les mêmes et se suivent dans un ordre analogue[1]. Notons également que le thème de l'accroissement du peuple dans l'ère eschatologique, exprimé dans *Joseph* 19: 4, a un parallèle dans *Sim* 6: 2[2]. Il n'y a, en effet, dans le contenu de *Joseph* 19 rien qui ne soit conforme aux idées maîtresses des *Testaments*. C'est pourquoi, on doit considérer ce chapitre comme appartenant à l'ouvrage primitif[3]. Si l'on tient compte du fait que Josèph, selon la *Genèse*, avait une disposition à prédire l'avenir par les songes et qu'il apparaît dans la tradition juive comme un « révélateur des choses cachées »[4], il est parfaitement naturel que, dès la composition de l'ouvrage primitif, un songe ait formé la partie essentielle des prédictions dans le testament de ce patriarche.

Il est nécessaire de dire ici quelques mots sur les versets 11 et 12 de *Joseph* 19. La juxtaposition d'une exhortation « Lévi et Juda » reflète, comme nous l'avons vu, un trait intentionnel dans la composition[5]. Pour ce qui est de la formulation, la version arménienne a conservé une teneur plus proche de l'original de cette exhortation, ce qui ressort de la comparaison avec les autres passages « Lévi et Juda » des *Testaments*[6]. Le texte grec a visiblement subi un remaniement chrétien. On a mis Juda avant Lévi et on a ajouté un développement sur l'agneau de Dieu, inspiré par la mention de l'agneau au verset 8. Au contraire, l'exhortation à garder les commandements du Seigneur, a été perdue dans l'arménien[7]. Le verset 12, constitue une

---

[1] Voir pour les détails supra p. 223.

[2] Le thème d'une croissance extraordinaire du peuple d'Israël au temps eschatologique est clairement évoqué en *Isaïe* 60: 22; cf. aussi infra p. 248.

[3] BECKER 1970 p. 242 s. considère le chapitre 19 comme introduit postérieurement dans l'ouvrage primitif. *Jos* 19 serait entièrement isolé dans son contexte. Mais les prédictions des *Testaments* n'ont pas en général autant de points de contact avec leur contexte que les parties parénétiques et aggadiques. Cela dépend en premier lieu du fait que les prédictions introduisent des matières nouvelles dans la composition du chaque testament. Les arguments mis en avant ci-dessus de l'authenticité de *Joseph* 19 sont, selon nous, plus forts que les objections de BECKER.

[4] Comparez *Genèse* 37: 5–10; Josèphe *Ant.* II, 91 explique le nom donné à Joseph par Pharaon ainsi : κρυπτῶν εὑρετήν; de même, les *Targums Pseudo-Jonathan, Onqelos* et *Neofiti* (*Gen.* 41: 45). *Ber. R.* XC, 4 attribue la même interprétation à R. Yochanan. Il est fait mention des songes de Joseph en d'autres sections des *Testaments* : *Zab* 3: 3 et *Gad* 2: 2, ce qui infirme le caractère prétendu de *Jos* 19 comme un morceau isolé dans les *Testaments*.

[5] Voir infra p. 247.

[6] Voir supra p. 74 s.

[7] Voir vol. II chap. IV. Il est évident que la version arménienne a perdu aussi l'affirmation sur la royauté de Dieu, puisque la mention de la royauté de Joseph présuppose ici celle de la royauté de Dieu.

transition entre 19: 11 et 20: 1. La royauté éternelle de Dieu, conception fondamentale du judaïsme, est opposée à la royauté de Joseph, qui est de nature passagère[1]. Le mot αὐτοῦ dans ἡ γὰρ βασιλεία αὐτοῦ renvoyait évidemment, à l'origine, à κυρίου au verset 11 a. Mais, dans le remaniement chrétien, c'est la royauté éternelle de l'agneau de Dieu qui est visée[2]. L'affirmation de la royauté de Dieu est à rapprocher des formules analogues, trouvées dans le *livre de Daniel*[3]. Mais *Joseph* 19: 12 constitue une variante indépendante[4].

Testament de Nephtali 8: 3

Nous avons relevé plus haut[5] que *Nepht* 8: 2–3 a été remanié sous une influence chrétienne. Or, le texte initial a pu contenir une allusion au messie davidique. La troisième ligne du verset 3 est du point de vue stylistique, mal reliée à ce qui précède : on attend l'infinitif au lieu d'une forme finie. Pour ce qui est du contenu, cette ligne est conforme à la fonction que *Juda* 24: 6 assigne au davidide futur, à savoir de juger et de sauver parmi les nations «tous ceux qui invoquent le Seigneur». Ce trait correspond parfaitement à *Nepht* 8: 3 où le sauveur rassemblera les justes parmi les nations. Par conséquent, il est donc légitime de supposer que le texte primitif parlait du messie davidique, et que la phrase « et il rassemblera les justes des nations » en est un vestige.

Le davididie futur des Testaments et son rapport avec la doctrine messianique de l'époque

L'analyse de *Juda* 24 et *Joseph* 19 a montré que l'espérance d'un davidide à venir est solidement enracinée dans l'ouvrage primitif. Les passages « Lévi et Juda » doivent se comprendre également dans cette perspective. *Juda* 22: 3 rappelle la promesse sur la pérennité de la dynastie davidique. Le texte primitif de *Nepht* 8: 3 définit peut-être le rôle du davidide future. Mais ce n'est que dans *Juda* 24: 4–6 et *Joseph* 19: 1–10, qu'on trouve clairement une *figure* messianique dont les fonctions soient indiquées. A

---

[1] La tradition juive a interprété la position accordée à Joseph par Pharaon (*Gen.* 41: 37–44) en termes d'une royauté de Joseph : outre le *Testament de Joseph*, renvoyons à *Joseph et Aséneth* 29: 11 καὶ ἐβασίλευσεν Ἰωσὴφ ἐν Αἰγύπτῳ ... Cf. aussi *Testament de Zabulon* 3: 3.

[2] BECKER 1970 p. 58 considère le v. 12 a comme une partie de l'interpolation chrétienne au verset 11b : car, selon lui, βασιλεία αὐτοῦ ne peut viser que ἀμνὸς τοῦ θεοῦ.

[3] Voir *Dan.* 3: 33 et 7: 27; de même *LXX Dan.* 4: 37 c, qui est traduit d'un texte sémitique.

[4] On le voit d'abord par le mot παρασαλεύσεται et puis par le fait que la formulation de *Jos* 19: 12 a est indépendante des passages bibliques correspondants.

[5] Voir p. 76,

première vue, les différences entre ces deux passages apparaissent peut-être trop grandes pour qu'ils soient d'un même auteur. Une comparaison approfondie révèle toutefois qu'on est en présence d'une conception cohérente.

Le ῥάβδος δικαιοσύνης de *Juda* 24: 6 implique à la fois une *ṣᵉdāqāh* qui punit et qui sauve; c'est pourquoi le texte précise que le messie doit κρῖναι καὶ σῶσαι. Sa fonction est ici envisagée par rapport aux païens; « la verge de justice » s'élèvera τοῖς ἔθνεσι. Le châtiment des nations par l'intermédiaire du messie amène toujours une délivrance ou une réhabilitation d'Israël : cette perspective doit être sous-entendue dans *Juda* 24: 6. Le thème du salut, impliqué, lui aussi, dans l'apparition de « la verge de justice » est exprimé dans l'idée que le messie sauvera parmi les nations « tous ceux qui invoquent le Seigneur ». La terminologie utilisée, τοὺς ἐπικαλουμένους κύριον, et le fait que cette phrase concerne des non-juifs indiquent que l'auteur pense à une classe particulière parmi les païens. Ce sont les « craignant Dieu », groupés autour des synagogues, qui reconnaissent le Dieu unique sans être intégrés dans les communautés juives. On les connaît sous une terminologie analogue, surtout dans les *Actes des Apôtres* et les *Antiquités* de Josèphe[1].

Dans *Joseph* 19, la fonction du messie est également envisagée par rapport aux nations. Selon le verset 6, la dynastie messianique protégera le peuple israélite contre ses ennemis. Dans le verset 8, c'est la victoire du messie sur les nations ennemies, qui est annoncée. Le *Testament de Joseph* met donc tout l'accent sur l'un des deux aspects sous lesquels le davidide futur est décrit dans *Juda* 24: 4–6. Mais, il n'y a pas là pourtant une conception différente du messie. Dans *Nepht* 8: 3, au contraire, on n'a retenu, semble-t-il, que l'autre aspect : le salut des justes parmi les nations. La conviction d'un salut des nations paraît cependant être envisagé dans *Joseph* 19. Dans le verset 5, la description de la plénitude eschatologique fait mention, à côté des douze troupeaux, du « petit bétail innombrable »[2]. Comme les douze troupeaux représentent déjà Israël, l'autre groupe doit viser les nations. On aurait ainsi une formulation analogue à celle de *Benj* 9: 2, où les douze tribus et toutes les nations se rassembleront autour du Temple.

La doctrine du messie davidique telle que la présentent les *Testaments des Douze Patriarches*, est courante dans la première moitié du Ier siècle

---

[1] Ce sont οἱ φοβούμενοι τὸν θεόν dans *Act.* 13: 16 et 26. Des individus de cette classe de demi-prosélytes sont indiqués aussi par σεβόμενος τὸν θεόν : *Act.* 16: 14 et 18: 7. Ils apparaissent dans *Apoc.* 11: 18 comme τοῖς φοβουμένοις τὸ ὄνομά σου. On voit que la terminologie n'est pas strictement fixée. Jos. *Ant.* XIV, 110: σεβομένων τὸν θεόν. Cf. aussi les études récentes de LIFSHITZ et de SIEGERT.

[2] Il faut noter que les termes *hawtkʻ* et *xašinkʻ* ne sont pas identiques, ce que la retraduction de CHARLES 1908 éd. p. 210 fait penser; voir aussi vol. II chap. IV.

av. J.-C. On retrouve cette doctrine dans les *Psaumes de Salomon* et dans les écrits de Qumran. Ces textes soulignent d'abord qu'il revient au messie davidique de combattre et de juger les nations, ennemies d'Israël[1]. Cet aspect du rôle du messie vis-à-vis des peuples non-juifs domine entièrement la conception des esséniens de Qumran, conformement à leur attitude foncièrement particulariste. Dans les *Psaumes de Salomon*, en revanche, la double fonction du messie, qui est de châtier et de sauver les nations, est nettement marquée. La mission du messie en *Juda* 24: 6 d'être « une verge de justice pour les nations, pour juger et pour sauver » a son équivalent dans les *Psaumes de Salomon* 17: 29 :

« il (le messie) jugera (κρινεῖ) peuples et nations (ἔθνη) dans la sagesse de sa justice (δικαιοσύνης) ».

Cela implique, comme dans les *Testaments*, la destruction des nations hostiles à Israël, mais aussi le salut de ceux parmi les nations qui reconnaissent le Dieu d'Israël. D'autres passages confirment cette interprétation. Selon 17: 24 s., le messie a pour tâche « d'écraser avec une verge de fer » tous les projets des pécheurs et de « détruire les nations impies par la parole de sa bouche ». Mais plus loin, il est dit que les nations viendront à Jérusalem pour servir et glorifier le Dieu d'Israël (vv. 30–31). Dans le verset 34, le salut des nations est annoncé ainsi :

« et il (le messie) aura pitié de toutes les nations (vivant) devant lui (Dieu) dans la crainte ».

Pour ce qui est de la terminologie, utilisée pour designer le messie, on trouve également des points de contacts[2].

Les *Testaments des Douze Patriarches*, les *Psaumes de Salomon* et certains écrits de Qumran constituent les premiers témoignages nets d'un messianisme davidique après l'exil[3]. Ce n'est pas un hasard si on trouve ces attestations dans des textes, rédigés pendant ou peu après l'époque hasmonéenne En fait, la renaissance de l'espérance d'un messie davidique dans ces écrits est en rapport étroit avec l'opposition contre cette dynastie[4]. Les Hasmonéens avaient suscité dans des milieux différents une attitude hostile,

---

[1] *Ps. Sal.* 17: 22–25 qui décrit la victoire du messie sur les nations et les impies. *4QpIsa* fragm D: le messie jugera les nations par son épée. Le *livre des Bénédictions* V: 20–29 contient la bénédiction à l'endroit du « prince de la communauté », qui est le messie davidique (cf. DUPONT-SOMMER 1968 p. 126 n. 1). Le combat et l'extermination des nations et des impies y sont nettement évoqués.

[2] Voir supra p. 213.

[3] Les espérances rattachées à Zorobabel (*Zach.* 3–4) sont du point de vue historique les dernières répercussions du messianisme pré-exilique.

[4] Voir supra p. 80 et p. 170, cf. aussi SCHOEPS 1956, MÜLLER 1972 pp. 77 ss.

justifiée par leurs prétentions déspotiques. L'essor du messianisme davidique tel qu'il se manifeste dans les *Testaments* et les écrits de Qumran est une réaction contre cette dynastie[1]. Dans les *Psaumes de Salomon*, cette réaction a même influencé les détails de la conception qu'on s'y fait du davidide futur[2].

Pour le milieu de *ḥᵃkāmīm* lévitiques que représentent les *Testaments*, l'attente d'un messie davidique est donc nettement attestée. On lui assignait les fonctions de rehabiliter Israël et de le délivrer des nations ennemies, mais aussi de sauver ceux parmi les nations qui reconnaissent le Dieu d'Israël. On n'a pas précisé toutefois le rôle du messie davidique dans l'Israël futur comme le font les *Psaumes de Salomon*[3]. C'est que les fonctions essentielles dans l'organisation de l'Israël restauré seraient, aux yeux de l'auteur des *Testaments*, assurées par des prêtres et des sages lévitiques[4].

La Résurrection et le Jugement

L'enseignement eschatologique, donné par les douze fils de Jacob dans leur testaments, aborde également les thèmes de la résurrection et du jugement divin. Ici encore, on doit se demander si ces thèmes font partie de l'ouvrage primitif ou s'ils représentent une couche postérieure dans la composition[5]. Car l'eschatologie des *Testaments* donne, à première vue, l'impression d'une juxtaposition de thèmes, parfois contradictoires, incompatible avec l'unité d'auteur.

Parmi les passages relatifs à l'idée d'une résurrection et d'un jugement divin, on trouve des textes qui sont caractérisés par certains traits communs. Ce sont *Benj* 10: 5–10, *Juda* 25, *Zab* 10: 1–3 et *Sim* 6. Pour ce qui est du jugement, il est évident que le *Testament de Lévi* en donne une formulation

---

[1] Voir supra p. 80 et 73.

[2] La description du davidide futur est introduite comme une antithèse de la dynastie hasmonéenne: 17: 4–10 et 21. Le messie sera un roi *juste*, enseigné par Dieu (v. 32); il n'amassera pas l'or et l'argent pour faire la guerre; il n'aura pas confiance dans les instruments de guerre, mais en Dieu (vv. 33–34). Ces traits sont délibérément accentués par contraste avec les Hasmonéens.

[3] Notez surtout 17: 28 et vv. 40–43 et 18: 6–8.

[4] Voir à ce sujet aussi supra p. 57 et 80.

[5] C'est le mérite de Becker 1970 d'avoir reconnu ce problème. Les critiques antérieurs n'y ont pas suffisamment fait attention. Becker 1970 pp. 403 ss. est par son analyse amené à considérer tous les thèmes et morceaux qui abordent la résurrection, le jugement final et la défaite ultime de Béliar et des nations ennemis d'Israël comme des additions successives; cf. surtout sa conclusion p. 404 « Sind diese Stücke geeint durch ihr apokalyptisches Weltbild, so sind sie untereinander in ihren Einzelaussagen doch recht unterschiedlich konzipiert und schliessen sich gegenseitig aus. »

différente. Nous étudierons d'abord ces passages pour aborder ensuite l'étude du *Testament de Lévi*.

Testament de Benjamin 10: 5–10

La fin de ce testament contient des affirmations qui ne concernent pas seulement Benjamin, mais tous les fils de Jacob. C'est là évidemment l'auteur des *Testaments* qui parle. Il insère dans le dernier des douze testaments quelques remarques, destinées à résumer et à rappeler certains thèmes de son ouvrage. C'est ainsi que dans la péricope finale du cadre, il est dit que les fils de Benjamin *et* les fils des autres patriarches procèdent au transfert des ossements de leurs pères en terre de Canaan (12: 3). De même, dans 10: 2–5, l'auteur apporte en quelque sorte la conclusion de son ouvrage[1]. Comme Benjamin transmet son enseignement à ses fils, ainsi Abraham, Isaac et Jacob ont donné le même enseignement aux douze patriarches (v. 4) :

« Tout cela ils nous ont légué, disant: gardez les commandements de Dieu jusqu'à ce que le Seigneur révèle son salut sur toute la terre. » (v. 5)

L'aspect eschatologique est introduit par la formule « jusqu'à ce que ...» qui accompagne un enseignement eschatologique dans les *Testaments*[2]. La formulation que le salut divin sera révélé sur toute la terre[3], rappelle *Isaïe* 52: 10[4], et s'accorde bien avec les thèmes, abordés dans les versets 6–10. Les événements eschatologiques qui s'y déroulent ne se limitent pas en effet à Israël.

Les étapes successives du drame final sont introduites par τότε, qui figure souvent dans cette fonction dans un contexte eschatologique[5]. En 10: 4, Abraham, Isaac et Jacob sont garants de l'enseignement véridique des fils de Jacob. Au verset 5, ces trois patriarches sont les premiers à ressusciter. A ce groupe des premiers ressuscités appartient également la triade vénérable d'Hénoch, Noé et Sem, qui sont mentionnés avant les autres pour des raisons d'ordre chronologique. L'importance d'Abraham, Isaac et Jacob est fréquemment soulignée dans les *Testaments*, alors que l'autre triade n'apparaît qu'ici. Hénoch est cependant considéré par l'auteur

---

[1] BECKER 1970 p. 380 s. souligne à bon droit ce caractère de *Benj* 10: 2–5.

[2] Voir supra p. 174.

[3] C'est ici la version arménienne qui conserve la leçon primitive; cf. aussi BECKER 1970 p. 255 n. 3.

[4] Voici la ligne en cause : « et toutes les extrémités de la terre verront le salut de notre Dieu ».

[5] Comparez *Sim* 6 et *Juda* 24: 4(5).

des *Testaments* comme une autorité particulière en matière d'écrits eschatologiques[1]. Sem est mentionné comme figure d'Israël en *Sim* 6: 5 dans un contexte apocalyptique. Seul Noé n'apparaît pas ailleurs dans les *Testaments*. Mais son importance comme auteur de traditions écrites et comme figure salvifique est nettement attestée dans des milieux voisins de ceux des *Testaments*[2]. La mention de la triade Hénoch, Noé et Sem se comprend bien dans la perspective des traditions juives plus ou moins contemporaines, où ces trois patriarches avec d'autres héros de l'antique Israël, sont particulièrement mis en relief[3]. Il semble que Hénoch, Noé et Sem figurent dans *Benj* 10: 6 aussi comme détenteurs de traditions écrites. Pour Hénoch et Noé, cette particularité est bien attestée, comme nous venons de le constater. Mais c'est ce qui caractérise également Sem d'après les *Jubilés* 10: 14, où il est dit que Noé donna à Sem tout ce qu'il avait écrit.

La première étape de l'événement eschatologique de *Benj* 10: 6–10 montre donc une résurrection des patriarches de l'antique Israël, groupés en deux triades[4]. Le texte précise qu'ils apparaissent « à la droite ». On entend par là que c'est à la droite de Dieu, car le verset suivant (v. 7) présuppose la présence de la Divinité par la phrase : « nous nous prosternerons devant le roi des cieux ». Cette précision « à la droite » souligne l'importance de ces patriarches. Ils apparaissent à la place d'honneur[5]. ·

Les versets suivants, 7–9, apportent des précisions quant à la question de savoir qui seront encore ressuscités. Dans le verset 8, le thème du Jugement divin est introduit. Notons au préalable les divergences entre le texte grec et la version arménienne. Celle-ci est plus courte, fait qui pourrait être dû à des omissions secondaires en cours de transmission[6]. Toutefois,

---

[1] Voir à ce sujet supra p. 83 s.

[2] D'abord dans l'*Apocryphe de Lévi*, source utilisée par les *Testaments* : on fait mention d'un « livre de Noé » (v. 57). De même les *Jubilés* 10: 13 et 21: 10. Noé est présenté comme figure salvifique dans *Jubilés* 10: 12 et *1 Hénoch* 106 et 107.

[3] Le *Siracide* fait mention dans « l'éloge des pères » d'Hénoch et de Noé et après eux d'Abraham, d'Isaac et de Jacob (44: 16–23); cf. aussi DE JONGE 1953 p. 156 n. 282. En 49: 14 ss., Sem, Set et Hénoch sont mentionnés. Dans les *Jubilés* 19: 27, Abraham bénit Jacob de toutes les bénédictions dont Dieu a béni Adam, Hénoch, Noé et Sem (cf. aussi 19: 24).

[4] La version arménienne a perdu, sans doute par une erreur de scribe, l'affirmation de la résurrection des patriarches à la droite de Dieu; voir vol. II chap. IV. CHARLES n'a pas noté cette omission dans son édition et dans son commentaire (p. 229 et 213).

[5] Cf. *Ps.* 110: 1. La mise en scène du Jugement dernier dans l'*Évangile de Matthieu* 25: 31–46 reflète également cette conception. On ne peut pas cependant soutenir, comme CHARLES 1908 comm. p. 213, que la tournure « à la droite » a un sens « technique » en *Benj* 10: 6 et *Mt.* 25: 31 ss.

[6] Cp. l'omission au verset 6 et voir aussi supra p. 214.

il serait surprenant si exactement les parties du texte des versets 7–9, qui sont suspectes d'une origine chrétienne, auraient été perdues. Il est donc plus vraisemblable que l'arménien représente, pour l'essentiel, un texte plus proche de l'original des versets 7–9.

Le verset 7 introduit la deuxième étape dans le déroulement des événements eschatologiques. Les douze fils de Jacob ressusciteront, chacun apparaissant auprès de sa tribu. Ils se prosternent devant le « roi des cieux ». La formulation de ce passage indique un rassemblement des douze tribus, comme on le trouve en *Benj* 9: 2 et 10: 11. Le titre « roi des cieux » est bien dans la ligne des transcriptions juifes du nom divin, qui caractérisent l'époque[1]. La même titulature « roi du ciel » se retrouve dans des écrits contemporains de langue araméenne[2], et βασιλεὺς τῶν οὐρανῶν de *Benj* 10: 7 reflète sans doute une tradition araméenne.

Après que les douze fils de Jacob aient ressuscités, une résurrection générale des $b^e n\bar{e}$ *Yiśrā'el* suivra (v. 8), qui pour les uns sera dans la gloire, pour les autres dans la honte; cette formulation est inspirée de *Daniel* 12: 2. Le texte ne précise pas, si cette résurrection est universelle, et si elle comprend aussi les nations, mentionnées dans le verset 9. L'idée d'un rassemblement des douze tribus, à savoir le peuple qui vit à l'époque où le salut divin arrivera, est sous-jacente au verset 7. De même, il est possible que les nations, rassemblées au Jugement dans le verset 9, représentent celles qui vivent à l'époque de l'intervention future de Dieu (cp. *Benj.* 9: 2). Cet aspect du texte reste d'une interprétation incertaine.

L'intérêt des versets 8 b – 10 est centré sur le Jugement divin qui aura lieu en deux temps. Dans le premier temps, Dieu jugera Israël, ceux qui vivent et ont vécu, pour l'impiété qu'ils ont commise. Dans le second, il jugera toutes les nations. Il est significatif que la séparation entre justes et impies ne suit pas strictement l'opposition Israël — Gentils. C'est ce que le verset 10 veut montrer. Les justes parmi les nations seront le témoignage qui convaincra les impies d'Israël de leur culpabilité. Cette idée est illustrée par une aggadah sur Esaü et les Madianites, qui n'est pas connue

---

[1] Dans les *Testaments*, notons « le Grand d'Israël » (*Sim* 6: 5), « Dieu du ciel » (*Rub* 1: 6, 6: 9 *Iss* 7: 7 et *Benj* 3: 1), « le Très-Haut (voir supra p. 32 s.). Les livres de *Daniel* et de *Tobit* ainsi que l'*Apocryphe de la Genèse* sont instructifs à cet égard; à côté du « Dieu du ciel », on trouve « roi des éternités » (*Tob.* 13: 7 et 11), « roi » ou « souverain de toutes les éternités » (*Apocr. Gen.* II: 4, XX: 12), « le souverain de l'univers » (*Tob.* 13: 15, *Apocr. Gen* XX: 12) « le grand roi » (*Tob.* 13: 16) « le Dieu de l'univers » (*Tob.* 14: 6) « Seigneur de la grandeur » (*Apocr. Gen* II: 4) « le grand Dieu » (*Dan.* 2: 45; *LXX Dan.* 4: 37) « le Dieu des dieux, le souverain des souverains, le roi des rois » (*LXX Dan.* 4: 36), « le Grand Saint (*Apocr. Gen.* II: 14).

[2] *Dan.* 4: 34, *Tob.* 13: 9, 13 et 17 : βασιλεὺς τοῦ οὐρανοῦ. *Apocr. Gen.* II: 14 : מלך שמיא.

ailleurs[1]. Le texte de ce passage est en désordre, mais la version arménienne est, du moins sur le point décisif, plus proche de l'original : les Madianites ont aimé leurs frères. C'est pourquoi ils sont opposés par l'auteur à Esaü, qui n'a pas aimé son frère Jacob[2]. Le texte grec a altéré le parallélisme entre cette aggadah et l'affirmation que Dieu veut convaincre Israël par les élus des nations. Les Madianites ont, selon le grec, au contraire séduit leurs frères de sorte qu'ils se sont éloignés de Dieu par la fornication et l'idolâtrie. Il semble que le texte grec ait associé la mention des Madianites en *Benj* 10: 10 au récit de *Nombres* 25[3]. Ce sont peut-être les versets 16–18 de ce chapitre qui ont inspiré ce développement au remanieur[4]. La fin de *Benj* 10: 10 fait difficulté quant à l'établissement du texte. Mais on peut néanmoins en rétablir le *sens* initial. Comme le développement dans le texte grec à partir de *Nombres* 25 est secondaire, la partie, qui commence dans le grec avec γενόμενοι, a dû renvoyer aux Madianites qui ont aimé leurs frères. Or, cela montre que le sens primitif de la fin du verset 10 etait que les Madianites devenaient des enfants dans le lot de ceux qui craignent Dieu[5]. Cela est confirmé par le début du verset 11 : Quant à vous, si vous marchez dans la sainteté ...». Cette formulation qui marque un nouveau départ montre clairement que la fin du verset 10 ne concernait pas les fils du patriarches. On peut donc restituer le verset 10 ainsi : καὶ ἐλέγξει ἐν τοῖς ἐκλεκτοῖς τῶν ἐθνῶν τὸν Ἰσραὴλ ὥσπερ ἤλεγξεν τὸν Ἡσαῦ ἐν τοῖς Μαδιναίοις τοῖς ἀγαπήσασιν ἀδελφοὺς αὐτῶν, ... γενόμενοι τέκνα ἐν μερίδι φοβουμένων κύριον[6]. Dans la description de la résurrection et du jugement aux versets 7–9 du texte grec, un rédacteur chrétien a introduit le dogme de l'Incarnation; selon lui, la foi en ce dogme sauve ou rétribue au jour du Jugement. Le Dieu du ciel est *apparu* sur terre *sous la forme d'un homme humble* et ceux qui ont *cru* en lui se réjouiront avec lui (v. 7). Le Christ jugera d'abord Israël pour l'iniquité qu'il a commis contre lui; car les juifs

---

[1] Cf. Charles 1908 comm. p. 214.

[2] Cf. *Gen.* 27: 41 ss.

[3] Cf. aussi Charles 1908 comm. p. 215.

[4] Notez surtout les vv. 17 et 18 a (d'après *LXX*) : Ἐχθραίνετε τοῖς Μαδιηναίοις καὶ πατάξατε αὐτοὺς ὅτι ἐχθραίνουσιν αὐτοὶ ὑμῖν ἐν δολιότητι ὅσα δολιοῦσιν ...

[5] Becker 1974 p. 137 a justement saisi ce sens initial.

[6] On peut se représenter l'évolution du texte de la façon suivante : d'abord une corruption (ou une retouche?) de ΑΓΑΠησασιν en ΑΠΑΤησασιν (cf. Charles 1908 comm. p. 214 s.) qui aurait donné naissance au développement sur la fornication et l'idolâtrie qui ont amené l'apostasie des frères des Madianites, à savoir les Israélites. Pour adapter à ce développement l'affirmation que les Madianites sont devenus des enfants, craignant Dieu, on a maladroitement inséré οὗ devant τέκνα. Ce mot a été changé dans certains manuscrits en οὖν. Une partie de la tradition manuscrite (ms *l* et *A*) a en outre transformé l'affirmation finale en une exhortation adressée aux fils des patriarches : « Soyez donc, mes enfants, dans le lot de ceux qui craignent Dieu ».

n'ont pas *cru* au fait de l'Incarnation (v. 8). Puis, le Christ jugera toutes les nations, ceux qui n'ont pas *cru* en lui lorsqu'il *s'est manifesté sur la terre.* Cette interprétation chrétienne se fait par des ajouts qui transforment le sens initial du texte. On doit noter que ces ajouts sont d'un style qui utilise parfois des termes christologiques moins habituels. Le Christ est Dieu παραγενόμενος ἐν σαρκί et ἐλευθερωτής[1]. Il faut remarquer aussi que la construction ἐν μορφῇ ἀνθρώπου ταπεινώσεως est sémitisante[2]. Quelle que soit l'explication de ces particularités, l'ensemble du passage 10: 7–9, dans le texte grec actuel, ne se comprend que dans une perspective chrétienne.

Posons, pour terminer, la question de savoir si *Benj* 10: 6–10 appartient à l'ouvrage primitif[3]. Il n'y a rien en effet, qui est contraire à une telle telle supposition. Après l'annonce du salut divin au verset 5, les versets 6–10 suivent comme un développement naturelle de la formulation de cette annonce. La conception d'un rassemblement eschatologique des tribus, sous-jacente au verset 7, est bien enracinée dans le *Testament de Benjamin* (9: 2 et 10: 11). On ne doit pas opposer 10: 11 à 10: 6–10 en soutenant que 10: 11 concerne l'avenir de la tribu benjaminite sur la terre, mais que 10: 6–10 aborde déjà les événements du Jugement final, qui, du point de vue chronologique, doivent venir après[4]. Bien que 10: 6–10 n'indique pas explicitement le lieu où interviendront la résurrection et le jugement, les versets 5 et 7 révèlent néanmoins que ces événements eschatologiques sont censés se dérouler sur la terre[5]. Le rassemblement des douze tribus, qui introduit le temps eschatologique a d'ailleurs été annoncé en 9: 2. Ce thème revient dans 10: 11 pour des raisons d'ordre rédactionnel. *Benj* 10: 11 – 11: 2, apporte des précisions destinées à mettre en relief le rôle et le caractère de Benjamin. C'est pourquoi l'auteur des *Testaments* fait dire ici à Benjamin que tout Israël se rassemblera auprès de lui, c'est à dire au Temple, dans le temps à venir (cp. aussi *Benj* 9: 2 et *Zab* 9: 8).

---

[1] Pour la christologie du remaniement chrétien des *Testaments,* voir vol. II chap. III.

[2] C'est le mérite de PHILONENKO 1960 p. 31 s. d'avoir attiré l'attention sur cette particularité. Sa conclusion, cependant, que la construction sémitique du v. 7 rend « très improbable une interpolation chrétienne » ne s'ensuit pas nécessairement.

[3] PHILONENKO 1960 p. 7 et BECKER 1970 p. 255 s. s'accordent pour voir dans ce passage une addition juive à l'ouvrage primitif.

[4] C'est ce que fait BECKER 1970 p. 256 : « Entscheidend ist allerdings die Beobachtung dass der Zusatz (10: 6–10) gegen die chronologische Reihenfolge der Ereignisse verstösst : Während 10, 11 noch bei dem zukünftigen Ergehen des Stammes auf der Erde verweilt, berichten 10: 6 ff. schon von den später liegenden Geschehnissen des Endgerichts. »

[5] Voir à ce sujet aussi infra p. 260.

Dans cette péricope de conclusion (10: 11 – 11: 2), l'auteur reprend seulement les thèmes eschatologiques qui soulignent le rôle de Benjamin. Il ne faut donc pas envisager le rapport entre 10: 6–10 et 10: 11 – 11: 2 sous un aspect chronologique.

Testament de Juda 25

Après l'annonce de l'apparition du messie davidique dans 24: 4–6 les événements eschatologiques continuent au chapitre 25 avec la résurrection des patriarches de l'antiquité, la réapparition de tout Israël sous la conduite des douze fils de Jacob, le châtiment des forces du Mal et la réssurection des justes.

Abraham, Isaac et Jacob se lèveront les premiers pour la vie[1]. Les douze patriarches réapparaîtront comme chefs de leurs tribus respectives. La formulation suppose également que les douze tribus se sont rassemblées. Le texte ne dit pas expressément que les douze fils de Jacob sont ressuscités, mais le contexte le rend évident. L'ordre d'apparition des patriarches est ensuite donné pour sept d'entre eux : Lévi, Juda, Joseph, Benjamin, Siméon, Issacar et Zabulon. Pour ce qui est des autres, le texte actuel les joint sous cette rubrique « et ainsi tous à tour de rôle ». On peut se demander si cette formulation n'indique pas un resumé secondaire du texte initial, qui aurait fait mention de tous les fils de Jacob[2]. Quoi qu'il en soit, remarquons que la mention de Lévi, Juda et Joseph comme les trois premiers, est entièrement conforme à l'importance accordée à ces trois figures dans les *Testaments*. Benjamin est peut-être mentionné en quatrième lieu, en raison de ses liens avec Lévi et Juda[3] et parce que le temple est construit sur son territoire[4].

Tout comme les douze patriarches se lèveront dans un ordre établi, ils recevront la bénédiction eschatologique à tour de rôle (v. 2). Cet ordre n'est cependant pas le même que pour leur réapparition au verset 1. Sauf pour les deux premiers, Lévi et Juda, la suite des patriarches est tout à fait différente. L'ordre du verset 1, au moins pour le début, est conforme à l'importance assignée à Lévi, Juda, Joseph et Benjamin dans les *Testaments*. L'ordre du verset 2 reflète, semble-t-il, l'utilisation d'une source

---

[1] La version arménienne est ici secondaire, car les morts d'Israël ne sont ressuscités que dans le verset 4; cf. aussi *Benj* 10: 6–10.

[2] La tendance à abréger cette liste se fait valoir déjà dans la tradition manuscrite. Le manuscrit e est le plus complet; b g l dm a A mentionnent six noms, f chi j cinq et k seulement les trois premiers.

[3] Ces trois tribus représentent le noyau du peuple juif à l'époque post-exilique; cp. le *Règlement de la Guerre* I: 2.

[4] Cf. *Benj* 9: 2 et 10: 11 et *Juda* 25: 2.

différente[1]. Il n'en reste pas moins que les éléments, mis en rapport avec certains patriarches en *Juda* 25: 2 sont conformes à ce qui est dit ailleurs dans les *Testaments* à l'endroit de ces patriarches. Le fait que la terre bénit Issacar, évoque clairement les thèmes du *Testament d'Issacar* 3: 1 et 8, 5: 3 ss. La mer bénit Zabulon, puisque ce patriarche est décrit comme un pêcheur, qui vit des produits de la mer (*Zab* 5: 5, 6: 1–3 et 7). Le fait que le Temple soit construit sur le territoire de Benjamin, explique que ce patriarche soit béni par le tabernacle (*Benj* 9: 2 et 10: 11). Même si les ébauches de ces développements aggadiques sont indiquées dans les bénédictions de Jacob (*Gen.* 49) et de Moïse (*Deut.* 33)[2], les éléments mis en rapport avec Issacar, Zabulon et Benjamin en *Juda* 25: 2, doivent être en premier lieu expliqués par l'histoire de ces patriarches dans les *Testaments*[3]. On a indiqué que τὰ ὄρη bénissant Joseph, s'inspirerait de *Deutéronome* 33: 15[4] et que ἡ τρυφή pour Nephtali serait sous la dépendance de *Deutéronome* 33: 23[5]. Cependant, à en juger par *Genèse* 49 et par *Deutéronome* 33, on ne voit pas pourquoi on aurait choisi dans *Juda* 25: 2 précisément « les collines » pour Joseph. Car « le ciel » aurait selon ces textes mieux convenu à Joseph[6]. La combinaison de ἡ τρυφή avec Nephtali s'est difficilement introduite à partir de *Deut.* 33: 23. Si l'on s'en tient aux bénédictions des tribus dans la Bible, on l'aurait en revanche attendue pour Aser. Dans le *Genèse* 49: 20, il est dit à propos d'Aser qu'il produira « les délices royales » (מעדני מלך *LXX* : τρυφὴν ἄρχουσιν). L'interprétation de ἡ τρυφή dans *Juda* 25: 2 est d'ailleurs problématique. On a proposé d'y voir une désignation d'Eden, le jardin mythique de la *Genèse* et d'*Ezéchiel*, car la *Septante* le rend quelquefois par le mot τρυφή[7]. Cette interprétation convient mal dans le contexte[8], qui mentienne des corps célestes. Il est fait mention à deux reprises du

---

[1] Cf. aussi DE JONGE 1953 p. 95 qui pense cependant que le verset entier (v. 2) soit une addition.

[2] Pour Issacar, voir *LXX Gen.* 49: 15 et vol. II chap. III; pour Zabulon cp. *Gen.* 49: 13 et pour Benjamin cp. *Deut.* 33: 12.

[3] Selon les données bibliques, on aurait pu aussi bien choisir « la mer » pour Issacar, voir *Deut.* 33: 19.

[4] Ainsi DE JONGE 1953 p. 155 n. 277 et BECKER 1974 p. 77.

[5] BECKER 1974 p. 77, qui pense toutefois, semble-t-il, à la phrase « prends possession de l'occident et du midi ».

[6] Cf. *Gen.* 49: 25 : et *El Šadday*, qu'il te *bénisse* des *bénédictions du ciel* en haut ». *Deut.* 33: 13 « ton pays sera *béni* par *Yahvé* avec le meilleur don du *ciel* ».

[7] CHARLES 1908 comm. p. 98. Les passages qu'indique CHARLES ont cependant la combinaison παράδεισος τρυφῆς qui n'est pas exactement un parallèle à *Juda* 25: 2. On doit en revanche indiquer d'abord les passages où τρυφή seule rend עדן, à savoir *Ez.* 31: 16 et 18.

[8] BECKER 1974 p. 77 le note aussi.

paradis dans les *Testaments*, mais par les termes Ἐδέμ (*Dan* 5: 12), παράδεισος (*Lévi* 18: 10). Si on garde le sens propre de τρυφή « bien-être, délices », une précision devient nécessaire. Le contexte fait penser que cette précision doit être cherchée du côté de l'astrologie[1]. Or, le terme ἡ τρυφή semble bien traduire des conceptions rattachées par l'astrologie antique à Vénus, qui est l'une des deux planètes bénéfiques[2]. Il est significatif aussi que ce sont précisément les hommes, nés sous cette planète, que l'astrologie caractérise comme τρυφεροί ou τρυφήται[3].

Il est frappant de trouver dans *Juda* 25: 2 le soleil en rapport avec Gad et la lune avec Aser. Le symbolisme propre aux *Testaments* associe au contraire le soleil à Lévi (cf. *Lévi* 4: 3, *Nepht* 5: 11) et la lune à Juda (*Nepht* 5: 4). Cela vient à l'appui de l'hypothèse selon laquelle l'auteur utilise en partie une source étrangère aux *Testaments*. Il semble que cette source ait mis les douze patriarches en rapport avec les éléments astraux[4]. Quoi qu'il en soit, *Juda* 25: 2 est bien adapté au contexte des *Testaments des Douze Patriarches*. La mention de Lévi et Juda en tête et la particularité que le Seigneur bénira Lévi et l'ange de la face Juda, en témoignent. Il en est de même pour les éléments mis en rapport avec Issacar, Zabulon et Benjamin.

Pour ce qui est de la transmission de la bénédiction de *Juda* 25: 2, les divergences de la tradition manuscrite sont difficiles à expliquer. Les leçons différentes de la version arménienne s'expliquent mieux comme l'expression d'une tradition indépendante que comme des corrections et des erreurs de scribe. Au lieu des « puissances de la gloire » bénissant Siméon, le texte arménien porte « les anges de la gloire ». Or, les *Testaments* connais-

---

[1] Cf. BECKER 1974 p. 77 qui traduit par « das Glück » et qui indique en note que « ἡ τρυφή wird im Zusammenhang mit der Gestirnswelt stehen. Ist Dtn 33,23 dazu Anlass? » RIESSLER p. 1191 traduit par « Venus » sans en fournir aucune explication.

[2] Cf. p. ex. l'affirmation de Ptolémée qui considère ce trait comme remontant bien à l'antiquité : « ces deux d'entre les planètes, celle de Jupiter et celle de Vénus, ainsi que la lune, les anciens (οἱ παλαιοί) les ont reçues comme bénéfiques (ἀγαθοποιούς) »; *Tétrabible* I, 6: 1.

[3] Cf. les passages suivants de Ptolémée, *Tétrabible* II, 3: 20 et 26; III, 12: 61 14: 25 et 33. Cette idée astrologique était connue par les rabbins comme le montre *Bab. Tal. Shabbat* 156 a.

[4] Le rôle que joue le nombre de douze dans les idées cosmologiques et astrologiques telles qu'elles apparaissent dans la partie astronomique de *1 Hénoch* ont pu fournir des points de départ; cf. 72: 7, 75: 4, 76: 1 et 82: 11. Suggérons aussi que dans la combinaison du soleil avec Gad, le soleil pourrait représenter en fait la planète Saturne; le soleil peut souvent, dès le début de l'astrologie, être remplacé par Saturne qui est appelé « soleil » ou « étoile du soleil »; cf. aussi BOLL 1919 pp. 343–346. Il faut aussi rappeler le fait que les rabbins ont mis les douze tribus en rapport avec le zodiaque (*Gen. R.* XLIX, 28 *Num. R.* XIV, 18), cf. aussi GOODENOUGH 1958, VIII p. 196 s.

sent en effet, deux groupes d'anges supérieurs « les anges de la face » (*Lévi* 3: 5, 18: 5) et « les anges de la gloire » (*Lévi* 18: 5). Pour « le soleil » associé à Gad, on trouve dans l'arménien « les puissances du firmament »[1], indication qui, elle aussi, est conforme au contexte astral. Enfin, on doit noter la leçon « l'olivier » de l'arménien au lieu de « la lune » pour Aser, qui est soutenue par ἐλαία du manuscrit *b*. Cet élément s'adapte moins bien au contexte que « la lune », leçon des autres manuscrits grecs. Peut-être, a-t-on introduit « l'olivier » sous l'influence de *Deut.* 33: 24[2].

Envisagée dans son ensemble, la bénédiction des douze patriarches dans *Juda* 25: 2 s'inspire de passages propres aux *Testaments* et de traditions astrologiques plutôt que de *Gen.* 49 et de *Deut.* 33. On doit situer *Juda* 25: 2 dans la ligne des indications d'*Exode* 28: 15–21, où l'éphod du grand-prêtre est décrit. Il porte douze pierres précieuses qui doivent représenter les douze tribus d'Israël. La tradition postérieure précisera quelle pierre appartient à chacune des tribus[3].

Après la réapparition des douze fils de Jacob comme chefs des douze tribus rassemblées (25: 1) et après que la bénédiction eschatologique ait été administrée (v. 2), l'affirmation du v. 3 que le peuple du Seigneur sera maintenant *un*, se rattache bien à la mention précédente de la restauration des douze tribus d'Israël. La formulation λαὸς κυρίου exprime les liens intimes entre Dieu et son peuple dans l'ère eschatologique. On reprend là une idée des prophètes Jérémie et Ezéchiel, qui est un des éléments caractéristiques dans leurs promesses de la restauration d'Israël[4]. On la trouve presque toujours ainsi formulée :

« Vous serez mon peuple et je serai votre Dieu. » (*Jérémie* 30: 22)

L'espérance que le peuple sera *un*, n'est cependant pas aussi courante. *Juda* 25: 3 s'inspire sur ce point d'*Ezéchiel* 37: 22 qui fait partie d'une péricope qui a influencé par plus d'un trait la pensée des *Testaments*[5]. La restauration d'Israël est introduite par le rassemblement des dispersés dans leur patrie (37: 21). Ensuite, le texte continue :

« Et je ferai d'eux un seul peuple dans le pays, dans les montagnes d'Israël. »

---

[1] Pour cette expression, visant les corps célestes ou les êtres divins qui leur sont associés, cf. צבא השמים de *2 Rois* 17: 16, *Is.* 34: 4 et *Dan.* 8: 10; de plus αἱ δυνάμεις τοῦ οὐρανοῦ de *1 Hén.* 18: 4 (cf. 82: 8). Cp. aussi *Mt.* 24: 29 et *Luc* 21: 26. Notons que le texte arménien de *Juda* 25: 2 zawrut'iwnk' hastatut'ean ne dépend pas sur ce point de la Bible arménienne qui dans les passages cités ci-dessus porte zawrut'iwnk' erknic'.

[2] Cf. aussi BECKER 1974 p. 77.

[3] Pour le détail, voir vol. II chap. I.

[4] *Jér.* 24: 7; 30: 22; 31: 1 et 33; 32: 38, *Ez.* 11: 20; 34: 24 et 30; 36: 28 et 37: 27.

[5] Voir supra p. 209.

L'affirmation selon laquelle il y aura aussi une seule langue, peut être interprétée de façons différentes, et une interprétation n'exclut pas l'autre. Dans l'ère eschatologique, tous les peuples de la terre auront une seule langue[1]. Cette idée, influencée par l'apocalyptique iranienne[2], a été dans le judaïsme rattachée à celle d'une unité de langue dans le temps primordial[3]. Mais on comprend l'affirmation de *Juda* 25: 3 également dans la perspective qu'évoque la réunion future des douze tribus dont la plupart avaient été dispersés. Notons qu'il est dit, en *Aser* 7: 6, des tribus de Gad et de Dan qu'ils ont oublié leur langue propre dans la dispersion. A l'époque de l'auteur des *Testaments*, les juifs de la diaspora ne parlaient en fait plus l'hébreu mais la langue propre aux pays où ils vivaient[4]. Le retour des dispersés amènera donc un retour à une langue commune.

La restauration d'Israël amène, selon *Juda* 25: 3 b, également l'extermination des puissances du Mal :

> « Et il n'y aura plus jamais d'esprit d'égarement de Béliar, car il sera jeté dans le feu pour l'éternité et à jamais. »[5]

L'extermination ou la disparition du Mal est un élément significatif des croyances eschatologiques du judaïsme post-exilique[6]. *Juda* 25: 3 s'inscrit dans la tradition qui précise que c'est le chef du Mal et ses partisans qui disparaîtront. Cette idée, qui se présente dans une perspective nettement

---

[1] Cette espérance est préparée par des passages comme *Is.* 66: 18 « Le temps est venu pour rassembler tous les peuples et toutes les langues; et ils viendront et verront mon *kābōd* ».

[2] Voir infra p. 267.

[3] *Jubilés* 3: 28 atteste cette idée d'une langue commune dans le temps primordial. BECKER 1974 p. 77 interprète *Juda* 25: 3 en termes d'une « Reversion der babylonischen Sprachverwirrung » et d'une « Rückkehr zur hebräischen Sprache ».

[4] Cf. aussi OTZEN 1974 p. 737.

[5] La version arménienne qui omet Béliar porte pour le second hémistiche un texte différent : « car les esprits impurs seront jetés dans un jugement éternel ». C'est là en partie un texte secondaire, car la mention de Béliar et du feu doit être originale. Au contraire, les mots « dans un jugement » peuvent appartenir au texte primitif, car les textes dont s'inspirent *Juda* 25: 3 sur ce point mettent l'extermination des chefs du Mal en relation explicite avec le jugement; voir ci-dessous.

[6] Cette disparition du Mal est interprétée dans le judaïsme antique de manières différentes, et les interprétations sont souvent combinées. On pense à l'extermination des nations ennemies d'Israël, à celle des impies et des pécheurs, à la disparition des maladies et de la mort, à la disparition d'une figure appelée Satan, Béliar ou Mastema, et des esprits mauvais, à l'extermination des vices personnifiés comme « la Perversité », « le Mensonge » etc. Pour les attestations du thème de la disparition du Mal dans la littérature juive de l'époque hellénistique et romaine, voir les exposés de BOUSSET-GRESSMANN pp. 218–221, 251–254 et 278 s. et de VOLZ pp. 83–89, 280–287, 309–320 et 332 s.

dualiste, est également celle que professe en particulier les *Jubilés* et les écrits de Qumran. La partie eschatologique des *Jubilés* 23 promet que dans la restauration future d'Israël, il n'y aura plus de Satan (v. 29). De même, l'instruction sur les deux Esprits dans le *Rouleau de la Règle* précise que Dieu a mis un terme à l'existence de l'Esprit du Mal, identique à Bélial. Lors de la visite, *p⁶quddāh*, de Dieu, il l'exterminera pour toujours (*1QS* III: 18, IV: 18–23). *Le Règlement de la Guerre* parle du jour fixé où Dieu asservira le prince (*śar*) de l'empire du Mal (*1QM* XVII: 5–6) et du moment où la grande main de Dieu frappera Bélial et tout le lot de son empire במגפת עולמים (*1QM* XVIII: 1). A la même ligne de tradition appartient aussi le *Testament de Moïse* (*Assumption de Moïse*) 10: 1. Lors de l'avènement du règne divin, le diable sera exterminé et les chagrins disparaîtront avec lui : *tunc diabolus finem habebit et tristitia cum eo adducetur.*

Juda 25: 3, précise que le chef du Mal sera jeté dans le feu. A première vue, [il semble qu'il y ait là une adaptation aux formulations que prend l'idée de l'extermination du chef du Mal dans le christianisme antique. Citons les passages les plus significatifs[1] :

« maintenant le prince de ce monde sera jeté dehors » (ἐϰβληθήσεται ἔξω) (*Jean* 12: 31).

« Et le diable qui les égarait, fut jeté (ἐβλήθη) dans le lac de feu et de soufre. » (*Apocalypse* 20: 10).

Toutefois, il ne fait pas de doute que le *Testament de Juda* s'inspire ici du *Premier livre d'Hénoch*, qui au chapitre 10 traite du sort futur des deux chefs des forces du Mal, Asaël et Semiḥazah[2]. Celui-ci et ses partisans seront enchaînés par l'archange Michel jusqu'au jour de leur jugement où ils seront emmenés (ἀπαχθήσονται) dans l'abîme du feu (εἰς τὸ χάος τοῦ πυρός v. 13). Asaël subira le même traitement; il sera enchaîné par Raphaël et jeté dans les ténèbres du désert Daduël (v. 5), et « au jour du grand jugement il sera emmené dans le feu » (ἀπαχθήσεται εἰς τὸν ἐμπυρισμόν, v. 6)[3].

Après le châtiment des puissances du Mal, on trouve dans *Juda* 25: 4–5 une description du bonheur eschatologique d'Israël, qui dans le verset 4 contient aussi une réssurection des justes :

« et ceux qui ont fini dans l'affliction se lèveront en joie ».

« ceux qui sont morts à cause du Seigneur s'éveilleront pour la vie ».

---

[1] Comparez également *Jean* 16: 11, *Apoc.* 12: 9–10, 19: 20 et 20: 1–3, *Matt.* 25: 41 et *Luc* 10: 18.

[2] Comparez également le *livre des Songes* où les étoiles, les 70 pasteurs, et les impies sont jetés dans l'abîme de feu lors du Jugement (*1 Hén.* 90: 24–27).

[3] Le texte éthiopien lit : « il sera jeté dans le feu ».

Les groupes à qui est promise une vie après la mort, sont définis comme ceux qui sont morts ἐν λύπῃ et διὰ κύριον. Il est donc question des juifs opprimés et martyrs. Le texte fait cependant mention encore de trois groupes qui ne sont pas explicitement mis en rapport avec la résurrection, mais qui auront part au bonheur eschatologique :

« Ceux qui sont dans la pauvreté à cause du Seigneur seront enrichis,
et ceux qui sont dans la misère seront rassasiés
et ceux qui sont dans la faiblesse seront réconfortés. »[1]

On a vu dans cette description l'influence des Béatitudes[2]. Or, on trouvera facilement des passages de l'*Ancien Testament* qui ont inspiré les affirmations de *Juda* 25: 4. Relevons par exemple le chapitre 31 du *livre de Jérémie* qui dans le contexte de la restauration future d'Israël fait dire à *Yahvé*:

« Je rafraîchirai celui qui est assoiffé et je rassasierai tous ceux qui languissent. » (31: 25)

et le *Psaume* 22 qui indique dans les versets 27 et 30 un repas eschatologique (voir ci-dessous).

On pourrait alléguer encore d'autres passages bibliques qui présentent un arrière-plan possible de *Juda* 25: 4[3]. Des espérances et des formulations analogues sont également évoquées pour la restauration d'Israël dans des textes juifs plus ou moins contemporains des *Testaments des Douze Patriarches*[4]. Le *livre de Tobit* souligne dans l'une des péricopes eschatologiques, le chapitre 13, le changement de désolation en joie. Les captifs et les affligés se réjouiront pour toute éternité (v. 12). Le même thème revient dans les versets 15 et 16 sous la forme de béatitudes (voir ci-dessous). L'un des psaumes apocryphes de caractère eschatologique trouvés dans les grottes de Qumran aborde le même thème (voir ci-dessous).

---

[1] Ce passage manque dans la version arménienne; c'est sans doute une omission secondaire qui s'est produite par un *homioarkton*, erreur qui est assez fréquent dans des textes arméniens de ce genre; cf. aussi STONE 1969 pp. 109, 121. CHARLES 1908 comm. p. 98 et BECKER 1970 p. 324 et 1974 p. 78, éliminent comme une addition les lignes deux et trois de ce passage en s'appuyant sur le témoignage des mss *g d c hi*. Il est cependant claire que la ligne deux a été omise dans ces manuscrits par *homoioteleuton* et la ligne trois probablement par *homoioarkton*.

[2] DE JONGE 1953 pp. 32 et 95; cf. aussi CHARLES 1909 comm. p. 98 qui penche pour voir dans les lignes deux et trois de ce passage une addition.

[3] Cp. *Deut.* 11: 15, *Ps.* 107: 9, *Is.* 49: 10 et 66: 10 s., *Ez.* 34: 29 et 36: 29. NICKELSBURG 1972 p. 34 attire justement l'attention à la louange de Hanna de *1 Sam.* 2: 1–10 qui contient certaines des contraires qu'on trouve dans *Juda* 25: 4 : pauvres-riches (v. 7), faibles-forts (v. 4), affamés-rassasiés (v. 5), et aussi l'affirmation que *Yahvé* tue et rend vivant (v. 6).

[4] Retenons, outre les passages donnés dans le texte, *2 Hénoch* 13: 42 ss.

Le verset 5, qui termine notre péricope contient trois éléments caractéristiques des espérances eschatologiques de l'époque. La joie du salut, la condamnation des impies et l'hommage des nations présenté au Dieu d'Israël. Il semble toutefois que l'assertion sur le sort futur des impies ait été déplacée. On l'attend immédiatement après la description au verset 4 du salut des justes. Il n'y a pas lieu cependant d'écarter cette phrase comme secondaire[1]. La séparation entre justes et impies dans le Jugement est un trait dominant dans les eschatologies juives de l'ère préchrétienne[2]. Cette idée est à sa place dans *Juda* 24: 4–5 et caractérise également le passage parallèle de *Zab* 10: 1–3[3].

On voit donc que *Juda* 25: 1–5 est une péricope, composée de plusieurs thèmes eschatologiques. Il n'est pas légitime pour autant d'y dénoncer le travail de mains différentes. L'auteur a fondu les éléments différénts en une unité cohérente. Une étude de certains textes juifs montre que les thèmes, trouvés dans *Juda* 25, sont réunis dans des péricopes eschatologiques de caractère homogène. On peut trouver ces thèmes également dans d'autres textes eschatologiques, mais les péricopes que nous avons choisies, contiennent des formulations voisines de *Juda* 25. Pour faciliter la comparaison, nous présentons les extraits du texte en colonnes parallèles. Notons que le texte des trois psaumes apocryphes sur le rouleau de la grotte quatre de Qumran est fragmentaire[4], mais le rouleau de la grotte onze permet de compléter le texte de « l'Apostrophe à Sion »[5]. Le texte complet de « l'Apostrophe à Juda » et du Psaume apocryphe aurait peut-être fourni encore quelques thèmes pour les colonnes de ces textes. Il est d'ailleurs remarquable que le rouleau de la grotte quatre semble avoir réuni seulement un nombre restreint de psaumes. Outre les trois psaumes apocryphes, les psaumes canoniques 22, 107 et 109 ont figuré dans ce livret de psaumes d'un caractère eschatologique. En voici le tableau des thèmes eschatologiques parallèles à *Juda* 25 :

---

[1] C'est ce que font CHARLES 1908 comm. p. 98 et BECKER 1970 p. 324 et 1974 p. 78. Ils s'appuyent sur l'omission de la phrase par la version arménienne, mais c'est là de toute évidence l'une des omissions secondaires de cette version. Un argument plus fort avancé par ces critiques serait que la ligne dérange les parallélismes du texte. Mais cela n'est pas si évident et on doit en outre compter avec un déplacement en cours de transmission.

[2] Voir p. ex. *Tobit* 14: 7, *1 Hénoch* 1: 8–9, 5: 4–9, 96: 1–8 et 103: 2–11, *Ps. Sal* 13: 10 s. et 14: 8–10.

[3] Dans ce passage le texte arménien n'omet pas le thème du sort futur des impies.

[4] Édition : STARCKY 1966 p. 356 s.

[5] Édition : SANDERS 1967 pp. 123–127.

thèmes d'après *Juda* 25	*Psaume* 22: 26–32	« Apostrophe à Sion »	« Apostrophe à Juda »	Psaume apocryphe B
I	*Yahvé* rend vivant; résurrection des morts	« Que votre cœur vive pour toujours » (v. 27 b) « devant lui se prosterneront tous ceux qui descendent dans la poussière; mais mon âme vivra pour lui (v. 30 b)[1]			
II	rassemblement du peuple d'Israël	« De toi (s'inspirent) mes louanges dans le grand rassemblement » (v. 26 a)	« Tes fils se réjouiront au milieu de toi (Sion) et tes bien-aimés seront rassemblés à toi » (v. 8)		
III	extermination des puissances du Mal		« Le mensonge et le mal seront éloignés de toi » (v. 8)		« car il (*Yahvé*) vient pour juger toute œuvre, pour exterminer les impies de la terre; on ne trouvera plus d'ini- quité » (lignes 5–8)
IV	salut des justes et châtiment des impies	« Qui est ce qui périt dans la justice ou qui est-ce qui est sauvé dans l'impiété? L'homme est examiné selon sa voie, chacun est récompensé selon ses œuvres » (v. 12)		« tous ceux qui font l'injustice seront dispersés » (lignes 12–13)	
V	joie et plénitude eschatologiques	« les affligés mangeront et seront rassasiés, ils loueront *Yahvé*, ceux qui le cherchent » (v. 27 a)	« ils se réjouiront de la grandeur de ton *kābōd* » (v. 4 b; cf. v. 8 a) « et de l'abondance de ton *kābōd* ils se nourriront » (v. 5 a)	« qu'alors jubilent le ciel et la terre, que jubilent toutes les étoiles du crépuscule; sois plein de joie, Juda, sois plein de joie, et déborde	« les affligés mangeront et ceux qui craignent *Yahvé* seront rassasiés » (lignes 13–14)

par les nations

mités de la terre se souviendront de Yahvé et se tourneront vers Yahvé, et toutes les races des nations se prosterneront devant toi » (v. 28)

Tobit 13²

« Que le Dieu vivant soit béni ... qui fait descendre (les hommes) jusqu'au Sheol en bas de la terre, mais qui les fait sortir hors de la grande perdition »³ (v. 1)

« car tous (les justes des $b^e n\bar{e}$ $Yi\acute{s}r\bar{a}'el$) se rassembleront et béniront le Seigneur de l'éternité » (v. 15)

« toutes les générations se réjouiront en toi » (v. 13 b); « heureux tous les hommes, qui auront été désolés à cause de toi (Sion) (ἐπὶ σοὶ λυπηθήσονται) pour tous les fléaux qui t'ont frappé, car ils se réjouiront en toi et verront éternellement toute ta joie » (v. 16; cf. v. 12)

« De nombreux peuples et les habitants de toutes les extrémités de la terre viendront à ton saint nom et ils auront dans leurs mains des offrandes pour le roi du ciel » (v. 13)

1 Hénoch 10

I « voici donc, tous les justes échapperont et seront vivants » (v. 17 a)

II

III « et au grand jour du jugement, il (Asaël) sera emmené dans le feu (v. 6); « alors ils (Semiḥazah et sa bande) seront emmenés dans l'abîme du feu et pour le châtiment et dans la prison de la réclusion éternelle (v. 13) »
« Fais périr toute impiété de la terre » (v. 16 a)

IV « afin que tous les enfants des hommes ne soient pas perdus » (v. 7)

V alors, toute la terre sera cultivée dans la justice et les arbres y seront plantés et elle sera remplie de bénédiction (v. 18); « et tous les arbres de la terre se réjouiront » (v. 19 a : cf. aussi la suite de ce verset)

VI « et tous les peuples (λαοί) me serviront et se béniront et se prosterneront » (v. 21)

---

¹ Nous lisons avec la Septante et la Peshitta Théodotion et Symmaque לֹי au lieu de לֹא du texte massorétique, et נפשי avec la Septante et la Peshitta.

² La base de notre traduction est le texte du Sinaiticus.

³ « La grande perdition » ἡ ἀπωλεία ἡ μεγάλη n'est qu'un autre nom de l'Hadès.

Il ressort de cette comparaison que la juxtaposition des thèmes eschatologiques dans *Juda* 25 doit être considérée comme une unité originale. L'authenticité juive de ce chapitre ne peut être contestée. Les textes parallèles ont été tous rédigés avant le milieu du Ier siècle av. J.-C. au plus tard, ce qui n'est pas sans importance pour la datation des matériaux qui entrent dans *Juda* 25. L'idée que *Yahvé* a le pouvoir sur la mort est développé explicitement dans le cadre d'une résurrection des morts seulement dans *Juda* 25; on ne doit pas toutefois utiliser ce fait comme une indication de rédaction tardive[1].

Il faut enfin ajouter quelques remarques sur les rapports de *Juda* 25 avec l'ouvrage dans son ensemble. Nous venons d'indiquer les points de contacts entre les versets 1 et 2 et l'ouvrage d'ensemble. Dans le verset 3, la terminologie utilisée à l'endroit du chef du Mal et de ses esprits est tout à fait conforme à celle qui caractérise les *Testaments*[2]. Le fait qu'on mette en relief dans le verset 4 l'idée que ce sont les justes opprimés et martyrs qui ressusciteront, correspond à la situation d'oppression et de persécution qui est décrite dans *Juda* 21: 6–9. Les ressemblances structurelles avec *Zab* 10: 1–3 et *Benj* 10: 5–10 doivent être mentionnées dans ce contexte. Ces points de contacts confirment l'appartenance de *Juda* 25 à l'ouvrage primitif.

Testament de Zabulon 10: 1–3

Sur le point de mourir (v. 1), le patriarche console ses fils : il réapparaîtra au milieu d'eux comme un chef (ἡγούμενος) au milieu de ses fils (v. 2). En parallélisme, il est aussi dit que Zabulon se réjouira au milieu de sa tribu. La résurrection du patriarche d'entre les morts est ainsi clairement énoncée. Il semble que le texte présuppose aussi la résurrection des justes parmi la tribu de Zabulon : « ceux qui ont gardé la loi du Seigneur et les commandements de Zabulon leur père » (v. 2 b). Le passage se termine par l'affirmation que Dieu punira les impies du feu éternel et les exterminera pour toujours (v. 3).

On notera que *Zab* 10: 1–3 aborde brièvement les thèmes connus de *Juda* 25 et *Benj* 10: 5–10 sans les développer autant que le font ces deux passages. La résurrection de Zabulon fait partie de celle des héros de l'antiquité israélite. La scène du verset 2 suppose le rassemblement de la tribu de Zabulon au milieu de tout Israël. La joie eschatologique est indiquée par le mot εὐφρανθήσομαι. Le châtiment des impies (v. 3), à la fois ceux d'Israël et ceux parmi les nations, est nettement évoqué aussi dans *Juda* 25 et *Benj* 10: 5–10. Remarquons que *Juda* 25: 3 et *Zab* 10: 3 indiquent le châtiment du feu pour les méchants.

---

[1] Voir sur cette question infra p. 260.

[2] Voir aussi vol. II chap. III.

246

Il n'y a pas de motifs convaincants pour éliminer *Zab* 10: 2–3 comme secondaire[1]. On n'a pas le droit d'opposer l'eschatologie du chapitre 9 à celle de 10: 2–3. Au contraire, 10: 2–3 doit se comprendre comme un complément à 9: 8. Le rassemblement à Jérusalem, qui y est évoqué, renvoie à celui qui est presupposé dans 10: 2.

Testament de Siméon 6

La rédaction de la section des prédictions (5: 4 – 7: 2) est dans le *Testament de Siméon* assez compliquée. On y distingue, plusieurs parties qui présentent un caractère indépendant : 5: 4–6, 6: 1, 6: 2, 6: 3–7 et 7: 1–2. Toutefois, dans la composition actuelle, la juxtaposition de ces parties produit néanmoins l'impression d'une certaine cohérence. L'hypothèse qui explique le mieux ces faits est, selon nous, que l'auteur organise la section 5: 4 – 7: 2 en adaptant des traditions qu'il a trouvé ailleurs et qui étaient sans doute mises par écrit antérieurement[2]. Nous avons déjà indiqué l'emploi d'une source dans 5: 4–5[3]. On peut comprendre 5: 4–6 comme la première partie d'un passage « péchés-châtiment-restauration »[4]. Un élément de « restauration » du style ordinaire manque, mais il est clair que 6: 2 peut en être un substitut. 6: 1 est une transition rédactionelle. À cela s'ajoutent des précisions eschatologiques, comme on en trouve dans les *Testaments de Juda* et *Zabulon* après les passages « péchés-châtiment-restauration » (*Juda* 23–25 et *Zab* 9: 5 – 10: 3). Un passage « Lévi et Juda » ferme parfois, comme dans *Sim* 7: 1–2, la section des prédictions (cf. *Nepht* 8: 2 et *Jos* 19: 11).

Sim 6: 2, qui joue le rôle de l'élément de la restauration, commence par une assertion, qui correspond au thème du repentir dans nombre de passages « péchés-châtiment-restauration » : « Si vous éloignez de vous l'envie et tout endurcissement du cœur, comme une rose mes ossements fleuriront ... » Cette phrase est conforme à l'ensemble du *Testament de Siméon* car l'envie, φϑόνος et l'obstination du cœur, σκληροκαρδία péchés capitaux du patriarche, y sont l'objet d'une réprobation particulière (cf. 2: 4, 6 ss. et 13; 3: 1–6; 4: 7 ss.). Pour décrire le fait de la restauration, l'auteur utilise le

---

[1] Becker 1970 p. 168 s. considère *Zab* 10: 2–3 comme une addition. L'un de ses arguments est que les espérances eschatologiques du chapitre 9 et 10: 2–3 seraient tout à fait différentes.

[2] Becker 1970 p. 329 s. interprète la composition de manière inverse. Seuls 6: 2 et 7: 1–2 appartiennent, selon lui, à l'ouvrage primitif. 5: 4–6 est introduit par un remanieur et 6: 1 constitue une transition rédactionelle à ce qui suit. Enfin, 6: 3–7 serait une interpolation apocalyptique.

[3] Voir supra p. 56 s.

[4] Cf. aussi supra p. 82.

thème d'une survie, qui se prolonge après la mort dans une postérité[1]. Il combine ce thème avec celui de l'accroissement des justes ou du peuple sauvé dans l'ère eschatologique[2]. La formulation de ce passage s'inspire largement de l'image sur les justes comme des arbres et des fleurs odorantes[3]. L'impression que donne *Sim* 6: 2, est que ce passage, par sa terminologie, prépare l'idée d'une résurrection des morts dont parle 6: 7[4].

Le texte eschatologique qui suit dans 6: 3–7 et qui correspond à *Juda* 25 et à *Zab* 10: 1–3, est transmis sous forme poétique et distribué en versets introduits par τότε. Le thème de l'extermination du Mal et des méchants, caractéristique des passages parallèles (*Juda* 25, *Zab* 10: 1–3) apparaît dans *Sim* 6: 3–7 sous la forme d'une prophétie sur l'anéantissement de certains peuples voisins d'Israël (vv. 3–4a). Ces peuples sont ceux de Canaan, d'Amalek et de Cham ainsi que les Καππάδοκες et les Χετταῖοι. L'identification des trois derniers peuples est incertaine. Cham, en tant que père de Canaan[5], pourrait désigner les Canaanéens, mais ils sont déjà nommés. Or, il est clair que c'est l'Égypte qui est visée. Cham représente dans quelques passages poétiques de la Bible l'Égypte, comme dans la tournure « la terre de Cham »[6] ou « les tentes de Cham »[7].

Sim 6:4 reprend, dans le contexte d'un poème, l'expression « la terre de Cham ». Le mot Καππάδοκες n'est qu'un autre nom des Philistins et rend l'hébreu כפתרים[8]. Les Χετταῖοι pourraient représenter les Kittim, c'est à dire les Grecs, mais le contexte et la forme du nom montrent qu'il s'agit des Héttithes[9]. La forme Χετταῖοι ne traduit pas dans la *Septante* les Kittim mais les Héttithes[10]. Contrairement à ce qui est dit à l'endroit des

---

[1] Cf. *Sir.* 46: 12 et 49: 10.

[2] On la trouve p. ex. dans *Is.* 60: 22, *Ez.* 37: 26 et *1 Hén.* 10: 17.

[3] Alléguons *Ps.* 92: 13–16 et 104: 16, *Os.* 14: 6 s. et en particulier *Sir.* 39: 13–14. Dans ce contexte, il faut aussi citer *Ps. Sal.* 14: 3, : « Les justes du Seigneur vivront par elle (la *tōrāh*) à jamais, le paradis du Seigneur, les arbres de la vie, ce sont ses justes ».

[4] Cf. aussi STEMBERGER 1972 p. 66.

[5] *Gen.* 9: 18 et 22, 10: 6 et 20, 1 *Chron* 1: 4 et 8.

[6] *Ps.* 105: 23 et 27; 106: 22.

[7] *Ps.* 78: 51.

[8] Voir *LXX Deut.* 2: 23. L'emploi alternatif entre « Philistin » et « Kaftor » est bien illustré par *Jub.* 24: 30. CHARLES 1908 comm. p. 23 et BICKERMANN 1950 p. 255 notent la signification de « Philistins » dans *Sim* 6: 3; DE JONGE 1953 p. 155 n. 280 apporte les arguments.

[9] CHARLES 1908 comm. p. 23 note, hésite entre « Hittites » et « Greeks ». DE JONGE 1953, p. 95 en résumant le contenu de *Sim* 6 fait mention des « Hittites » sans entrer dans le détail d'une explication. BICKERMAN 1950 constate seulement que « the Greek translator here rendered Kittiim by πάντες οἱ Χετταῖοι ».

[10] P. ex. *Gen.* 15: 20, 23: 10, *Ex.* 23: 28, *Jug.* 3: 5, *1 Sam.* 26: 6, *2 Sam.* 11: 3. Pour traduire Kittim on trouve dans la *Septante* les formes suivantes : Κίτιοι : *Gen.* 10: 4,

Héttithes, l'*Ancien Testament* et d'autres traditions juives font mention des Kittim sans nuance péjorative. Parfois, on les décrit même comme un peuple destiné à punir les ennemis d'Israël[1]. Ce n'est que dans les écrits issus de la communauté de Qumran que les Kittim seront en butte d'une hostilité marquée.

Les peuples mentionnés dans *Sim* 6: 3–5 représentent tous les ennemis de l'antique Israël. Il est inutile d'y trouver en premier lieu des allusions à la situation de l'époque de l'auteur des *Testaments*[2]. L'énumération des peuples dans le *Testament de Siméon* repose sur des données bibliques que la tradition juive reprend pour propager l'image de ces peuples comme les adversaires déclarés d'Israël.

Le premier peuple mentionné, les Canaanéens, c'est celui contre lequel les Israélites ont lutté pour conquérir une terre où habiter. Le *Testament de Lévi* 7: 1 évoque cette perspective à propos de l'extermination des Siché-mites. Lévi rappelle Jacob que :

« c'est par toi que le Seigneur humiliera les Canaanéens et il donnera leur terre à toi et à ta descendance ».

De même *Jubilés* 10: 30–33 où Canaan est maudit par son père Cham et ses frères Kush et Misrayim, pour avoir illégitimement pris possession de la Palestine, assignée par Noé à Sem et ses fils.

Canaan, et tout ce qui en découle est, on le sait, constamment en butte de l'hostilité des prophètes d'Israël et des cercles deutéronomistes. Le livre des *Jubilés* 22: 20–21 prédit aussi l'extermination des Canaanéens en formules voisines de *Sim* 6 :

« et toute sa descendance sera exterminée de la terre et tout son reste, et rien de lui ne sera sauvé au jour du jugement ».

Le *Testament de Siméon* affirme ensuite qu'il n'y aura aucun reste en Amalek. Dans les traditions d'Israël, Amalek est un ennemi acharné[3] et son extermination est énoncée dans la Bible en termes analogues à *Sim*

---

1 Chron. 1: 7, *Dan.* 11: 30 (Théod.). Κιτιαίων : *Nombr.* 24: 24, *Is.* 23: 1. Κιτιεων : *1 Macc.* 8: 5 Κιτιεῖς : *Is.* 23: 12. Χεττιμ : *Jér.* 2: 10, *1 Macc.* 1: 1. Χεττιιν : *Ez.* 27: 6.

[1] Voir *Nombr.* 24: 24, *Dan* 11: 30 et *Jub.* 24: 28 s.

[2] C'est l'hypothèse de BICKERMAN 1950 p. 256 s. qui voit dans *Sim* 6 les ennemis d'Israël conquis par les Maccabées. Mais la mention de Cham peut indiquer, selon BICKERMAN, une origine préséleucide de *Sim* 6: 3 ss.

[3] *Ex.* 17: 8–16, *Nombr.* 24: 20, *Deut.* 25: 19, *1 Sam.* 15 et *1 Chron.* 4: 43. BICKERMAN identifie Amalek à Edom, mais c'est pour imposer au texte une interprétation contemporaine.

6: 3[1]. On fait d'Amalek le représentant des forces du Chaos. La littérature rabbinique souligne ce trait. Chaque fois qu'Israël a abandonné l'alliance de *Yahvé*, il a été sous l'influence d'Amalek[2]. La lutte entre Amalek et Israël est censée se poursuivre jusqu'aux temps messianiques où le reste d'Amalek sera anéanti par Dieu[3].

Les Philistins sont, eux aussi, un peuple qui fut jadis l'un des ennemis les plus dangereux de la nation d'Israël. Ce trait va se perpétuer à l'époque post-exilique. Les *Jubilés* 24: 28–33 prononcent une malédiction détaillée à leur endroit, qui a pour thème unique l'extermination des Philistins.

Les Héttithes, mentionnés après les Philistins dans *Sim* 6, apparaissent dans la Bible comme les adversaires d'Israël et ils sont également menacés d'extermination[4].

Point n'est besoin de souligner le rôle que joue l'Égypte comme ennemi déclaré d'Israël.

En résumé, les peuples énumérés dans *Sim* 6: 3–4 sont les ennemis déclarés de l'antique Israël, ennemis dont la défaite est nécessaire pour l'établissement de la paix d'Israël en terre de Canaan[5]. Ce fait est commémoré par les traditions post-exiliques qui transforment graduellement ces peuples en représentants des forces hostiles et mauvaises du temps eschatologique. Les ennemis primordiaux deviennent les ennemis eschatologiques. Quand ces ennemis auront disparu, le règne de la paix sera établi sur toute la terre. C'est ce qu'affirme *Sim* 6: 4b, passage qui introduit la description de l'ère eschatologique (vv. 5–7).

Ce passage 6: 5 ss. est lié aux versets 3 et 4 par l'emploi du mot Sem, désignant Israël, par analogie avec les noms par lesquels ces peuples, ennemis d'Israël, sont désignés. Sem, en tant qu'ancêtre d'Israël est glorifié

---

[1] *Ex.* 17: 14 « J'effacerai la mémoire d'Amalek de dessous le ciel »; cf. aussi *Deut.* 25: 19.

[2] Voir WERBLOWSKY–WIGODER p. 26 s.

[3] Selon les *Targums Pseudo-Jonathan*, *Neofiti* et le *Targum Fragmentaire* à *Nombr.* 24: 20, Amalek fut le premier peuple à engager le combat avec Israël, et « aux jours de Gog et Magog » (*Ps. Jon.* : « aux jours du roi messie ») les Amalécites engageront contre Israël le combat final. Mais ils seront exterminés et « leur extermination sera éternelle ».

[4] *Yahvé* ou son ange va les expulser de la terre de Canaan : *Ex.* 23: 28, 33: 2, 34: 11, *Deut.* 7: 1, *Jos.* 3: 10. Ils seront exterminés : *Ex.* 23: 23, *Deut.* 20: 17. Les passages suivants relèvent aussi une attitude hostile : *Jos.* 9: 1, *1 Rois* 9: 20, *2 Chron.* 8: 7, *Esra* 9: 1.

[5] Cette idée est nettement exprimée en *Deut.* 25: 19 en rapport avec l'extermination de Amalek : « Et quand *Yahvé*, ton Dieu, après t'avoir délivré de tous les ennemis qui t'entourent, t'accordera la paix dans le pays qu'il te donne comme héritage ... ».

dans les chapitres 8 et 19 des *Jubilés*[1]. L'auteur des *Jubilés* précise également
que c'est dans le lot de Sem que Dieu se manifeste. Noé se réjouit que ce
lot revienne à Sem et dit :

« Loué soit le Seigneur, le Dieu de Sem, et le Seigneur habitera dans
les demeures de Sem. » (8: 18)

Le *livre des Jubilés* énumère aussi les trois lieux où Dieu apparaît de pré-
férence : le jardin d'Eden, le mont de Sinaï et la montagne de Sion (v. 19).

C'est dans cette perspective qu'il faut comprendre l'affirmation du
Testament de Siméon 6: 5 que Sem sera glorifié par l'avènement de Dieu
sur la terre. Ce passage a été remanié par une main chrétienne. Même s'il
est difficile de rétablir le texte juif initial dans tout le détail, il ne fait pas
de doute qu'une venue personelle de Dieu était annoncée dans le texte
primitif[2]. Dans sa teneur actuelle, le texte se lit comme une prophétie sur
l'œuvre salvifique du Christ[3]. Il est cependant possible que la phrase
« sauvant par lui le genre humain » ait fait partie du texte primitif. Les
mots ἐν αὐτῷ peuvent renvoyer à Sem, mentionné au début du verset 5.
C'est par lui, c'est à dire Israël, que Dieu sauvera le genre humain, les nations.
Nous serions donc en présence de la fonction, assignée à Israël dans les
Chants du Serviteur de *Yahvé* dans le *livre d'Isaïe*. Le serviteur y est vu
aussi sous l'aspect collectif, le vrai Israël, dont la mission doit s'étendre
également aux Gentils. Le serviteur sera « une lumière des nations » pour
que le salut de *Yahvé* se répand « jusqu'aux extrémités de la terre » (*Is.*
49: 6; cf. 42: 6). Le serviteur distribuera la justice aux nations et « les
pays lointains attendent son enseignement » (*Is.* 42: 1 et 4)[4].

A première vue, une telle interprétation de *Sim* 6: 5 semble en contradiction avec l'attitude exprimée dans 6: 3–4. Remarquons cependent que
ce sont seulement les peuples, ennemis d'Israël, qui seront exterminés.

---

[1] Le chapitre 8 rapporte la répartition de la terre entre les fils de Noé. Le lot assigné
à Sem est décrit comme le meilleur (vv. 12, 17 et 21). Dans le chapitre 19, il est dit que
Jacob sera un ornement pour la postérité de Sem (v. 17). Dans la descendance de
Jacob, le nom d'Abraham et les noms de ses pères, entre autres celui de Sem, seront
bénis (v. 24). De plus, Jacob sera béni avec toutes les bénédictions dont Dieu a béni
« Adam et Hénok et Noé et Sem » (v. 27).

[2] Cf. aussi supra p. 174.

[3] Un fond juif, remanié ou interpolé par une main chrétienne est admis par BOUSSET
1900 p. 147, CHARLES 1908 p. 23 s., JERVELL 1969 p. 50, BECKER 1970 p. 331. Selon
MESSEL 1918 p. 360 ss. et DE JONGE 1960 p. 231 le verset constitue une composition
chrétienne dans son ensemble. PHILONENKO 1960 p. 38 regarde le passage entier comme
authentiquement juif.

[4] L'aspect collectif est dans ce passage précisé par la *Septante* qui ajoute au v. 1
« Jacob » devant « mon serviteur » et « Israël » devant « mon élu ».

Les peuples énumérés dans les versets 3–4 représentent, de façon générale, les adversaires eschatologiques. Leur extermination ne doit pas être considérée comme l'expression d'une attitude foncièrement hostile aux nations. On trouvera dans les recueils des prophètes des exemples où le thème de la destruction des nations, ennemis d'Israël, est associé à un esprit universaliste. Le *livre d'Isaïe* 25 professe dans les versets 6 et 7 l'idée d'un salut des nations en même temps qu'on affirme l'extermination des peuples ennemis d'Israël dans les versets 10–12. De même, aussi *Isaïe* 63: 1–6 et 66: 19–21.

L'avènement de Dieu, annoncé dans *Sim* 6: 5, amène le châtiment des esprits mauvais indiqué dans le verset 6, dont nous aborderons l'analyse dans le contexte du Jugement.

La dernière scène du déroulement eschatologique montre Siméon, ressuscité, bénissant le Très-Haut pour ses merveilles θαυμάσια[1]. Ce mot doit renvoyer aux événements décrits dans les versets 5–6. Mais un rédacteur chrétien en a transformé le sens initial par une addition christologique. Les merveilles de Dieu sont maintenant l'Incarnation et l'œuvre salvifique du Christ[2]. Notons cependant que la formulation utilisée est un peu surprenante du point de vue de l'emploi du mot σῶμα[3]. Pour définir l'incarnation du Christ, le *Nouveau Testament* et les *Pères Apostoliques* n'emploient jamais des expressions avec σῶμα. En revanche, c'est le mot σάρξ qu'on utilise à ce sujet[4]. L'usage de σῶμα dans *Sim*. 6: 7 n'est pas non plus conforme à l'emploi des *Testaments*. Σῶμα y désigne régulièrement le corps en relation avec l'âme ou l'intellect[5].

Pous conclure, *Sim*. 6 consiste en trois morceaux qui ont été réunis par l'auteur des *Testaments*. Il est même vraisemblable que l'auteur a adapté une source sur l'extermination eschatologique des peuples ennemis d'Israël. Car la terminologie et le contenu des versets 3–4 apparaissent assez isolés dans l'ensemble des *Testaments*. En revanche, les versets 5–7

---

[1] L'équivalent hébreu de θαυμάσια est sûrement נפלאות. PHILONENKO 1960, p. 39 insiste sur le fait que ce terme est très caractéristique des écrits de Qumran. Mais il se retrouve souvent dans *LXX* traduisant précisément נפלאות, et il figure une fois dans le *Nouv. Test.* désignant les merveilles que Jésus a accomplies (*Mt.* 21: 15).

[2] Presque tous les commentateurs se prononcent pour une origine chrétienne du verset 7 b : BOUSSET 1900, p. 148, CHARLES 1908, comm. p. 24 note, DE JONGE 1953, p. 96 et 1960, p. 232, JERVELL 1969, p. 50, BECKER 1970, p. 331. PHILONENKO 1960, p. 38 s. y voit l'expression d'une théologie essénienne relative au Maître du justice.

[3] Cf. aussi PHILONENKO 1960 p. 39.

[4] Cf. p. ex. *Jn.* 1: 14, *Rom.* 8: 3, *Gal.* 5: 24, *1 Tim.* 3: 16, *1 Jn.* 4: 2, *2 Jn.* 7. *Barn.* 5: 10, 11. 6: 9, *Herm. Sim.* 5: 5 ss.

[5] P. ex. *Sim* 4: 8 s. *Dan* 3: 2, 3, 4. *Aser* 2: 7. Σάρξ, dans les *Testaments*, désigne le plus souvent l'homme en tant qu'un être temporel.

sont plus conformes à l'eschatologie des péricopes *Juda* 25, *Zab* 10: 1–3 et *Benj* 10: 5–10.

Testament de Dan 6: 1–7

Ce passage présente des problèmes complexes qui concernent la transmission du texte, l'interprétation du contenu et les rapports avec l'ensemble des *Testaments*[1]. On a repris ici, selon nous, des traditions sadocites de caractère dualiste sur le combat entre les puissances du Bien et du Mal et sur l'ange protecteur d'Israël. On le voit d'abord par le fait que les passages les plus proches dans les *Testaments* se trouvent en *Lévi* 3: 3 et 5: 5–7 où la dépendance sur l'*Apocryphe de Lévi* est claire[2]. Les affinités de pensée et de vocabulaire entre *Dan* 6: 1–7 et *4Q ʿAmram*, le *Règlement de la Guerre* I: 9–15, XIII: 10 et XVII: 5–7 et le *Rouleau de la Règle* III: 18–IV: 26[3] sont également apparentes[4]. L'adaptation de traditions antérieures en *Dan* 6: 1–7 explique le caractère distinct que présente ce passage[5].

Le texte de *Dan* 6: 1–7 paraît avoir été retouché à plusieurs reprises pour répondre aux vues des milieux qui ont transmis les *Testaments* à une date postérieure[6]. La réinterprétation chrétienne a cependant laissé les marques les plus visibles[7].

La comparaison avec les passages cités ci-dessus d'où s'inspire *Dan* 6: 1–7 permet de dégager le fond primitif. Il est question de l'ange qui intercède pour Israël, c'est à dire Michel, médiateur entre Dieu et les hommes, qui défend le *šālōm* d'Israël (cp. *Test. Lévi* 5: 6 s. *Daniel* 10: 13, 21 et 12: 1, *1QM* XVII: 6–7). Cette idée est en *Dan* 6: 1–7 envisagée sous son aspect eschatologique. On a en vue le rôle de l'ange comme protecteur d'Israël lors du combat final contre le prince du Mal, appelé ici ὁ ἐχθρός (cp. *mal'ak maśṭēmā* en *1QM* XIII: 11 et *CD* XVI: 5 et Mastema en *Jub.* 17: 16, 18: 9 et 12 et passim). C'est ce rôle qui rend le nom de l'ange célèbre en Israël et parmi les nations (v. 7). Le texte indique aussi que « l'empire de l'Ennemi »

---

[1] Cf. les différents essais de solution proposés par CHARLES 1908 comm. p. 131 s., DE JONGE 1953 p. 92 s. et 1960 p. 235, PHILONENKO 1960 p. 44–46 et BECKER 1970 p. 354 s.

[2] Voir à ce sujet vol. II chap. III.

[3] Les fragments de *4Q ʿAmram* sont les restes d'un écrit sadocite et les textes de Qumran prolongent une théologie sadocite, cf. supra p. 44 s.

[4] Les affinités avec le *Règlement de la Guerre* et le *Rouleau de la Règle* ont été indiquées par PHILONENKO 1960 p. 44 s. et OTZEN 1954 p. 144 et 1974 p. 752.

[5] BECKER 1970 p. 354 s. qui souligne ce caractère, en conclut que *Dan* 6: 1–7 constitue une addition postérieure.

[6] D'abord l'époque où est né l'idéal du prêtre-sauveur, voir infra p. 300. Puis, lorsque les *Testaments* ont été adoptés par l'Église.

[7] Cf. à ce sujet DE JONGE 1953 p. 93 et 1960 p. 235, JERVELL 1969 p. 47 et BECKER 1970 p. 355.

sera détruit (v. 4) ce qui correspond au jugement sur Béliar et ses esprits en *Sim* 6: 6 et *Juda* 25: 3.

Il est clair que les traditions reprises en *Dan* 6: 1–7 sont bien intégrées dans la pensée dualiste des *Testaments* et dans la structure de l'ouvrage. *Dan* 6: 1–7 veut être un complément à l'eschatologie « péchés–châtiment–restauration » trouvée en 5: 5–9, 13 qui décrit la libération d'Israël de la captivité et des nations ennemis. Ce qui est au premier plan en 6: 1–7, c'est la libération des puissances du Mal, qui attaquent Israël pour le faire tomber dans le péché. On est donc en présence de la même structure de péricopes « péchés–châtiment–restauration » suivies d'une eschatologie « complémentaire » qu'on trouve en *Juda* 23: 1–24: 6, 25: 1–5, *Zab* 9: 5–9 et 10: 1–3, *Benj* 9: 1–2 et 10: 5–10 et dans une certaine mesure aussi en *Sim* 5: 4–6 et 6: 3–7.

Dan 6: 1–7 est lié à ce qui précède surtout par le mot εἰρήνη qui sert de mot-clef dans les chapitres 5 et 6 de ce testament : 5: 2 (bis), 9, 11, 6: 2 et 5. Ce fait indique l'une des raisons pour lesquelles on a adapté ici une tradition antérieure sur « l'ange de la paix », c'est à dire celui qui protège le *šālōm* d'Israël[1].

Le Testament de Lévi

Le thème du jugement divin est abordé par le *Testament de Lévi*, mais dans une perspective et une terminologie différentes des péricopes que nous venons d'étudier.

Cette idée d'un jugement divin à venir est professée dans le cadre de la première vision de Lévi (2: 6 – 5: 7). L'ange interprète enseigne au patriarche que dans le deuxième ciel se trouvent les instruments que Dieu utilisera lors du jugement. Abstraction faite du feu, la liste mentionne des phénomènes de la nature : la grêle, la neige et la glace (3: 2). Ces phénomènes et d'autres figurent dans des listes analogues, mais sans être rattachés à la conception du jugement divin. Par contre, la grêle et le feu, pris isolément, sont utilisés assez souvent comme moyens du châtiment divin dans l'*Ancien Testament*[2]. Le contexte primitif des énumérations des phénomènes analogues à ceux de *Lévi* 3: 2 semble être les louanges à Dieu comme créateur. C'est ainsi que le *Psaume* 147 énumère la neige, le givre et la grêle comme signes de la grandeur de *Yahvé* (v. 16 s.). La version de la création que donne le *livre des Jubilés* rapporte qu'au premier jour Dieu

---

[1] Cf. *1QM* XIII: 10 ושר מאור פקדתה לעזרנו et *1 Hén.* 20: 5 où Michel est appelé « celui qui est préposé au *šālōm* du peuple », ὁ ἐπὶ τῶν τοῦ λαοῦ ἀγαθῶν τεταγμένος un emploi analogue du mot ἀγαθός se trouve en *1 Hén.* 25: 3.

[2] Pour la grêle, voir *Ex.* 9: 18–26, *Jos.* 10: 11 et *Is.* 32: 19; pour le feu, voir p. ex. *Gen.* 19: 24 s., *Lév.* 10: 2, *Nombr.* 11: 1, *Is.* 30: 33, *Amos* 1: 4 passim, *Jér.* 51: 58.

a créé également toutes les classes des anges qui le servent. Les merveilles de la nature ont chacune leur classe d'anges; on trouve ainsi : « les anges des vents qui soufflent, les anges des nuages et des ténèbres, de la neige et de la grêle et du gel » (*Jub.* 2: 2)[1]. Les *Hodayot* fournissent dans I: 9–15 un exemple de la fonction primitive d'une énumération des merveilles de la nature[2]. La cosmologie du corpus hénochique fait mention des portes du ciel d'où sortent les merveilles de la nature. Le livre astronomique énumère deux séries semblables, mises en relation avec des portes différentes. Dans *1 Hénoch* 76: 11, on trouve « brouillard, givre, neige, pluie, rosée et sauterelles », et dans 76: 12 on lit cette liste : « rosée, givre, froid, neige et gel »[3]. Le passage du « livre des Veilleurs » qui mentionne ces portes (*1 Hénoch* 34) parlent de trois portes du ciel. De chaque porte viennent des vents apportant les mêmes phénomènes : « froid, grêle, neige, rosée et pluie ». Toutefois, dans deux des portes les vents soufflent avec violence et causent des dommages sur la terre mais dans la porte qui reste, les vents soufflent pour le bien. On voit par là comment les listes des merveilles de la nature peuvent se transformer en instruments du châtiment divin.

Rappelons que dans le *livre de Job* certains phénomènes de la nature, la neige et la grêle, sont explicitement mis en rapport avec le « jour de *Yahvé* » :

> « Es-tu parvenu aux dépôts (אצרות) de la neige et as-tu vu les dépôts de la grêle que je tiens en réserve pour le temps de la détresse et pour le jour de combat et de guerre? » (38: 22–23)

Le *livre des Jubilés* énumère dans 23: 13 tous les châtiments qui frapperont les générations avant le jugement. Parmi ces châtiments on trouve également « la neige et le gel et la glace »[4]. L'auteur de l'*Epître d'Hénoch* menace ainsi les pécheurs du châtiment divin :

> « car, lorsque la neige, le givre et son froid, les vents et leur gel et tous leurs tourments, fondront sur vous, vous ne pourrez pas tenir devant le froid et leurs tourments »[5] (*1 Hénoch* 100 :13)

---

[1] Le texte est traduit sur le fragment grec trouvé chez Épiphane : *De mensuris et ponderibus* 22.

[2] Le passage où l'on attend la précision du contenu des אוצרות מחשבת (lignes 12–13) est malheureusement lacunaire.

[3] Il faut situer dans la même ligne de tradition également *1 Hén.* 41: 4, 60: 17–21 et 69: 23.

[4] D'après le texte latin : *nives et pruinae et glacies.* L'éthiopien porte en seconde place *barad* qui désigne ordinairement « la grêle ».

[5] Traduction d'après le texte grec.

Le *Siracide* contient un passage (39: 28–30), qui présente des points de contacts assez précis avec *Lévi* 3: 2, sans qu'on puisse toutefois parler d'une influence exercée par le *Siracide* sur le *Testament de Lévi*[1]. Dans 39: 28, il est fait mention de πνεύματα qui sont crées pour le châtiment, εἰς ἐκδίκησιν. A la fin des temps ils déchaîneront leur force. On doit interpréter ces πνεύματα comme des vents. De même, en *Lévi* 3: 2, les πνεύματα, sont destinés εἰς ἐκδίκησιν τῶν ἀνόμων. Le *Siracide* rapporte au verset 29 ce qu'apporteront les vents : « feu et grêle, faim et peste »[2]. Le texte répète que ces éléments sont destinés au châtiment et ajoute dans le verset suivant encore quelques exemples de punitions qui seront εἰς ὄλεθρον ἀσεβεῖς.

C'est dans cette ligne de tradition que s'inscrit la liste du *Testament de Lévi* 3: 2. Il est surprenant de trouver le feu en tête des éléments énumérés, qui sont tous des manifestations du froid. Mais comme le feu est un instrument du châtiment divin qui est bien enraciné dans les théologies juives, on s'explique qu'il ait été introduit ici. L'*Épître d'Hénoch* évoque dans le même contexte que celui indiqué ci-dessus, la menace d'un « fleuve du feu brûlant » qui châtiera les impies (*1 Hénoch* 102: 1).

Le *Testament de Lévi* situe la liste des fléaux dans le cadre d'une description des sept cieux et la met en rapport explicite avec le jugement de Dieu. Le feu, la neige, la grêle et la glace sont prêts pour « le jour du décret du Seigneur », qui se produira « par le juste jugement (δικαιοκρισία) de Dieu ». Notons que les deux autres descriptions des sept cieux dans le judaïsme antique[3] font mention de phénomènes de la nature, analogues à ceux de *Lévi* 3: 2, mais sans les mettre explicitement en rapport avec le Jugement. L'*Hénoch slave* situe dans le premier ciel les chambres de la glace ainsi que les chambres de la rosée (*2 Hénoch* 3: 6–8)[4]. *Mishna Chagiga* XII b rapporte que dans le *Mākōn*, le sixième ciel, se trouvent les dépôts (אוצרות) de la neige et de la grêle ainsi que les chambres de la rosée « mauvaise » (עלית טללים רעים).

---

[1] CHARLES 1908 comm. p. 31 et DE JONGE 1953 p. 47 pensent que *Lévi* 3: 2 dépend de *Sir.* 38: 28 s. Les ressemblances, ainsi que les différences qui néanmoins existent, s'expliquent par l'utilisation d'un thème commun.

[2] Le texte grec porte pour peste θάνατος, mais ce mot rend dans les textes analogues de l'*Ancien Testament* le mot hébreu דבר, cp. *Ex.* 5: 3, *Lév.* 26: 25, *Deut.* 28: 21 et *2 Sam.* 24: 13.

[3] L'*Apocalypse de Moïse* 35 ne décrit pas les cieux mais fait seulement mention de « septs firmaments ».

[4] *Hénoch slave* fait dans ce passage peut-être allusion à la fonction de la neige et de la grêle comme instruments du châtiment divin en précisant qu'elles sont gardés par des anges terrifiants tandis que la rosée est gardée par des anges qui sont comme les fleurs de la terre.

Le *Testament de Lévi* situe dans le deuxième ciel encore un phénomène qui est rattaché au jugement de Dieu. Après l'énumération dans 3: 2a des éléments du châtiment divin, le texte ajoute que dans le même ciel sont τὰ πνεύματα, qui seront appelés pour le châtiment des impies (v. 2b). Comme chaque ciel ne contient qu'une sorte d'éléments ou d'habitants, il est probable que τὰ πνεύματα se réfèrent aux phénomènes énumérés dans le même verset (v. 2a). Ce sont donc soit les *esprits* qui sont préposés à ces phénomènes comme dans les *Jubilés* 2: 2, soit les *vents* qui les apportent sur la terre, comme dans *1 Hénoch* 100 :13 et dans le *Siracide* 39: 28[1].

La description du troisième ciel est, elle aussi, en rapport avec le Jugement. Dans ce ciel se trouvent les puissances angéliques, rangées pour le « jour du jugement », où elles exécuteront le châtiment sur les esprits de Béliar.

Dans sa description des sept cieux, l'ange révèle en fait à Lévi les mystères du jugement divin, dont les modalités sont ensuite précisées en 4: 1. Le texte se concentre sur les cataclysmes qui accompagnent le jugement divin. Il est évident que ce passage s'inscrit dans la ligne des traditions du « jour de *Yahvé* » et dans les prolongements qu'il trouve dans le *livre d'Hénoch* et le *Testament de Moïse*. On peut le montrer par une comparaison des thèmes de *Lévi* 4: 1 avec ceux des descriptions du « jour de *Yahvé* »[2].

Lévi 4: 1	Traditions du « jour de *Yahvé* »
« les rochers se fendent »	« les montagnes anciennes se fendront » *Hab.* 3: 6
	« le Mont des Oliviers se fendra par le milieu » *Zach.* 14: 4
	« et la terre se fendra d'une fente de gouffre »[3] *1 Hén* 1: 7
« le soleil s'éteint »	« le soleil est obscur à son lever » *Is.* 13: 10
	« le soleil et la lune sont noirs » *Joël* 4: 15
	« le soleil ne donne pas de lumière » *Test. Moïse* 10: 5; cf. aussi *Amos* 5: 20. *Zach.* 14: 6 et *Hab.* 3: 11

---

[1] CHARLES 1908 comm. p. 31 pense que l'interprétation de « vents » dans *Lévi* 3: 2 soit possible en renvoyant à *Sir.* 39: 28.

[2] Dans l'*Ancien Testament* on trouve les cataclysmes accompagnant le « jour de *Yahvé* ». dans les passages suivants : *Is.* 13: 6–13; 34: 8–10, *Ez.* 30: 3–12, *Mich.* 1: 3 s., *Soph.* 1: 7–18, *Amos* 5: 18–20, *Joël* 1: 15–20, 2: 1–11 et 4: 14–16, *Zach.* 14: 1–6, *Mal.* 3: 19 et *Hab.* 3: 6–12. Le dernier passage ne fait pas mention du terme même « jour de *Yahvé* », mais le contenu montre clairement que le texte se situe dans cette tradition. Dans le *livre d'Hénoch*, ce sont 1: 3–9, 91: 7–9 et 102: 1–3 qui continuent et développent l'idée du « jour de *Yahvé* ». De même, *Test. Moïse* (*Ass. Mos.*) 10: 3–7.

[3] Par conjecture d'après le texte grec de *Pap. Cairo* : καὶ διασχισθήσεται ἡ γῆ σχίσμα ῥαγάδι.

« les eaux se tarissent »	« les torrents d'eau se tarissent » *Joël* 1: 20.
	« et les sources d'eau se tariront et les fleuves seront asséchés »[1] *Test. Moïse* 10: 6; cf. aussi *Ez.* 30: 12
« le feu s'abat » (sur la terre)	« devant lui le feu consume et après lui les flammes éclatent » *Joël* 2: 3.
	« et quand il jette sur vous le flot du feu pour vous brûler, où courrez-vous pour vous sauver? »[2] *1 Hén* 102: 1; cf. aussi *Ez.* 30: 8, *Soph.* 1: 18, *Mal.* 3: 19, *Mich.* 1: 4, *Is.* 34: 9 s., *1 Hén.* 1: 6 et 91: 9.
« toute créature est angoissée »	« un jour d'angoisse et de détresse »; « et je mettrai les hommes dans l'angoisse au point qu'ils marcheront comme des aveugles » *Soph.* 1: 15 et 17; cf. aussi *Is.* 13: 8, *Joël* 1: 18, *Ez.* 30: 9, *Hab.* 3: 16, *1 Hén.* 1: 5 et 102: 2

On trouve encore quelques parallèles à L*évi* 4: 1 en dehors des traditions du « jour de *Yahvé* ». Toutefois, ces parallèles ne sont pas si frappants, et, ce qui est plus important, on ne les trouve pas, formant un ensemble, dans le contexte du jugement de Dieu. C'est pourquoi le parallèle de la fente des rochers et de l'envahissement des ténèbres en *Matthieu* 27: 45 et 51 ne peut intervenir pour expliquer *Lévi* 4: 1[3]. Il est également clair que la phrase ἐπὶ τῷ πάθει τοῦ ὑψίστου doit étre interprétée à la lumière des traditions du « jour de *Yahvé* »[4]. Les passages de la Bible, relatifs à ce contexte, soulignent que le courroux divin accompagne et même produit les cataclysmes du « jour de *Yahvé* ». *Isaïe* 13: 13 en fournit un exemple :

« C'est pourquoi je ferai trembler le ciel et la terre sera ébranlée sur sa base; par le *courroux* de *Yahvé Sebaot*, au jour de son ardente *fureur*. »

Citons dans le même chapitre d'*Isaïe* également le verset 9 qui exprime la

---

[1] Nous lisons avec CHARLES 1897 p. 87 et d'autres *et* pour *ad* et *exarescent* pour *exparescent*.

[2] Traduit d'après le texte grec.

[3] CHARLES 1908 comm. p. 36 ne donne que *Mt.* 27: 51 et 24: 29 comme parallèles de la fente des rochers et de l'obscurcissement du soleil en *Lévi* 4: 1. DE JONGE 1953 p. 142 n. 45 et BECKER 1974 p. 49 voient dans ces traits de *Lévi* 4: 1 un remaniement chrétien à partir de *Mt.* 27: 45 et 51.

[4] DE JONGE et BECKER interprètent cette phrase aussi, dans une perspective chrétienne. PHILONENKO 1960 p. 20 y voit « les prémices d'une christologie patripassianiste.

même conception, mais dans une formulation différente. La théophanie du chapitre 3 d'*Habacuc* est caractérisée par la présence du courroux divin (vv. 8 et 12). Il en est de même pour l'apparition de Dieu dans le *Testament de Moïse* 10: 3–7 où la théophanie se fait avec *ira* et avec *indignatio* (v. 3). C'est donc le sens de « courroux », qu'il faut retenir pour πάθος[1] dans *Lévi* 4: 1, sens qui convient excellemment au contexte[2]. Il est « également probable que la phrase ἐπὶ τῷ πάθει τοῦ ὑψίστου se réfère à l'ensemble des cataclysmes décrits et non seulement à la phrase « et l'Hadès est dépouillé ».

Tout comme *1 Hénoch* 1: 3–9, 91: 7 et 102: 1–3 et le *Testament de Moïse* 10: 1–10 ne reprennent pas simplement la tradition du « jour de *Yahvé* » mais l'adaptent, le *Testament de Lévi* continue cette tradition de façon indépendante. L'idée d'un *jugement* est nettement accentuée. Les thèmes selon lesquels les esprits invisibles seront fondus et que l'Hadès sera depouillé sont des précisions nouvelles. La formulation de ces thèmes reflètent cependant, dans une certaine mesure, le vocabulaire des traditions sur le « jour de *Yahvé* ». Les montagnes qui *fondent* appartiennent à l'imagerie de *Michée* 1: 4 et de *1 Hénoch* 1: 6. Parmi les catastrophes du « jour de *Yahvé* » on fait aussi mention d'un *dépouillement* des biens (*Soph.* 1: 13) et d'un *dépouillement* de Jérusalem (*Zach.* 14: 1 s.).

Pour ce qui est de la fonction des cataclysmes mentionnés dans *Lévi* 4: 1, la construction actuelle du texte les rattache à la phrase selon laquelle les hommes persévèrent dans leurs iniquités. En dépit des cataclysmes qui éclatent devant leurs yeux, les hommes continuent de pécher; c'est pourquoi ils seront jugés[3]. Ce sens du texte ne nous semble pas être le primitif. Les cataclysmes appartiennent comme dans *1 Hénoch* 1: 3–6 et le *Testament de Moïse* 10: 3 au déroulement même du jugement, ils n'en sont pas les signes précurseurs[4]. Les hommes persévèrent dans le péché bien qu'ils connaissent les cataclysmes du jugement futur.

---

[1] Le mot πάθος s'emploie, outre que pour désigner ce qu'on a souffert ou éprouvé, également pour décrire l'agitation, l'affection et la passion qui caractérisent les différents états d'âme d'une personne. Πάθος caractérisant le courroux est attesté p. ex. dans *Herm. Sim* 6,5: 5.

[2] La plupart des commentateurs prend πάθος dans le sens de « souffrance » : CHARLES 1908 comm. p. 36, mais en retenant aussi avec hésitation une autre interprétation « the visitations of the Most High », DE JONGE 1953 p. 142 n. 45, BECKER 1970 p. 268 et 1974 p. 49, PHILONENKO 1960 p. 19, L. HARTMAN 1966 p. 74. RIESSLER p. 1161 traduit d'après CHARLES avec « Heimsuchungen »; OTZEN 1974 p. 712 a la traduction « nidkærhed » qui convient bien au contexte.

[3] Ce sens du texte actuel est mis au point en particulier par L. HARTMAN 1966 p. 74 s.

[4] Comme HARTMAN le note, la fonction des cataclysmes dans *Lévi.* 4: 1 n'a pas de parallèles proches dans l'*Ancien Testament*.

L'idée de la résurrection dans les Testaments

Si l'on compare les passages que nous venons d'étudier, *Benj* 10: 5–10, *Juda* 25, *Zab* 10: 1–3 et *Sim* 6, une structure commune apparaît. Elle est caractérisée par la mise en relief de certains thèmes eschatologiques : la réssurrection, le jugement divin et la joie du salut. Certes, on trouve des différences de détail, mais ces différences ne sont pas des contradictions[1].

Pour ce qui est de la forme, sous laquelle apparaît l'idée de la résurrection dans les *Testaments*, il y a lieu de faire quelques remarques. Notons d'abord que les textes sont assez imprécis sur le point de savoir si les *Testaments* enseignent une résurrection universelle[2]. Il ne fait pas de doute que dans deux passages, *Juda* 25 et *Benj* 10: 5–10, il est question d'une résurrection aussi du peuple d'Israël, à côté de celle des patriarches et des héros de l'antiquité. *Juda* 25: 4 n'enseigne explicitement que la résurrection de ceux parmi le peuple qui ont été opprimés ou sont morts martyrs, alors que *Benj* 10: 8 dit expressément que ce sont à la fois les justes et les impies des bᵉnē Yiśrā'el qui ressusciteront. Dans tous les passages, sauf *Sim* 6, le rassemblement eschatologique du peuple est cependant nettement évoqué, et il est possible que dans *Zab* 10: 1–3 la résurrection des membres morts de la tribu de Zabulon soit sous-jacente. Une résurrection des païens n'est pas indiquée dans les *Testaments*, mais leur participation à l'événement eschatologique est attestée dans *Juda* 25 et *Benj* 10. Il est vraisemblable que l'auteur pense seulement aux individus des nations qui vivront à l'ère eschatologique.

On ne trouve donc pas dans les *Testaments* une doctrine de la résurrection qui soit d'une parfaite précision[3]. Il ne faut pas utiliser ces fluctuations pour proposer une chronologie des passages considérés[4]. On ne révèle pas non plus le lieu où la résurrection est censée se produire. Toutefois, comme la restauration eschatologique comprend l'Israël terrestre et comme la formulation de *Juda* 25, *Zab* 10 et *Benj* 10 semble présupposer le cadre de la Palestine, il est vraisemble que la résurrection se situe sur la terre et non dans les cieux[5].

Ce qui caractérise davantage les *Testaments* c'est l'ordre dans lequel

---

[1] Contre BECKER 1970 p. 404.

[2] STEMBERGER 1972 p. 65, NICKELSBURG 1972 p. 142 et CAVALLIN 1974 p. 54 trouvent la résurrection universelle dans les *Testaments* du moins pour *Benj* 10: 5–10.

[3] Cf. aussi la remarque de CAVALLIN 1974 p. 55 s : « But, above all, neither *Test XII Patr* nor any other apocalyptic text must be treated as textbooks of dogmatic theology. »

[4] C'est ce que fait NICKELSBURG 1972 p. 142. Selon lui, *Benj* 10 est postérieur à *Juda* 25 à cause de la résurrection universelle professée par *Benj* 10.

[5] Cf. aussi STEMBERGER 1972 p. 65.

la résurrection se fera. Les héros de l'antiquité ressusciteront les premiers : Hénoch, Noé, Sem at Abraham, Isaac et Jacob; puis les douze patriarches et enfin, le peuple d'Israël. Cette idée semble sans aucun parallèle dans le judaïsme antique[1]. Il est aussi remarquable que dans les *Testaments*, les patriarches prédisent leur propre résurrection[2].

L'idée que les patriarches d'Israël ont une place particulière parmi ceux qui ressusciteront est cependant attestée pour le judaïsme en dehors des *Testaments*. Les *Évangiles* reflètent certainement une croyance juive quand ils mettent Abraham, Isaac et Jacob en rapport étroit avec la vie après la mort[3]. Certains passages juifs sont également explicites à ce sujet[4]. C'est pourtant dans le *Dialogue avec Tryphon* de Justin le Martyr qu'on trouve cette idée le plus nettement évoquée. Le juif Tryphon présuppose clairement la résurrection des héros de l'antique Israël dans le passage suivant :

> « Dis-moi donc, reprit-il, ceux qui ont vécu d'après la loi instituée par Moïse, est-ce qu'ils revivront comme Jacob et Hénoch et Noé dans la résurrection des morts, ou ne revivront-ils pas? » (*Dial.* 45: 2)

Il n'est pas déraisonable de songer ici à une influence des *Testaments* sur les traditions juives qu'a utilisé Justin Martyr en composant son *Dialogue*.

On trouve dans le *Testament d'Aser* deux passages qui abordent le thème d'une vie après la mort, mais dans un contexte qui n'est pas eschatologique. Dans 5: 1–3, l'auteur tire la conclusion de son « homélie » sur le thème τὸ διπρόσωπον. Il y a deux faces en toute chose : la mort succède à la vie, la honte à la gloire, la nuit au jour etc. Mais la justice (τὰ δίκαια) est toujours accompagnée par la vie. C'est pourquoi « la vie éternelle » attend (ἀναμένει) la mort (v. 2). Le texte ne précise pas à qui sera réservée cette « vie éternelle »[5]. Comme l'auteur vient d'affirmer dans 4: 1 que les ἀγαθοὶ ἄνθρωποι καὶ μονοπρόσωποι sont δίκαιοι au regard de Dieu, il pense en 5: 2 de toute évidence à ce groupe seulement. Cela est confirmé par un autre passage du *Testament d'Aser* qui aborde le thème de l'au-delà. Selon ce passage, 6: 4–6, annoncé déjà en 1: 3, la fin d'un homme révèle,

---

[1] STEMBERGER 1972 p. 65 renvoie à *1 Cor.* 15: 23–28, mais ce parallèle n'est pas frappant.

[2] Il est légitime de parler sur ce point avec CAVALLIN 1973 p. 56 s. d'une « forme » particulière de la doctrine de la résurrection représentée en premier lieu par les *Testaments*.

[3] Voir *Mt.* 8: 11–12 et *Luc* 13: 27–29.

[4] Voir surtout *4 Macc.* 7: 19 et 16: 25.

[5] La tournure ἡ αἰώνιος ζωή ne se trouve qu'ici dans les *Testaments*.

s'il est bon ou méchant. Si, au moment de la mort, l'âme ἡ ψυχή, qui est ici le principe de vie, part visiblement troublée, elle est tourmentée par « le mauvais esprit ». Mais si l'homme meurt dans la tranquillité et dans la joie, il reconnaît « l'ange de la paix » qui lui promet la vie. On a tort d'opposer la doctrine de ce passage à l'idée de la résurrection des morts telle qu'elle est consignée ailleurs dans les *Testaments*[1].

Les critiques décèlent en *Aser* 6: 4–6 une dichotomie entre l'âme et le corps qui relèverait d'une influence grecque[2]. Il serait également question dans ce passage d'une survie de l'âme et d'une rétribution immédiate après la mort, rétribution qui amènera le châtiment de l'âme du méchant, mais la vie éternelle pour l'âme du bon[3].

Il est cependant douteux qu'*Aser* 6: 4–6 se prête à une telle interprétation. Le texte est tout à fait centré sur le moment de la mort, τὰ τέλη τῶν ἀνθρώπων. Les différentes manières de mourir sont mise en rapport étroit avec la « justice » du mourant; c'est cette observation que le texte veut mettre en valeur. *Aser* 6: 4–6 suppose l'idée des *Testaments* que l'homme pendant sa vie est sous la domination des puissances du Bien ou du Mal (*Juda* 20, *Aser* 1: 3 ss., *Benj* 3: 3–5 et 6: 1). Ce dernier passage affirme que « l'ange de la paix » accompangne l'âme du juste. La manière de mourir ne fait que montrer quelle est la puissance qui a guidé l'homme sur la terre. Rien dans le texte d'*Aser* 6: 4–6 n'indique une dichotomie entre l'âme et le corps ou une rétribution immédiate après la mort. La tournure « l'âme s'en va » peut transcrire tout simplement la mort. L'ange de la paix console, il est vrai, le juste en lui promettant la vie, mais cette formulation n'implique pas une survie immédiate de l'âme seulement. Ce passage peut, à vrai dire, être appliqué aussi bien à la résurrection future des morts. Il faut constater que le texte n'apporte pas les précisions qui permettent de trancher la question. Il en est de même pour *Aser* 5: 2. Si l'on tient compte du fait que l'eschatologie de la résurrection est la seule qui est explicitement évoquée dans les *Testaments*, les indications du *Testament d'Aser* concernant une vie après la mort pour les justes, devraient être interprétés en premier lieu dans la perspective de cette eschatologie. Quoi qu'il en soit, on ne saurait trouver dans ce genre de littérature juive un dogme bien établi sur la vie après la mort. Les affirmations des *Testaments* restent, comme

---

[1] C'est ce que font EPPEL p. 108, BECKER 1970 p. 405, NICKELSBURG 1972 p. 173 et CAVALLIN 1974 p. 55.

[2] BECKER 1970 p. 368, CAVALLIN 1974 p. 55. EPPEL p. 109 veut en revanche reconnaître ici l'influence des conceptions iraniennes relatives à l'état de l'âme pendant « les trois jours » qui suivent la mort.

[3] EPPEL p. 108 s., BECKER 1970 p. 368, NICKELSBURG 1972 p. 162 et CAVALLIN 1974 p. 55.

nous l'avons vu, assez vagues dans le détail[1] et devaient avoir à l'occasion une valeur symbolique. Mentionnons encore *Lévi* 13: 5[2] :

« faites la justice sur la terre, mes enfants, afin de (la) trouver dans les cieux ».[3]

L'idée du jugement dans les Testaments

La conception du jugement montre une fluctuation analogue dans le détail. Ce n'est que dans le *Testament de Lévi* qu'on trouve les termes « jugement » et notamment « jour du jugement » (1: 1, 3: 2 s. et 4: 1) alors que, dans d'autres testaments, sans mentionner le terme du « jugement », on en décrit les conséquences (*Sim* 6: 3–4 et 6, *Juda* 25: 3 et *Zab* 10: 3). Seul *Benj* 10: 8–9 fait exception en utilisant le verbe κρίνειν pour indiquer le jugement de Dieu. De plus, c'est seulement dans le *Testament de Lévi* qu'on trouve une description des cataclysmes qui accompagneront le jugement divin (3: 2 et 4: 1). Ces particularités du *Testament de Lévi* s'expliquent cependant comme une influence de sa source principale, l'*Apocryphe de Lévi*. Les parties de ce texte qui correspondent aux passages décrivant le jugement dans le *Testament de Lévi* ne sont pas conservées. Toutefois, comme l'*Apocryphe de Lévi* et les *Jubilés* sont en rapport étroit, l'utilisation significative que fait le *livre des Jubilés* de l'expression « jour du jugement » et du mot « jugement »[4] confirme l'influence de l'*Apocryphe* sur le *Testament de Lévi*. La description en 4: 1 des cataclysmes qui caractérisent ce « jour » s'explique de cette influence. C'est pourquoi on ne trouve ces descriptions que dans le *Testament de Lévi*.

Le jugement suprême entraîne dans les *Testaments* en premier lieu la destruction du pouvoir de Béliar et de ses esprits (*Sim* 6: 6, *Lévi* 3: 3 et 4: 1, *Juda* 25: 3). Sur ce point, les *Testaments* sont dans la ligne de la pre-

---

[1] Les conceptions sur la vie après la mort sont généralement assez imprécises dans la littérature juive de l'époque; cf. BOUSSET-GRESSMANN p. 276.

[2] On pourrait interpréter *Benj* 4: 1 dans un sens eschatologique : « Vous connaissez, mes enfants, la fin (τὸ τέλος) de l'homme pieux; imitez dans la bonne pensée sa miséricorde pour que vous emportiez, vous aussi, les couronnes de gloire. » Mais le passage peut viser aussi bien la carrière terrestre de Joseph, l'homme pieux par excellence dans les *Testaments*; cf. aussi CHARLES 1908 éd. p. 219.

[3] Voici le texte grec : ποιήσατε δικαιοσύνην, τέκνα μου, ἐπὶ τῆς γῆς ἵνα εὕρητε ἐν τοῖς οὐρανοῖς.

[4] « Jour du jugement » : 9: 15, 10: 17 et 22, 16: 9, 22: 21, 23: 11, 24: 30 et 33; « le jugement » : 5: 13 ss.; 16: 6 et 9, 20: 5, 23: 31 et 30: 4. Cette terminologie caractérise également le *livre d'Hénoch* notamment les parties 1–36 et 91–104; « jour du jugement » : *1 Hén.* 22: 4 et 13, 97: 3 et 100: 4; « jour du grand jugement » : 10: 6, 94: 9, 98: 10, 99: 15 et 104: 5. Dans d'autres textes de l'époque la terminologie n'est pas courante; cp. cependant *Pésher d'Habacuc* XIII: 2–3.

mière partie du *livre d'Hénoch* et des écrits de Qumran qui soulignent surtout cet aspect du jugement divin[1]. Le jugement s'accompagne du châtiment des impies (*Lévi* 3: 2, *Juda* 25: 5 et *Zab* 10: 3). Selon le dernier passage, ils seront voués à la perdition éternelle. C'est à cet aspect du jugement que fait allusion *Rub* 5: 6. Il est dit que chaque femme qui séduit par sa parure les hommes, sera réservée à un châtiment éternel (εἰς κόλασιν τοῦ αἰῶνος τετήρηται). Le *Testament de Siméon* semble mettre la destruction des ennemis déclarés d'Israël (6: 3–4) en rapport avec le jugement des mauvais esprits (6: 6). Les *Testaments* assignent cependant la fonction de vaincre les nations ennemies au messie davidique (*Juda* 24: 6 et *Jos* 19: 8). Le *Testament de Siméon* ne fait pas mention du messie, mais n'attribue pas non plus la destruction des ennemis d'Israël explicitement à Dieu. Le *Testament de Juda* (24: 6) utilise pour indiquer cette fonction du messie le terme κρῖναι. Dans ce contexte, il n'est pas cependent question du jugement suprême que décrit *Benj* 10: 8. Le mot κρῖναι en *Juda* 24: 6 doit se comprendre dans le sens de « punir »; le verbe hébreu שפט connaît un emploi analogue[2].

Le châtiment des esprits du mal est décrit en *Sim* 6: 6 avec les mots suivants :

« Alors tous les esprits d'égarement seront livrés pour être foulés aux pieds, et les hommes régneront sur les mauvais esprits. »

L'idée selon laquelle les esprits du mal seront livrés εἰς καταπάτησιν a un parallèle proche[3] dans les *Hodayot* VI: 29–32. Au temps du Jugement les justes, appelés ici « les fils de vérité » fouleront aux pieds, jusqu'à l'extermination, « les fils de la faute », בני אשמה[4], qui renferment à la fois les impies et les mauvais esprits. *Sim* 6: 6 doit être interprété également comme une adaptation eschatologique de l'idée, trouvée en *Psaume* 91: 13 selon laquelle le juste a le pouvoir de marcher sur l'aspic, le lion et le dragon. Le thème des démons qui sont foulés aux pieds, a un arrière-plan dans les mythes de la religion assyro-babylonienne et persiste, outre dans le judaïsme, aussi dans le mandéisme[5].

---

[1] Voir supra p. 241.

[2] Voir p. ex. *1 Sam.* 3: 13 et *Ps.* 51: 6.

[3] Il faut également rapprocher *Sim* 6: 6 de *Malachie* 3: 21 où il est dit qu'au « jour de *Yahvé* » les justes fouleront les méchants; cf. aussi *Is.* 14: 25 et *Michée* 7: 10.

[4] L'expression בני אשמה qui figure quelquefois dans les *Hodayot* (V: 6–7, VI: 18–19, 30) a pu être formée sous l'influence de la démonologie iranienne, où *aešma* est l'un des démons principaux. Rappelons que ce démon est « judaïsé » déjà dans le *livre de Tobit* 3: 8.

[5] Pour cet arrière-plan et son influence sur le mandéisme, voir WIDENGREN 1946 pp. 44–49.

La pensée eschatologique des *Testaments des Douze Patriarches*

L'étude que nous venons de faire a montré la diversité des thèmes eschatologiques trouvés dans les *Testaments des Douze Patriarches*. Mais nous avons aussi souligné que leur coexistence dans un même ouvrage n'a pas besoin d'être expliquée en termes d'additions et de remaniements successives. Certes, les rééditions successives des *Testaments*, y compris leur traduction en langue grecque, ont pu amener des modifications dans le détail. Toutefois, la structure de la composition actuelle et les grands thèmes eschatologiques : restauration d'Israël, participation des nations au salut, avènement de la Divinité, apparition du messie davidique, résurrection et jugement ont été présents dès la rédaction initiale des *Testaments*.

Les « formes » différentes

L'enseignement eschatologique des *Testaments* nous est transmis dans des « formes » différentes et complémentaires. Notons d'abord celle représentée par les péricopes « péchés-châtiment-restauration », dont la cohérence et la concision sont inconnues ailleurs. Les thèmes eschatologiques de cette « forme » sont dans une grande mesure déterminés par les traditions bibliques d'Israël.

Une autre « forme » est constituée par les « prédictions finales du patriarche » qui, dans l'ordre de la composition, viennent après les péricopes « péchés-châtiment-restauration »[1]. Cette forme est introduite par une particule spéciale, qui sert aussi à continuer l'action eschatologique : μετὰ ταῦτα en *Juda* 25, τότε en *Sim* 6 et *Benj* 10: 5–10, et καὶ νῦν en *Zab* 10: 1–3. Par son contenu, la « prédiction finale du patriarche » introduit des idées nouvelles dans l'eschatologie, comme la résurrection et le jugement suprême. Les différences au point de vue des thèmes eschatologiques entre les péricopes « péchés-châtiment-restauration » et les « prédictions finales du patriarche » s'expliquent sans doute par le fait que la première « forme » prolonge une conception biblique dont la structure est imposée par des thèmes précis. Les « prédictions finales du patriarche » complètent donc l'eschatologie trouvée dans les péricopes « péchés-châtiment-restauration ».

Dans les *Testaments de Juda* et de *Zabulon* les péricopes « péchés-châtiment-restauration » sont directement suivies de la « prédiction finale du patriarche » de sorte qu'on est en présence de tout un ensemble eschatologique : *Juda* 21: 7 – 25: 5 et *Zab* 9: 5 – 10: 3. Cette organisation du texte opère un classement des événements eschatologiques, qui correspond certainement aux intentions de l'auteur des *Testaments* :

---

[1] Dans le *Testament de Siméon* cette forme a substitué, semble-t-il, une partie de la péricope « péchés-châtiment-restauration »; voir aussi supra p. 247.

	Juda	*Zab*
1° retour des dispersés et restauration d'Israël	22: 2 et 23: 5	9: 8
2° apparition de la divinité	22: 2 et 24: 1–3[1]	9: 8
3° venue du messie davidique	24: 5–6	—
4° résurrection des morts	25: 1–2, 4	10: 2
5° jugement		
a) de Béliar et de ses esprits	25: 3	—
b) des impies	25: 5	10: 3
6° joie du salut	25: 5	10: 2

On indique ainsi l'ordre dans lequel les moments eschatologiques, trouvés dans les *Testaments*, se dérouleront sans présenter cependant une doctrine précise sur tous les points.

Les idées eschatologiques sont transmises encore sous une troisième « forme », qui est celle des « visions » : *Lévi* 2–4, *Nepht* 6 et *Jos* 19. Les visions des *Testaments de Nephtali* et de *Joseph* sont conçues dans un languange symbolique et voilé, mais elles abordent les même thèmes eschatologiques que les passages « péchés-châtiment-restauration ». La vision du *Testament de Lévi* est différente du point de vue du style et du contenu, ce qui s'explique par une influence de la part de l'*Apocryphe de Lévi*. Répétons cependant que les thèmes eschatologiques de *Lévi* 2–4 ne sont pas contraires à ceux qui sont présents dans « la prédiction finale du patriarche » (*Sim* 6: 3–7, *Juda* 25, *Zab* 10: 1–3 et *Benj* 10: 5–10).

On distingue une quatrième « forme », qu'on peut appeler « prédiction parénétique », où une exhortation morale s'achève par une affirmation eschatologique : *Nepht* 8: 2–3 *Dan* 6: 1–7 et *Benj* 10: 11 – 11: 2.

Les « formes » différentes dans lesquelles s'exprime l'eschatologie des *Testaments* soulignent l'importance que prend l'enseignement sur les choses à venir aux yeux des $h^a k\bar{a}m\bar{\imath}m$ lévitiques qui ont produit les *Testaments des Douze Patriarches*.

L'influence étrangère

Retenons enfin le problème des influences étrangères sur l'eschatologie des *Testaments*. On a voulu voir une influence iranienne dans les idées eschatologiques les plus caractéristiques du judaïsme post-exilique : le schéma apocalyptique, la résurrection des morts, le jugement dernier etc. Il est cependant difficile de trancher cette question en s'appuyant seulement sur des analogies générales. D'un point de vue méthodologique, il est

---

[1] Dans le texte primitif; voir supra p. 209,

important d'établir des ressemblances de détail dans un contexte analogue. Il est ainsi aussi plus facile d'établir la réalité d'une influence étrangère si l'on peut montrer qu'un trait, exceptionnel dans une religion est essentiel dans l'autre[1].

Dans l'eschatologie des *Testaments* on trouve deux particularités qui sont sans parallèles dans les traditions juives mais qui se retrouvent dans les eschatologies iraniennes et qui ont là un caractère essentiel. Dans *Juda* 25: 3, le texte annonce que dans le temps eschatologique où Béliar sera exterminé, il y aura *une* seule langue γλῶσσα μία[2]. Dèjà le schéma apocalyptique iranien, qui nous est transmis par Théopompe[3], souligne ce fait. Après l'extermination du chef du Mal, Ahriman, les hommes seront bienheureux, ayant tous la même langue, ὁμογλώσσων ἁπάντων. Cette idée revient également dans la littérature pehlevi. L'apocalypse *Jāmāsp Nāmak*, qui repose sur des textes avestiques perdus, contient entre autres cette description de l'ère eschatologique en XVII: 10 :

martomān i gētē hamāk ham-menišn, « les hommes sur la terre seront tous
ham-goḇišn, ham-kunišn bē bavēnd[4] ensemble d'une même pensée, d'une
même langue, d'une même action »

Comme nous l'avons vu[5], les *Testaments* enseignent que la réssurection des morts suivra un ordre déterminé : d'abord les grands héros de l'antiquité, puis les douze patriarches et enfin les *bᵉnē Yiśrā'el* (*Juda* 25 et *Benj* 10: 5–10). Ce n'est que dans l'eschatologie iranienne qu'on trouve un ordre analogue pour la résurrection. Selon le *Grand Bundahišn* et selon le *Zātspram*[6], qui résument ici sans doute des croyances plus anciennes, Gayōmart ressuscitera le premier, après lui les premiers hommes, Māsī et Masānī, et ensuite tous les hommes.

Sur ces deux points, il est vraisemblable que les *Testaments* ont été influencés par des croyances iraniennes.

---

[1] Dans le cas d'une comparaison entre judaïsme et religions iraniennes, il faut en outre tenir compte du problème posé par l'âge des matériaux qu'on trouve dans les textes pehlevis; sur cette question et sur d'autres relatives au problème de l'influence iranienne sur le judaïsme du Second Temple, voir notre étude à paraître « Das Judentum in der hellenistisch-römischen Zeit und die iranische Religion, ein religionsgeschichtliches Problem » dans « Aufstieg und Niedergang der Römischen Welt. »

[2] Voir supra p. 240.

[3] Plutarque a conservé ce passage dans *De Iside et Osiride* 47.

[4] Texte pehlevi restitué d'après le pazend; cf. MESSINA p. 76.

[5] Voir supra p. 260 s.

[6] *Grand Bundahišn* XXXIV: 6–9, et *Zātspram* XXXIV: 17–19.

CHAPITRE III

LE PRÊTRE-SAUVEUR

On trouve encore dans les *Testaments* une conception eschatologique, qui est annoncée dans quelques textes d'un caractère poétique : *Lévi* 18, *Juda* 24: 1–3 et *Dan* 5: 10–11. C'est l'attente d'une figure messianique[1] qui n'est pas le davidide futur. Selon *Lévi* 18: 2, il sera prêtre et selon *Dan* 5: 10, il sera issu à la fois des tribus de Juda et de Lévi. Les textes lui assignent des fonctions d'une portée plus vaste que celles qu'on trouve pour le messie davidique dans les *Testaments*. Ce prêtre-messie est en effet un sauveur. Nous le désignerons donc par le titre « le prêtre-sauveur ».

Les textes sur ce prêtre-sauveur posent des problèmes compliqués quant à leur interprétation et à leur unité littéraire. L'origine de la conception du prêtre-sauveur, ainsi que son rapport avec l'ensemble des *Testaments* soulèvent également bien des questions. Pour essayer d'y répondre, nous croyons préférable commencer par une analyse des textes.

LE *TESTAMENT DE LÉVI* 18

Le passage essentiel sur le prêtre-sauveur est le chapitre 18 du *Testament de Lévi*.

Du point de vue rédactionnel, les chapitres 16–18 présentent des difficultés considérables[2]. Il semble que, dans l'état actuel de la documentation, on ne puisse les résoudre de façon définitive. Quoi qu'on pense de l'unité littéraire du chapitre 17, la remarque introductive de 18: 1 se réfère clairement, selon nous, au verset 11 du chapitre 17[3]. Il ne faut donc pas interpréter l'hymne du chapitre 18 à la lumière du chapitre 16[4] ou de l'apocalypse en 17: 1–8[5]. À l'inverse, le lien entre 18: 1 et 18: 2 ss. apparaît

---

[1] Nous entendons par « figure messianique » tout personnage attendu qui accomplira une fonction salvifique, qui ne concerne pas seulement les individus mais la nation ou le monde.

[2] Cf. vol. II chap. III.

[3] Certains critiques rattachent le chapitre 18 directement à 17: 9 ou à 16: 5; voir les notes suivantes.

[4] Ainsi HAUPT p. 117.

[5] C'est ce que font DUPONT-SOMMER 1952 p. 36 n. 3 et pp. 38 ss., BICKERMANN 1950 p. 253 et avec plus d'insistance BECKER 1970 p. 289 s.

moins fort, ce qui indique une autre solution. En effet, l'hymne proprement dit, qui commence avec le verset 2 τότε ἐγερεῖ, pourrait être une addition postérieure. Les hymnes et les prières sont parfois transmis indépendamment et ont pu être introduits dans des ouvrages déjà existants[1]. Comme on trouve cependant, dans la première partie de l'hymne, aux vv. 2–4, certains rapports de terminologie et de pensée avec l'idéologie « lévitique » du *Testament de Lévi* et même de l'*Apocryphe de Lévi*[2] il est assez vraisemblable que l'annonce d'un nouveau haut sacerdoce a suivi, dans l'ouvrage primitif, la description du sacerdoce impie et de son châtiment en 17: 11–18: 1. Il n'est pas non plus improbable, que l'*Apocryphe de Lévi* avait à la place de 18: 2 ss. une description d'un sacerdoce idéal[3]. Quoi qu'il en soit, la forme actuelle du passage 18: 2–14, tout en étant lié à 17: 11 par l'intermédiaire de 18: 1, reflète une progression dans les idées messianiques, incompatible avec l'eschatologie de l'ouvrage primitif.

Ce n'est plus le messie davidique qui vaincra les ennemis d'Israël, mais un *prêtre* qui est décrit comme un *sauveur du monde* (vv. 4 et 9). Les versets 10–12 témoignent d'une *majoration* considérable du rôle du messie par rapport aux passages qui annoncent le davidide futur (*Juda* 24: 5–6, *Jos* 19: 8 et *Nepht* 8: 2–3). Des symboles et des affirmations qui relèvent de la *sphère royale* lui sont attribués (vv. 3 et 7). Ce qui, dans la tradition antérieure, était dit sur le davidide est ici transféré sur le prêtre nouveau. Le verset 8 souligne qu'il est le *seul messie* attendu.

Ces faits nous amènent à voir dans ce texte sur le prêtre-sauveur le résultat d'une *rédaction postérieure*, faite dans le but d'introduire les nouvelles croyances messianiques du milieu qui, à une époque plus tardive, a transmis les *Testaments*. On a remanié un texte primitif que l'on soupçonne sous le début de l'hymne actuel en particulier sous les vv 2–4. Cependant la plus grande partie du chapitre est, par son contenu, une composition nouvelle. On peut donc considérer l'ensemble de l'hymne vv. 2–14 comme l'œuvre de ce milieu.

La question se pose de savoir si le milieu où cet hymne a été rédigé est juif ou chrétien. Nombre de critiques regardent *Lévi* 18 comme une composition chrétienne qui utiliserait en partie des matériaux juifs[4].

---

[1] Mentionnons comme exemples la « Prière d'Asarja » et la « Bénédiction des Trois Hommes », poèmes introduits dans le texte narratif du *livre de Daniel*; cf. pour ces poèmes, en dernier lieu PLÖGER 1973 pp. 67–69.

[2] Sur ces rapports voir ci-dessous p. 272 ss.

[3] Rappelons qu'un fragment araméen, encore inédit, de la grotte quatre de Qumran, correspond à *Lévi* 14: 1 ss.; cf. supra p. 44.

[4] DE JONGE 1953 p. 90 et 1960 pp. 205 ss., CHEVALLIER 1958 p. 131 s., GRELOT 1962 pp. 38 ss., HIGGINS 1966 p. 225.

D'autres admettent un remaniement chrétien assez profond d'un texte initial juif[1]. Selon d'autres encore, on peut relever des interpolations chrétiennes mais l'hymne est, pour l'essentiel, une œuvre juive[2]. Enfin, quelques savants considèrent le texte intégral comme juif et voient dans le milieu d'origine les esséniens de Qumran[3]. La discussion sur les éléments juifs et chrétiens de *Lévi* 18 est aussi étroitement liée au problème de l'unité littéraire. Nous aborderons ces problèmes dans l'analyse qu'on va lire.

Exégèse du texte

L'hymne est divisé en stiques[4] mais on ne peut voir clairement comment les stiques sont groupés : un par un ou trois par trois; à partir du v. 10 il semble qu'ils aillent deux par deux. On ne doit pas d'ailleurs s'appuyer sur le rythme pour discerner les interpolations[5].

L'union intime entre Dieu et le prêtre-sauveur (v. 2)

Dès le début la position éminente du prêtre nouveau est soulignée (v. 2). C'est à lui que toutes les paroles du Seigneur seront révélées. Cela implique une relation toute particulière avec la Divinité[6]. Le prêtre-sauveur reçoit une connaissance profonde de la volonté divine. C'est pourquoi il fera un « jugement de vérité »[7]. Il est significatif que le texte du verset 2 utilise l'idéologie « lévitique » trouvée dans l'*Apocryphe de Lévi* et reprise par le *Testament de Lévi*. Le lien intime entre le prêtre nouveau et Dieu correspond à ce qui est dit sur Lévi dans la première vision. Il sera proche du Seigneur et il annoncera les mystères divins aux hommes (*Lévi* 2: 10). Le thème de faire un « jugement de vérité » joue un rôle important dans l'idéologie sacerdotale attribuée à Lévi et à ses descendants (*Apocryphe de Lévi* v. 15 et « Prière de Lévi »)[8]. Ici, en *Lévi* 18: 2, cette idée prend une valeur eschatologique ce qui est souligné par la tournure « à l'accomplissement des jours »[9].

---

[1] LAGRANGE 1909 p. 75 et 1931 p. 127 s., BECKER 1970 pp. 291 ss., HAUPT pp. 107–109, OTZEN 1974 p. 722.

[2] BOUSSET 1900 p. 172, CHARLES 1908 comm. pp. 64 ss., EPPEL p. 100, VAN DER WOUDE 1957 pp. 210 ss.

[3] DUPONT-SOMMER 1952 p. 53 et PHILONENKO 1960 p. 27.

[4] Cf. BOUSSET 1900 p. 170, CHARLES 1908 comm. p. 62, LAGRANGE 1909 p. 74 s.

[5] C'est ce que font cependant BECKER 1970 p. 291 et HAUPT p. 107; cf. au contraire LAGRANGE 1909 p. 75: « Il serait imprudent de s'appuyer sur le rythme pour discerner les interpolations. »

[6] HAUPT p. 122, parle ici d'une fonction prophétique.

[7] L'expression est un sémitisme et est bien enracinée dans les textes juifs : *Is.* 59: 4, *Ez.* 18: 8, *Zach.* 7: 9, *Tob.* 3: 2, *1QM* XI: 14.

[8] Voir sur ces passages supra p. 17 s.

[9] Pour cette traduction, voir vol. II chap. IV.

Le verset 2 ne contient rien qui permet de supposer une origine chrétienne. Au contraire, une idéologie juive de caractère sacerdotal est à la base de ce verset. Peu importent dès lors les analogies avec le *Nouveau Testament* auxquelles on peut songer : la révélation divine accordée à Jésus dans l'Évangile (*Mt.* 11: 25–27, *Lc.* 10: 21–22) et Jésus comme rendant un jugement véridique (*Évangile de Jean* 8: 16).

Le symbolisme astral (vv. 3–4)

Les vv. 3–4, décrivent l'apparition et l'œuvre salvifique du prêtre nouveau sous forme d'un symbolisme astral. On n'a pas bien compris jusqu'ici le sens du troisième stique du verset 3. Pour le préciser, il faut analyser son contexte symbolique. L'astre du prêtre nouveau se lèvera dans le ciel comme celui d'un roi. Ainsi le prêtre répand une lumière de connaissance, comme le soleil répand sa lumière pendant le jour. Mais, pour ce qui est de la suite, que signifie μεγαλυνθήσεται et à quoi se réfère-t-il? On adopte généralement le sens de « glorifier », « magnifier » et celui qui sera glorifié est alors naturellement le prêtre-sauveur[1]. Mais μεγαλύνομαι doit avoir ici son sens propre de « grandir » et le sujet en est « l'astre » du premier ou « la lumière » du deuxième stique. L'apparition du prêtre nouveau est donc décrite par l'image d'un astre qui se lève lentement de l'horizon et qui répand graduellement sa lumière sur la terre entière.

Si on garde ce symbolisme, il devient évident que la leçon ἕως τῆς ἀναλήψεως αὐτοῦ ne peut être qu'une retouche chrétienne pour faire allusion à l'assomption du Christ[2]. En revanche, la leçon du manuscrit *e* ἕως ἀναλάμψεως

---

[1] CHARLES 1908 comm. p. 63 : « he shall be magnified » (ainsi également MOWINCKEL 1956 p. 287, BORSCH p. 165), EPPEL p. 100 et CHEVALLIER p. 126: « il sera célébré », LAGRANGE 1931 p. 127: « il sera glorifié », DUPONT-SOMMER 1952 p. 37 : « il sera magnifié », DE JONGE 1953 p. 154 n. 255 : « he will be glorified », VAN DER WOUDE 1957 p. 212 : « er wird geehrt werden », BECKER 1974 p. 60 : « er wird verherrlicht werden (ainsi également HAUPT p. 107), OTZEN 1974 p. 722 : « Han skal blive forherliget ».

[2] On trouve ἀνάλημψις dans *Luc.* 9: 51, mais l'interprétation n'est pas claire, car le mot peut signifier aussi « mort »; cf. *Bauer*, 1958, p. 113. Après la moitié du IIe siècle, le mot devient, sous la forme ἀνάληψις, de plus en plus courant pour désigner l'assomption de Jésus : *Kerygma Petri* 4, Irénée *Fragm.* n° 25, 74; Clém. Alex. *Stromateis* II: 207, 20. 307, 31. 493, 10. III: 198, 21. 211, 14. Eus., *Eccl. Hist.* II: 2, 1; III: 5, 2. Le fait que la retouche ἀναλήψεως est faite sans beaucoup de réflexion parle clairement en faveur de notre choix de la leçon du manuscrit *e*. Car, du point de vue chrétien, ce n'est qu'*après* son assomption que Jésus sera glorifié dans le monde. Retenons comme exemple un passage de l'*Apologie* d'Aristide où l'auteur résume le dogme sur Jésus : il était né de la race des Hébreux, il avait douze disciples, il fut mis à mort par les juifs, il est ressuscité, il est monté dans le ciel. *Puis*, ses douze disciples partirent εἰς τὰς ἐπαρχίας τῆς οἰκουμένης καὶ ἐδίδαξαν τὴν ἐκείνου μεγαλωσύνην. Notons aussi la terminologie de cette phrase grecque qui est analogue à celle de *Lévi* 18: 3 b.

αὐτοῦ maintient le symbolisme astral. La lumière de l'astre continue à croître jusqu'à ce qu'elle brille dans tout son éclat. Cette leçon restitue aussi le lien avec ce qui suit[1]. Les mots οὕτως ἀναλάμψει du verset 4, qui se refèrent au prêtre et qui ont pour but de réunir les deux parties de la parabole des vv. 3–4, supposent en effet le mot ἀνάλαμψις au verset précédent. La deuxième partie développe le symbolisme astral en une image solaire qui veut souligner l'œuvre salvifique du prêtre nouveau.

Il nous faut maintenant essayer de tracer l'origine des éléments dont se compose l'imagerie des versets 3–4. C'est une tâche importante pour préciser le milieu de cet hymne et pour le problème de son unité littéraire[2].

On constate d'abord que le texte reprend l'imagerie de l'idéologie « lévitique » du *Testament de Lévi*, comme l'indique ce tableau :

Idéologie « levitique » :	*Lévi* 18: 3–4 :
» Tu *brilleras* (φωτιεῖς) comme *une lumière de connaissance* dans Jacob et *tu seras comme le soleil* pour toute la descendance d'Israël » *Lévi* 4: 3; « et vous, vous êtez les *astres lumineux* (φωστῆρες) d'Israël, *vous serez comme le soleil* et la lune » *Lévi* 14: 3; et Lévi saisit *le soleil* et quand Lévi *était comme le soleil* …» *Nepht* 5: 3–4	« et son astre se lèvera dans le ciel comme celui d'un roi, illuminant (φωτίζων) d'*une lumière de connaissance* comme *par le soleil* du jour et il (l'astre) grandira sur le monde jusqu'à son plein resplendissement. Ainsi *il resplendira comme le soleil* sur la terre et il enlèvera toutes les ténèbres de dessous le ciel et la paix sera sur toute la terre ».

Le *Recueil des Bénédictions* reprend une image assez comparable à celle de *Lévi* 18: 3[3]. Ce texte, malheureusement lacunaire, contient l'idéologie qui entoure « les prêtres, fils de Ṣadoq ». Voici la traduction du passage en question :

« et qu'il (Dieu) fasse de toi un objet de sainteté parmi son peuple et un astre lumineux, מאור, [… pour briller] sur le monde par la connaissance, בדעת, et pour illuminer la face de beaucoup ».
1QSb IV: 27

---

[1] Cf. à ce sujet aussi HULTGÅRD 1971 p. 132 et p. 185, et vol. II chap. IV.

[2] Pour DE JONGE 1953 p. 89 et 1960 p. 206, CHEVALLIER pp. 127 et 131, DANIÉLOU 1958 p. 240, GRELOT 1962 p. 39 s. et BECKER 1970 p. 296 le contenu du verset 3 témoigne de l'origine chrétienne de ce passage. De même VAN DER WOUDE 1957 p. 213 et OTZEN 1974 p. 722, mais avec une certaine hésitation.

[3] BROWNLEE 1956 p. 203 s. rapproche justement *1QSb* IV: 27 de *Lévi* 18: 2 ss. Sa conjecture selon laquelle il faudrait lire « comme celui d'un *ange* » au lieu de « comme celui d'un *roi* » ne peut cependant être acceptée.

Le parallélisme étroit entre ce passage du *Recueil des Bénédictions* et l'idéologie « lévitique » du *Testament de Lévi* n'est pas fortuit. On relève dans les deux textes la même idée fondamentale et le même vocabulaire. Les prêtres ont reçu la mission sublime de répandre le message divin qui est indiqué par le terme clef γνῶσις ou *da'at*. De plus, on utilise pour décrire cette mission l'image d'un astre qui brille sur la terre. Le mot *mā'ōr* de *1QSb* IV: 27 correspond exactement au mot φωστήρ employé par *Lévi* 14: 3[1]. Dans ce contexte d'un symbolisme astral relatif au sacerdoce, il faut situer également la description que fait le *Siracide* du grand prêtre Siméon quand il sort du sanctuaire :

« comme une étoile qui brille[2] parmi les nuages
et comme la lune qui est pleine aux jours de la fête;
comme le soleil qui resplendit au sanctuaire du Très-Haut[3]
et comme l'arc luisant dans la nue ».

Sir. 50: 6–7

Il existe, selon nous, un rapport historique entre ces descriptions diverses. Leur milieu d'origine est le haut sacerdoce de Jérusalem de la première moitié du IIe siècle av. J.-C.[4] Ce sacerdoce s'est entouré d'une idéologie qui exprimait volontiers sa mission en utilisant un symbolisme astral[5]. Le *Testament de Lévi* dépend sur ce point de l'*Apocryphe de Lévi*[6]. Notons qu'en reprenant l'idéologie « lévitique »[7], les Hasmonéens avaient aussi, semble-t-il, assimilé le symbolisme astral. Alexandre Jannée fait figurer sur ses monnaies l'image d'un astre flamboyant (PLANCHE, fig. 1). Les « fils de Ṣadoq », qui formaient l'élément supérieur du mouvement essénien, ont introduit l'idéologie sacerdotale et « lévitique » dans les écrits qumraniens[8]. Dans le milieu d'origine, le symbolisme astral n'a pas un sens

---

[1] C'est ce symbolisme astral, entourant le sacerdoce, qui est l'arrière-plan de *Lévi* 18: 3. Il ne faut donc pas voir dans le verset 3 b une influence de *LXX Osée* 10: 12 φωτί-σατε ἑαυτοῖς φῶς γνώσεως, comme le font DE JONGE 1960 p. 206 et VAN DER WOUDE 1957 p. 214. Le contexte des deux passages est en outre différent, comme le remarque BECKER 1970 p. 297.

[2] Texte selon l'hébreu qui porte le participe אור ; la version grecque lit ἑωθινός.

[3] Ici le texte hébreu a מלך, qui semble secondaire, alors que le grec lit ὕψιστος.

[4] Voir à ce sujet aussi supra p. 43 s.

[5] Dans le *Liber Antiquitatum Biblicarum* on trouve une conception « illuministe » de la prophétie, parallèle au symbolisme de la lumière, appliqué au sacerdoce; cf. PHILO-NENKO 1967 pp. 404–406.

[6] Cf. supra p. 45 et vol. II chap. III.

[7] Voir supra p. 41 s.

[8] Par là s'explique la célèbre parole en *Hodayot* IV: 27, prononcée par le Maître de justice, qui fut l'un de ces prêtres, « fils de Ṣadoq » : « et par moi, tu as illuminé la face de beaucoup ».

eschatologique. Dans l'étape de son développement, qui est représentée par les esséniens de Qumran et par le milieu des *Testaments*, la description du rôle des prêtres revêt cependant un caractère idéal, sans qu'on soit pour autant en présence d'une conception eschatologique. Ces groupes voyaient dans le haut sacerdoce contemporain de Jérusalem des représentants indignes de la prêtrise. Ils continuaient à propager l'ancienne idéologie comme une image de ce que devrait être le sacerdoce. Le milieu, qui a composé l'hymne de *Lévi* 18, a adapté le symbolisme astral de l'idéologie « lévitique » en lui donnant un caractère purement eschatologique. Mais on a aussi enrichi l'imagerie astrale de nouveaux traits.

C'est ce dont témoigne le premier stique du verset 3 : « et *son* astre se lèvera dans le ciel *comme celui d'un roi* ». Le début fait peut-être allusion à *Nombres* 24: 17, « Une étoile sort de Jacob et un sceptre se lève d'Israël », passage qui est interprété au sens messianique par les esséniens de Qumran[1] et par les traditions rabbiniques[2]. Les mots que nous avons mis en italique montrent cependant que *Lévi* 18: 3a n'est pas un développement de *Nombres* 24: 17. C'est d'un autre côté, qu'il faut chercher l'arrière-plan de *Lévi* 18: 3a. L'idée de ce passage est pour le fond la même que celle trouvée dans l'*Évangile de Matthieu* 2: 1 ss. Lorsque Jésus naquit, des mages vinrent à Jérusalem pour adorer *le roi* (βασιλεύς) qui venait de naître, car — disaient-ils — « nous avons vu *son étoile* (αὐτοῦ τὸν ἀστέρα) se lever[3] (ἐν τῇ ἀνατολῇ) ».

Il serait imprudent de conclure d'une influence de l'*Évangile* sur le *Testament de Lévi* en se fondant sur cette seule coincidence. La formulation différente des deux textes révèle qu'ils sont indépendants l'un de l'autre du point de vue littéraire[4]. La parenté de ces deux textes s'explique par un même fond d'idées qu'ils ont en commun. Nous allons indiquer plus loin ce fond[5].

On a cependant invoqué d'autres textes chrétiens qui auraient influencé l'image astrale de *Lévi* 18: 3[6]. L'analyse de ces passages montre cependant

---

[1] Voir l'*Écrit de Damas* VII: 18–19 et *4Q Testimonia*.

[2] Les *Targums de Pseudo-Jonathan, de Neofiti* et le *Targum Fragmentaire* pour *Nombr.* 24: 17 substituent « étoile » au mot « roi » et interprètent le « sceptre » avec le mot « messie » (*T. Pseudo-Jon.*) ou avec « sauveur et chef » (*T. Neof. T. Fragm.*). De plus, la prophétie d'Aqiba sur Ben Kosba dans *yTaan* 68d. Cf. aussi VERMES 1961 p. 165s.

[3] On pourrait aussi traduire « en Orient ».

[4] Notons en outre que l'*Évangile* emploie le mot ἀστήρ qui signifie « Einzelstern ». Le mot ἄστρον s'emploie en général pour un corps céleste et peut aussi viser une constellation; cf. à ce sujet BOLL 1950 pp. 135–137.

[5] Voir infra p. 358 s.

[6] DE JONGE 1953 p. 154 n. 255, DANIÉLOU 1948 p. 240, VAN DER WOUDE 1957 p. 213, GRELOT 1962 p. 39.

qu'ils ne peuvent être utilisés pour expliquer le *Testament de Lévi*. Citons en premier lieu le *Dialogue avec Tryphon* 106: 4 de Justin :

« Et qu'il devait se lever comme un astre par la race d'Abraham, c'est Moïse qui l'a montré ainsi disant : un astre se lèvera de Jacob et un chef (ἡγούμενος)[1] d'Israël, et une autre Écriture dit : voici un homme, lever (ἀνατολή) est son nom. Aussi, quand une étoile se leva dans le ciel au temps de sa naissance, comme il est écrit dans les mémoires de ses apôtres, les mages d'Arabie, reconnaissant l'événement, survinrent et l'adorèrent ».

Justin explique ici l'apparition de l'étoile en *Matthieu* 2: 2 comme l'accomplissement d'anciennes prophéties, en rattachant *Nombr.* 24: 17 à *Zach.* 6: 12. Il ne fait mention cependant ni d'un roi ni de son étoile. Dans l'*Epître aux Ephésiens* d'Ignace on trouve également la mention d'une étoile associée au personnage de Jésus :

« Comment donc est-il apparu devant les éons? Comme une étoile (ἀστήρ) il a brillé plus clairement que toutes les étoiles » (XIX: 2).

Il est évident que, pour Ignace, l'étoile symbolise le Christ dans sa manifestation vis-à-vis des puissances cosmiques. Ce texte ne présente donc pas un vrai parallèle à *Lévi* 18: 3.

Le *Protévangile de Jacques* XXI: 1–3, allégué aussi comme parallèle de *Lévi* 18: 3, est un développement de *Mt.* 2: 2 qui s'apparente au texte d'Ignace, mais qui ne peut être invoqué pour le *Testament de Lévi* :

« Nous avons vu qu'une très grande étoile brillait parmi les autres étoiles et les assombrissait[2] .»

Il est également fait appel à un symbolisme astral en *Lévi* 18: 4 pour illustrer l'œuvre salvifique du prêtre nouveau. Comme le soleil dans sa lumière dissipe toutes les ténèbres, le prêtre-sauveur enlèvera toute impiété et toute injustice, et apportera le *šālōm* eschatologique sur la terre. Ce passage s'inspire en premier lieu de l'imagerie solaire associé à Lévi, comme nous l'avons vu ci-dessus. Le symbolisme solaire est, en effet, rare dans l'*Ancien Testament*[3]; *Lévi* 18: 4 pourrait cependant faire allusion au texte de *Malachie* 3: 20 sur l'apparition du « soleil de justice »[4].

---

[1] Justin est-il ici témoin d'une forme textuelle indépendante de la *Septante* qui lit ἄνθρωπος?

[2] Le témoignage le plus ancien du *Protévangile de Jacques*, le *Papyrus Bodmer* V (voir Testuz 1958) a ici un texte différent et plus court : εἶδον ἀστέρας ἐν τῇ ἀνατολῇ. Ce texte semble cependant secondaire.

[3] *Ps.* 84: 12 où il est dit que « *Yahvé Elohim* est un soleil et un bouclier »; de plus *Ps.* 89: 37, *Mal.* 3: 20, *2 Sam.* 23: 2–7.

[4] Becker 1974 p. 60 et Haupt p. LXVI n. 21 indiquent aussi ce passage.

Les quelques expressions d'un symbolisme solaire dans les traditions bibliques sont cependant groupées autour de David et de sa maison. Dans le passage appelé « les dernières paroles de David », en *2 Sam.* 23:1–7, la dynastie davidique, règnant dans la justice, est comparée au soleil dont les rayons font sortir de terre la verdure. Selon le *Psaume* 89: 37, le trône du roi davidique est pareil au soleil. Ce symbolisme solaire, associé à la maison davidique est développé aussi dans le « Rouleau des Psaumes » découvert près de la Mer Morte (*11Q Ps*). Précisément après le texte de *2 Sam.* 23: 1–7 « paroles de David », on trouve un morceau en prose traitant de David comme compositeur de psaumes. Voici la première ligne :

> « David, le fils d'Isaï fut un sage (*ḥākām*) et une lumière (*'ōr*), comme la lumière du soleil » (*11Q Ps* XXVII: 2)

Dans le *Nouveau Testament*, on trouve parfois des passages qui utilisent un symbolisme solaire, mais Jésus n'est pas explicitement comparé au soleil et sa venue eschatologique n'est pas décrite en termes solaires[1]. Ce n'est qu'à une époque plus tardive que le symbolisme solaire s'est développé autour du personnage de Jésus[2].

Le passage de Méliton de Sardes sur le Christ comme soleil est bien connu mais n'offre pas ici un parallèle intéressant :

> « roi des cieux, et prince de la création, soleil d'orient qui s'est manifesté aussi bien pour les morts dans l'Hadès que pour les mortels dans le monde, et seul soleil, c'est lui qui s'est levé du ciel »[3] *Fragm.* VII: 4

Par sa formulation la dernière affirmation a un caractère polémique à l'endroit du culte des souverains où le symbolisme astral avait une importance[4]. Moins connue est la description de la seconde parousie du Christ dans l'*Epistula Apostolorum* 16:

> « je viendrai comme le soleil qui resplendit … ainsi je descendrai sur la terre ».

Mentionnons également les *Odes de Salomon*, ouvrage judéo-chrétien, qui dans son langage symbolique fait souvent usage du soleil. Citons 11: 13 : « le Seigneur fut pour moi comme le soleil sur la terre » et 15: 2 : « car lui est mon soleil »[5].

---

[1] *Mt.* 13: 43 : « Alors les justes resplendiront comme le soleil dans le royaume de leur père. » Quand on trouve un symbolisme solaire associé à Jésus, c'est pour décrire son apparence éblouissante : *Mt.* 17: 2, *Act.* 26: 13, *Apoc.* 1: 16.

[2] Cf. aussi DÖLGER pp. 100–110.

[3] Cf. aussi l'*Homélie de Paques* 82.

[4] Voir infra p. 326 ss.

[5] Cf. aussi infra p. 379.

L'extermination de l'impiété et l'établissement de la paix finale sont deux éléments constitutifs des eschatologies juives[1]. Ce thème est développé dans deux textes de Qumran en faisant appel à un symbolisme solaire qui rappelle celui de *Lévi* 18: 4. Voici d'abord le fragment intitulé « le livre des Mystères » :

> « et l'impiété disparaîtra devant la justice comme les ténèbres disparaissent devant la lumière et comme la fumée s'évanouit et n'existe plus, ainsi l'impiété s'évanouira à jamais et la justice se manifestera comme le soleil. » *1Q Myst* I: 5–6.

Dans le *Règlement de la Guerre*, le triomphe de la justice est décrit par une image analogue :

> « [la vérité et la] justice[2] brilleront à toutes les extrémités du monde (תבל), l'éclairant de façon progressive (הלוך ואור) jusquà ce que soient consommés tous les temps des ténèbres. Mais au temps de Dieu, sa sublime grandeur brillera à toutes les extrémités du monde pour le *šālōm* et la bénédiction. »[3] *1QM* I: 8–9.

Comme on le voit, le symbolisme de ces passages est très proche de celui de *Lévi* 18: 4. Les deux passages sont clairement dans la ligne de l'importance que les esséniens attachaient au soleil. La remarque de Josèphe à cet égard mérite d'être citée :

> « avant le lever du soleil ils ne prononcent rien de profane, mais certaines prières ancestrales à son adresse comme s'ils le suppliaient de se lever ». *Bell.* II: 128.

Un fragment qumranien nous révèle aussi la formule qui introduit la prière matinale : « lors du lever du soleil pour luire sur la terre »[4].

Les esséniens regardaient sans doute le lever du soleil comme un symbole de la victoire définitive sur les ténèbres, à savoir les puissances du Mal.

Il est tentant d'expliquer cet accent mis sur le soleil comme un héritage du milieu sacerdotal dont sont issu les prêtres, « fils de Ṣadoq », qui ont formé le noyau du mouvement essénien dans ses débuts.

L'exposé que nous venons de faire, nous permet de conclure que les parallèles juifs sont plus précis et plus éclairants que ceux de la tradition

---

[1] L'*Apocryphe de Lévi* où dans la « Prière », Lévi implore le Seigneur de mettre fin à l'impiété; (voir vol. II chap. III) *Jub.* 23: 29–30, 1 *Hén.* 10: 22–11: 2, 91: 8, 92: 5, *Or. Sib.* III: 750–760 et supra p. 240.

[2] La lecture de צדק semble certaine. Pour le début, nous suivons la conjecture de HABERMANN.

[3] Voir pour ce passage aussi supra p. 186.

[4] Le texte hébreu est donné par CHARLESWORTH 1970 p. 538.

chrétienne. L'arrière-plan immédiat de *Lévi* 18: 3–4 est le symbolisme astral tel qu'il fut élaboré dans le milieu sacerdotal de la Palestine.

Antérieure à cette symbolique est l'imagerie associée au roi davidique et qui a certainement ses racines dans l'idéologie royale du Proche-Orient antique. Peut-être sommes-nous en présence dans le symbolisme sacerdotal d'un transfert d'éléments royaux sur le haut sacerdoce. Quoi qu'il en soit, le symbolisme astral, sous sa forme « sacerdotale » s'est développé et s'est enrichi de nouveaux traits dans le milieu qui a rédigé le cantique du chapitre 18. On s'inspire à cet égard de croyances propagées par les cultures ambiantes : culte des souverains hellénistiques et prophéties iraniennes[1].

La joie du cosmos (v. 5)

Dans les descriptions eschatologiques, la joie du salut de Dieu est un élément traditionnel[2]. L'apparition du prêtre-sauveur fait éclater la joie des cieux, de la terre et des puissances célestes. Ces puissances apparaissent ici comme deux groupes distincts : les anges de la face et les anges de la gloire. Cette distinction se retrouve également dans le *livre des Jubilés* (2: 2 et 18, 15: 27, cf. aussi 31: 14). Le texte éthiopien parle, il est vrai, d'anges de la face et d'anges de sanctification. Un fragment du texte grec des *Jubilés*[3] montre cependant la même terminologie que dans *Lévi* 18: 5. Le fragment qui recoupe en partie *Jub.* 2: 2–24 appelle les deux groupes ἄγγελοι πρὸ προσώπου καὶ ἄγγελοι τῆς δόξης. Les *Testaments* font mention des anges de la face en *Lévi* 3: 5 et *Juda* 25: 2. Dans ce dernier passage, on trouve sans doute aussi l'autre groupe sous la désignation αἱ δυνάμεις τῆς δόξης[4].

Dans le contexte du verset 5, qui a pour thème la joie eschatologique, la promesse que la connaissance du Seigneur sera répandue sur la terre semble hors de propos. On ne doit cependant pas en conclure que ce stique soit une interpolation[5]. Dans le « livre des Mystères », on trouve, après la description du salut que nous venons de citer, l'affirmation que « la connaissance remplira la terre » (*1Q Myst* I: 7). Tout au plus, on pourrait

---

[1] Voir infra p. 369 et p. 371.

[2] Dans les *Testaments*, voir *Sim* 6: 7, *Juda* 25: 5, *Zab* 10: 2 et *Benj* 10: 6. Dans *Jos* 19: 9, on trouve l'idée que la terre et les anges se réjouissent sur la victoire du messie. De plus *1 Hén.* 5: 9, 10: 19, 51: 4–5, *Tob.* 13: 15 s., *Jub.* 23: 29 s.

[3] Epiphan. Const. *De mens. et pond.* 22; texte en A. M. DENIS 1970 p. 71.

[4] Le terme « ange de la face » semble limité à certains écrits juifs : les *Jubilés*, les *Testaments des Douze Patriarches* et le *Recueil des Bénédictions* (IV: 25–26), les *Hodayot* (VI: 13) et *3Q fr.* 5.

[5] C'est ce que font CHARLES 1908 éd. p. 62 n. 29, LAGRANGE 1931 p. 127 n. 3, BECKER 1970 p. 297, HAUPT p. 107 et n. 24.

dire que ce stique de *Lévi* 18: 5 a été déplacé en cours de transmission. Le *Testament de Lévi* s'inspire ici d'*Isaïe* 11: 9 et d'*Habacuc* 2: 14[1]. Il y a une analogie précise dans la façon dont *Lévi* 18: 5 et le *Pésher d'Habacuc* XI: 1 adaptent ce passage scripturaire. On a remplacé le verbe des textes bibliques par des termes d'un caractère eschatologique plus marqué : ἐκχέω et גלה. La tournure biblique « comme l'eau recouvre la mer » a été abrégé en « comme l'eau de la mer » (*Lévi* 18: 5 : « des mers »).

L'investiture messianique du prêtre-sauveur (vv. 6–7)

Les critiques regardent d'ordinaire ce passage comme une « réflexion » sur le récit des *Évangiles* concernant le baptême de Jésus[2]. On est certes en présence d'un parallélisme assez frappant, mais on ne saurait pour autant soutenir une dépendance du *Testament de* Lévi vis-à-vis du récit des *Évangiles*. Les différences de formulation sont considérables et certains traits significatifs du récit chrétien sont absents en *Lévi* 18: 6–7. Quant aux analogies, elles s'expliquent par un arrière-plan commun.

La formule introductive « les cieux s'ouvriront » du *Testament de Lévi* rappelle le texte des *Évangiles de Matthieu* et des *Ébionites* « les cieux s'ouvrirent »[3]. Or, cette formule fait partie du langage apocalyptique du judaïsme pour introduire les révélations ou épiphanies divines[4]. La grande vision de *Lévi* 2: 6 – 5: 3 commence ainsi : « et voici, les cieux s'ouvrirent et un ange du Seigneur me dit : Lévi, entre ». Le *livre d'Ezéchiel* rapporte la première révélation du prophète par les mots : « et les cieux s'ouvrirent et j'eus des visions de Dieu » (1: 1). La révélation accordée à Aséneth dans *Joseph et Aséneth* 14[5] est introduite par la phrase suivante : « et le ciel se fendit et une lumière indicible apparut ». Citons aussi l'*Apocalypse syriaque de Baruch* 22: 1, le *livre d'Hénoch* 14: 15 et le *Troisième Livre des Maccabées* 6: 18.

Il en est de même pour « la voix » qui se fait entendre lors de l'investiture messianique du prêtre-sauveur. On a là une analogie à la voix du ciel qui confirme l'élection divine de Jésus (*Mc.* 1: 11, *Mt.* 3: 17 et *Luc* 3: 22). Mais il ne faut pas oublier que l'idée d'une voix divine qui se fait entendre

---

[1] Cf. aussi DUPONT-SOMMER 1952 p. 37 n. 2.

[2] DE JONGE 1953 p. 90 et 1960 p. 203, CHEVALLIER 1958 pp. 129 ss., GRELOT 1962 p. 39 s., HIGGINS 1966 p. 225, BECKER 1970 p. 294 s., HAUPT p. LXVII n. 28, OTZEN 1974 p. 723.

[3] Les autres *Évangiles* présentent une formulation différente, ou ils ont omis le motif de l'ouverture des cieux.

[4] Sur le thème général de l'ouverture du ciel, voir l'étude de LENTZEN-DEIS.

[5] *Joseph et Aséneth* est un écrit juif de l'Égypte; voir à ce sujet PHILONENKO 1968 pp. 100–109.

mystérieusement d'en haut appartient déjà aux éléments caractéristiques de l'apocalyptique juive[1]. L'accent mis sur la relation étroite entre Dieu et le prêtre nouveau dans l'hymne de *Lévi* 18 permet de comprendre l'expression « avec une voix *paternelle* ». Il y aurait lieu de se demander aussi dans quelle mesure les *Psaumes* 2 et 110 sont présents à l'esprit de l'auteur de *Lévi* 18.

Du haut du temple céleste la « sanctification » viendra sur le prêtre-sauveur. C'est là une différence sensible par rapport au récit synoptique qui ne fait mention ni d'un temple céleste ni d'un ἁγίασμα, répandu sur le messie. L'idée d'un temple céleste, demeure de Dieu, est propagée par le milieu du haut sacerdoce de Jérusalem[2]. Le *Testament de Lévi* 3: 4 place Dieu au septième ciel « dans le saint des saints » et, selon 5: 1, Lévi voit en arrivant au ciel le Très-Haut qui siège dans « le temple saint ». Comme les anges assurent le service cultuel devant Dieu dans le temple céleste, les prêtres le font dans le sanctuaire terrestre (*Lévi* 3: 5–6, *Jub.* 30: 18 et 31: 14). L'expression ὁ ναὸς τῆς δόξης de *Lévi* 18: 6 fait allusion également à la présence de Dieu qui dans les descriptions du temple céleste est appelé ἡ μεγάλη δόξα (*Lévi* 5: 1, *1 Hénoch* 14: 20).

Le troisième stique du verset 6 a suscité des interprétations divergentes[3]. Il faut souligner que le sens primitif de ce stique ne peut plus être restitué. On a actuellement le choix entre deux leçons seulement[4], celle du manuscrit *e* « comme du père d'Abraham et Isaac et Jacob » et celle des autres manuscrits grecs « comme d'Abraham, père d'Isaac ». Aucune d'entre elles ne donne un sens satisfaisant. Il est, selon nous, très douteux qu'il existe un rapport entre *Lévi* 18: 6 et *Genèse* 22[5]. La leçon « comme d'Abraham, père d'Isaac » où on pourrait trouver un tel rapport, a un caractère secondaire. Dans quel but aurait-t-on fait la remarque superflue qu'Abraham était le père d'Isaac? La seule leçon qui présente un sens plausible est celle du

---

[1] Mentionnons les passages suivants : *Daniel* 4: 31, *1 Hénoch* 13: 8 et 65: 4, *II Baruch* 13: 1 et *IV Esdras* 6: 13.

[2] Voir supra p. 21.

[3] CHARLES 1908 comm. p. 64 pense à un *bat qōl* prononcée en faveur de Jean Hyrcan « by which he was consecrated to his office, being addressed by God as Isaac was by Abraham, *i.e.* as a son. » BLACK 1949 p. 321 s. et 1950 p. 157 s. souligne le rapport avec le sacrifice d'Isaac (*Gen.* 22: 8); le texte ferait allusion à un messie souffrant. PORTER p. 90 s. qui rejet cette hypothèse, voit en revanche en *Lévi* 18: 6 l'expression d'une tradition midraschique, au style de *Jub.* 21: 1–25, qui contenait une bénédiction d'Abraham à Isaac où Abraham aurait conféré à son fils unique « the benefits of the Divine covenant ». LE DÉAUT 1963 p. 203 s. et LENTZEN-DEIS voient également un rapport avec *Gen.* 22 et ses développements targumiques et midraschiques.

[4] Sur le problème textuel voir vol. II chap. IV.

[5] Cf. aussi BECKER 1970 p. 293.

manuscrit e, car la triade, Abraham, Isaac et Jacob joue un rôle considérable dans les *Testaments des Douze Patriarches*. Notons aussi que la mention des patriarches ne s'accorde pas bien ici avec l'hypothèse d'une dépendance du récit des *Évangiles* sur le baptême de Jésus[1].

Dieu proclame sa bénédiction sur le prêtre nouveau et lui confère sa gloire. C'est ce que veut dire le premier stique du verset 7. Le second stique précise cette signification. L'esprit d'intelligence et de sanctification reposera sur le prêtre-sauveur. Le prolongement de l'oracle d'*Isaïe* 11: 1 ss. est ici apparent, ce qui souligne le transfert d'attributs royaux sur le prêtre nouveau. Remarquons que ce transfert s'est déjà produit dans l'idéologie « lévitique »[2]. La ligne d'*Isaïe* 11: 1 ss. est prolongée dans *Lévi* 18: 7 plus clairement que dans le récit synoptique qui parle de « l'esprit »[3] (*Mc.* 1: 10) descendant sous la forme d'une colombe, du ciel ouvert, quand Jésus sort de l'eau. Il est d'ailleurs significatif que la mention de la colombe et toute allusion à une situation baptismale sont absentes dans le *Testament de Lévi*[4]. En revanche, *Lévi* 18: 7 doit être rapproché du *Psaume de Salomon* 17: 37 :

ὅτι ὁ θεὸς κατειργάσατο αὐτὸν δυνατὸν ἐν πνεύματι ἁγίῳ
καὶ σοφὸν ἐν βουλῇ συνέσεως μετὰ ἰσχύος καὶ δικαιοσύνης.

Cette investiture du messie par l'esprit saint apparaît comme un trait caractéristique des portraits messianiques du judaïsme de l'époque[5].

La mission du prêtre-sauveur (vv. 8–9)

L'investiture messianique du prêtre nouveau, décrite dans les versets 6–7, implique aussi une mission. C'est d'abord de conférer quelque chose de la grandeur divine à « ses fils en vérité » (v. 8). On pourrait dire qu'ils entrent par là à jamais dans une vie nouvelle. L'expression « ses fils en vérité » vise les *bᵉnē Yiśra'el*[6] qui, par rapport aux païens mentionnés dans

---

[1] Les partisans de l'interprétation chrétienne n'entrent pas non plus dans une explication de ce fait.

[2] Voir supra p. 20.

[3] *Mt.* 3: 16 a « l'esprit de Dieu » et *Luc* 3: 22 « l'esprit saint ».

[4] On a introduit plus tard cette allusion par l'addition des mots ἐν τῷ ὕδατι, qui manquent cependant dans le ms e, témoin le plus important du texte original de *Lévi* 18.

[5] Voir infra p. 323.

[6] Sur la désignation des Israélites comme fils de Dieu, voir supra p. 208. C'est à Dieu et non au messie que cette expression se réfère. L'emploi ici de l'expression ἐν ἀληθείᾳ doit être rapproché de celui qu'on trouve p. ex. en *Ps. Sal.* 10: 3 καὶ τὸ ἔλεος κυρίου ἐπὶ τοὺς ἀγαπῶντας αὐτὸν ἐν ἀληθείᾳ (Cf. aussi 14: 1). La désignation des esséniens de Qumran comme « fils de vérité » בני אמת ne peut être considéré comme un parallèle direct de « ses fils en vérité » en *Lévi* 18: 8 et *Juda* 24: 3.

le verset suivant (v. 9), sont les premiers bénéficiaires de l'ère nouvelle[1].

Le caractère unique du ministère du prêtre-sauveur est nettement souligné. Il ne pourra être égalé dans toutes les générations jusqu'à l'éternité; il est le seul sauveur et messie attendu.

Le verset 9 met en relief la mission universaliste du prêtre nouveau, dans la ligne d'*Isaïe* 49: 6. Le prêtre-sauveur est vraiment ici une « lumière des nations ». Son sacerdoce implique une conversion des païens au Dieu unique et à sa *tōrāh*. Les mots καὶ φωτισθήσονται qui reprennent l'idée du verset 3, font allusion à la conception de la *tōrāh* comme une lumière pour le monde[2]. La γνῶσις du *Testament de Lévi* est en premier lieu la connaissance de la révélation divine, de la *tōrāh* (4: 3, 18: 3 et 9), connaissance qui, selon les *Testaments*, est répandue par les prêtres[3].

L'avènement du prêtre-sauveur amènera aussi la disparition de « tout péché », par quoi il faut ici comprendre la disparition de toute impiété et de tout mal. La formulation des stiques trois et quatre fait en effet penser à un jugement dernier. Les impies périront par le châtiment. C'est ce que signifie le quatrième stique, même si sa teneur reste un peu obscur[4]. Soulignons que ces croyances sont tout à fait dans la ligne de la pensée juive de l'époque[5].

Tout ce passage sur la mission du prêtre-sauveur ne contient aucun trait qui ne pourrait être compris que dans une perspective chrétienne[6]. Un arrière-plan juif apparaît en revanche partout[7].

Les hauts faits du prêtre-sauveur (vv. 10–12)

Une nouvelle partie du poème s'ouvre avec le verset 10. Mais il serait

---

[1] BECKER 1970 p. 296 interprète à juste titre le verset 8 comme visant les Israélites.

[2] Cette conception se retrouve d'abord dans le *Testament de Lévi* 14: 4 : « la lumière de la loi qui vous est donnée pour l'illumination de tous les hommes, » et la *Sagesse* 18: 4 : par les Israélites, la lumière éternelle de la *tōrāh* (τὸ ἄφθαρτον νόμου φῶς) a été donnée au monde (τῷ αἰῶνι). De plus. *Liber Antiquitatum Biblicarum* 11: 1 (Dieu donne une lumière au monde), 12: 2 et 15: 6; sur le symbolisme de la lumière dans cet écrit, voir PHILONENKO 1967 B. *II Baruch* 59: 2 « en ces jours-là, la lampe de la loi éternelle brilla à tous ceux qui étaient dans les ténèbres ».

[3] Voir surtout *Lévi* 4: 3 et 14: 4.

[4] Voir vol. II chap. IV.

[5] *Ps. Sal.* 14: 8–9, 17: 27 et 32, *Or.Sib.* III: 652, 1 *Hén* 38: 2, 45: 3, 49: 2, 69: 29, 90: 20–27, 91: 7–10, 103: 5–9. Voir aussi supra p. 243.

[6] À l'exception des critiques qui regardent l'hymne entier comme une composition chrétienne, on trouve des commentateurs qui dans les vv. 8–9 décèlent un remaniement chrétien. On n'est pas d'accord cependant sur l'étendue de ce remaniement. HAUPT p. 109 regarde le passage entier comme chrétien alors que d'autres n'éliminent que certaines parties : BOUSSET 1900 p. 171 n. 26, CHARLES 1908 comm. p. 65, LAGRANGE 1931 p. 128, VAN DER WOUDE 1957 p. 212 n. 6, BECKER 1970 p. 245 et 1974 p. 61.

[7] Sur la question du texte primitif, voir vol. II chap. IV.

faut de décrire les versets 10–12 comme ayant un caractère « transcendant » ou « suprahumain » par contraste avec les versets 1–9[1]. On ne trouve en effet rien dans cette partie qui suggère que les événements décrits se déroulent dans les cieux. Au contraire, il est plus naturel de supposer comme arrière-plan une géographie « mythique » tel que le *livre d'Hénoch* l'expose et qu'elle est refletée dans les *Testaments*[2]. Le paradis de *Lévi* 18: 10 n'est donc pas dans les cieux mais quelque part vers l'Est (*Gen.* 2: 8, *1 Hén.* 32) ou parmi les sept montagnes au Nord-Ouest (*1 Hén.* 24–25). On pourrait penser aussi à la nouvelle Jérusalem terrestre, car il est dit en *1 Hénoch* 25: 5 que l'arbre de vie sera transplanté à Jérusalem. Selon le *Testament de Dan* 5: 12, l'Éden et la Jérusalem nouvelle sont identiques. Ce qui est nouveau dans les versets 10–12, ce sont les fonctions que le texte attribue au prêtre-sauveur. Il ouvrira les portes du paradis, il enchaînera Béliar et il donnera le pouvoir aux justes de fouler aux pieds les mauvais esprits. Ces faits ont induit certains critiques à conclure que c'est à Dieu que les versets 10–12 se réfèrent et non au messie[3]. Toutefois, dans le texte actuel, le καίγε αὐτός du v. 10 ne peut viser que le prêtre nouveau du verset précédent, même s'il y a une certaine oscillation dans le sens du mot αὐτοῦ aux versets 12–13. Ainsi donc, ce passage (vv. 10–12) décrit les hauts faits du prêtre-sauveur des versets 1–9. Un problème subsiste cependant. Cette figure messianique des versets 10–12 vise-t-elle en fait le Christ?[4]

On trouve, il est vrai, pour *certains* traits des parallèles assez précis dans les textes chrétiens :

Lévi 18	*Nouveau Testament*
« et il donnera aux saints à manger de l'arbre de vie » (v. 10 a) « et il donnera à ses enfants le pouvoir de marcher sur les esprits mauvais » (v. 12 b)	« À celui qui vaincra je donnerai à manger de l'arbre de vie qui est dans le paradis de Dieu (*Apoc.* 2: 7). « voici, je vous ai donné le pouvoir de marcher sur les serpents et les scorpions et sur toute la puissance de l'Ennemi » (*Luc* 10: 19).

L'écart entre ces formules ne permet pas d'établir une dépendance littéraire entre le *Testament de Lévi* et les textes du *Nouveau Testament*. Mais les similitudes sont néanmoins frappantes, et nous reviendrons plus loin sur

---

[1] C'est ce que font BOUSSET 1900 p. 172 s., EPPEL p. 100 et BECKER 1970 p. 297.

[2] Cf. vol. II chap. III.

[3] BOUSSET 1900 p. 172 s. BEASLEY-MURRAY p. 4 s., VAN DER WOUDE 1957 p. 211, BECKER 1970 p. 298, OTZEN 1974 p. 723, LEIVESTAD 1954 p. 13 s.

[4] C'est ce que pensent LAGRANGE 1931 p. 128, DE JONGE 1953 p. 90, CHEVALLIER p. 131, HAUPT p. 109.

cette question. Considérons maintenant les motifs des versets 10–12 de *Lévi* 18 et leur fond juif.

Retenons d'abord le thème de l'ouverture des portes du paradis (v. 10). Le texte fait évidemment allusion au récit de la *Genèse*. Adam fut chassé du paradis et Dieu mit les chérubins, agitant une épée flamboyante, pour garder l'entrée à l'arbre de vie (*Gen.* 3: 24). Selon les traditions post-bibliques, le paradis sera ouvert pour les justes à la fin des temps. La formulation de cette croyance revêt en *Lévi* 18: 10 un caractère original[1]. C'est le *messie* qui ouvre les portes du paradis, et, de plus, il écarte lui-même l'épée qui interdit l'accès à l'arbre de vie. L'idée de l'ouverture du paradis aux derniers jours est bien juive[2]. Le *livre d'Hénoch* 32: 2–6 la présuppose apparemment. Selon *IV Esdras* 8: 52, c'est pour les justes que le paradis a été ouvert et que l'arbre de vie a été planté dans le monde à venir. La *Troisième Sibylle* connaît également ce thème eschatologique. Dieu établira son royaume pour l'éternité et ouvrira à tous les hommes pieux (εὐσεβέσιν) « la terre et le monde et les portes des bienheureux » (vv. 767–771). Cette expression μακάρων τε πύλας vise certainement la même idée que celle des textes juifs cités ci-dessus, quoique sa formulation évoque le mythe grec sur le séjour des Bienheureux aux confins de la terre[3].

Une fois le paradis ouvert, le prêtre-sauveur donnera aux justes à manger de l'arbre de vie (v. 11). Cet acte n'est pas, dans d'autres textes juifs, attribué à une figure messianique. On en trouve cependant un arrière-plan précis dans le *livre d'Hénoch*, qui rend compte de *Lévi* 18: 11. Les deux arbres qui selon la *Genèse* se trouvent dans le jardin d'Éden, celui de la vie et celui de la connaissance (2: 9), sont dans le *livre des Veilleurs* (*1 Hén.* 1–36) situés en deux lieux différents[4]. L'un se trouve au Nord-Ouest, sur la plus haute des sept montagnes (chap. 23–25); l'autre est situé dans « le paradis de justice » vers l'Est (chap. 32). Les descriptions qu'on fait de ces arbres et de leurs fonctions fournissent des détails qui permettent d'élucider l'arrière-plan immédiat de *Lévi* 18: 11. Selon le chapitre 25: 4–6, l'arbre de vie ne devra être touché par personne jusqu'au Jugement de Dieu. Mais alors ses fruits seront donnés aux justes qui par là recevront une vie plus longue que leurs ancêtres. Cet acte marque clairement le début d'une ère nouvelle sans malheurs et souffrances (v. 6b). La formulation du verset 7 selon laquelle Dieu a ordonné à donner les fruits aux élus (καὶ εἶπεν

---

[1] Notons aussi que להט החרב המתהפכת, *LXX:* τὴν φλογίνην ῥομφαίαν τὴν στρεφομένην apparaît en *Lévi* 18: 10 comme τὴν ἀπειλοῦσαν ῥομφαίαν.

[2] Indiquons comme un point de départ de cette idée *Is.* 51: 3 et *Ez.* 36: 35; cf. HAUPT p. 110.

[3] Cf. NIKIPROWETZKY 1970 p. 166 s.

[4] Cf. aussi GRELOT 1958 p. 43 qui parle d'un « dédoublement du paradis ».

δοῦναι αὐτοῖς), prépare l'idée de *Lévi* 18 que c'est n'est pas Dieu, mais le messie qui donne les fruits de l'arbre de vie aux justes.

Dans le chapitre 32, Hénoch arrive au « paradis de justice » et voit là « l'arbre de connaissance dont *les saints mangeront les fruits* et sacheront une grande science » (v. 3)[1].

Il est important de noter le terme ἅγιοι pour les justes qui est utilisé aussi en *Lévi* 18: 11. Cette désignation est en rapport étroit avec ce qui est dit dans le second stique de ce verset. « L'esprit de sainteté » sera répandu sur les justes (v. 11 b)[2]. Il est question ici d'une sanctification des justes, conçue dans la ligne des promesses de *Joël* 3: 1 et de *Zach.* 12: 10. Ce thème d'une sanctification eschatologique caractérise également la description du temps messianique dans les *Psaumes de Salomon*. Le messie davidique rassemblera « un peuple saint » qui a été sanctifié par Dieu lui-même (17: 26; cp. aussi v. 43). La sanctification, qui est décrite aussi en termes d'une purification (17: 30), implique la disparition de l'impiété et du péché parmi les *bᵉnē Yiśrā'el* (17: 27 et 32). C'est pourquoi ils sont tous appelés ἅγιοι (17: 32 et 43)[3]. Ainsi donc ce fonds juif explique parfaitement l'emploi de ἅγιοι et l'effusion de l'esprit de sainteté en *Lévi* 18: 11.

Le règne du prêtre nouveau amène non seulement une disparition de l'impiété des hommes mais aussi l'élimination des puissances du Mal. C'est ce que décrit le verset 12. Béliar sera enchaîné par le prêtre-sauveur lui-même et c'est lui qui donnera le pouvoir aux justes de vaincre les esprits mauvais. L'idée de l'enchaînement du chef du Mal tire son origine directe[4] des traditions juives sur l'enchaînement des démons par un ange. Selon le *livre d'Hénoch, Asaël* et *Semiḥazah* sont enchaînés par les deux archanges Raphaël et Michel. Ainsi éliminés, les deux démons seront ensuite exterminés au jour du jugement (*1 Hén.* 10: 4–6 et 12–13). Le *livre de Tobit* rapporte que le démon Asmodée est éliminé par Raphël de la façon sui-

---

[1] Voici le texte grec : τὸ δένδρον τῆς φρονήσεως, οὗ ἐσθίουσιν ἅγιοι τοῦ καρποῦ αὐτοῦ καὶ ἐπίστανται φρόνησιν μεγάλην. Les verbes sont dans le texte grec au présent mais le sens est clairement le futur. Notons également que le texte éthiopien n'a pas conservé les mots qui sont mis en italiques. Le texte grec du manuscrit du Caire est en général plus proche de l'original araméen; cf. MILIK 1971 p. 354.

[2] L'expression se retrouve dans l'*Épître aux Romains* 1: 4 sous la forme κατὰ πνεῦμα ἁγιωσύνης. Pour l'interprétation de cette expression chez Paul et son rapport avec *Lévi* 18: 11, voir B. OLSSON pp. 269–271.

[3] On trouve le terme « saints » קדושים désignant les justes également dans les textes de la Mer Morte, p. ex. *Hodayot* IV: 25 et *Règlement de la Guerre* X: 10. Les esséniens de Qumran ont cependant anticipé la sanctification eschatologique; la communauté se considère déjà comme l'alliance des saints.

[4] *Is.* 24: 21–22 contient un thème analogue. Dieu punira dans le ciel « l'armée d'en haut » et sur la terre les rois. Il les enfermera dans des cachots et ensuite ils seront châtiés; cf. aussi CHARLES 1908 comm. p. 66.

vante : βαδίσας Ραφαηλ συνεπόδισεν αὐτὸν ἐκεῖ καὶ ἐπέδησεν παραχρῆμα (8: 3). Étant donné l'union intime entre anges et prêtres[1], il n'est pas surprenant que, dans le *Testament de Lévi* l'enchaînement du chef du Mal ait été transféré au prêtre-messie[2]. De plus, une influence de conceptions iraniennes relatives à l'enchaînement des démons ne peut être exclue[3].

Les analogies qu'on peut relever dans le *Nouveau Testament* ne peuvent être la source de *Lévi* 18: 11. La parabole trouvée en *Marc* 3: 27 (*Mt* 12: 29 et *Luc* 8: 21 s.) peut être interprété comme visant Jésus qui lie lui-même le diable τὸν ἰσχυρὸν δήσῃ[4] Quoi qu'il en soit, le genre littéraire et la formulation de ce passage montre qu'il n'a pu influencer *Lévi* 18: 12. Il en est de même pour l'*Apocalypse* 20: 2 s. où un *ange* et non le messie descend du ciel et enchaîne le Satan. Ce texte s'inspire directement du *livre d'Hénoch* et ne peut donc intervenir pour expliquer le *Testament de Lévi*.

Les esprits mauvais seront foulés aux pieds (v. 12b); nous venons de relever le parallèle chrétien. Mais ici encore, ce thème a un fond juif[5], qui explique parfaitement sa formulation en *Lévi* 18: 12.

L'analyse des versets 10–12 a donc montré que ce passage s'inspire d'un arrière-plan clairement juif dont les éléments ont été adaptés de façon indépendante. Les parallèles chrétiens qu'on a relevés s'expliquent comme un développement d'un même fond juif. Des traits prélevés dans ce fond commun ont été attribués, dans les textes chrétiens et dans le *Testament de Lévi*, à une figure messianique. Pour les analogies les plus proches, (vv. 11a et 12b) on peut envisager une influence du *Testament de Lévi* sur le *Nouveau Testament*. Les éléments de *Lévi* 18: 10–12 sont fondus en un tableau cohérent et original, alors que les parallèles chrétiens se trouvent isolés et répartis sur plusieurs écrits indépendants.

La joie de Dieu, des patriarches et des justes (vv. 13–14)

Ce passage fait apparaître deux parallélismes sémitiques qui ont pour but de décrire la joie du Seigneur et des saints lors de la réouverture du paradis et de l'élimination des puissances du Mal. Κύριος au verset 13a

---

[1] Voir à ce sujet supra p. 21 et p. 38.

[2] Comparez également le *Testament de Moïse* 10: 2, où un ange, investi comme prêtre (cf. CHARLES 1897 p. 39) est nommé chef pour combattre le Diable et ses partisans. Retenons dans ce contexte la fonction de Michel, comme vainqueur des forces du Mal et des ennemis d'Israël : *Daniel* 12: 1, *Règlement de la Guerre* XIII: 10 et XVII: 5–9 et *Test. Dan* 6: 2–7.

[3] Voir infra p. 371.

[4] Méliton de Sardes dans son *Homélie Pascale* 102 a fait cette interprétation : « Moi, dit le Christ, je suis celui qui a dissipé la mort ... celui qui a lié l'homme fort, » δήσας τὸν ἰσχυρόν.

[5] Nous avons décrit ce fond supra p. 264.

désigne évidemment Dieu qui se réjouit « sur ses enfants » et « sur ses bien-aimés »[1]. Ces tournures experiment l'union intime entre Dieu et les justes après la sanctifiation décrite aux versets 8, 9 et 11. La mention d'Abraham, Isaac et Jacob correspond tout à fait à l'importance que les *Testaments* assignent à cette triade. La fin de l'hymne est habilement adaptée à la situation « testamentaire » per les mots « moi aussi (Lévi) je me réjouirai » (v. 14 b). Il faut rapprocher cette formule de celles trouvées dans d'autres péricopes eschatologiques des *Testaments*, *Sim* 6: 7 et *Zab* 10: 2. Les « saints » dans ce verset désignent, comme au verset 11, les justes. On pourrait aussi interpréter ἅγιοι comme visant les anges, mais leur joie du salut a été déjà mentionnée au verset 5. La mention des patriarches dans ce contexte suggère que l'auteur présuppose qu'ils sont ressuscités. De même, on serait tenté de voir dans « tous les saints » également les justes morts avant l'ère eschatologique et non seulement les justes qui vivent en ce temps-là[2].

L'unité littéraire de l'hymne

Comme nous l'avons souligné, il y avait sans doute, dès la composition des *Testaments*, un texte sous-jacent à la première partie de l'hymne. Mais ce texte initial a été recomposé et élargi de sorte qu'il n'est plus possible d'en retrouver la teneur primitive. Comme il se présente à nous, le poème de *Lévi* 18 est d'un seul jet.

Après les préliminaires du verset 2, l'apparition et la mission salvifique du prêtre nouveau sont décrites sous forme d'un symbolisme astral (vv. 3–4). Ce passage prépare clairement ce qui est dit dans les versets 8–9 et 10–12. Le symbolisme du verset 3 est développé en termes explicites par les versets 8 et 9a. La corréspondance du vocabulaire est frappante. L'idée et la terminologie de l'expression φωτίζων φῶς γνώσεως (v. 3 b) reviennenet ainsi au verset 9 a et b « et sous son sacerdoce les nations abonderont dans la connaissance, ἐν γνώσει, sur la terre et seront illuminés, φωτισθήσονται, par la grâce du Seigneur ». Le mot μεγαλυνθήσεται du v. 3 c est en rapport avec μεγαλωσύνην du v. 8a. De même, le verset 4 a son équivalent explicite dans 9 b–12. La phrase « et il enlèvera *toutes les ténèbres* de dessous le ciel » (4 b) évoque clairement le v. 9 b et c : « sous son sacerdoce *tout péché* disparaîtra et *les impies tomberont dans la perdition* », mais aussi le verset 12 sur l'élimination des puissances du Mal. Au verset 4 c, « et la paix sera sur toute la terre » correspondent les versets 10–11 qui développent et précisent ce thème de la paix eschatologique. On trouve donc deux ensembles, les versets 3–4 et les versets 8–12, dont l'un *prépare* sous forme

---

[1] Cf. *1 Hén.* 90: 33 et 38.

[2] Cf. la discussion de ce passage dans STEMBERGER 1972 p. 67 et CAVALLIN 1974 p. 54.

symbolique ce qui est *précisé* en termes explicites dans l'autre. Il est significatif que chacun de ses ensembles s'achève par une description de la joie eschatologique (v. 5 et vv. 13–14). Le verset 5 décrit la réjouissance du cosmos et des anges qui convient bien après le symbolisme astral. Les versets 13–14 dépeignent la joie de Dieu, des patriarches et des justes ce qui correspond mieux au contenu des versets 8–12. Ces deux ensembles sont liés l'un à l'autre par un passage intermédiaire, consacré à l'investiture messianique du prêtre-sauveur (vv. 6–7). Ces versets ne peuvent non plus être détachés de leur contexte sans que l'hymne perde sa cohérence.

Les raisons pour écarter les versets 10–14 ne sont donc pas, selon nous, convaincantes. Le terminologie caractéristique de ce passage s'explique par les thèmes abordés et par sa place dans la composition de l'hymne. L'emploi du terme ἅγιοι pour les justes[1] est ici justifié. Les versets 8 et 9 doivent être interprétés comme une sorte de purification des « fils en vérité » (v. 8) et des « nations » (v. 9). Après que les impies aient été éliminés (v. 9d), la sanctification sera répandue sur tous les justes, sur les $b^e n\bar{e}$ $Yi\acute{s}r\bar{a}$'el comme sur les païens (v. 11). Ainsi purifiés et sanctifiés les justes sont en fait ἅγιοι. L'analyse du *Psaume de Salomon* 17 confirme cette interprétation.

L'hymne est dans son ensemble écrit dans un grec sémitisant, argument supplémentaire en faveur de son unité littéraire.

Le prêtre-sauveur de *Lévi* 18, figure historique ou idéale ?

Nombre de critiques ont vu dans ce prêtre nouveau, une glorification ou une messianisation de la dynastie hasmonéenne et plus précisément de Jean Hyrcan[2]. D'autres, soulignant le caractère chrétien de *Lévi* 18, voient

---

[1] BECKER 1970 p. 298 considère par contre l'emploi de ἅγιοι comme un argument en faveur de l'indépendance initiale des versets 10–14.

[2] Les adhérents de cette interprétation ne retiennent pas l'ensemble de l'hymne comme authentique ou visant le prêtre nouveau. C'est pourquoi nous indiquons, pour chaque critique, la base textuelle de son interprétation. BOUSSET 1900 p. 201 (vv. 2–9), LAGRANGE 1931 p. 129 (vv. 2–5, 6b–7a, 8, 9b) et MOWINCKEL 1956 pp. 287–289 (vv. 2–5, 8–9a) pensent que c'est la dynastie hasmonéenne qui soit personnifiée dans le prêtre nouveau : « Die Maccabäer sind das messianische Fürstengeschlecht » (BOUSSET); « C'est le nouveau sacerdoce, celui de Jonathan, de Simon, de Jean Hyrcan » (LAGRANGE); « the founder of the hasmonean dynasty and his sons after him » (MOWINCKEL). OTZEN 1974 p. 722 (vv. 2–4, 8, 9b) estime que les idées de l'hymne peuvent être expliquées par les conditions prévalant sous les prêtres-rois hasmonéens.

On tend cependant à identifier le prêtre nouveau avec un des Hasmonéens, à savoir Jean Hyrcan : CHARLES 1908 comm. p. 64 s. (vv. 2–14, quelques interpolations mineures éliminées), HAUPT pp. 119 s. et 123 (le « Grundstock » des vv. 1–7), WIDENGREN 1963 pp. 209 et 212, mais qui admet aussi une réapplication sur le Maître de justice.

naturellement dans cette figure messianique le Christ[1]. Selon d'autres encore, l'hymne glorifie le Maître de justice[2]. Certains commentateurs reconnaissent en *Lévi* 18, un messie sacerdotal à venir qu'on désigne sous des noms différents[3]. Les arguments en faveur de l'interprétation « hasmonéenne » se fondent sur la supposition que la glorification de Lévi dans les *Testaments* ne peut être compris que dans le contexte de l'histoire de la dynastie hasmonéenne. Nous avons essayé de démontrer que cette supposition est erronée[4]. Il serait fait allusion, dans le *Testament de Lévi* 8 et 18, à la triple fonction de prophète, de prêtre et de souverain assignée, selon Josèphe, à Jean Hyrcan[5]. Le trait prophétique qu'on trouve dans la figure de Lévi s'explique en premier lieu comme une fonction sacerdotale. L'idée de *Lévi* 18: 2 que toutes les paroles du Seigneur seront révélées au prêtre nouveau fait partie, il est vrai, du don prophétique, mais traduit aussi l'union intime entre Dieu et le messie. Le transfert de prérogatives royales sur le sacerdoce suprême est caractéristique de l'époque post-exilique et sera seulement *repris* par les Hasmonéens. Notons aussi que Josèphe ne parle pas d'une fonction *royale* mais seulement de ἀρχὴ τοῦ ἔθνους (*Bell.* I: 68 *Ant.* XIII: 299). Ce que Josèphe entend par le don prophétique de Jean Hyrcan est une sorte de télépathie portant sur l'avenir immédiat. Les prophéties de Jean Hyrcan n'ont à proprement parler aucun caractère religieux. Il n'est pas non plus possible de rapprocher l'investiture messianique du prêtre-sauveur avec l'incident, rapporté par Josèphe[6] et le *Talmud*[7], où Hyrcan, officiant dans le Temple, entend une voix qui proclame la victoire de ses fils sur Antiochus Cyzicenus[8].

---

[1] DE JONGE 1953 p. 90 et 1960 p. 208, CHEVALLIER p. 131, GRELOT 1962 p. 39 s, HIGGINS 1966 p. 225.

[2] DUPONT-SOMMER 1952 p. 48 s. et 1968 p. 332, PHILONENKO 1960 p. 27 et dans une certaine mesure WIDENGREN 1963 p. 212.

[3] EPPEL p. 100 voit dans l'hymne « la figure du Messie lévitique, créée par les auteurs des Testaments », BEASLEY-MURRAY p. 3 « a Messiah of Levitical descent ». De même LEIVESTAD 1954 p. 11 s. VAN DER WOUDE 1957 pp. 211–216 parle de « der endzeitliche Hohenpriester », qui est l'un des deux messies, qui, conformément à la doctrine des esséniens de Qumran, sont attendus pour le temps ultime. BECKER 1970 pp. 291 ss. et 405 ne situe pas « der messianische Hohenpriester » de *Lévi* 18 dans le contexte du « bimessianisme » qumranien. Ce contexte est celui qu'on applique en général au messie sacerdotal de *Lévi* 18 : SCHUBERT 1957, RINGGREN 1963 A p. 171 s, KUHN p. 58.

[4] Voir supra pp. 41–43.

[5] Ce sont notamment CHARLES 1908 comm. pp. 45 s. et 64, et HAUPT p. 120, qui insistent sur ce point.

[6] *Ant.* XIII: 282–283.

[7] Voir *Pal. Talm. Sota* IX: 13 et *Bab. Talm. Sota* 33 a; cf. aussi *Midrasch Rabba* sur *Cantique* VIII, 7.

[8] C'est sur ce fond que CHARLES 1908 comm. p. 64 explique *Lévi* 18: 6–7.

L'objection principale contre l'interprétation « hasmonéenne » de *Lévi* 18 est qu'une polémique *anti-hasmonéenne* est présente dans les *Testaments* dès leur composition. Les passages qui critiquent les prêtres[1] visent dans le contexte des *Testaments* le haut sacerdoce de la première moitié du Ier siècle av. J.-C., et non les prêtres hellénisants de l'époque d'Antiochus Épiphane. On ne peut donc utiliser le contenu de ces passages comme la toile de fond sur laquelle se détache l'avènement du nouveau sacerdoce maccabéen, qui serait décrit en *Lévi* 8 et 18[2].

L'identification du prêtre nouveau avec le Maître de Justice serait plus conforme à l'orientation anti-hasmonéenne des *Testaments*. Il était prêtre et se réclamait d'un don prophétique particulier, qu'il exprimait parfois dans un symbolisme de la lumière[3]. Mais d'abord, les *Testaments* ne sont pas un écrit essénien, et les témoignages dans les textes de Qumran d'une messianisation du Maître sont discutables[4]. En outre, rien dans le texte de *Lévi* 18 n'indique de façon précise que c'est le Maître de justice qui aurait inspiré ce tableau idéal d'un prêtre-sauveur futur.

L'origine juive de *Lévi* 18 impose le rejet de l'hypothèse selon laquelle le personnage décrit serait le Christ.

Soulignons cependant que cette image idéale d'un prêtre-sauveur futur a pu être appliqué à des personnages historiques. Il est certain que l'Église a vu dans *Lévi* 18 une prédiction sur le Christ. Les disciples de Jean le Baptiste ont probablement interprété le rôle de leur maître d'après l'image du prêtre-sauveur des *Testaments*[5].

LE PRÊTRE-SAUVEUR DANS LES AUTRES TEXTES DES *TESTAMENTS*

Le chapitre 18 du *Testament de Lévi* fait ressortir le plus clairement l'image de ce nouveau personnage messianique. Mais il y a d'autres textes dans les *Testaments* qui évoquent cette figure messianique.

---

[1] Voir supra p. 114.

[2] HAUPT p. 117 s. qui regarde ces passages « als den Niederschlag einer auf die Zeit der syrischen Religionsverfolgung folgenden Heilsepoche, » qu'il faut situer dans l'époque des Maccabées.

[3] Voir supra p. 105 et p. 273 n. 8.

[4] Voir sur cette question VERMES 1953 p. 118, VAN DER WOUDE 1957 p. 187, DUPONT-SOMMER 1968 p. 332, CARMIGNAC 1957 p. 28 ss, CROSS 1958 pp. 167–173, RINGGREN 1963 A pp. 182–198.

[5] Voir plus loin p. 376 s.

C'est d'abord l'hymne de *Juda* 24. Nous avons montré plus haut[1] que les versets 1–3 sont un remaniement d'un texte sous-jacent, qui décrivait l'avènement du règne de Dieu. Les versets 4–6 font allusion à l'apparition du messie davidique, conformément à la structure de l'eschatologie de base des *Testaments*[2]. Cependant, le texte primitif de *Juda* 24: 1–3 a été retouché pour introduire le même figure messianique que décrit *Lévi* 18[3]. Les analogies sont en effet frappantes; comme le montre ce tableau :

Juda 24	*Lévi* 18
le messie se lèvera comme un astre de paix et un soleil de justice (v. 1)	l'astre du prêtre nouveau se lèvera (v. 3); il apparaîtra comme le soleil et il y aura la paix sur la terre (v. 4)
les cieux s'ouvriront sur lui pour répandre l'esprit et la bénédiction du père saint (v. 2)	les cieux s'ouvriront et sanctification viendra sur le prêtre nouveau avec une voix paternelle (v. 6); la bénédiction et l'esprit de connaissance et de sanctification seront répandus sur lui (v 7)
l'esprit de grâce sera répandu sur les justes (v. 2)	l'esprit de sainteté sera répandu sur les justes (v. 11; cf. aussi v. 8a), la grandeur du Seigneur sera donnée à ses « fils en vérité » (v. 8a)

Le symbolisme astral du texte primitif de *Juda* 24 est maintenant appliqué au prêtre-sauveur. Son investiture messianique est décrite en termes voisins et est suivie, comme en *Lévi* 18, d'une effusion universelle de l'esprit.

Il est légitime de se demander dans quelle mesure la formulation de *Juda* 24: 1–3 est influencée par des conceptions chrétiennes[4]. C'est d'abord la phrase « et nul péché ne se trouvera en lui » du verset 1. Cette idée ne se retrouve pas en *Lévi* 18, mais l'existence d'une telle notion dans l'idéologie d'une figure messianique juive n'est pas surprenante[5]. Pour les versets

---

[1] Voir pp. 204–209.

[2] Cf. pp. 213 et 227.

[3] Depuis CHARLES 1908 comm. p. 95 on souligne à juste titre les rapports entre *Juda* 24 et *Lévi* 18 : DE JONGE 1953 p. 89 s., VAN DER WOUDE 1957 p. 208, BECKER 1970 p. 321, HAUPT p. 113 s.

[4] Sur les essais d'interprétation de *Juda* 24, voir supra p. 204.

[5] Voir supra p. 221; cf. la discussion dans CHARLES 1908 comm. p. 96 et DE JONGE 1960 p. 202.

2–3, les critiques[1] soutiennent l'origine chrétienne de ce passage par le fait que, selon eux, c'est le messie qui est le sujet. Les actions que fait le messie ici seraient sans parallèles dans la tradition juive. Or, même dans la forme actuelle du texte, les versets 2–3 peuvent être rapportés à Dieu sans difficulté[2]. Cette interprétation est confirmée par les passages analogues de *Lévi* 18 où c'est, de toute évidence, Dieu qui répand « l'esprit de sainteté » sur les justes (v. 11) et où l'expression « ses fils en vérité » renvoie à Dieu (v. 8a). On retient en outre l'expression « du père saint » comme une formule chrétienne[3]. Pour le fond, cette expression peut être comprise entièrement dans une perspective juive, même si la formulation « père saint » n'est pas attestée ailleurs. Nous avons indiqué plus haut deux ensembles thématiques, qui peuvent en former l'arrière-plan[4]. Ajoutons aussi le fait que Dieu est explicitement appelé « père ». Certes, la désignation de *Yahvé* comme « père » n'est pas fréquente dans l'*Ancien Testament*, mais elle y est présente[5]. À une époque plus tardive, l'image de Dieu comme père devient cependant plus utilisée, en particulier dans le style poétique, qui est aussi celui de *Juda* 24[6]. Le titre ἅγιος désignant le Dieu d'Israël est bien enraciné dans la tradition juive[7]. Étant donné la diversité des désignations de Dieu à l'intérieur du judaïsme à l'époque hellénistique et romaine, la tournure « père saint » ne peut surprendre.

Il n'y a donc pas des raisons suffisantes pour considérer la formulation de *Juda* 24: 1–3 comme spécifiquemment chrétienne. Mais elle se prête naturellement sans difficultés à une interprétation chrétienne.

La rédaction de *Juda* 24: 1–3 pour introduire la figure messianique du prêtre-sauveur, entraîne une réinterprétation des versets 4–6. Ce qui à

---

[1] CHEVALLIER p. 130, DE JONGE 1960 p. 204 s., BECKER 1974 p. 76 s., HAUPT p. 116.

[2] Sur l'interprétation de ce passage, voir aussi supra p. 207 s.

[3] DE JONGE 1960 p. 204, CHEVALLIER p. 130. De plus, HAUPT p. 114 et n. 83 qui garde « saint » mais écarte « père » comme une interpolation chrétienne, et BECKER 1974 p. 76 qui renvoie à *Jean* 17: 11.

[4] Voir p. 208 et p. 280.

[5] Cf. les attestations et la discussion données par RINGGREN 1973 B pp. 16–19.

[6] Retenons d'abord quelques passages du *Siracide* : 23: 1 et 4 : κύριε πάτερ, dans une prière « apotropaïque » (23: 1–6). De plus en 51: 10 « toi, tu es mon père » (d'après le texte hébreu, qui se trouve dans le contexte d'un psaume d'action de grâces). La *Sagesse* 2: 16, 11: 10 et 14: 3. *Tobit* 13: 4 : καὶ αὐτὸς πατὴρ ἡμῶν, dans un psaume d'action de grâces. Le nom « père » est attesté dans les prières liturgiques les plus anciennes de *Siddur*: ʿAmīdāh, 4 et 6 (recension palestinienne) et ʾAbīnū Malkenū qui, comme le titre l'indique, commence chaque stique avec les mots « notre père, notre roi ».

[7] Cf. p. ex. *Is.* 6: 3, 57: 15, *Ez.* 39: 7, 1 *Sam.* 2: 2 et 6: 20, *Ps.* 22: 4 et 99: 3, 5 et 9, *Sir.* 23: 9, *1 Hén.* 12: 1, 14: 1, 25: 3 et 98 6, *Or. Sib.* III: 709, *Amīdāh* 3, *Apoc. Gen.* II: 14. Notez l'expression « le Saint d'Israël » p. ex. *Is.* 1: 4, 10: 17, 12: 6, 17: 7, 43: 3, *Jér.* 50: 29, *Ps.* 71: 22, 2 *Rois* 19: 22, *Sir.* 50: 17, *Test. Dan* 5: 13.

l'origine visait le davidide, est maintenant appliqué au prêtre-sauveur. Ce transfert exprime la fusion du messie traditionnel et du prêtre idéal en un nouveau personnage messianique.

Testament de Dan 5: 10–12 : le sauveur combattant

C'est ce processus de fusion qui apparaît également dans le *Testament de Dan*. La description d'une figure salvifique en 5: 10b – 12 est introduite par les mots suivants :

« et le salut de Dieu se lèvera pour vous de la tribu de Juda et Lévi et lui, il fera la guerre contre Béliar ».

Il ne fait pas de doute que nous avons ici un passage « Lévi et Juda » qui a été retouché[1], pour convenir à l'idée du prêtre-sauveur[2]. Le contexte impose cette interprétation. Le fait que, dans le verset 11, le sujet est une figure salvifique, qui n'est pas Dieu[3], montre que les mots καὶ αὐτὸς ποιήσει du verset 10b ont trait à cette figure. Cela est corroboré par le parallélisme avec *Lévi* 18. Le rédacteur qui a rattaché un passage primitif « Lévi et Juda » à la description d'une figure messianique aux verset 10b–12 a voulu montrer que c'est cette figure qui réunit sur elle les prérogatives des tribus sacerdotale et royale. Les fonctions qu'on assigne à cette figure dans la suite montrent aussi qu'on pense au personnage qui est décrit en *Lévi* 18[4]. Le prêtre-sauveur élimine Béliar (*Lévi* 18: 12 et *Dan.* 5: 10 s.) Son avènement apporte une paix éternelle (*Lévi* 18: 4 et *Dan* 5: 11) et implique l'ouverture du paradis aux justes, appelés « saints » (*Lévi* 18: 10 et *Dan* 5: 12). La formulation de *Dan* 5: 10b – 12 est pourtant indépendante de *Lévi* 18. Notons aussi que *Dan* 10b – 12 connaît une distribution en stiques, analogue à celle de *Lévi* 18.

---

[1] Le texte initial a peut-être été abrégé par cette rédaction.

[2] Pour une rédaction du verset 10 se prononce également DE JONGE 1953 p. 92 et avec plus d'hésitation 1960 p. 215. CHARLES 1908 comm. p. 130 écarte la mention de Juda comme une interpolation chrétienne et estime que le texte annonce le messie, issu de Lévi. Il n'y a pas lieu, selon nous, d'écarter la mention de Juda. Seule sa place avant Lévi témoigne d'une retouche.

[3] BOUSSET 1900 p. 152, VAN DER WOUDE 1957 p. 205, BECKER 1970 p. 351 s. et 1974 p. 95, OTZEN 1974 p. 752 soutiennent cependant que Dieu est le sujet des vv. 10–12. BECKER écarte en outre le v. 10a comme une addition chrétienne.

[4] Cf. HULTGÅRD 1971 p. 109. DE JONGE 1953 p. 92 indique les affinités avec *Lévi* 18: 10–11 pour confirmer l'influence chrétienne sur *Dan* 5: 10–12. HAUPT p. 110 s. insiste à bon droit sur le caractère juif de *Dan* 5: 10–12 et sur le rapport avec *Lévi* 18. Mais nous ne comprenons pas pourquoi il élimine comme additions les stiques « et lui, il fera la guerre contre Béliar » (v. 10b) et « il donnera à ceux qui l'invoquent une paix éternelle » (v. 11c).

La signification du texte est parfois obscure. C'est ainsi que le stique καὶ τὴν ἐκδίκησιν τοῦ νίκους δώσει πατράσιν αὐτοῦ ne donne plus un sens clair[1]. L'idée d'un châtiment, ἐκδίκησις, exécuté par le prêtre-sauveur sur les forces du Mal doit certainement être à la base de ce stique. Liée à ce châtiment, est l'idée d'une délivrance des captifs qui sont dans la domination de Béliar. Cette œuvre salvifique qu'accomplira le prêtre-sauveur peut être interprétée, de façon concrète, comme la libération de ceux qui sont tombés dans la captivité de Béliar pendant la guerre eschatologique. On peut aussi la comprendre de façon symbolique comme un affranchissement du péché, dont Béliar est l'origine[2]. Les deux interprétations sont certainement dans la ligne du texte.

On doit interpréter la formulation de *Dan* 5: 10b et 11 sur l'arrière-plan qui est fourni par le *Règlement de la Guerre* et le « Pésher sur Melkisedeq » (*11 Q Melch*). La guerre eschatologique, décrite par le *Règlement*, se fera contre Béliar et ses forces. On l'évoque en termes d'une « vengeance » ou d'un « châtiment »[3] et en parle comme une « libération » ou un « rachat » du peuple de Dieu[4]. Plus précis encore est le parallèlisme avec le « pésher sur Melkisedeq »[5]. Nous y trouvons une figure messianique, appelée Melkisedeq, qui combattra Bélial et ses esprits et qui exercera la vengeance de Dieu sur eux (lignes 12–13). Il est question d'une libération des captifs (lignes 4–6) accomplie de toute évidence par Melkisedeq lui-même et conçue à la fois comme un affranchissement du péché (1. 4) et comme une libération concrète. Car la ligne 13 semble même préciser que Melkisedeq arrachera les hommes de la main de Bélial.

La mention des » âmes des saints » de *Dan* 5: 11 pose un problème particulier. Dans le texte grec, elle a le caractère d'une remarque explicative pour préciser le sens de αἰχμαλωσίαν, alors que la version arménienne l'a conservé sous forme d'un stique indépendant : « et il appellera à lui les âmes des saints ». Si on adopte la leçon du texte grec, sa juxtaposition au v. 11a s'explique le mieux comme une glose[6], destinée à

---

[1] Voir vol. II chap. IV.

[2] C'est l'interprétation de CHARLES 1908 comm. p. 130, LEIVESTAD 1954 p. 15, HAUPT p. 111 et n. 63.

[3] *1QM* III: 7, IV: 12, VI: 6, VII: 5, XI: 13–14, XV: 6.

[4] *1QM* I: 12, XI: 9, XV: 1, XVII: 6.

[5] Sur ce texte voir infra p. 306. PHILONENKO 1967 p. 387 fait déjà un rapprochement de *11Q Melch* : « Ce personnage angélique a pour mission de proclamer la liberté aux captifs et d'arracher de la main de Béliar les fils de lumière. On le retrouve dans le *Testament de Dan* 5: 11 où il est dit du Messie qu' il enlèvera à Béliar ses captifs, les âmes des saints. »

[6] C'est l'avis de CHARLES 1908 comm. p. 130, VAN DER WOUDE 1957 p. 205, HAUPT p. 111 et n. 54, BECKER 1974 p. 96.

réinterpréter le texte dans un sens chrétien. L'interpolateur aurait ainsi voulu faire allusion à la descente du messie aux enfers pour libérer les morts[1].

Si l'on s'en tient à la version arménienne, ce texte se comprend naturellement aussi dans la perspective d'une descente aux enfers. Mais, on peut cependant interpréter l'affirmation « il appellera à lui les âmes des saints » à la lumière de « la guerre eschatologique ». Selon le *Règlement de la Guerre*, l'armée de Dieu comprend trois partis (I: 13), par lesquels l'auteur entend les anges appelés aussi אלים ou בני אלוהים, les âmes des justes défunts appelés dans ce contexte « saints » et la milice terrestre (XII: 1 et 4, XV: 14)[2]. Dans *11Qp Melch*, il est dit que les אלים viendront à l'aide de Melkisedeq (1. 14) dans l'exécution du châtiment sur Bélial. L'idée de *Dan* 5: 11 serait donc que le prêtre-sauveur appelle à son aide les justes défunts dans le combat final contre Béliar et ses forces. Quoi qu'il en soit, le *Testament de Dan* met bien en relief le caractère de combat final que revêt l'élimination de Béliar.

Comme en *Lévi* 18: 9, l'avènement du prêtre-sauveur implique selon *Dan* 5: 11 une conversion des païens : « Il convertira les cœurs incroyants au Seigneur ». Il faut voir dans l'expression καρδίας ἀπειθεῖς une allusion aux païens[3].

Le stique suivant « et il donnera à ceux qui l'invoquent une paix éternelle » où αὐτόν renvoie à κύριον de la ligne précédante, rappelle *Juda* 24: 6 : « pour sauver tous ceux qui invoquent le Seigneur ». Ce passage a été appliqué, comme nous venons de le voir, au prêtre-sauveur.

L'idée que le prêtre-messie établira la paix, le *šālōm* eschatologique, est nettement soulignée dans les textes qui parlent de cette figure messianique (*Lévi* 18: 4, *Juda* 24: 1 et *Dan* 5: 11) et se trouve aussi appliquée à Melkisedeq en *11Q Melch* (lignes 15–16). Pour ce qui est du *Testament de Dan*, l'effort pour introduire ce nouveau personnage messianique est nettement visible. Car dans l'eschatologie de base, en *Dan* 5: 9, c'est Dieu qui donne la paix. À travers le « pésher sur Melkisedeq » on sent l'influence d'*Isaïe* 61: 1–2 qui est aussi cité. Il est probable que *Dan* 5: 10–12, aussi, fait allusion à ce passage biblique, même s'il n'est pas au premier plan comme en *11Q Melch*.

Tout comme en *Lévi* 18, les justes goûteront le bonheur du paradis, appelé ici Éden, et se réjouiront de la Jérusalem nouvelle. Il est fort

---

[1] Cf. LEIVESTAD 1954 p. 15.

[2] CARMIGNAC 1961 p. 93 et 1970 p. 365 a correctement signalé cette interprétation du *Règlement de la Guerre* I: 13 et XII: 1 et 4.

[3] Notons que dans *Or.Sib.* III, 668 l'expression désigne les païens. Il en est de même pour ἀπειθεῖς en *Luc* 1: 17, voir infra p. 377.

probable que la Jérusalem nouvelle est ici assimilée au paradis. Mais il ne faut pas voir pour autant en *Dan* 5: 12 la Jérusalem céleste d'un monde transcendant. On est plutôt en présence d'une conception analogue à celle trouvée en *1 Hénoch* 25. Aux derniers jours, l'arbre de vie sera transplanté dans la Jérusalem terrestre, qui sera donc comme un Éden nouveau.

Le dernier stique de *Dan* 5: 12 semble de prime abord être une glose ajoutée en cours de transmission[1]. Toutefois, ce stique est bien à sa place ici pour louer Dieu d'avoir préparé cette Jérusalem nouvelle pour les justes. Revenons sur la description de l'Éden-Jérusalem du *livre d'Hénoch*, description qui s'achève par une doxologie analogue.

« Alors, je bénis le Dieu de gloire, le roi d'éternité parce qu'il avait préparé de telles choses aux hommes justes » (25: 7)

Quant à la question de l'influence chrétienne, on ne trouve, à vrai dire, en *Dan* 5: 10–12 aucune indication certaine d'un remaniement chrétien[2].

La juxtaposition à 5: 10–12 de 5: 13 ne peut être primitive. Par son contenu, ce verset appartient clairement à l'eschatologie de base des *Testaments*, et doit être placé dans le contexte de *Dan* 5: 9[3]. Lorsqu'on a introduit l'idée du prêtre-sauveur dans le *Testament de Dan*, le verset 13, sous sa forme primitive, aurait été transposé à sa place actuelle[4].

Les *Testaments* contiennent d'autres passages qui évoquent, semble-t-il, l'image du prêtre-sauveur. Le problème de l'interprétation de ces passages est particulièrement difficile, puisqu'on est en présences de textes qui ont subi des rédactions successives. Ces passages sont *Lévi* 8: 14 s., *Rub* 6: 8, *Nepht* 4: 5 et *Dan* 6: 1–7.

Testament de Lévi 8: 14–15: le troisième lot

La description des trois lots de la postérité de Lévi (8: 10–15), a fait partie de l'*Apocryphe de Lévi*[5]. Elle a passé dans le *Testament de Lévi*, où elle a été adapté à son nouveau contexte. Le passage a subi postérieurement un remaniement[6], qui a effacé le sens primitif assigné au troisième lot.

Le passage promet d'abord (8: 14) qu'un nom nouveau sera donné à ce lot[7]. Ce trait correspond à la promesse d'un prêtre nouveau en *Lévi*

---

[1] C'est l'avis de BECKER 1970 p. 353 et de HAUPT p. 110 et n. 55.

[2] Cela est admis aussi par DE JONGE 1960 p. 215.

[3] BECKER 1970 p. 351 s. le souligne à juste titre.

[4] Sur l'exégèse de ce verset, voir supra p. 149.

[5] Voir vol. II chap. III.

[6] Voir vol. II chap. III.

[7] CAQUOT 1972 p. 160 renvoie aux « connotations eschatologiques » de l'expression « un nom nouveau » d'*Isaïe* 62: 2 et 65: 15.

18: 2. La suite du texte est à traduire : « car comme un roi il se lèvera de Juda ». Cette affirmation souligne que le prêtre, appelé d'un nom nouveau assimile à sa personne les prérogatives royales de Juda. C'est ce que la rédaction de *Juda* 24 et de *Dan* 5: 10–12 a voulu montrer. L'idée que ce prêtre fera « un sacerdoce nouveau selon l'ordre des nations pour toutes les nations » est difficile à interpréter. Cette affirmation est absente dans la *prima manus* du manuscrit *e*, et elle s'explique le mieux comme une remarque chrétienne, glose marginale passée dans le texte. On doit la comprendre sur le fond de conceptions chrétiennes, comme on en trouve chez Justin[1] et chez Méliton[2]. Ce n'est pas en soi la mention d'un sacerdoce nouveau qui trahit une influence chrétienne, mais c'est l'insistance avec laquelle ce sacerdoce est dit être constitué sur un modèle païen pour des païens.

Le verset 15 présente des difficultés analogues. L'avènement du prêtre-roi sera indicible, il viendra comme un prophète du Très-Haut, « de la race d'Abraham, notre père ». Ce verset s'interprète, il est vrai, aisément dans une perspective chrétienne[3]. Mais on l'interprète encore plus aisément dans une perspective juive. La tournure « postérité d'Abraham » ou « race d'Abraham » est dans la tradition juive une désignation des Israélites et des juifs[4]. Qui plus est, cette tournure semble avoir un rapport spécial avec le sacerdoce. Dans l'*Apocryphe de Lévi* 17, Isaac confirme que Lévi sera appelé « prêtre saint pour toute la race d'Abraham ». Sur cet arrière-plan, il n'est plus surprenant qu'on précise que le prêtre de *Lévi* 8: 14–15 sera issue de « la race d'Abraham ». Les mots « notre père » s'expliquent en *Lévi* 8: 15 par le genre littéraire. C'est Lévi qui parle avec ses enfants d'Abraham, leur « père » commun. On trouve des équivalents exacts en *Lévi* 6: 9, l'*Apocryphe de Lévi* 11 et *Jubilés* 25: 5[5].

---

[1] Le *Dialogue* 33 traite de Jésus comme « prêtre des incirconcis », à la base d'une exégèse de *Psaume* 110, exégèse qui annonce le Christ comme grand-prêtre selon l'ordre de Melchisedeq; sur les affirmations de Justin sur Jésus comme prêtre et roi, voir supra p. 78.

[2] Méliton dit dans son *Homélie de Pâques* 68 que Jésus a fait des nations un sacerdoce nouveau : ποιήσας ἡμᾶς ἱεράτευμα καινόν.

[3] Cf. DE JONGE 1953 p. 46 qui renvoie à *Romains* 4 et à *Galates* 3, sans entrer dans le détail d'une comparaison. En *Rom.* 4: 1 et 12 Saint Paul utilise la tournure « notre père Abraham » et il précise en 4: 16 s. qu'Abraham est le père de tous, juifs et chrétiens. *Jacques* 2: 21 emploie l'expression « Abraham, notre père », mais c'est un cas ambigu, car cette épître semble être adressée à des chrétiens d'origine juive.

[4] *Ps.* 105: 6, *Is.* 41: 8, *2 Chron.* 20: 7, *Ps. Sal.* 18: 3, *3 Macc.* 6: 3 et *4 Macc.* 18: 1, *Jubilées* 31: 7. Dans le *Nouveau Testament* la tournure « postérité d'Abraham » est presque toujours utilisée pour désigner les juifs : *Jean* 8: 33, 37, 39 et 56, *Actes* 13: 26, *Rom.* 9: 7 et 11: 1, *2 Cor.* 11: 22. Seuls *Gal.* 3: 29 et *Hébr.* 2: 16 y font exception.

[5] Cf. aussi *Lévi* 15: 4 et *Jub.* 22: 16.

Pour conclure, *Lévi* 8: 14–15 est un développement secondaire qui fait allusion au même personnage messianique que *Lévi* 18, *Juda* 24 et *Dan* 5: 10–12. Le caractère juif de *Lévi* 8: 14–15 est, pour le fond, indéniable[1]. Une retouche chrétienne de la formulation du thème d'un sacerdoce nouveau ne peut être cependant exclue.

Testament de Ruben 6: 8 : le grand-prêtre oint

Ce passage décrit les fonctions du sacerdoce lévitique[2] qui seront assurés pour un temps limité, « jusqu'à l'accomplissement des temps d'un grand-prêtre oint dont a parlé le Seigneur ». Cette phrase maladroite indique un remaniement du texte[3]. De plus, il est improbable que le texte initial aurait fixé pour limite à l'activité de Lévi la venue d'un grand-prêtre qui, dans une perspective juive, ne pouvait être issu que de la tribu de Lévi. Mais ce n'est pas un remaniement, pour introduire la mention du Christ, grand-prêtre, comme le pensent certains critiques[4]. Il n'est pas nécessaire d'interpréter le χριστός de *Rub* 6: 8 comme le Christ de l'Église. Le grand-prêtre post-exilique était désigné selon *Lévitique* comme « le prêtre oint »[5]. Le *Deuxième Livre des Maccabées* indique la lignée sacerdotale d'où venait les grand-prêtres par « la race des prêtres oints », τῶν χριστῶν ἱερέων (1: 10)[6]. L'emploi en *Rub* 6: 8 du mot « grand-prêtre » au lieu de « prêtre » ne doit pas surprendre comme le montre déjà la traduction de la *Septante* pour *Lévitique* 4: 3. Il est même possible que le titre ἀρχιερεύς soit délibérément choisi par le rédacteur pour désigner le prêtre-sauveur de *Lévi* 18. On trouve le titre ἀρχιερεύς appliqué à des figures salvifiques qui réunissent en leur personne les fonctions de prêtre et de souverain[7]. La précision « dont a parlé le Seigneur » veut en premier lieu souligner que l'avènement de ce grand-prêtre oint est l'œuvre de Dieu. Cette affirmation est dans la ligne de *Lévi* 18: 2 « alors, le Seigneur suscitera un prêtre nouveau », et renvoie peut-être à la promesse d'un nouveau sacerdoce suprême qui se lisait

---

[1] Le caractère chrétien de ce passage est souligné par DE JONGE 1953 p. 46, GRELOT 1956 p. 396, BECKER 1970 p. 277 et OTZEN 1974 p. 715.

[2] Voir sur ce passage, supra p. 57.

[3] Cf. les remarques de BECKER 1970 pp. 197–199.

[4] DE JONGE 1960 p. 211, BECKER 1970 p. 198 et 1974 p. 38 OTZEN 1974 p. 702.

[5] *Lév.* 4: 3, 5, 16 et 6: 15. D'après l'hébreu הכהן המשיח, qui est traduit dans la *Septante* par ὁ ἀρχιερεὺς ὁ κεχρισμένος (4: 3) ou ὁ ἱερεὺς ὁ χριστός (4: 5 et 16, 6: 15).

[6] Cf. aussi *Dan*. 9: 25–26 où le grand-prêtre est appelé « oint » et « prince ».

[7] Philon désigne Moïse comme ἀρχιερεύς *Rer. Div. Her. 182* et le décrit comme une figure salvifique qui réunit sur elle les fonctions de roi, de grand-prêtre, de prophète et de législateur (*Vit. Mos.* I: 334, II: 2, 187 et 292). Pour ἀρχιερεύς désignant Jules César et Auguste, voir infra p. 344.

probablement dans la forme primitive de *Lévi* 17: 11–18: 2[1]. Rien n'oblige à voir en *Rub* 6: 8 une allusion à un passage scripturaire comme le *Psaume* 110[2]. On se réfère tout simplement à une tradition quelconque qui était censée reproduire la volonté de Dieu.

Nous estimons donc que la dernière partie de *Rub* 6: 8 reflète l'espérance du prêtre-sauveur attestée dans les passages que nous venons d'étudier.

Testament de Nephtali 4: 5 : « la miséricorde du Seigneur »

Nepht 4: 4–5 est un passage « péchés-châtiment-restauration » dont l'élément de restauration consiste en la promesse de l'avènement de

« la miséricorde du Seigneur, un homme qui pratique la justice et la miséricorde envers tous ceux qui sont loin et tous ceux qui sont près ».

Cette formulation de la restauration ne s'accorde pas avec celles que l'on trouve dans les passages correspondants des *Testaments*. Cela indique une rédaction du texte. Toutefois, comme l'idée de la miséricorde divine tient une place dominante dans l'élément de la restauration[3] nous suggérons que le texte primitif de *Nepht* 4: 5b exprimait cette idée, peut-être liée à l'espérance d'une venue de Dieu lui-même. Quoi qu'il en soit, l'état présent du texte annonce nettement une figure messianique, appelée τὸ σπλάγχνον κυρίου[4]. Ce texte est, selon certains critiques, l'œuvre d'une main chrétienne[5]. Constatons d'abord que la première appellation est tout à fait originale comme titre du messie[6]. Elle doit être expliquée par l'insistance des *Testaments* sur la miséricorde divine dans l'élément de restauration d'une part, et par l'usage caractéristique que font les *Testaments* des mots σπλάγχνα, σπλαγχνίζομαι et εὐσπλαγχνία[7], d'autre part. On doit également noter que le milieu des *Psaumes de Salomon* associe de façon particulière la miséricorde et la grâce divines avec la venue du messie. Le description du davidide futur est en *Psaume* 17 suivie par la prière pressante que Dieu hâte sa miséricorde sur Israël (v. 45). Le *Psaume* 18: 5 et 9 appelle le moment, où apparaîtra le messie de Dieu, « le jour de la miséricorde ».

---

[1] Voir supra p. 346 et 369.

[2] CHARLES 1908 comm. p. 15 et DE JONGE 1960 p. 211 estiment que *Rub* 6: 8 contient cette allusion.

[3] Voir supra p. 172.

[4] Cf. aussi KÖSTER p. 551 et n. 24.

[5] DE JONGE 1953 p. 85, BECKER 1970 p. 219 s. et OTZEN 1974 p. 756.

[6] Le singulier du mot σπλάγχνον est rare en grec et absent de la *Septante*. On le trouve au sens figuré en *Herm. Sim.* 9, 24: 2.

[7] Sur l'usage des *Testaments* de ces mots, usage qui est indépendant de celui de la *Septante* et de celui du christianisme antique, voir KÖSTER 1964 p. 551 s.

Pour ce qui est des rapports avec les autres descriptions messianiques des *Testaments*, on constate que le thème du messie apportant la justice rappelle *Juda* 24: 1 et 6. Le trait universaliste, caractéristique de la mission du prêtre-sauveur, apparaît ici par la formule εἰς πάντας τοὺς μακρὰν καὶ τοὺς ἐγγύς qui s'inspire de formules analogues de l'*Ancien Testament*[1].

Ces faits rendent l'origine chrétienne du passage sur « la miséricorde du Seigneur » très invraisemblable.

L'interprétation qui s'impose, est de voir en *Nepht* 4: 5b une expression indépendante de l'attente du prêtre-sauveur. L'importance de cette figure messianique est indiquée aussi par la diversité de ses titres, dont le *Testament de Nephtali* nous fournit un exemple.

Testament de Dan 6: 1–7 : l'ange de la paix

Il est clair que ce passage a dû être réinterprété à la lumière de *Lévi* 18: 2–14 et *Dan* 5: 10b–12. Ce qui était dit sur l'ange protégeant le *šālōm* d'Israël contre le prince du Mal[2], pouvait très bien être appliqué également au prêtre-sauveur qui a pour tâche de combattre Béliar, comme nous venons de le voir. Le prêtre-sauveur est aussi, rappelons-le, celui qui instituera la paix eschatologique, trait qui le rapproche de « l'ange de la paix » de *Dan* 6: 1–7.

On a aussi retouché, semble-t-il, le texte pour adapter le passage à la nouvelle croyance messianique, bien qu'il soit difficile de dégager avec précision ce qui appartient au texte primitif et aux remaniements juifs et chrétiens[3]. Cependant, la mention de l'ange comme un « sauveur » en Israël et parmi les nations (v. 7), nous paraît refléter la couche rédactionelle dont témoignent surtout *Lévi* 18: 2–14, *Juda* 24: 1–3 et *Dan* 5: 10b–12. Le texte primitif avait sans doute ici une teneur différente[4].

L'IDÉAL DU PRÊTRE-SAUVEUR DANS SON CONTEXTE JUIF

Introduction

L'analyse que nous venons de faire, montre qu'une nouvelle figure messianique a été introduite dans les *Testaments* en cours de transmission. Cette rédaction s'est faite en milieu juif et c'est là un point important. Le passage capital qui témoigne de ce prêtre-sauveur est *Lévi* 18. D'autres

---

[1] *Isaïe* 57: 19, *Daniel* 9: 7, *1 Rois* 8: 46, *2 Chron.* 6: 36, cf. aussi *1 Macc.* 8: 12.

[2] Voir supra p. 253.

[3] Pour la question du remaniement chrétien de *Dan* 6: 1–7, voir supra p. 253 n. 7.

[4] Cf. supra p. 253.

textes importants sont *Juda* 24: 1–3 et *Dan* 5: 10–12. On fait aussi, de toute évidence, allusion à cette figure messianique en *Rub* 6: 8, *Lévi* 8: 14–15 et *Nepht* 4: 5. Il faut en outre souligner que l'introduction du prêtre-sauveur a dû amener une réinterprétation d'autres parties des *Testaments*. Les passages sur le salut issu de Lévi et de Juda se lisent maintenant comme prédictions sur le prêtre-sauveur à venir. Les textes qui annoncent le davidide futur sont interprétés comme expression de la fonction royale et combattante du prêtre-sauveur et *Dan* 6: 1–7 reflète maintenant surtout son combat contre le prince du Mal.

Pour situer l'espérance du prêtre-sauveur dans son contexte historique et pour mettre en relief son originalité, il sera utile de la comparer aux croyances messianiques du judaïsme contemporain.

On envisage d'ordinaire le messianisme juif de l'époque hellénistique et romaine sous deux aspects essentiels celui du « Messie » et celui du « Fils de l'homme », rendus aussi par les termes de « messianisme national » et de « messianisme transcendant »[1]. Nous estimons qu'il n'est pas correct d'aborder l'étude du messianisme juif de ce point de vue. Les croyances messianiques de l'époque du Second Temple sont très complexes et révèlent une diversité surprenante qui ne se laisse pas réduire en deux catégories. Il est en outre clair que l'on doit compter avec une évolution considérable des doctrines messianiques à l'intérieur d'un même milieu. On peut la suivre quant aux esséniens de Qumran et, croyons-nous, pour les cercles juifs qui ont transmis les *Testaments*.

Il est nécessaire de dégager la doctrine messianique qu'atteste chaque écrit et de préciser, si possible, les milieux qui l'ont propagée, ainsi que son arrière-plan historique.

Le prêtre-sauveur et le davidide futur des *Psaumes de Salomon*

La figure messianique que décrit le dix-septième *Psaume de Salomon* est nettement opposée aux dynastes hasmonéens. La promesse de la perénnité de la dynastie davidique au v. 4 est suivie par la description des usurpateurs hasmonéens et de leur châtiment (vv. 5–10). Cette polémique à l'endroit des Hasmonéens a même influencé le portrait du messie idéal[2]. Le davidide futur ne placera pas son espérance dans les armes, il n'accumulera pas chez lui l'or et l'argent pour faire la guerre (v. 33). Il mettra sa confiance entièrement en Dieu qui le rend puissant (vv. 34 et 39).

---

[1] Notons les ouvrages suivants : BOUSSET-GRESSMANN pp. 213–286, MOWINCKEL 1956 pp. 280–450, RUSSELL 1964 pp. 304–352, MÜLLER 1972; VOLZ 1934 pp. 173–203 souligne en revanche la diversité des figures messianiques.

[2] Cf. aussi VITEAU p. 74.

Dans le portrait du prêtre-sauveur des *Testaments*, un contraste avec les derniers Hasmonéens ne peut être découvert. La distance qui sépare ce portrait des événements du second quart du Ier siècle av. J.-C., qui sont l'arrière-plan immédiat des *Psaumes de Salomon*, est assez sensible.

Dans son portrait du messie, l'auteur des *Psaumes de Salomon* ne dit rien sur le sacerdoce légal et le culte sacrificiel. Le messie est ici le *roi davidique*, mais, tout comme l'ancien roi d'Israël, il exerce des fonctions sacerdotales. On le voit par le fait que le messie « purifiera Jérusalem par la sanctification » (*Ps. Sal.* 17: 30) et qu'il « bénira le peuple du Seigneur » (v. 35). Une différence nette subsiste cependant sur ce point entre l'idée messianique des *Psaumes de Salomon* et celle du prêtre-sauveur des *Testaments*.

Pour l'essentiel, on relève des analogies précises. Mentionnons l'investiture du messie et l'influence d'*Isaïe* 11: 1 ss. (*Ps. Sal.* 17: 37 s. et *Lévi* 18: 6 s.)[1], l'idée d'une purification des justes qui les rend « saints » (*Ps. Sal.* 17: 27, 32 et 43 et *Lévi* 18: 8, 11 et 14, *Dan* 5: 12)[2], la disparition de l'impiété lors de la venue du messie (*Ps. Sal.* 17: 27 et 32 et *Lévi* 18: 4 et 9, *Dan* 5: 10).

Il est également caractéristique que le messie des *Psaumes de Salomon* et le prêtre-sauveur dans les *Testaments* ont une importance particulière dans le royaume eschatologique. Les fonctions qu'on leur attribue, les placent immédiatement auprès de Dieu. La distinction entre Dieu et le messie en tant qu'homme est cependant nettement préservée. Le messie de *Lévi* 18 et du *Psaume de Salomon* 17 exerce une puissance souveraine et universelle, et il est en communication intime avec Dieu (*Ps. Sal.* 17: 32 et *Lévi* 18: 2).

Toutefois, la souveraineté universelle du roi à venir des *Psaumes de Salomon* n'a pas le même caractère que celle du prêtre-sauveur. On trouve de part et d'autre une conception universaliste : les nations auront une place dans le royaume de Dieu et de son messie. Mais l'expression de cette attitude universaliste est différente. Selon les *Psaumes de Salomon* 17, le messie exercera l'autorité sur les nations (v. 29) qu'il tiendra « sous son joug ». Les nations viendront, il est vrai, pour contempler la gloire de Dieu et de son messie, et il (ou Dieu) aura pitié d'eux (v. 34). Mais, elles ne demeureront pas dans la terre d'Israël (v. 28). Dans le temps messianique, la distinction nette entre les juifs et les nations subsistera donc. Elle s'effacera au contraire dans le paradis terrestre, décrit en *Lévi* 18: 10–14 et *Dan* 5: 12, où tous les justes, juifs et païens, seront admis. L'apparition du prêtre-sauveur amène aussi une conversion des païens au Dieu unique et à sa *tōrāh* (*Lévi* 18: 9 et *Dan* 5: 11).

---

[1] Cf. supra p. 281.

[2] Cf. supra p. 285.

La lutte que mènent le messie royal des *Psaumes de Salomon* et le prêtre-sauveur des *Testaments* porte sur des objets différents. Le roi futur frappera les « princes injustes » et les « nations impies », c'est à dire les Hasmonéens usurpateurs et les ennemis d'Israël et il abattra les « pécheurs » (*Ps. Sal.* 17: 22–24 et 36). Le prêtre-sauveur combattra contre Béliar et ses esprits. C'est là le drame de la fin, le combat ultime entre le Bien et le Mal où l'Impiété sera définitivement réduite à l'impuissance. Les conceptions relatives au prêtre-sauveur dans les *Testaments* et au messie des *Psaumes de Salomon* ne sont donc pas identiques. On notera par exemple que, dans les *Testaments*, le messie est appelé à établir la paix universelle (*Lévi* 18: 4, *Dan* 5: 11, *Juda* 24: 1) et que ce trait est absent du tableau messianique des *Psaumes de Salomon*.

Ce tableau est clairement influencé par un arrière-plan historique qui n'est autre que celui de la dynastie des Hasmonéens et la prise de Jérusalem en 63 av. J.-C.[1] C'est pourquoi la purification de la ville sainte est une fonction capitale du messie, c'est pourquoi il châtiera les « nations impies » et ne permettra pas aux païens de demeurer en Palestine. L'absence de tout symbolisme astral dans l'idéologie messianique des *Psaumes de Salomon* s'explique sans doute par le fait que ce symbolisme solaire et « lévitique » avait été accaparé par les Hasmonéens honnis[2].

Le contexte social des *Psaumes de Salomon* a, lui aussi, influencé la formulation de l'idée messianique de ce recueil. Le messie conduira le peuple juif *dans l'égalité* et il n'y aura plus d'orgueil qui justifiera l'oppression des « pauvres » et des « humbles » (17: 41). Le milieu dans lequel s'est élaboré l'idéal messianique des *Psaumes de Salomon* n'est pas essénien, L'oubli du sacerdoce dans la description du royaume messianique est en effet incompatible avec une origine essénienne. On doit également être prudent en voyant dans ce messianisme l'expression de cercles pharisiens. La polémique des *Psaumes de Salomon* semble viser aussi les pharisiens, du moins certains d'entre eux. Le milieu d'origine des *Psaumes de Salomon* est à trouver, comme nous l'avons vu, dans des cercles de *ḥᵃkāmīm* et les *ḥᵃkāmīm* de cette époque ne se recrutaient pas seulement parmi les pharisiens[3].

La comparaison entre le roi à venir des *Psaumes de Salomon* et le prêtre-sauveur des *Testaments* montre qu'il n'existe pas de dépendance directe entre ces deux conceptions. Toutefois, les *Psaumes de Salomon* nous aident

---

[1] Les Romains se sont emparés de la ville et l'ont pillée. Pompée et ses soldats ont même pénétré dans le Saint des Saints du Temple, un sacrilège inouï, cf. Josèphe *Bell.* I, 152 et *Ant.* XIV, 71–72.

[2] Voir à ce sujet supra p. 273.

[3] Voir supra p. 135. Les critiques attribuent en général les *Psaumes de Salomon* au mouvement pharisien; mais voir supra p. 121.

à préciser certains traits dans le tableau du prêtre-sauveur et à en souligner le caractère juif.

Le prêtre-sauveur et les figures messianiques des textes esséniens de Qumran

Les deux oints et le prophète à venir

Les doctrines messianiques des esséniens de Qumran sont fort complexes. Il est nécessaire de présenter rapidement ici un état de la question.

Il est hors de doute que, pendant une période du moins de leur histoire, les esséniens ont attendu trois figures eschatologiques, un prêtre, « l'oint d'Aaron », un roi davidique, « l'oint d'Israël » et un prophète (*1QS* IX: 11 et *4Q Test*). D'autres textes apportent des précisions sur les deux « oints ». Le roi davidique est nettement subordonné au prêtre futur (*1QSa* II: 11–21, *4QpIs a* fragm D). La fonction de ce davidide futur est essentiellement d'être un chef militaire qui délivrera Israël de ses ennemis (*1QSb* V: 23–28 *4Q Patr Blessings, 4QpIs a* D). La paléographie et l'histoire permettent de situer cette attente, dans l'époque hasmonéenne, plus précisément dans les règnes de Jean Hyrcan, Aristobule I et Alexandre Jannée[1]. Nous avons indiqué plus haut[2] sur quel arrière-plan se dessine le portrait du davidide futur dans les textes de Qumran, dans les *Testaments*, et dans les *Psaumes de Salomon*.

Pour ce qui est du prêtre futur dans les textes de Qumran, il faut se demander si ce personnage est une figure messianique au sens propre. Alors que le davidide futur accomplit une fonction salvifique, le prêtre à venir apparaît seulement comme le chef du haut sacerdoce, qui, au temps eschatologique, prolongera la ligne des « fils de Ṣadoq, chefs spirituels de la communauté essénienne. C'est ce sacerdoce, représenté par « l'oint d'Aaron » qui sera à la tête de l'Israël idéal dont on attend la réalisation dans un avenir proche. L'idéologie relative à ce sacerdoce et à son chef, le grand-prêtre, envisagés à la fois sous l'aspect contemporain[3] et futur, se trouve dans le *Recueil des Bénédictions* (II: 24 – IV: 28). Ce qui reste de la bénédiction sur le grand prêtre (*1QSb* II: 24 – III: 21) le montre dans la fonction de sacrificateur et de juge. Ce grand-prêtre fera un jugement juste, *mišpaṭ ṣædæq*, tout comme le prêtre nouveau (*Lévi* 18: 2). La fonction de

---

[1] Voir supra p. 130 et CARMIGNAC 1961 p. 14 et 1963 pp. 12, 32, 54, STARCKY 1963 pp. 487–490, DUPONT-SOMMER 1968 p. 86 s.

[2] Voir supra p. 229 s.

[3] On doit en effet aussi interpréter les bénédictions sur le grand-prêtre et les prêtres, « fils de Ṣadoq » comme visant actuellement les prêtres sadocites et leur chef, qui formaient, à ce temps-là, l'élément supérieur de la secte essénienne.

sacrificateur n'est pas soulignée cependant dans la description du prêtre nouveau des *Testaments*. Le don de « l'esprit de sainteté » accordé au grand-prêtre dans le *Receueil des Bénédictions* II: 24 est dans les *Testaments* un moment essentiel de l'investiture messianique du prêtre-sauveur (*Lévi* 18: 6–7 et *Juda* 24: 2).

Le développement de l'idée d'un grand-prêtre à venir est en rapport étroit avec la situation historique de la communauté essénienne. Cette communauté était coupée du culte du Temple qu'on considérait comme souillé par le sacerdoce en place. Le culte sacrificiel et le Temple nouveau où officierait le grand-prêtre idéal, furent donc projetés sur l'avenir. Nous sommes là en présence d'une évolution qui est parallèle à celle qui est sous-jacente dans la figure de Lévi dans les *Testaments*[1]. Toutefois, Lévi ne représente pas seulement le grand-prêtre idéal, mais assume toutes les fonctions du sacerdoce lévitique[2].

L'attente d'un prêtre eschatologique et d'un messie davidique, attestée parmi les esséniens de Qumran à l'époque hasmonéenne est donc à rapprocher en premier lieu de l'eschatologie de base des *Testaments*[3]. L'espérance du prêtre-sauveur n'a pas de rapports directes avec cette attente messianique, propagée par les esséniens à l'époque hasmonéenne. Les analogies qu'on peut relever, s'expliquent par une même idéologie sacerdotale, qui est à la base de la description du grand-prêtre essénien et celle du prêtre-sauveur des *Testaments*.

L'oint d'Aaron et d'Israël

Toutefois, les doctrines messianiques des esséniens de Qumran ne sont pas restées figées durant la longue période que couvre leur histoire. Il semble que, peu de temps après la chute des Hasmonéens en 63 av. J.-C. une évolution se soit produite dans le domaine du messianisme essénien.

L'*Écrit de Damas* rédigé peu après l'an 63[4], parle dans quelques passages de la venue d'un oint issu à la fois d'Aaron et d'Israël. Voici le texte hébreu de ces formules: משיח אהרן וישראל (XII: 23 et XIV: 19, XIX: 10–11) et משיח מאהרון ומישראל (XX: 1). On n'a pas le droit de corriger en le pluriel משיחי[5], car le plus ancien manuscrit l'interdit et les formules au singulier peuvent en effet être comprises comme visant une ou deux figures[6]. La

---

[1] Voir supra p. 49.

[2] Voir supra p. 80.

[3] Sur ce rapprochement voir supra p. 227 ss.

[4] Sur cette date de rédaction, voir supra p. 135 et Dupont-Sommer 1968 p. 136, Starcky 1963 p. 493, Caquot 1972 A p. 172 s.

[5] C'est ce que fait Kuhn 1957 p. 59.

[6] Cf. aussi van der Woude 1957 p. 29 et Ringgren 1963 A p. 169.

plupart des critiques tranchent cette question d'interprétation par le renvoi à *1QS* IX: 11 et à *CD* VII: 18–21[1]. Selon eux, l'*Écrit de Damas* témoigne donc de l'attente de deux figures messianiques. Toutefois, il reste difficile d'expliquer pourquoi seul l'*Écrit de Damas* utilise une telle formule ambiguë, si on ne veut pas indiquer par là une évolution des croyances messianiques. Il y a, en effet, un indice supplémentaire qui parle en faveur de cette hypothèse. En XIV: 18–19, la mention de l'oint (issu) d'Aaron et d'Israël est immédiatement suivie par les mots ויכפר עונם « et il expiera leurs fautes ». Dans l'état actuel du texte, le sujet est évidemment « l'oint d'Aaron et d'Israël » et non Dieu[2]. Cette idée d'une expiation faite par le prêtre-messie est fondée sur le rôle du grandprêtre post-exilique au Jour des Expiations, décrit en *Lévit.* 16. Rappelons aussi que selon l'idéologie « lévitique » le grand-prêtre expiera les fautes du pays[3]. Il est donc vraisemblable que l'*Écrit de Damas*, dans sa rédaction définitive, atteste une fusion de « l'oint d'Aaron » et de « l'oint d'Israël » en un seul et même personnage messianique[4]. Le passage VII: 18–21 qui, en interprétant *Nombres* 24: 17, parle de « l'interprète de la Loi » comme l'étoile et du « Prince de toute la Congrégation » comme le sceptre, doit par conséquent être compris comme visant la double fonction de ce messie unique, fonction royale et sacerdotale[5].

Melkisedeq, personnage messianique

Il y a encore un document qui témoigne, selon nous, de cette évolution des doctrines messianiques. C'est le document sur Melkisedeq (*11 Q Melch*) qui malheureusement est trop lacunaire pour permettre une interprétation

---

[1] P. ex. VAN DER WOUDE 1957 p. 66, RINGGREN 1963 A p. 169 s., COTHÉNET p. 175.

[2] Cf. par contre VAN DER WOUDE 1957 p. 32 et COTHÉNET p. 204 qui soulignent que dans les textes de Qumran, c'est en général Dieu ou son esprit qui expie les fautes. Mais la fonction expiatoire de la communauté essénienne est clairement exprimée en *1QS* V: 6 et IX: 3–4. Il n'est donc pas surprenant que cette fonction soit assignée au grandprêtre idéal, chef de la communauté dans l'avenir. Cf. aussi CAQUOT 1972 A p. 173 qui souligne à juste titre que le « messie d'Aaron et d'Israël » est « un prêtre qui fera l'expiation pour les Israélites, » mais qui « exercera aussi une fonction guerrière convenant à un roi davidique ».

[3] Sur cet aspect de l'idéologie « lévitique », voir supra p. 17.

[4] Cf. aussi PRIEST p. 57 s., STARCKY 1963 pp. 493–496, DUPONT-SOMMER 1968, p. 149 et CAQUOT 1972 A p. 173.

[5] Il est aussi possible de voir dans « l'interprète de la Loi » le prophète précurseur; cf. GIBLET p. 126 et STARCKY 1963 p. 496 s. Sur l'interprétation de CD VII: 18–21, voir également VAN DER WOUDE 1957 pp. 38–61, RINGGREN 1963 A p. 175 s. DUPONT-SOMMER 1968 p. 149.

de détail qui soit absolument certaine[1]. Au point de vue de son genre littéraire, ce document est un pésher « thématique [2]» où l'auteur choisit librement les passages scripturaires en fonction du thème qu'ils sont supposés d'évoquer. Le passage qui nous reste de ce pésher « thématique » porte un caractère nettement eschatologique. Ce sont les événements du dernier jubilé de l'histoire dont traite le texte : libération des captifs, retour (des dispersés?), jugement, châtiment de Beliar et de ses esprits. Dans le déroulement de cette histoire, un personnage appelé Melkisedeq joue un rôle décisif, quoiqu'il soit difficile de le préciser dans tout le détail. On peut néanmoins affirmer que Melkisedeq est une figure salvifique qui réunit sur lui des fonctions différentes. Il combat Béliar et ses esprits et arrache les hommes de leur main (lignes 13 et 25). Melkisedeq assume par là le rôle des anges. Certains traits du portrait de Melkisedeq semblent empruntés à l'idéologie du messie davidique. La délivrance eschatologique (cf. ligne 4 et 6), proclamée par Melkisedeq aux captifs, dans lesquels il faut reconnaître les juifs dispersés, est dans la ligne des prophéties sur le davidide idéal. L'apparition du roi davidique est étroitement liée à la délivrance des captifs et au retour à Israël[3]. Selon *11Q Melch*, il semble que Melkisedeq lui-même conduira ce retour[4]. De plus, Melkisedeq jugera[5] קדושי אל « ceux qui sont sanctifiés par Dieu », à savoir les justes d'Israël. Or, c'est précisément ce que le *Psaume de Salomon* 17: 26 assigne au messie davidique : καὶ κρινεῖ φυλὰς λαοῦ ἡγιασμένου ὑπὸ κυρίου[6].

Nous suggérons également que « l'oint de l'esprit », mentionné en ligne 18, est identique à Melkisedeq. Cela est confirmé par *Isaïe* 52: 7 et 61: 1–2

---

[1] Voir l'édition de VAN DER WOUDE 1965. Le déchiffrement du texte a été amélioré sur quelques points par YADIN 1965, CARMIGNAC 1970 et MILIK 1972 B. Des études spéciales ont été faites par DE JONGE – VAN DER WOUDE 1966, FITZMEYER 1967, CARMIGNAC 1970 et MILIK 1972.

[2] Cf. CARMIGNAC 1970 p. 360 s.

[3] La prophétie d'*Isaïe* 11: 1–10 est suivie, dans le verset 11, par un oracle selon lequel Dieu « rachètera le reste de son peuple, ceux qui sont dispersés en Assyrie et en Egypte. » Cet oracle renvoie à ce qui précède par les mots « dans ce même temps ».

Il en est de même pour *Jérémie* 30: 9–10 et 33: 25–26. L'avènement du roi davidique amène le retour des dispersés : « Car je te délivrerai de la terre lointaine et je délivrerai ta postérité du pays où elle est captive » (30: 10b) et « Je ramènerai leurs captifs » (33: 26). Voir aussi *Ezéchiel* 37: 21–28 et *Michée* 5: 1–3. Le *Psaume de Salomon* 17: 31 rattache explicitement le retour des dispersés à l'activité du messie davidique.

[4] Ligne 6 dit de Melkisedeq : אשר ישיבמה אליהמה. Puisque la ligne 5 est lacunaire, il n'est pas clair à quoi se rapporte le suffixe de ישוב mais l'ensemble de cette phrase de la ligne 6 doit être interprétée dans le cadre d'un retour des captifs.

[5] Nous acceptons ici la lecture ידין qui est celle de MILIK 1972 et qui est corroborée par le contexte.

[6] Cf. aussi *Psaume* 72: 2 où il est dit du roi davidique qu'il jugera le peuple de Dieu avec justice.

qui servent d'appui scripturaire pour décrire le rôle de Melkisedeq. Dans l'un et l'autre passage on fait mention d'une figure qui « apporte une bonne nouvelle ». Le pésher dit expréssement que ce *mᵉbaśśer* est « l'oint de l'esprit » en citant 52: 7 (lignes 15–18). Ce titre fait évidemment allusion à 61: 1–2 que le pésher cite en ligne 4 et applique à Melkisedeq. Il faut en conclure que celui qui « apporte une bonne nouvelle », qui proclame la liberté aux captifs et qui est oint par l'esprit de Dieu, est dans le pésher un seul et même personnage.

Sa fonction sacerdotale est nettement soulignée. La libération proclamée par Melkisedeq a le caractère d'une réconciliation des péchés commis par les hommes de son lot (lignes 5–6 et 8). Cette réconciliation est mise en rapport avec le Jour des Expiations (ligne 7). Melkisedeq fait fonction ici de grand-prêtre, expiant les fautes des hommes.

Il est donc clair que le document sur Melkisedeq (*11Q Melch*) témoigne de la même tendance dans l'évolution des croyances messianiques qu'attestent l'*Écrit de Damas* avec le messie d'Aaron et d'Israël et les *Testaments* avec le prêtre-sauveur.

Pourquoi ce personnage messianique est-il appelé Melkisedeq? Sans doute c'est parce que les esséniens de Qumran trouvaient que le nom de Melkisedeq, le prêtre-roi de la *Genèse* 14: 18, convenait bien à la figure messianique qu'ils attendaient et qu'elle réunissait les fonctions royale et sacerdotale. On doit également tenir compte du fait que dans le *Testament de ʿAmram*, trouvé à Qumran, le bon ange qui est opposé à l'ange mauvais, portait selon toute vraisemblance le nom de Melkisedeq[1]. En effet, la figure messianique de *11Q Melch* et le prêtre-sauveur des *Testaments*, ont assumé une fonction qui dans d'autres traditions était attribuée aux anges suprêmes, à savoir le combat contre le chef du Mal et les esprits mauvais (cf. *4Q ʿAmram, 1 Hénoch* 10, *1QM* XIII : 9–10 et XVII: 6–9, *Test. de Moïse* 10: 2).

Melkisedeq n'est pas en *11Q Melch* un être céleste[2], mais une figure humaine qui a assimilé certains traits « angéliques » en raison de sa vocation messianique[3].

---

[1] Voir MILIK 1972 A pp. 77 ss.

[2] La plupart des critiques voient dans Melkisedeq une figure céleste, ou on archange : VAN DER WOUDE 1965, DE JONGE — VAN DER WOUDE 1966, FITZMEYER 1967 pp. 30, 32, 37 et 41, DELCOR 1971 p. 133 s. MILIK 1972 B p. 139 va plus loin et regarde Melkisedeq de *11Q Melch* comme une hypostase de Dieu.

[3] Nous nous accordons donc en partie avec l'interprétation de CARMIGNAC 1970 p. 369 mais non avec son hypothèse selon laquelle Melkisedeq serait l'un des deux messies qu'attendaient les esséniens, à savoir le messie royal, « le germe de David ». Les traits sacerdotal et « angélique » sont trop marqués pour que cette hypothèse s'impose.

La figure messianique de *11Q Melch* présente comme nous l'avons vu des points de contact précis avec l'idée du prêtre-sauveur des *Testaments*. Il est cependant difficile de relever une interdépendance. Il s'agit plutôt d'une évolution parallèle qui s'explique par certaines présuppositions communes. Le milieu essénien et celui des *Testaments* ont subi l'influence de l'idéologie « lévitique ». C'est pourquoi on insiste sur le caractère sacerdotal de la figure messianique. Le combat contre Béliar et ses esprits, qui caractérise l'œuvre de Melkisedeq et du prêtre-sauveur, s'explique par un transfert de fonctions « angéliques » sur la figure messianique.

Le document sur Melchisedeq confirme donc notre interprétation sur l'évolution des doctrines messianiques dans le milieu des *Testaments*, et éclaire certains traits du portrait du prêtre-sauveur.

L'élu de 4Q Mess ar

Dans le contexte des doctrines messianiques des esséniens de Qumran, il faut aborder maintenant le fragment araméen découvert dans la grotte quatre et intitulé *4Q Mess ar*[1]. Le caractère messianique du personnage évoqué en ce texte, n'apparaît pas explicitement[2] dans ce qui nous est conservé de ce document lacunaire. L'importance attachée à cette figure suggère cependant qu'il s'agit d'un personnage salvifique dont on attend la venue. Quoi qu'il en soit, la figure dont traite le texte, n'entre pas bien dans les lignes du messianisme des esséniens de Qumran. En revanche, on peut relever des points de contact avec la littérature hénochique, surtout dans la colonne II[3]. De plus, la figure de *4Q Mess ar* présente des analogies précises avec le Fils de l'homme des *Paraboles*[4]. La tournure « élu de Dieu » de I: 10 rappelle le titre « l'Élu » ou « mon Élu » donné au Fils de l'homme[5]. L'accent mis sur le pouvoir de percer les secrets est un trait commun à la figure de *4Q Mess ar* et au Fils de l'homme des *Paraboles* (*4Q Mess ar* ligne 8 et *Paraboles* 46: 3, 48: 6, 49: 2 et 4, 51: 3, 61: 9, 62: 6). Ce trait n'apparaît pas ailleurs dans la description d'une figure salvifique. La puissance souveraine de l'Élu de Dieu dans *4Q Mess ar* qui s'exprime dans l'idée que ses « desseins » subsisteront à jamais mais que tous les « desseins » des peuples ou de tous

---

[1] Publié par STARCKY 1964. Il faut consulter également FITZMEYER 1965, CARMIGNAC 1965, DUPONT-SOMMER 1965 et GRELOT 1975. La date du manuscrit est pré-chrétienne : l'époque hérodienne ou même antérieurement.

[2] Cf. les remarques de FITZMEYER 1965 p. 370 s.

[3] FITZMEYER 1965 p. 371 renvoie aux chapitres 105–106 de *1 Hénoch* où la naissance de Noé est décrite et suggère que la figure de *4Q Mess ar* soit précisément Noé; de même GRELOT 1975.

[4] Cf. aussi DUPONT-SOMMER 1965 p. 248 s.

[5] *Paraboles* 40: 5, 45: 3, 49: 2 et *passim*.

les êtres vivants[1] contre lui échoueront, correspond bien à l'apparition triomphante du Fils de l'homme lors du Jugement dernier. Si les rapports de la figure de *4Q Mess ar* avec le Fils de l'homme sont indéniables[2], on ne trouve pas beaucoup d'affinités avec le prêtre-sauveur des *Testaments*. À première vue, on serait tenté d'entendre une note universaliste dans la phrase « et sa sagesse ira à tous les peuples » de *4Q Mess ar* I: 8 qu'il faudrait rapprocher de *Lévi* 18: 9. Mais une tendance missionaire est étrangère au contexte[3]. Le sens de cette phrase de *4Q Mess ar* doit donc être que la sagesse du personnage visé sera si grande que la rénommée en parviendra à tous les peuples[4]. Par ailleurs, la puissance souveraine de la figure de *4Q Mess ar*, le don de l'esprit divin qui lui est accordé (I: 10)[5] ainsi que sa connaissance ont des équivalents dans la description du prêtre-sauveur des *Testaments*. Mais ce sont là des traits communs aux figures messianiques de l'époque[6].

Le prêtre-sauveur et la figure messianique des *Paraboles d'Hénoch*

Les *Paraboles* constituent l'une des cinq parties du recueil hénochique. Ces parties ont connu une existence distincte avant d'être réunies dans un même corpus, Les *Paraboles* elles-mêmes sont de structure composite, tout comme les *Testaments des Douze Patriarches*. Le rédacteur des *Paraboles* a utilisé des éléments différents qu'il a fondu en une composition cohérente. Le lien qui unit ces éléments est à trouver dans certaines idées essentielles, comme le Jugement dernier, l'apparition d'une figure messianique, ainsi que dans certaines tournures caractéristiques comme « le Seigneur des esprits ». L'unité d'auteur ne saurait donc être mise en doute[7]. Cela signifie que la description du personnage messianique quoi qu'il porte des titres

---

[1] Il est difficile de dire si חשבוניהון de I: 9 se réfère à עממיא ou חייא de la ligne 8.

[2] Ces rapports indiquent que *4Q Mess ar* en tant que morceau « hénochique » est une des sources des *Paraboles* qui a influencé l'image du Fils de l'homme. Peut-être, est-il même question dans *4Q Mess ar* de la réapparition d'Hénoch en tant que sauveur eschatologique. Cela pourrait mettre de la lumière sur l'investiture d'Hénoch comme le Fils de l'homme dans les *Paraboles* 70–71, investiture jugée énigmatique par la plupart des critiques.

[3] Comparez aussi *Paraboles* 48: 4 où *Isaïe* 49: 6 n'est pas utilisé dans une perspective missionaire.

[4] Cp. la description de la sagesse de Salomon en *1 Rois* 10: 1–9, et cf. aussi GRELOT 1975 p. 495.

[5] Nous estimons que DUPONT-SOMMER 1965 pp. 249 ss. a bien précisé le sens de cette ligne de *4Q Mess ar*.

[6] Cf. infra p. 323 s.

[7] Cf. aussi SJÖBERG p. 33.

différents, est d'une même main[1]. Le caractère juif des *Paraboles* est apparent[2]. Le style et le contenu sont conformes aux apocalypses juives. De plus, si on était en présence d'une composition chrétienne, il serait vraiment surprenant de ne pas trouver d'allusions à la vie, la mort et la résurrection du Christ[3]. La rédaction des *Paraboles* doit être située, semble-t-il, dans la première moitié du Ier siècle de notre ère[4].

---

[1] L'hypothèse de BEER p. 227, CHARLES 1912 p. 64 s. et LAGRANGE 1931 pp. 243–254 selon laquelle les termes « Élu » et « Fils de l'homme » (pour LAGRANGE aussi « l'Oint ») représente des figures primitivement distinctes ne s'impose pas. Cf. aussi THEISOHN p. 203.

[2] Cela est admis par la majorité des critiques; mentionnons CHARLES 1912, SJÖBERG, HAMMERSHAIMB 1956. Le dernier essai de faire des *Paraboles* une composition chrétienne celui de MILIK 1976 pp. 88–98, ne réussit pas à infirmer les arguments essentiels pour une origine juive de cet écrit.

[3] Cf. aussi BEER p. 231, MARTIN p. XL s., SJÖBERG p. 17 et HAMMERSHAIMB 1956 p. 74.

[4] L'utilisation que fait l'auteur des *Paraboles* des autres sections du recueil d'Hénoch et la mention des Parthes donnent le début du Ier siècle av. J.-C. comme *terminus post quem*. La destruction de Jérusalem en 70 aurait certainement laissé des vestiges dans les *Paraboles*. Le *terminus ante quem* serait donc 70 ap. J.-C. Selon certains critiques, l'arrière-plan de l'opposition entre les justes et « les rois et les puissants » dans les *Paraboles* serait la persécution des Pharisiens (« les justes ») par les Hasmonéens (« les rois ») et les Sadducéens (« les puissants ») ce qui indiquerait la fin du règne d'Alexandre Jannée comme la date de rédaction (BEER p. 231, MARTIN p. XCVII et CHARLES 1912 p. 67). Cependant, la description de l'opposition entre « les justes » et « les rois et les puissants » ne fournit pas les détails qui pourraient prouver cet arrière-plan.

La mention de l'attaque des Parthes et des Mèdes en 56: 5–8 ne peut pas non plus servir de point de repère pour une datation plus exacte, comme l'utilisent SJÖBERG p. 38 (l'invasion parthe en 40-38 av. J.-C.), CAQUOT 1972 p.174 (l'intervention des Parthes dans l'histoire juive à partir de 53 av. J.-C.), HINDLEY p. 560 (l'invasion parthe ou arménienne en Syrie à l'époque de Trajan), MILIK 1976 p. 95 s. (la campagne des Perses et des Palmyriens dans la Syrie et la Palestine 260–270 ap. J.-C.). L'allusion aux Parthes dit seulement que ce peuple est entré dans la sphère géographique et politique des juifs de la Palestine; c'est le temps du Ier siècle av. J.-C. et des deux premiers siècles après J.-C. La description en 56: 5–8 ne repose pas sur des événements historiques mais sur un thème « mythique » : l'attaque de peuples barbares contre Jérusalem et la terre sainte dans le temps eschatologique. Le passage 56: 5–8 est clairement influencé par *Jér.* 1: 15–17, *Ez.* 38–39, *Zach.* 12: 1–9, 14: 12–13 et *Joël* 2: 20. Soulignons que les Mèdes figurent dans les traditions des Prophètes comme un peuple terrifiant, excité par Dieu d'attaquer non pas Israël, mais la Babylonie : *Is.* 13: 17, 21: 2 *Jér.* 51: 11 et 28. La formulation des *Paraboles* en 56: 5 dépend en outre du *Livre de Jérémie* :

Jér. 51: 11	*1 Hén.* 56: 5
« *Yahvé* excitera l'esprit des rois des Mèdes »	« En ces jours, les anges reviendront et se jetteront vers l'orient, chez les Parthes et les Mèdes, ils exciteront les rois et un esprit de trouble les envahira (les rois). »

La combinaison de « Mèdes et Perses » se trouve dans l'une des sources des *Paraboles* à

La figure messianique que décrit le livre des *Paraboles* présente plusieurs affinités avec le prêtre-sauveur des *Testaments*[1]. Ce sont d'abord, l'apparition et l'œuvre salvifique du personnage messianique qui sont décrites par des images empruntées au symbolisme de la lumière. Le « liminaire » des *Paraboles*, 38: 1–6, fait allusion à cette apparition en évoquant « la lumière qui apparaîtra aux justes et aux élus » (vv. 2 et 4). Dans le verset 2, cette formule est mis en parallèle avec la phrase « la justice se manifestera devant les élus » (v. 2a). Cela rappelle l'expression « soleil de justice », appliquée en *Juda* 24: 1 au prêtre-sauveur. En 50: 1, il est dit que « la lumière des jours » habitera au milieu des justes. Le contexte montre que *bərhān mawā'əl* désigne la figure messianique décrite au chapitre 49. Dans *Lévi* 18: 3, le prêtre-sauveur répandra « la lumière de connaissance comme par le soleil du jour ». Les *Paraboles* expriment en 58: 5–6 le fait du salut dans une image qui oppose la lumière aux ténèbres et qui doit être rapprochée de *Lévi* 18: 4 :

---

savoir le *Livre de Daniel* (5: 28, 6: 16 et 8: 20). L'auteur des *Paraboles* aura remplacé les Perses par les Parthes qui à son époque furent le peuple dominant de l'Iran. Cette combinaison est attestée précisément pour le début du Ier siècle par *Res Gestae* 33 (EHREN-BERG-JONES p. 29) : ἔθνη Πάρθων καὶ Μήδων.

La description des « rois et puissants » renferme une allusion aux Romains (cf. SJÖBERG p. 37 s.) mais vise en premier lieu la classe gouvernante de la Judée par laquelle les « justes », les cercles des *Paraboles*, sont opprimés. Les accusations véhémentes à l'endroit des « rois et des puissants » dans les *Paraboles* rappellent celles qui sont lancées dans le *Testament de Moïse* (l'*Assomption de Moïse*) chap. 7 contre les groupes au pouvoir. Or, la rédaction de cet écrit peut être située avec une relative certitude aux premières décennies de notre ère (voir CHARLES 1897, NOACK 1963, LAPERROUSAZ 1970 et COLLINS 1973). Les affinités des *Paraboles* avec *IV Esdras*, rédigé lui au lendemain de 70 ap. J.-C., indiquent un rapport étroit entre les milieux derrière ces écrits, rapport qui suggère un rapprochement dans le temps. Mentionnons parmi ces affinités le thème de « Léviatan et Béhémoth » (*1 Hén.* 60: 7–10 et *IV Esdras* 6: 49–52, cf. aussi *II Bar.* 29: 4). Le titre « Fils de l'homme » d'une figure messianique montrant en outre des fonctions analogues : juge souverain qui sans l'usage des armes châtie les impies (*1 Hén.* 46: 4–6, 62: 1 ss. et *IV Esdras* 13: 3–4, 28 et 37); le messie est caché auprès de Dieu depuis longtemps (*1 Hén.* 48: 6, 62: 7 et *IV Esdras* 13: 26). De plus, le contraste entre le bonheur des justes et le châtiment des impies, qui en outre est décrit d'une façon analogue (*1 Hén.* 38: 1–6, 45: 1–6, 48: 2–50: 2a, 53: 1–7, 54: 2, 62: 1–16, 63: 10–11 et *IV Esdras* 7: 37–38, 8: 52–58, 13: 37 et 49). On relève également nombre de ressemblances de phraséologie et de vocabulaire. Notons p. ex. *1 Hén.* 51: 1 et *IV Esdras* 7: 32, *1 Hén.* 62: 1 et *IV Esdras* 11: 34.

Toutes ces considérations nous amènent à situer la rédaction des *Paraboles* dans la première moitié du Ier siècle de notre ère.

[1] Nous utilisons dans la suite pour désigner cette figure *l'une* des appellations qui lui est donnée dans les *Paraboles*, à savoir le Fils de l'homme. Cela n'implique pas que nous voyions dans cette appellation l'expression d'une idéologie messianique tout à fait distincte de celle du messie davidique; cf. aussi ci-dessus p. 301.

« Car elle (la justice) brille comme le soleil sur la terre, et les ténèbres ont disparu » (v. 5 b).

Le texte des *Paraboles* prolonge au verset 6 cette image. La lumière sera perpétuelle et les jours sans fin :

« car, auparavant, les ténèbres auront été dissipées et la lumière demeurera devant le Seigneur des esprits et la lumière de justice demeurera à jamais devant le Seigneur des esprits ».

Cette image sur la dissipation des ténèbres et l'apparition de la lumière est mise en rapport avec le Fils de l'homme, car c'est ce personnage qui est au centre du salut divin. Il ne fait pas de doute que l'expression « la lumière de justice » *bərhān rətəʿ*, s'applique exactement à cette figure messianique. Notons que dans la réinterprétation messianique de *Zab* 9: 8, c'est le prêtre-sauveur qui est désigné par le titre φῶς δικαιοσύνης.

Dans les *Testaments* et les *Paraboles* l'avènement de la figure messianique suscite une grande joie dans la nature et parmi les anges. Dans la description de cette joie, on trouve même des tournures analogues. Dans les *Paraboles* 51: 4, l'image des montagnes qui sauteront comme des béliers et des collines qui bondiront comme des agneaux n'a pas d'équivalent dans les *Testaments*. Mais la suite qui concerne la joie des anges et de la terre doit être rapprochée directement de *Lévi* 18: 5 :

« Et le visage de tous les anges dans les cieux[1] brillera de joie, car, en ces jours, l'Élu se lèvera et la terre se réjouira » (51: 4b–5a).

Les *Paraboles* 49: 1 et le *Testament de Lévi* 18: 5 soulignent, en faisant allusion à *Isaïe* 11: 9, qu'au temps de l'apparition du messie, la connaissance sera répandue comme les eaux. Notons qu'on utilise de part et d'autre le même terme pour désigner cet acte eschatologique, car l'éthiopien *kaʿawa* correspond exactement à ἐκχέω de *Lévi* 18: 5[2].

Les points de contact sont également frappants pour ce qui est de l'investiture messianique. L'oracle d'*Isaïe* 11: 1 ss. constitue l'arrière-plan de la description du Fils de l'homme et de celle du prêtre-sauveur[3]. Que l'on compare *Paraboles* 49: 3 à *Lévi* 18: 6–7 et à *Juda* 24: 2. Mais, on trouve en dehors de cet arrière-plan, des parallèles qui concerne l'investiture de la figure messianique. Le *Testament de Lévi* 18: 7 affirme que la gloire

---

[1] C'est sans nul doute le sens du texte, representé par les meilleurs mss : *gtuq* : *wa-yəkawwnu kᵘəllu* (*q* : *wa-yəkawwən lakᵘəllu*) *malāʾəkt basamāy gaṣṣomu yəbarhu bafəšḫa*; cf. la discussion chez CHARLES 1912 p. 100 s. Il est inutile cependant, comme le fait CHARLES, de corriger *kᵘəllu* en *ʾəllu*.

[2] Voir aussi supra p. 279.

[3] Cf. aussi THEISOHN p. 104.

du Très-Haut sera proclamée sur le prêtre-sauveur. Ce trait a son équivalent dans les *Paraboles* :

« et la gloire (du Seigneur) ne passera pas devant lui dans les siècles des siècles » (49: 1 b).

L'union intime entre Dieu et le messie est considérée dans les *Paraboles* et les *Testaments* sous le même aspect d'une révélation des mystères divins au messie. Les *Paraboles* 51: 3 dit que tous les mystères de la sagesse sortiront de la bouche de l'Élu, car c'est Dieu qui lui les a donnés. Le *Testament de Lévi* 18: 2 souligne que toutes les paroles du Seigneur seront révélées au prêtre nouveau.

Pour ce qui est des fonctions de la figure messianique, on peut aussi relever des analogies entre le Fils de l'homme et le prêtre-sauveur. Il faut noter que certains éléments qui, dans les *Paraboles*, entrent dans la la scène du jugement se retrouvent dans la description du prêtre-sauveur, mais dans un autre contexte. Un rapprochement est donc ici légitime. L'apparition de la figure messianique est caractérisée par la disparition de l'impiété et par le châtiment des impies. Les *Paraboles* 45: 6, 49: 2 et 69: 27–29 sont parfaitement dans la ligne de *Lévi* 18: 9 b. La défaite de Béliar et de ses esprits par la main du prêtre-sauveur (*Lévi* 18: 12, *Dan* 5: 10–11) a pour équivalent un passage des *Paraboles* 55: 4, où les rois et les puissants verront l'Élu « s'asseoir sur le trône de gloire et juger Azazel et tous ses partisans et toute son armée au nom du Seigneur des esprits ». La portée universelle de l'activité du personnage messianique est un trait qui est commun au Fils de l'homme (cf. surtout 46: 4 ss. 48: 5 et 8, 69: 27) et au prêtre-sauveur (*Lévi* 18: 2–4, 9, *Juda* 25: 6, *Nepht* 4: 5).

Enfin, tout comme on souligne l'union intime entre Dieu et le messie, on fait ressortir le rapport étroit entre le messie et les justes. Les *Paraboles* envisagent ce rapport sous l'aspect que le Fils de l'homme habitera au milieu des justes (45: 4 et 50: 1). Pour souligner davantage cet aspect, l'auteur des *Paraboles* promet aux justes :

« Ils mangeront et ils se coucheront et ils se lèveront avec ce Fils de l'homme » (62: 14).

Dans les *Testaments*, cette vie des justes en communion avec le messie, s'exprime dans le trait que le prêtre-sauveur donnera aux justes à manger de l'arbre de vie (*Lévi* 18: 11), ou qu'il marchera avec les hommes (*Juda* 24: 1). L'idée d'une vie avec le messie au paradis, qui est attestée en *Lévi* 18: 10–11, semble même avoir été présente à l'esprit de l'auteur des *Paraboles*. Pendant son voyage céleste, Hénoch voit le Jugement dernier se dérouler devant lui, comme par anticipation (61: 8–62: 2). L'Élu est assis sur le trône de gloire pour juger (61: 8–9 et 62: 1–2), ce qui évoque la louange du Seigneur par toutes les puissances célestes et par « tous les élus qui habitent dans le jardin de vie » (61: 12). Notons en passant que les *Paraboles* emploient assez souvent le terme « saints » pour désigner les justes (38: 4, 41: 2, 48: 1, 50: 1, 58: 3, 62: 8)[1], emploi qui caractérise aussi les tableaux messianiques des *Psaumes de Salomon* et des *Testaments*.

Les *Paraboles* et les *Testaments* attachent la même importance à la figure messianique. Cette importance est résumée dans les *Testaments* par l'unicité du prêtre-sauveur :

> « il n'y aura personne sauf lui de génération en génération à jamais, »
> *Lévi* 18: 8

et dans les *Paraboles* par l'éternité du pouvoir glorieux de Fils de l'homme :

> « et sa gloire demeurera pour les siècles des siècles et sa puissance pour les générations des générations. »
> *1 Hén.* 49: 2

On peut dire, d'une façon générale, que le Fils de l'homme et le prêtre-sauveur représentent le même type de figures messianiques, figures qui réunissent sur elles des traits et des attributs venant de sources différentes. Le prêtre-sauveur assimile ainsi des fonctions royales et « angéliques ». Quant au Fils de l'homme, il ne fait pas de doute que ce personnage prolonge, pour l'essentiel, les lignes de l'idéologie royale. Il est appelé « l'Élu » ce qui est un titre du roi israélite (*2 Sam.* 21: 6, *Ps.* 89: 4; cf. *Is.* 42: 1 et 43: 20). Les *Paraboles* parlent deux fois du « Seigneur des esprits et de son oint » (48: 10 et 52: 4), ce qui est une allusion claire à la titulature royale. Les développements des *Paraboles* sur le Fils de l'homme comme assis sur le trône de gloire et jugeant les « rois et les puissants et ceux qui dominent la terre », ainsi que l'accent mis sur sa justice (cf. 46: 3, 49: 2, 62: 2) sont à comprendre dans la perspective de l'idéologie royale d'Israël. Les *Psaumes* 2 et 110 opposent le roi, l'oint de *Yahvé*, aux rois et aux princes de la terre sur lesquels le roi d'Israël dominera (2: 2, 10–12 et 110: 1–2). L'intronisation de l'oint de *Yahvé* est en rapport direct avec le châtiment des rois de la terre au jour du jugement de *Yahvé* (110: 5–6 et 2: 12). Le roi est assis sur le trône à la droite de *Yahvé* (110: 1), et il est le réprésentant de *Yahvé*. Ses ennemis lécheront la poussière devant lui et tous les rois se prosterneront devant lui (*Ps.* 72: 9 et 11). Le roi davidique est

---

[1] En 47: 4, 61: 8 ss. et 12, le mot « saints » semblent viser des êtres célestes qui, du moins au v. 12, sont distincts des justes et des élus.

rattaché de façon particulière à la conception de *ṣædæq* ou de *ṣᵉdāqāh* (*Ps.* 72: 1–3, 45: 7–8, 89: 15, *2 Sam.* 23: 3–5, *Is.* 9: 6, 11: 4–5).

Ce qui est promis au davidide futur, selon *Isaïe* 11: 1 ss., est donné au Fils de l'homme en 49: 3. La destruction des armes de la guerre lors de l'apparition de l'Élu (52: 8–9) est parfaitement dans la ligne d'*Isaïe* 9: 4–5.

Il est également clair que l'idéologie royale sous la forme particulière qu'on la trouve dans la figure du Serviteur de *Yahvé* de *Deutéro-Isaïe*, a contribué à former l'image du Fils de l'homme. Notons les points suivants. Le titre d'Élu (cf. ci-dessus), la citation en 48: 4 d'*Isaïe* 49: 6 « une lumière des nations ». L'idée que les rois et les princes se lèveront pour se prosterner devant le Serviteur (*Is.* 49: 7) se reflète dans les *Paraboles* 46: 4 et 62: 3 et 9.

Pour ce qui est du caractère céleste du Fils de l'homme et la conception de sa « préexistence », l'influence d'une source différente apparaît nettement. Il en est de même pour le titre « Fils de l'homme ». Nous n'entrons pas ici dans les problèmes complexes que pose l'origine de cette conception et de ce titre[1]. Il est probable que sur ce point il faut tenir compte d'influences étrangeres et syncrétistes où l'élement iranien a joué un rôle décisif. Mais cette influence étrangère, notons-le bien, ne porte que sur certains traits de la figure messianique des *Paraboles*.

Les points de contact entre le portrait du Fils de l'homme dans les *Paraboles* et du prêtre-sauveur dans les *Testaments* sont donc nombreux. Ces ressemblences ne doivent pas faire oublier que les deux personnages ont chacun une cohérence propre.

Le plan des *Paraboles* a pour objet de mettre en relief la personne du Fils de l'homme comme juge souverain. Quand le Fils de l'homme s'asseoit sur le trône de gloire, c'est toujours pour exécuter le jugement (45: 3, 51: 3, 55: 4, 61: 8, 62: 2, 69: 27 et 29). On trouve même de véritables scènes de jugement (61: 8–62: 2 et 62: 3–13; cf. aussi 46: 4–6 et 63: 1–11). Toute l'activité du personnage messianique des *Paraboles* se concentre dans cette fonction de juger. Par rapport à la description du prêtre-sauveur des *Testaments*, la différence est sensible sur ce point. Sauf une allusion en *Lévi* 18: 2, qui à l'origine ne visait pas le jugement dernier, les fonctions du prêtre-sauveur ne sont pas envisagées sous l'aspect d'un jugement.

Dans ce contexte, il faut souligner une autre différence. Le prêtre-sauveur est une figure plus active que ne l'est le Fils de l'homme. Le Fils de l'homme est un juge qui prononce la condamnation des impies. Le

---

[1] On consultera pour les différents essais d'interprétation les études de KRAELING pp. 128–165, SJÖBERG pp. 190–198, MOWINCKEL 1956 pp. 357 ss, BORSCH pp. 145–156, COLPE 1969, S. HARTMAN 1966, THEISOHN et CASEY.

châtiment est exécuté par d'autres[1]. Dans la mesure où le châtiment ne soit pas considéré en même temps comme un acte salvifique, c'est Dieu qui accomplit le salut[2]. On a l'impression que le Fils de l'homme n'est plus que le signe dont l'apparition déclenche les événements eschatologiques. Le prêtre-sauveur, au contraire, fait lui-même la guerre contre Béliar (*Dan* 5: 10 s.) et l'enchaîne (*Lévi* 18: 12). Il sanctifie les justes et ouvre les portes du paradis (*Lévi* 10: 8 et 10).

Pour ce qui est de la portée universelle de l'activité du messie, celle du Fils de l'homme a un caractère différent. Celui-ci est un *juge* du monde, et non un *sauveur* du monde, comme le prêtre-sauveur. La mission du prêtre-sauveur est nettement universaliste (*Lévi* 18: 9, *Dan* 5: 11 et *Juda* 24: 6 réinterprété) alors que l'aspect universaliste des *Paraboles* est au second plan[3]. La formule « une lumière pour les nations » qui est tirée d'*Isaïe* 49: 6 et qui en 48: 4 est appliquée au Fils de l'homme, apparaît isolée dans la pensée des *Paraboles*. Dans le contexte des *Paraboles*, cette phrase ne signifie pas, comme dans le passage correspondant du *Testament de Lévi* (18: 9) une conversion des païens à la *tōrāh*. Ce qu'il faut reconnaître dans cette formule, c'est l'apparition universelle et resplendissante du Fils de l'homme, qui sera observée par tous les habitants de la terre (cf. 48: 5).

De plus, il y a entre les deux personnages des différences importantes. La figure messianique des *Testaments* est regardée comme un prêtre (*Lévi* 18: 2 et 9, *Rub* 6: 8), bien que sa fonction de sacrificateur ne soit pas explicitement mentionnée. Les *Paraboles*, au contraire, n'assignent aucune fonction sacerdotale au Fils de l'homme. Sa fonction d'être le juge eschatologique ne vient pas dans les *Paraboles* de la sphère sacerdotale, mais de la sphère divine[4]. L'idée d'une « préexistence » du Fils de l'homme[5], son caractère

[1] En 38: 5 et 48: 9 les rois et les puissants seront livrés dans la mains des justes. En 53: 4, 54: 6, 56: 1–6 et 62: 11 ce sont les archanges ou les anges de châtiment qui exécutent les décisions du jugement. Souvent, le châtiment est décrit sans mention explicite de ceux qui l'exécutent, mais en ce cas il est sans doute question de puissances célestes : 41: 2, 54: 2.

[2] Notons surtout 45: 4–6. Il est manifeste que les passages (46: 4–6 et 69: 27), qui semblent assigner au Fils de l'homme un rôle plus actif dans l'événement eschatologique, doivent être interprétés à la lumière des textes plus explicites où l'exécution des décisions du jugement n'appartient pas à la fonction de la figure messianique.

[3] Cf. CHARLES 1912 p. 97 et SJÖBERG pp. 19 et 143. Le seul passage où les rapports avec les nations soit envisagé, est 50: 2–3. Si le texte vise vraiment les païens, leur salut implique seulement une délivrance de la perdition à laquelle seront voués les impies. Le bonheur eschatologique, promis aux justes, ne leur sera pas cependant donné (cp. vv. 1 et 3).

[4] Cf. aussi SJÖBERG 1946 p. 66 s. qui souligne à bon droit que le Fils de l'homme en tant que juge eschatologique « eine Funktion Gottes übernommen hat ».

[5] *Paraboles* 46: 1–2, 48: 2–3, 6, 62: 7 et 70: 1.

d'être céleste et l'accent mis sur le fait qu'il demeure caché jusqu'à son apparition[1], sont des traits qui n'ont pas d'équivalent dans la description du prêtre-sauveur.

Pour ce qui est du milieu des *Paraboles*, on constate certaines particularités qui distinguent ce milieu de celui qui a créé l'image du prêtre-sauveur. L'ambiance dans laquelle vivent les cercles des *Paraboles* se caractérise par une polémique véhémente à l'endroit de certains groupes qui sont appelés « les rois et les puissants »[2], « ceux qui dominent l'aride »[3] et « les élevés »[4]. Les termes et les accusations qu'on lance contre ces groupes, indiquent la situation des cercles des *Paraboles*[5]. Cette situation est caractérisée par des persécutions[6], un sentiment d'impuissance et de faiblesse, ce qui explique le zèle vengeur à l'égard des « rois et des puissants » que reflètent les descriptions de leur châtiment[7]. Quand Dieu révélera son élu, le Fils de l'homme, la situation présente de la communauté des justes changera totalement; les opprimés seront exaltés et les oppresseurs seront humiliés. Tel est le message central des *Paraboles*. Sur ce point, il y a une différence nette par rapport à l'image du prêtre-sauveur des *Testaments*. Le milieu qui a lancé cette figure ne subit pas l'oppression. On espère la conversion des païens sous l'égide du prêtre-sauveur. L'attitude universaliste est la marque certaine de ce milieu qui le distingue des cercles des *Paraboles*. On attend, naturellement le châtiment de Béliar et de ses esprits, mais ce sont des ennemis d'un ordre nettement différent de celui des « rois et puissants » des *Paraboles*. La punition des impies n'est que brièvement indiquée. Qui plus est, on ne porte aucun intérêt aux détails de leur châtiment.

Quelles conclusions faut-il tirer de cette comparaison entre le prêtre-sauveur des *Testaments* et le Fils de l'homme des *Paraboles*? Ces deux idéologies messianiques présentent de nombreuses analogies, dont la plupart sont cependant de nature assez générale. Les spéculations des *Paraboles*

---

[1] *Paraboles* 48: 6, 62: 7 et 69: 26.

[2] Les *nagašt wa-'āzizān* du texte éthiopien : 38: 5, 46: 4 ss., 48: 8, 53: 5, 54: 2 s., 62: 1 ss. et 63: 1 ss.

[3] 62: 1, 3 et 9; 63: 12.

[4] C'est notre traduction de *lə'ulān* qui se retrouve dans les passages nommés dans la note ci-dessus.

[5] Le terme *lə'ulān* indique selon nous la distance sociale entre les pieux des *Paraboles* et leurs adversaires. Les autres termes portent sur le pouvoir politique et économique de ces adversaires. « Ceux qui dominent l'aride » n'est probablement qu'une metaphore pour « les rois et les puissants », car il est douteux si le mot « l'aride » se prête au sens d'*orbis terrarum* dans les passages nommés.

[6] *Paraboles* 46: 8, 47: 1–4, 53: 7 et 62: 11.

[7] Notez surtout *Paraboles* 48: 9–10 et 62: 3–5, 9–13.

318

sur le Fils de l'homme éclairent les conceptions relatives au prêtre-sauveur des *Testaments*. Il y a là une majoration analogue du rôle du messie, qui assimile des fonctions et des attributs venant de sources différentes. Les différences marquées qu'on vient de relever entre ces idéologies, indiquent cependant deux milieux distincts. Toutefois, il est permis de supposer que les analogies précises sont le résultat d'une influence exercée par le milieu, qui a transmis les *Testaments*, sur les cercles des *Paraboles*.

Le prêtre-sauveur et les autres messies juifs

La Troisième Sibylle

Cet écrit, dont il faut pour le fond reconnaître l'unité d'auteur[1], ne fait pas grande place à une figure messianique. On trouve, en effet, seulement deux passages qui font allusion à un messie. C'est d'abord les versets. 46–50 où l'avènement d'un « prince pur »[2] est annoncé, qui régnera sur les royaumes de la terre. Ce sera là le signe qui manifestera que le royaume de Dieu est apparu. L'autre passage, vv. 652–656, parle d'une figure messianique, envoyeé par Dieu « du soleil » et qui fera cesser la guerre sur toute la terre, en tuant les uns mais en imposant aux autres des serments de loyauté. Le premier passage est clairement dans les lignes de la conception traditionelle du messie davidique. La description du roi, envoyé « du soleil », semble au contraire modelée d'après la figure de Cyrus, « l'oint de *Yahvé* », tel que le *Deutero-Isaïe* le dépeint[3]. Cela est corroboré par le fait que le messie des vv. 652–656 n'est pas explicitement mis en relation avec le royaume final de Dieu, comme l'est le « prince pur » des vv. 46–50[4]. Il est donc difficile de voir dans les deux passages une même figure messianique. Mais comme la *Troisième Sibylle* range à la suite plusieurs figures salvifiques dans le passé d'Israël[5], il ne serait pas surprenant de trouver deux figures messianiques qui se succéderont dans le temps eschatologique. Quoi qu'il en soit, l'importance assignée au messie par la *Troisième Sibylle* n'est pas la même que celle attribuée au Fils de l'homme des *Paraboles*

---

[1] Cf. en dernier lieu NIKIPROWETSKY 1970 pp. 70 et 196 ss., COLLINS 1974 p. 21–33.

[2] Voici le verset 49 : ἥξει δ'ἁγνὸς ἄναξ πάσης γῆς σκῆπτρα κρατήσων.

[3] Cf. aussi NIKIPROWETSKY 1970 p. 134. Notons surtout que la formule pour introduire la figure messianique du v. 652 est très voisine de celle qui met en scène la venue de Cyrus dans la rétrospective sur l'histoire d'Israël aux vv. 248–294 : v. 652 : καὶ τότ' ἀπ' ἠελίοιο θεὸς πέμψει βασιλῆα. v. 286 : καὶ τότε δὴ θεὸς οὐράνιος πέμψει βασιλῆα.

[4] Alors que dans vv. 46–50 le messie conquiert les royaumes de la terre, « pour tous les siècles », les rois des nations se révolterónt « à nouveau » après la pacification par le messie envoyé « du soleil » (vv. 660–668). C'est cette révolte qui aboutit à une attaque contre la terre sainte qui est le prélude du Grand Jugement.

[5] Voir NIKIPROWETSKY 1970 p. 134.

et au prêtre-sauveur des *Testaments*. Certains traits essentiels du portrait du prêtre-sauveur sont absents dans la description du messie dans la *Troisième Sibylle*, mais ils se retrouvent dans les fonctions qu'accomplit Dieu lui-même ou la communauté des justes. Le Grand Jugement, le châtiment de Beliar, l'établissement de la paix finale et l'ouverture de l'ère paradisiaque est l'œuvre de Dieu[1]. A la communauté des justes est assignée la fonction d'enseigner et de convertir les nations[2], ainsi que celle d'être juges et rois dans le royaume de Dieu[3]. Les rapprochements qu'on peut faire entre le messie de la *Troisième Sibylle* et le prêtre-sauveur des *Testaments* se limitent à la phrasélogie solaire[4] (*Or. Sib.* III: 652 et *Lévi* 18: 4 *Juda* 24: 1) et à l'activité universelle du messie (*Or. Sib.* III: 49 et *Lévi* 18: 3–4 et 9). Notons cependant que dans la *Troisième Sibylle* cette activité coïncide avec la domination du messie sur les royaumes de la terre. Dans les versets 652–656 de la *Troisième Sibylle* le messie a les traits d'un pacificateur, fonction qui est nettement soulignée à propos du prêtre-sauveur. Toutefois, l'avènement du prêtre-sauveur amène la paix paradisiaque alors que le roi messie de la *Troisième Sibylle* vv. 652 ss. fait cesser seulement les guerres. Il semble même, comme nous venons de le voir, que cette paix n'est que préliminaire.

Le milieu de la *Troisième Sibylle* est sans nul doute à chercher parmi les juifs de langue grecque en l'Égypte du Ier siècle av. J.-C.[5] Même si l'importance de la figure messianique de la *Troisième Sibylle* ne peut être comparée avec celle que revêt le prêtre-sauveur des *Testaments*, il apparaît néanmoins que l'esprit universaliste et missionaire constitue un lien entre le milieu de la *Troisième Sibylle* et celui qui nous a transmis l'image du prêtre-sauveur.

IV Esdras et II Baruch

Pour achever la revue des conceptions messianiques juives par rapport auxquelles l'idéal du prêtre-sauveur doit être apprécié, il nous reste à dire quelques mots sur le messianisme de *IV Esdras* et de *II Baruch*. Ces deux apocalypses ont sur ce chapitre des vues analogues.

L'attente d'une figure messianique est abordée par trois fois dans les deux écrits. Qui plus est, la présentation de ce personnage dans les deux écrits offre des similitudes frappantes. La première fois, on annonce la venue du messie d'une façon analogue; le messie sera *révélé*, mais disparaîtra

---

[1] Cf. *Or.Sib.* III: 55–63, 71–74, 669–697, 705–731.

[2] Cf. surtout *Or.Sib.* III: 580–583.

[3] *Or.Sib.* III: 781 s.

[4] Voir aussi infra p. 363.

[5] Cf. NIKIPROWETSKY 1970 pp. 216 s. et 227–229, CHARLESWORTH 1976 p. 185.

(IV $Esdras$ 7: 28 a et II $Baruch$ 29: 3)[1]. On notera en outre que les grands
événements eschatologiques comme la réssurection, le jugement et le
bonheur éternel des justes ne coïncident pas avec avec l'ère messianique
(IV $Esdras$ 7: 31–36 et II $Baruch$ 30: 1–5).

Le thème messianique revient ensuite dans les deux écrits sous la forme
d'une victoire du messie sur l'Empire romain. Ce thème est présenté dans
les deux écrits par une vision et son interprétation (IV $Esdras$ 11: 36 – 12: 3,
12: 10–35 et II $Baruch$ 36: 1 – 37: 1, 39: 1 – 40: 4). À remarquer qu'ici encore
la distinction entre l'ère messianique et les grands événements eschatologiques est nette (IV $Esdras$ 12: 34 et II $Baruch$ 40: 3).

La troisième apparition du messie se présente dans le cadre d'une vision
et de son interprétation (IV $Esdras$ 13: 1–13, 13: 21–53 et II $Baruch$ 72:
1 – 74: 4). Le thème dominant est ici le jugement du messie sur les nations.
Dans cette dernière description, la distinction entre l'ère messianique et
l'ère eschatologique n'est pas explicitement marquée, mais rien dans les
textes ne s'oppose à une telle distinction.

Comme on le voit, chaque évocation du messie met en relief un aspect
particulier de ses fonctions. Les divergences de détail qu'on peut relever
entre les trois descriptions du messie dans IV $Esdras$ et dans II $Baruch$
ne sont pas telles qu'on soit en droit de donner à chacune d'entre elles une
origine différente. Une même conception fondamentale est à la base des
descriptions messianiques de ces deux apocalypses[2]. Cette conception montre
déjà des points de contact frappants avec le messianisme des rabbins
tannaïtes, où on tend à distinguer nettement entre les « jours du messie »
qui sont de durée limitée » et les grands événements eschatologiques, « le
règne des cieux » ou « le monde à venir »[3].

Les points de contact entre les peintures messianiques de IV $Esdras$
et de II $Baruch$ et l'image du prêtre-sauveur des $Testaments$ ne sont pas
nombreux.

La description de II $Baruch$ 72: 2–4, où le messie sauvera certaines
des nations qu'il a convoquées, rappelle ce qui est dit en $Juda$ 24: 5–6 et
$Nepht$ 8: 2–3. Notons cependant que ce sont là des passages qui renvoyaient
dans l'ouvrage primitif au messie davidique[4]. La fonction essentielle du

---

[1] Dans IV $Esdras$ il est dit que le messie mourra et que le monde retournera dans le
silence primordial; dans II $Baruch$, le messie retourne « dans la gloire ».

[2] Cf. aussi les études de BOGAERT 1969 pp. 413–419 sur II $Baruch$ et de STONE 1968
pp. 295–312 sur IV $Esdras$, qui soulignent l'unité des conceptions messianiques de ces
écrits.

[3] Cf. aussi MOORE pp. 375 s. et 377 s. KLAUSNER pp. 331, 355 et 408–419; RIESEN-
FELD p. 57 et BOGAERT 1969 p. 413 s.

[4] Voir à ce sujet supra pp. 211 et 227.

messie dans *IV Esdras* et *II Baruch* est d'être un chef militaire qui détruit la puissance des nations, ennemies d'Israël. Par là, il prolonge les lignes du messie davidique des *Testaments* (cf. *Juda* 24: 5 et *Josef* 19: 8) et des *Psaumes de Salomon*, mais s'écarte du prêtre-sauveur. Le combat que celui-ci mène, est dirigé en premier lieu contre les forces du Mal qui menacent *tous* les hommes. Que l'apparition du messie amène la paix et la joie sur la terre, comme l'affirme *II Baruch* 73: 1–2[1] peut naturellement être rapproché de *Lévi* 18: 4–5 et de *Dan* 5: 12. Mais les *Testaments* y insistent davantage et mettent ce trait explicitement en rapport avec l'activité du messie.

En revanche, si on tient compte des différences entre la conception du prêtre-sauveur et la figure messianique de *IV Esdras* et *II Baruch*, il ressort que l'idée du prêtre-sauveur est très différente du messianisme de ces deux apocalypses. La distinction entre le règne du messie et les grands événements eschatologiques contraste nettement avec l'importance éminente qu'on assigne au prêtre-sauveur. L'absence dans *IV Esdras* et *II Baruch* d'une investiture du messie, de toute phraséologie astrale et solaire, d'une fonction missionaire du messie souligne davantage la différence qui existe entre la conception messianique de ces deux écrits et l'idéal du prêtre-sauveur.

Conclusions

L'analyse comparative que nous venons de faire, montre que le prêtre-sauveur des *Testaments* doit être rapproché en premier lieu des grandes figures messianiques de l'époque : le messie davidique des *Psaumes de Salomon*, le personnage de Melkisedeq de *11Q Melch* et le Fils de l'homme des *Paraboles*. De plus, tous les portraits messianiques étudiés, possèdent leur caractère propre qui rend impossible le classement traditionnel en deux types, « messie » et « fils de l'homme ».

Milieu qui a vu naître l'idéal du prêtre-sauveur

L'ouvrage primitif fut rédigé dans un milieu de $h^a k\bar{a}m\bar{\imath}m$ lévitiques, mais les passages sur le prêtre-sauveur ne nous donnent pas d'indications explicites sur le milieu où ils ont été élaborés. Le caractère « lévitique » de cette figure messianique indique cependant la continuité entre les milieux en question. Le trait universaliste qui est au premier plan dans le portrait du prêtre-sauveur, fait penser à des cercles plus ouverts sur la diaspora, dans lesquels le

---

[1] *IV Esdras* ne donne pas de descriptions sur le bonheur de l'ère messianique On y fait allusion seulement par la tournure que le messie « réjouira » les justes (7: 28 et 12: 34).

texte des *Testaments* a été revu et mis au point selon l'évolution des idées messianiques.

Date de la conception du prêtre-sauveur

La comparaison avec les autres conceptions messianiques permet de mieux situer l'idée du prêtre-sauveur dans le temps. Les *Testaments* ont été composés dans la première moitié du Ier siècle av. J.-C. et selon toute vraisemblance avant 63 av. J.-C. ce qui nous fournit le *terminus post quem* de la rédaction qui a introduit le prêtre-sauveur dans les *Testaments*. Les données fournies par les *Psaumes de Salomon* suggèrent qu'un certain temps s'est écoulé entre les événements de 63 et cette rédaction des *Testaments*. D'autre part, les différences qu'on a relevé entre la description du prêtre-sauveur et le messie de *IV Esdras* et de *II Baruch* n'invitent pas à rapprocher les *Testaments* et ces deux pseudépigraphes. Deux faits s'opposent à une datation tardive. Tout d'abord, rien dans les passages sur le prêtre-sauveur n'indique que le Temple ait disparu. D'autre part, l'attitude foncièrement universaliste de ces passages convient mieux pour une époque antérieure à 70 ap. J.-C. De plus, comme le judaïsme rabbinique qui se consolide au lendemain de l'an 70, répudie les écrits «apocryphes et pseudépigraphes», la conception du prêtre-sauveur, qui est juive, a dû être élaborée avant le IIe siècle ap. J.-C. À la fin du second siècle, les *Testaments des Douze Patriarches* circulent déjà à l'intérieur de l'Église[1]. Tout porte donc à prendre la date de 70 ap. J.-C. comme le *terminus ante quem* de la rédaction qui a introduit la conception du prêtre-sauveur dans les *Testaments*. À fin de préciser davantage, il faut revenir sur l'esprit universaliste qui caractérise cette rédaction. Du rapprochement avec les *Paraboles*, on peut conclure que l'idée du prêtre-sauveur doit se situer avant que l'oppression romaine ait provoqué parmi les juifs de Palestine le ressentiment qu'on sait. À la lumière de ces considérations, nous proposons de situer la rédaction qui a introduit le prêtre-sauveur, vers le début de notre ère.

Les traits communs au messianisme juif de l'époque

En dépit d'une grande diversité, certains traits communs apparaissent dans les portraits messianiques des deux siècles autour du début de notre ère. Il est nécessaire de faire ressortir ces traits pour bien comprendre le messianisme de cette époque.

C'est tout d'abord *l'investiture du messie* qui s'exprime essentiellement comme une sanctification par l'esprit divin. Les *Testaments de Lévi* 18: 6–7

---

[1] Voir vol. II chap. III.

et de *Juda* 24: 2 ont pour équivalent *Psaumes de Salomon* 17: 37 et 18: 7, *Paraboles* 49: 1–3, *11Q Melch* ligne 18 et *4Q Mess ar* I: 10 et de toute évidence aussi *Or. Sib.* III: 49. Il n'est donc plus question d'une onction comme rite d'investiture. Si le titre « oint » de la figure messianique apparaît parfois (*Ps. Sal.* 17: 32, 18: 1, 5 et 7; *11Q Melch* ligne 18, *Paraboles* 48: 10 et 52: 4), ce n'est pas pour faire allusion à un rite d'onction[1] mais pour indiquer le lien avec l'idéologie royale de l'ancien Israël[2]. À l'époque qui nous occupe, ce qui importe, c'est l'investiture par l'esprit divin. Ce progrès dans les conceptions messianiques est nettement évoqué par la formulation de *11Q Melch* « l'oint par l'esprit ». Remarquons encore que la phraséologie des descriptions messianiques de l'époque, a subi l'influence de l'oracle d'*Isaïe* 11: 1 ss. en premier lieu, mais aussi d'*Isaïe* 62: 1 s[3].

L'époque voit également une *majoration du rôle du messie*. La dimension exceptionelle prise par le prêtre-sauveur des *Testaments*, par le messie davidique des *Psaumes de Salomon*, le Fils de l'homme des *Paraboles* et le personnage de Melchisedeq dans *11Q Melch* exclue qu'apparaisse à leur côté une autre figure messianique.

L'activité du messie a dans les descriptions messianiques étudiées *une portée universelle*. Mais l'aspect universaliste de cette activité n'apparaît pleinement qu'avec le prêtre-sauveur des *Testaments*. La portée universelle de l'apparition du messie juif prolonge évidemment les lignes de l'ancienne idéologie royale. La souveraineté du monde appartient à la maison de David et à son descendant par excellence, le davidide futur. *Psaumes* 2: 8 et 72: 8–11, *Genèse* 49: 10, *Zacharie* 9: 10 et *Michée* 5: 3 l'affirment clairement.

La tendance à créer des *figures d'un caractère composite* apparaît nettement pour l'époque qui nous occupe. Le prêtre-sauveur des *Testaments*, le Fils de l'homme des *Paraboles*, le personnage de Melchisedeq dans *11Q Melch*, et dans une certaine mesure, le messie davidique des *Psaumes de Salomon* sont les produits d'une fusion d'éléments venant de sources différentes. Les idéologies royale et sacerdotale d'Israël, le prophétisme, l'angélologie, les influences étrangères ont tous contribué à former les grandes figures messianiques de l'époque. En revanche, les personnages messia-

---

[1] RIESENFELD p. 75 s. souligne par contre le rapport avec le rite de l'onction aussi pour l'époque qui nous occupe.

[2] Dans *Rub* 6: 8 et dans *11Q Melch* le terme « oint » indique aussi le lien avec l'idéologie sacerdotale post-exilique.

[3] Le rôle d'*Isaïe* 11: 1 ss. pour les traditions messianiques du judaïsme et du christianisme antiques est justement souligné par CHEVALLIER 1958, mais il n'a pas mis en relief le don de l'esprit comme rite d'investiture dans les textes juifs. Il n'est pas non plus possible de voir dans les *Testaments des Douze Patriarches* et les textes de Qumran des produits judéo-chrétiens.

niques d'importance plus limitée, trouvés dans les textes de Qumran (sauf *11Q Melch* et l'*Écrit de Damas*), la rédaction primitive des *Testaments*, la *Troisième Sibylle*, *IV Esdras* et *II Baruch* ne présentent pas ce caractère composite. À l'exception des textes de Qumran[1], on s'en tient à la ligne de l'idéologie royale dont on souligne seulement certains aspects.

Les traits distinctifs de la conception du prêtre-sauveur

Si l'on trouve certains traits communs aux portraits messianiques de l'époque, il est également nécessaire de souligner ce qui distingue le portrait du prêtre-sauveur.

Le rôle actif du prêtre-sauveur comme *inaugurateur* et *maître du paradis eschatologique* (*Lévi* 18: 10–11 et *Dan* 5: 12) n'a pas d'équivalent. Seule une faible réminiscence en subsiste peut-être en *Paraboles* 61: 12. Sur ce point, les *Testaments* reflètent l'ancienne conception du roi comme maître et gardien du jardin sacré. C'est à cette idée que fait allusion *Ezéchiel* 28: 13 et 16. On la trouve cependant dans toute sa netteté en Mésopotamie[2].

L'importance assignée au prêtre-sauveur dans la *lutte contre les puissances du Mal* est remarquable (*Lévi* 18: 4 et 12, *Dan* 5:–10–11) Seul *11Q Melch* évoque cette fonction de la figure messianique sans l'accentuer autant que les *Testaments*. L'idée que le messie enchaînera Béliar (*Lévi* 18: 12) est unique pour le prêtre-sauveur. Le rôle traditionnel du messie comme vainqueur des nations, ennemies d'Israël, s'est effacé presque complètement dans le portrait du prêtre-sauveur.

Le *caractère universaliste* de la mission du prêtre-sauveur est fortement souligné. Il convertira les païens au Dieu d'Israël et à sa *tōrāh* (*Lévi* 18: 3 et 9, *Dan* 5: 11). Sur ce point, le prêtre-sauveur se distingue nettement des autres figures messianiques que nous venons d'étudier.

Il en est de même pour l'accent mis sur le *symbolisme astral* (*Lévi* 18: 3–4, *Juda* 24: 1. On trouve, il est vrai, une phraséologie solaire qui est mis en rapport avec le messie dans les *Paraboles* et dans la *Troisième Sibylle*. Mais cette phraséologie est loin d'être aussi élaborée comme le symbolisme qui entoure le prêtre-sauveur. De plus, l'image de l'astre qui se lève comme

---

[1] Dans les textes de Qumran, le grand-prêtre à venir et le prophète précurseur, qui ont trait à figures messianiques, prolongent les idéologies sacerdotale et prophétique. La ligne royale est représentée par le messie davidique : « l'oint d'Israël (*Rouleau de la Règle*, *Règle annexe*), « le prince » (*Recueil des Bénédictions*, *Réglement de la Guerre*) et « le rejeton de David » (*4Q Patr Bless* et *Florilège*). « L'oint d'Aaron et d'Israël » dans l'*Écrit de Damas* est une figure composite d'importance plus limitée, dans laquelle l'élément sacerdotal semble être au premier plan.

[2] Sur cette idée dans les religions de l'ancien Proche-Orient, voir WIDENGREN 1951 pp. 5–19.

celui d'un roi, illuminant la lumière de connaissance, est unique pour le portrait du prêtre-sauveur.

Par sa victoire définitive sur les puissances du Mal et sur les ténèbres (*Lévi* 18: 4 et 12, *Dan* 5: 10), victoire conçue comme une délivrance universelle (*Lévi* 18: 4–5), le prêtre nouveau est *maître* et *sauveur du monde*.

En répandant la lumière de connaissance sur toute l'*oikoumene* (*Lévi* 18: 3 et 9), en ouvrant le paradis à tous les pieux (*Lévi* 18: 10) et en faisant la justice à tous les habitants de la terre (*Juda* 24: 1 et *Nepht* 4: 5), le prêtre-sauveur est aussi un *bienfaiteur universel*. Ces deux traits, bienfaiteur et sauveur du monde, ne peuvent être élaborés que dans le portrait du prêtre-sauveur.

L'idée du caractère unique du messie, ébauchée dans les *Psaumes de Salomon* et sous-jacente aux *Paraboles*, n'apparaît explicitement que pour le prêtre-sauveur des *Testaments* (*Lévi* 18: 8).

Soulignons enfin que, de façon toute particulière, le prêtre-sauveur est un *dispensateur de paix* (*Lévi* 18: 4, *Juda* 24: 1 et *Dan* 5: 11).

L'IDEAL DU PRÊTRE-SAUVEUR DANS LE CADRE DU MONDE AMBIANT

Les traits, qui font l'originalité de la conception du prêtre-sauveur, nous orientent vers le monde ambiant. Ces traits se retrouvent dans le culte des souverains[1] et dans l'idéologie des figures salvifiques, propagées par le syncrétisme de l'époque. Nous allons le montrer en abordant, de ce point de vue particulier, le monde gréco-romain et le Proche-Orient de l'époque hellénistique et romaine jusqu' au milieu du Ier siècle de notre ère.

L'exposé suivant ne prétend nullement à être exhaustif. Nous avons cependant cherché à rassembler un dossier qui fasse ressortir clairement cet arrière-plan non-juif. Avant d'aborder cette étude, récapitulons les traits distinctifs du prêtre-sauveur. 1º Il est bienfaiteur des hommes 2º il est maître et sauveur du monde, 3º. il est dispensateur de paix 4º. il est entouré de symboles astraux.

Le culte des souverains

La légende d'Alexandre

Nous n'entrons pas dans les problèmes que pose la question de la déification et du culte d'Alexandre de son vivant[2]. Nous étudierons seulement

---

[1] Nous renfermons dans ce terme aussi les idéologies royales, propagées à cette époque, où un culte, au sens propre, n'est pas rendu à un souverain déifié.

[2] Sur cette question voir les études éditées par GRIFFITH 1966 et aussi LANE FOX pp. 436–460.

certains thèmes de la légende dont la figure d'Alexandre a fait l'objet. Le *Roman d'Alexandre* est, même dans sa recension la plus ancienne, postérieur à l'époque qui nous occupe[1]. On trouve toutefois dans ce roman des parties qui se fondent sur des documents qui remontent au Ier siècle av. J.-C. Mais la source principale de notre étude sera le traité de Plutarque *Sur la Fortune d'Alexandre*.

Les motifs de la légende d'Alexandre telle qu'elle nous est transmise par Plutarque, se dégagent facilement du texte de ce traité. Voici d'abord Alexandre comme *maître du monde*.

Dès le début, Alexandre a conçu le plan d'asseoir sa domination sur tous les hommes[2]. Ce thème est illustré de diverses façons. Lorsque l'artiste Stasicrate, flattant Alexandre, lui propose d'extraire son image du Mont Athos, celui-ci répond qu'il faut laisser le Mont Athos comme il est, mais que le Caucase, la Mer Caspienne et les monts de l'Inde seront les images de ses œuvres[3]. Le thème d'Alexandre, souverain du monde, est résumé plus loin en formule frappante : τὸν τῆς οἰκουμένης βασιλέα καὶ κύριον (*De Alex. Fort.* II, 13.)

La domination universelle d'Alexandre a une signification plus profonde. Son but est d'unifier les grecs et les barbares, de faire de tous les hommes *un* peuple, qui sera gouverné par une même loi de justice[4]. Ce thème est au premier plan dans le récit de Plutarque[5]. Alexandre se tient pour un envoyé de Dieu, unificateur et médiateur de tout l'univers[6]. Désormais l'humanité ne sera plus divisée en grecs et barbares, mais en bons et méchants (I: 6). Dans la *Vie d'Alexandre* 27, Plutarque dit que, pour Alexandre, Dieu était le père commun de tous les hommes.

Par sa tâche de médiateur de l'univers, Alexandre devient le *sauveur du monde* et le *bienfaiteur des hommes*[7]. Les peuples qui sont conquis par lui seront plus heureux que ceux qui ont échappé à sa main (I: 5). Les uns pourront mener une existence bienheureuse (εὐδαιμονεῖν), les autres

---

[1] Le *Roman d'Alexandre* par Pseudo-Callisthène a été composé de toute évidence au IIIe siècle de notre ère; cf. MERKELBACH p. 59.

[2] *De Alex. Fort.* I, 3.

[3] *De Alex. Fort.* II, 2.

[4] TARN 1933 estime qu'Alexandre lui-même fut le premier à concevoir l'idée d'une unité de l'humanité.

[5] *De Alex. Fort.* I, 6, 7 et 9; II, 11.

[6] *De Alex. Fort.* I, 6 ἀλλὰ κοινὸς ἥκειν θεόθεν ἁρμοστής. Le mot ἁρμοστής a ici son sens propre de « celui qui unit » et non de « gouverneur »; cf. aussi TARN 1933 p. 151 n. 26.

[7] Par son attitude négative envers les expressions du culte des souverains (voir *De Alex. Fort.* I, 9, II, 5 et 12, *De Isid. et Osir.* 25), Plutarque hésite naturellement à appeler Alexandre σωτήρ et εὐεργέτης, mais, pour le fond, il le décrit clairement comme un sauveur et un bienfaiteur.

resteront dans la misère (ἀθλίως ζῶντας). Alexandre impose aux tribus sauvages la justice et la paix et leur enseignent les lois (I: 4). La grande mission d'Alexandre fut de donner à tous les hommes la concorde, la paix et la communion de sentiments (I: 9). Ces deux passages représentent Alexandre aussi comme *dispensateur de paix*.

L'œuvre salvifique d'Alexandre est aussi décrit à l'aide d'un symbolisme astral. La divinité qui avait envoyé sur terre l'âme d'Alexandre, l'avait aussitôt rappelée, nous dit Plutarque. Sinon, la même loi aurait gouverné tous les hommes de la terre et ils auraient été régis par une même justice (ἓν δίκαιον), comme on regarde une même lumière (κοινὸν φῶς). Maintenant, une partie de la terre n'est pas éclairé par le soleil (ἀνήλιον ἔμεινεν); c'est celle qui n'a pas connu Alexandre (I: 8).

Le « roman épistolaire » utilisé par le Pseudo-Callisthène nous fournit des allusions aux thèmes de la légende d'Alexandre. Cette correspondance apocryphe se situe selon toute vraisemblance au Ier siècle av. J.-C.[1]

Comme chez Plutarque, Alexandre est le souverain du monde et le bienfaiteur des hommes. On prie les dieux iraniens de la part des perses d'instituer Alexandre comme τὸν βασιλέα τῆς οἰκουμένης et on implore la *Tyche* de le « rendre maître de toute l'*oikoumene* » (*Ps.-Call.* II: 22, 7–10). On espère vivre heureusement (καλῶς ζῶμεν) sous la main d'Alexandre et on l'appelle « le bienfaiteur des Perses » (*Ps.-Call.* II: 22, 7 et 11).

Pour ce qui est des thèmes mis en reliefs par Plutarque, il ne les introduit pas comme des nouveautés. Cela nous permet de les placer au plus tard aux environs du début de notre ère. De plus les motifs d'Alexandre comme unificateur de l'humanité[2] et comme maître du monde[3] remontent plus haut encore.

Les Macédoniens

Après la mort d'Aléxandre, le culte des souverains se développe. En ce qui concerne les Macédoniens, ce sont les honneurs accordées à Démétrios Poliorcète (306–283) qui doivent retenir en particulier l'attention[4].

---

[1] Cf. MERKELBACH p. 39.

[2] Strabo I: 66 cite Eratosthène pour ce motif; cf. aussi Arrien VII, 2: 9.

[3] Nous venons de le voir pour le « roman épistolaire ».

[4] Les autres Macédoniens ne semblent pas avoir été l'objet d'un culte portant sur la déification; cf. aussi CERFAUX-TONDRIAU p. 171. Les monnaies témoignent cependant d'un symbolisme astral. Antigone Gonatas (277–240/39) apparaît sur une monnaie comme le dieu Pan, entouré par un cercle de sept étoiles (DAVIS-KRAAY Pl. 122). Le revers d'une monnaie de Persée (179–168) montre une étoile (*ibid.* Pl. 126).

L'hymne « ityphallique »[1], composé au début du IIIe siècle av. J.-C.[2] apporte un précieux témoignage sur l'idéologie d'un souverain déifié. L'hymne s'ouvre sur l'arrivée de Démétrios à Athènes, arrivée qui est décrite comme une parousie divine[3]. La comparaison astrale de Démétrius au milieu de sa cour avec le soleil parmi les étoiles[4] souligne davantage la signification de son apparition. Ce que l'on attend du souverain est clairement évoqué ensuite : πρῶτον μὲν εἰρήνην ποίησον, φίλτατε· κύριος γὰρ εἶ σύ.

Il est donc en premier lieu dispensateur de paix. En tant que κύριος il apparaît également dans le rôle de maître de l'*oikoumene*. De fait, lors des Dionysies en Athènes, une fresque représente Démétrius, monté sur une image de l'*oikoumene*[5]. Le récit de Plutarque confirme les données que nous fournit l'hymne « ityphallique ». Démétrius est appelé σωτήρ[6] et εὐεργέτης[7], ce qui est implicite dans l'hymne quoique les titres n'y apparaissent pas. Il portait une chlamyde astrale, qui représentait le firmament entier : χρυσοῦς ἀστέρας ἔχον καὶ τὰ δώδεκα ζώιδια[8].

Le monnayage de Démétrius montre aussi des symboles astraux. Les tétradrachmes qui portent au revers un astre flamboyant (Fig. 2) ont tous l'image de Poseidon[9]. Or Démétrius est salué, dans l'hymne « ityphallique » immédiatement après la comparaison astrale, comme le fils du dieu Poseidon[10]. L'astre de ces monnaies peut donc être compris comme le soleil à qui Démetrios est comparé.

On voit donc, dès le culte de Démétrios, quels sont les thèmes essentiels de l'idéologie qui entoure un souverain hellénistique. Notons en particulier l'intérêt porté au symbolisme astral qui est rare à l'époque classique[11]. Or, ces thèmes correspondent de façon frappante aux traits distinctifs du prêtre-sauveur des *Testaments*.

Les Séleucides

Les héritiers les plus puissants d'Alexandre le Grand furent les Séleucides.

---

[1] Nous utilisons pour cet hymne le texte donné par JACOBY 2. A. p. 141 s.

[2] WEINREICH et les autres critiques cités par CERFAUX-TONDRIAU p. 182 n. 4 s'accordent tous pour une date de 292 à 290.

[3] Voici le début de l'hymne : ὡς οἱ μέγιστοι τῶν θεῶν καὶ φίλτατοι τῆι πόλει πάρεισιν, ἐνθαῦτα γὰρ Δήμητρα καὶ Δημήτριον.

[4] Voici le texte grec : ὅμοιον ὥσπερ οἱ φίλοι μὲν ἀστέρες ἥλιος δ'ἐκεῖνος.

[5] Duris en JACOBY 2. A p. 143 : ἐπι τῆς οἰκουμένης ὀχούμενος.

[6] Plut. *Dém.* 9: 1, 10: 3, 13: 2.

[7] Plut. *Dém.* 9: 1.

[8] Duris en JACOBY 2. A p. 143.

[9] NEWELL 1927 n° 51–52, 68, 152, 160–161 et Pl. V, 4–15, VI, 18 et XVI, 2–3 et 5–8.

[10] JACOBY p. 142 lignes 3–4.

[11] Cf. aussi GERNET-BOULANGER p. 393.

Le dossier sur le culte, qui leur fut rendu, est cependant assez maigre[1]. De plus, nous sommes mieux informés sur les manifestations de ce culte que sur l'idéologie qui entourait ces souverains. Sur ce point, nos connaissances se fondent essentiellement sur le monnayage séleucide.

Le culte rendu aux dynastes séleucides était très varié en raison que les anciennes villes du royaume suivaient à cet égard leurs propres traditions. De ces cultes municipaux en l'honneur du souverain, il faut distinguer la religion dynastique, instituée par les rois eux-mêmes. Cette distinction vaut également pour les monnaies.

En interprétant le témoignage des monnaies, attirons d'abord l'attention sur le symbolisme astral. L'image d'une étoile à cinq rayons[2], ainsi que celle d'un astre à neuf rayons[3] apparaîssent déjà sur les monnaies de Séleucus Ier (306–280), sans qu'on puisse en saisir exactement la signification. La légende de ces monnaies n'est que « le roi Séleucus ». Il en est de même pour certaines monnaies, frappées sous Antiochus Ier (281–261) et sous Antiochus III le Grand (223–187), portant l'inscription « le roi Antiochus », et montrant une étoile ou un astre dans le champ[4].

Ce n'est qu'avec Antiochus IV Épiphane (175–164) qu'un rapport entre image et légende apparaît. On peut distinguer deux phases dans l'évolution du type des monnaies officielles de ce monarque, frappées à Antioche. Au début de son règne, l'inscription se limite aux mots « le roi Antiochus » et ces tétradrachmes portent au revers l'image d'Apollon, assis sur l'omphalos[5]. Lorsqu'une nouvelle série monétaire apparaît[6], on constate des changements frappants. La légende traditionnelle est sur ces tétradrachmes amplifiée par les mots ΘΕΟΥ ΕΠΙΦΑΝΟΥΣ, et dans une troisième série aussi par le mot ΝΙΚΗΦΟΡΟΥ. Le revers porte maintenant uu Zeus Nicéphore et, sur l'avers, les extrémités du diadème, placé sur la tête du roi, sont ornées chacune d'une étoile. (Fig. 3 a). L'effigie d'Antiochus devient idéalisée[7]. L'addition des mots « dieu épiphane » ainsi que l'idéalisation du portrait, montrent que le roi se considérait en quelque sorte comme la manifestation sur terre de la Divinité. Sur les hémidrachmes[8] cette manifestation est exprimée par la tête radiée d'Antiochus, où les rayons semblent

---

[1] Cf. BICKERMAN 1938 dans la *préface* et CERFAUX-TONDRIAU p. 230.
[2] BABELON n° 86, NEWELL 1938 n° 102–106.
[3] BABELON n° 55, NEWELL 1941 n° 1529, 1531.
[4] BABELON n° 355. Pl. IX, 6 et NEWELL 1938 n° 707–711, Pl. LXX.
[5] Cf. NEWELL 1917 n° 42–53 et MØRKHOLM n° 1–5, Pl. I.
[6] BABELON n° 533, NEWELL 1917 n° 54–57 et MØRKHOLM n° 6–13 Pl.
[7] Pour les détails, voir MØRKHOLM p. 57 s.
[8] MØRKHOLM n° 10 et Pl. III.

sortir directement de la tête et non du diadème[1]. Le roi Antiochus apparaîtra donc à ses sujets aussi comme un dieu-soleil. La titulature nouvelle explique l'apparition des deux étoiles et la tête radiée. Comme « dieu épiphane » la lumière divine brillera désormais autour de la tête du roi. Sur quelques monnaies sans nom de villes, portant l'inscription « le roi Antiochus », on voit la tête diadémée d'Antiochus, surmontée d'une étoile[2] (Fig. 3 b). Ces monnaies doivent être situées dans le même contexte que la deuxième série d'Antioche, montrant les deux étoiles. La présence de l'étoile s'explique comme un signe de la déification du roi[3].

Prolongeant la ligne de « dieu épiphane », Antiochus VI (145–142) apparaît sur ses monnaies avec la tête radiée (Fig. 4). Le revers de ces monnaies porte l'inscription ΒΑΣΙΛΕΩΣ ΑΝΤΙΟΧΟΥ ΕΠΙΦΑΝΟΥΣ ΔΙΟΝΥΣΟΥ[4].

Sur les bronzes d'Alexandre Bala (150–145) une étoile se retrouve quelquefois[5]. On l'a mise sur quelques monnaies seulement, dans des séries où tous les autres aspects des pièces sont identiques. La légende de ces monnaies est « le roi Alexandre ». Il en est de même pour le monnayage de son successeur Démétrios II Nicator (146–125), où apparaît de temps à autre une étoile dans le champ des monnaies sans qu'on puisse établir un rapport avec la légende[6]. Par la suite encore, une étoile apparaît de cette façon irrégulière dans le champ de monnaies de types différents[7]. Il est difficile d'expliquer pourquoi cet emblème se trouve seulement sur quelquesunes des monnaies d'une même série si l'étoile ne représente pas une marque des magistrats.

Toutefois, pour deux souverains après Antiochus IV, l'apparition d'un astre sur certains types monétaires peut être, selon nous, mise en rapport avec la légende ou les symboles. C'est d'abord Antiochus VII Euergète (138–129) qui fait frapper un type, où l'on voit sur le revers l'ornement de la tête d'Isis[8]. Cet ornement est composé du disque solaire, accosté de deux

---

[1] Antiochus s'inspire ici probablement des monnaies de Ptolémée III et de Ptolémée V; voir ci-dessous et cf. MØRKHOLM p. 20.

[2] BABELON n° 523–525, Pl. XII, 3–4. BICKERMAN 1938 p. 239 a confondu, pour l'apparence de l'étoile, cette série avec celle de NEWELL n° 54–57 et n° 533 de BABELON. Les monnaies que vise BICKERMAN ne montrent pas *une* étoile mais deux étoiles aux extrémités du diadème.

[3] Cf. aussi BABELON p. XCIII.

[4] BABELON n° 988–1042, NEWELL 1917 n° 216–260.

[5] BABELON n° 819, 834–835.

[6] BABELON n° 935 où la légende contient le mot θεου et n° 947 dont la légende, autrement identique, ne porte pas ce mot.

[7] Ainsi pour Tryphon (145–142) : n° 1280–81, 1309 et 1319; pour Antiochus VIII n° 1362–63, 1386 et 1441.

[8] BABELON n° 1065–1069, 1078–1084, 1095–1098, 1105–1106.

cornes de vache et de deux épis et surmonté de deux lignes de lotus. Au dessous se trouve une étoile. Or, cette étoile est sans doute « l'étoile d'Isis » τὸ ἄστρον τὸ τῆς Ισιδος[1]. L'étoile de Sothis était pour les égyptiens une manifestation (ba) d'Isis[2]. Le pharaon peut être désigné comme « aimé d'Isis-Hesat-Sothis, maîtresse des étoiles vivantes »[3]. Ce type monétaire séleucide à l'ornement de la tête d'Isis témoigne donc d'une influence de l'Égypte lagide sur l'idéologie royale d'Antiochus VII Evergète telle qu'elle apparaît sur les monnaies. La déesse puissante, maîtresse des étoiles, fait briller l'éclat divin sur le nom du roi.

Le monnayage d'Antiochus VIII Gryphius (125–95) a pour type principal une monnaie qui au revers montre Zeus Ouranios[4]. Il est debout, la tête laurée et surmontée d'un croissant; il étend le bras droit, un astre sur la main (Fig. 5). C'est l'aspect de Zeus présidant aux mouvements des astres[5], mais il reflète aussi le dieu ouest-sémitique *Ba'al Shamem*, « le maître du ciel ». La légende de ces monnaies est toujours ΒΑΣΙΛΕΩΣ ΑΝΤΙΟΧΟΥ ΕΠΙΦΑΝΟΥΣ. Comme ἐπιφανής, Antiochus VIII révèle cet aspect astral de Zeus Ouranios qu'il fait répandre par ces monnaies. Tout comme pour Antiochus IV Épiphane, il existe donc un rapport entre la légende et l'apparition d'un astre sur les monnaies.

Les rois séleucides apparaissent comme des sauveurs. Le titre de σωτήρ est assigné sur les monnaies à Antiochus Ier, Démétrius Ier et Démétrius III[6]. Dans les inscriptions grecques et dans les auteurs anciens, on le trouve pour Séleucus I[er7], Antiochus I[er8], Antiochus IV[9] et Démétrius I[er10].

L'idéologie royale fait apparaître aussi certains monarques comme des bienfaiteurs. Alexandre Bala, Antiochus VII et Démétrius III reçoivent sur les monnaies le titre ΕΥΕΡΓΕΤΟΥ[11].

Antiochus III est loué dans un décret de Jasos à la fois comme dispensateur de paix, sauveur et bienfaiteur universels :

---

[1] Cette désignation se trouve sur le décret de Canope *OGIS* n° 56 ligne 36. Notons aussi ce que dit Isis elle-même dans l'arétalogie de Cumae ligne 9 : Ἐγώ εἰμι ἡ ἐν τῶι τοῦ κυνὸς ἄστρωι ἐπιτέλλουσα.

[2] Voir à ce sujet BERGMAN 1970 pp. 41–45.

[3] Cf. BERGMAN 1970 p. 40.

[4] BABELON n° 1379–1384, 1387–1390, 1394–95, 1409–1422, et NEWELL 1917 n° 365–378, Pl. XI.

[5] Cf. BABELON p. CLIX s.

[6] Voir BABELON pp. 225–227.

[7] Phylarchus; chez JACOBY 2 A p. 169.

[8] *OGIS* n° 229 ligne 102, n° 233 lignes 2 et 15, n° 245 ligne 12, n° 246 ligne 3, *Sylloge*[3] n° 426 ligne 22.

[9] *OGIS* n° 253 ligne 1 : σωτῆρος τῆς Ἀσίας.

[10] Appien *Syr.* 47 et 67.

[11] Voir BABELON p. 227 s.

« le grand roi Antiochus qui garde la sympathie ancestrale envers tous les Grecs et confère la paix (τὴν εἰρήνην παρέχοντος) aux uns, et aide les autres qui l'implorent, aussi bien à titre privé qu'à titre officiel; il a fait de tous des hommes libres au lieu d'esclaves, et il a établi sa royauté pour les bienfaits (πρὸς εὐεργεσίαν) de tous les hommes[1]. »

L'état des Séleucides fut, avant sa dislocation au II° siècle, un empire universel[2]. Il est donc légitime de se demander dans quelle mesure ce fait se reflète dans l'idéologie des souverains. Dans une inscription de Babylonie en accadien, Antiochus Ier est appelé « roi de l'univers, roi de Babylone, rois des pays[3]. Cette idée ne semble pas cependant avoir pénétré dans la titulature séleucide de langue grecque.

Les Ptolémées

Les dynastes lagides, en conquérant l'Égypte, ont été confrontés avec une idéologie de la divinité du pharaon, bien élaborée et solidement enracinée dans la société égyptienne. Ils sont entrés dans ce rôle de rois-dieux et l'ont même enrichi de traits nouveaux[4]. Nous avons là un dossier plus riche que pour les Séleucides, tant en langue démotique qu'en langue grecque. Ce qui retiendra en premier lieu notre attention, ce sont les expressions en langue grecque de l'idéologie des Lagides.

Tout d'abord, les Ptolémées ont hérité les cinq noms du protocole royal. Parmi ceux-ci, on trouve le nom que le roi porte en tant que fils de *Râ*, le dieu du soleil. Ce fait entre autres explique le développement de la phraséologie solaire autour du souverain lagide. Cette phraséologie est utilisée pour souligner des fonctions diverses.

En traduisant le nom de *Râ* en grec par ἥλιος, on joue toujours sur le double sens du « soleil » et du dieu solaire. Dans le décret promulgué en 196 par les prêtres réunis à Memphis, Ptolémée V Épiphane (203–181) est appelé, « roi comme le Soleil », « fils du soleil » et celui « à qui le Soleil a donné la victoire »[5]. Ptolémée Philométor (181–145) est invoqué par les mots ἥλιε βασιλεῦ[6].

L'apparition du roi égyptien lors de son intronisation est désignée par

---

[1] CARRATELLI *Suppl. Epigr. Iasos* n° 2. Cf. aussi HABICHT p. 86 n. 5.
[2] Cf. BICKERMANN 1938 p. 7.
[3] WEISSBACH p. 132 s.
[4] Cf. CERFAUX-TONDRIAU p. 226 s. et WILCKEN 1912 p. 99 s.
[5] *OGIS* n° 90 lignes 2–3.
[6] WILCKEN 1927 n° 15.

deux termes qui signifient « resplendir » et « se lever » et qui appartiennent
à la sphère solaire[1].

Sur quelque monnaies, Ptolémée III, Ptolémée V et Ptolémée VIII
apparaissent avec la tête radiée (Fig. 6). Le revers porte une corne d'abondance radiée, qui est parfois entourée d'étoiles[2]. Le roi est sur ces monnaies
visiblement représenté comme « fils du soleil ». On voit souvent sur le
revers des monnaies de Ptolémée VIII, à côté de l'aigle ptolémaïque une
ou deux étoiles[3]. La procession royale, la πομπή, célébrée par Ptolémée
II à l'occasion de la fête « pentétéris », instaurée pour la déification de
Ptolémée Ier, contient des éléments qui ont une valeur astrale. En tête
marchait la troupe de « l'étoile du matin » et la procession se terminait
par celle de « l'étoile du soir »[4]. Peut-être voulait-on par là faire allusion
au roi comme manifestation de la marche des astres[5].

Pour indiquer la souveraineté du roi sur toute la terre, on utilise également
la phraséologie solaire. L'ancienne formule égyptienne à ce sujet « À lui
appartient tout ce que le Soleil parcourt »[6] se maintient à l'époque ptolemaïque sous la forme πάσης χώρας ἧς ὁ ἥλιος ἐφορᾷ. Cette formule qui
montre le roi lagide comme maître du monde paraît assez fréquente[7].

Cet aspect de la royauté des Ptolémées prend d'autres expressions aussi.
En tant que maître et garant de ma'at, l'ordre cosmique, le roi est à la
fois maître de l'univers et représentant de l'humanité[8]. À l'époque ptolemaïque, nous trouvons aussi des textes, rédigés en grec, qui font ressortir
cette idée. C'est ainsi qu'on prie Sarapis de conférer à Ptolémée Philométer
κράτος τῆς οἰκουμένης πάσης[9]. Théocrite, dans ses *Idylles* (XVII, 91 s.)

[1] Cf. Bergman 1968 p. 86.

[2] Poole p. 58, n° 102–105 et Pl. XII, 3–5; p. 72, n° 50–51 et Pl. XVII, 1–2, Svoronos
n° 1117–1119, 1131–1134, Pl. XXXVI et 1254, 1257, Pl. XLL et pour Ptolémée VIII
n° 1507, Pl. LII, 7–8.

[3] Poole p. 96 s. et Pl. XXIII, 4, 6 et 8.

[4] Callixène. Texte dans Jacoby 3c. 1 p. 168.

[5] Cette interprétation est conforme à la tradition égyptienne qui voit dans le roi
une manifestation des astres; cf. l'hymne d'Abydos adressé à Ramsès II « Wir kommen
zu dir, Herr des Himmels, Herr der Erde, du lebende Sonne des ganzen Landes, Herr
der Lebensdauer, *mit geregelter Umlaufszeit* ... » (trad. Kees p. 41). Callixène, qui a
décrit cette procession, explique l'apparence de ces « étoiles » dans le cortège par le fait
que la procession a commencé lors du lever de « l'étoile du matin » et a fini lors de l'apparition de « l'étoile du soir ». Mais cela ne peut être toute la vérité.

[6] Appliquée p. ex. à Sésostris I (*ASAE* 39, Pl. 25 1. 8–9); nous devons cette référence
au Prof. Jan Bergman, Uppsala.

[7] Voir p. ex. Wilcken 1927 n° 14–16. Preisigke n° 8883.

[8] Pour l'arrière-plan égyptienne, voir E. Otto 1964 pp. 63 ss. et 116 et Bergman
1968 p. 176 s.

[9] Wilcken 1927 n° 20 ligne 41; cf. aussi n° 42 ligne 51 ὑμῖν δὲ γένοιτο κρατεῖν πάσης
ἧς ἂν αἱρῆσθε χώρας à propos de Ptolemée Philométor et Bérénice.

dit que « toute la mer, la terre et les fleuves sont dominés (ἀνάσσονται) par Ptolémé[1]. C'est pourquoi le poète termine son panégyrique en saluant le monarque avec les mots « Seigneur (ἄναξ) Ptolémée[2]. » L'idée de la souveraineté universelle doit aussi être sous-jacente du mot κύριος dont fait état dans sa titulature Ptolémée XII Aulète (80–51)[3]. Notons enfin que les Cypriotes dans quelques inscriptions de langue ouest-sémitique désignent les Ptolémées par le titre 'adon melakim, « maître des rois »[4].

Les honneurs accordées aux Lagides les font apparaître comme les bienfaiteurs des hommes et de l'Égypte. Ptolémée III (246–221) reçoit comme nom officiel le titre d'*Évergète* et Ptolémée VIII (145–116) s'appelle à sa suite « deuxième Évergète ». La pierre de Rosette parle de Ptolémée Épiphane comme celui qui a établi l'ordre et l'harmonie dans le pays[5], et on le salue comme « celui qui a amélioré la vie des hommes »[6]. Toutes les classes du peuple bénéficient de la prospérité qui marque son règne[7]. Dans le « décret de Canope » Ptolémée et Bérénice, *Theoi Evergetai*, sont loués par les prêtres d'Égypte pour le bien qu'ils ont fait aux sanctuaires du pays[8]. Si les Lagides sont donc les bienfaiteurs de l'Égypte, des documents ne manquent pas qui les regardent comme des bienfaiteurs universels. Le « décret de Canope » considère la naissance de Ptolémée III comme le début du bonheur pour *tous* les hommes[9]. De même, une inscription de l'archipélago grec reconnaît en Ptolémée Ier (306–285) l'auteur de grands et multiples bienfaits, pour les « insulaires et les autres grecs »[10] et on porte le même témoignage à son fils, Ptolémée II[11].

L'apparition du monarque en tant que sauveur et de dispensateur de paix est naturellement étroitement liée à sa fonction de « bienfaiteur ». La pierre de Rosette exalte Ptolémée Épiphane d'avoir à grands frais établi la paix et la tranquillité en Égypte[12]. Ptolémée III apparaît dans le

---

[1] Il s'agit ici de Ptolémée II Philadelphe (285–246).

[2] Cf. le titre κύριος donné à Démétrius Poliorcète, voir ci-dessus.

[3] CERFAUX-TONDRIAU p. 206 atteste ce titre.

[4] Voir VOLKMANN p. 449 s.

[5] *OGIS* n° 90 ligne 1 τοῦ τὴν Αἴγυπτον καταστησαμένου.

[6] *OGIS* n° 90 ligne 2 : τοῦ τὸν βίον τῶν ἀνθρώπων ἐπανορθώσαντος. Il est ici question en premier lieu des habitants de l'Égypte.

[7] *OGIS* n° 90 ligne 12.

[8] *OGIS* n° 56 ligne 7 : μεγάλα εὐεργετοῦντες τὰ κατὰ τὴν χώραν ἱερά.

[9] *OGIS* n° ligne 26 τὴν γένεσιν βασιλέως Πτολεμαίου ... ἣ καὶ πολλῶν ἀγαθῶν ἀρχὴ γέγονεν πᾶσιν ἀνθρώποις.

[10] *Syll.* n° 390 lignes 11–13 ὁ βασιλεὺς καὶ σωτὴρ Πτολεμαῖος πολλῶν καὶ μεγάλων ἀγαθῶν αἴτιος ἐγένετο τοῖς τε νησιώταις καὶ τοῖς ἄλλοις Ἕλλεσιν.

[11] *Ibidem* lignes 15–17.

[12] *OGIS* n° 90 ligne 11 καὶ δαπάνας πολλὰς ὑπομεμένηκεν ἕνεκα τοῦ τὴν Αἴγυπτον εἰς εὐδίαν ἀγαγεῖν.

« décret de Canope » comme celui qui a maintenu la paix pour le pays[1]. Théocrite dépeint l'état de tranquillité et de paix qui règne en Égypte sous Ptoléméé II[2].

La fonction salvatrice des rois lagides se manifeste sous plus d'un aspect. On trouve tout d'abord le titre officiel de *Sôter*, porté par Ptolémée Ier et la reine Bérénice. Ptolémée VIII, Ptolémée IX et Ptolémée X l'adoptent en faisant allusion à « une réincarnation humaine des anciens dynastes »[3]. La portée universelle des *Theoi Sôteres* est clairement affirmée par Théocrite. Après leur mort même, Ptolémée Ier et Bérénice sont censés venir au secours de tous les hommes sur la terre pour sauver[4]. En tant que libérateur de l'état de ses ennemis le souverain mérite tout particulièrement le nom de « sauveur ». Les habitants de le Grèce exaltent Ptolémée Ier, « roi et sauveur », parce qu'il a libéré leurs villes et rétabli le gouvernement ancestral pour tous[5]. Le monarque, qui favorise le bien-être du pays, remplit par là une fonction salvatrice. Selon le « décret de Canope », Ptolémée III et la reine s'attachent, en utilisant leurs propres revenus, à agir « pour le salut des hommes »[6]. De plus, ils ont sauvé les habitants de l'Égypte de la pénurie des récoltes en important du blé[7].

Sur le plan individuel aussi, les rois lagides peuvent apparaître comme des dieux sauveurs. Une prière d'action de grâces, rendue à Ptolémée Ier et à Bérénice en témoigne. Trois hommes qui sont sauvés de quelque péril, attribuent leur salut au roi et à la reine[8] :

βασιλέα Πτολεμαῖον καὶ βασίλισσαν Βερενίκην θεοὺς Σωτῆρας
῾Ηλιόδωρος, Θυμώιδης, ῾Ερμογένης σωθέντες εὐχήν.

Souverains d'Asie Mineure

Les Attalides de Pergame. Aus yeux de leurs sujets, tous les Attalides passent pour des bienfaiteurs. Au fondateur Philétère (283–263) et au premier souverain Eumène (263–241) le titre *Évergète* est assigné[9]. Attale Ier, qui, le premier s'intitule « roi »[10], est appelé *Évergète* dans une inscription

---

[1] *OGIS* n° 56 ligne 12 τήν τε χώραν ἐν εἰρήνηι διατετήρεκεν.

[2] *Idylles* XVII ligne 97.

[3] CERFAUX-TONDRIAU p. 202.

[4] Idylles XVII ligne 126 : ἵδρυται πάντεσσιν ἐπιχθονίοισιν ἀρωγούς.

[5] *Syll.*[3] n° 390 ligues 14–15 : ὁ βασιλεὺς καὶ σωτὴρ Πτολεμαῖος ... τάς τε πόλεις ἐλευθερώσας ... καὶ τὴν πάτριαν πολιτείαν πᾶσιν καταστήσας.

[6] *OGIS* n° 56 lignes 16–17 : πολλὰ μὲν προνοηθέντες, οὐκ ὀλίγα δὲ τῶν προσόδων ὑπεριδόντες ἕνεκα τῆς τῶν ἀνθρώπων σωτηρίας.

[7] *Ibidem*, Lignes 17–18.

[8] RUBENSOHN p. 156.

[9] *OGIS* n° 764 lignes 20 et 39 et n° 267 lignes 33–35.

[10] Strabo XIII, 4: 2, cf. aussi E. HANSEN 1971 p. 31.

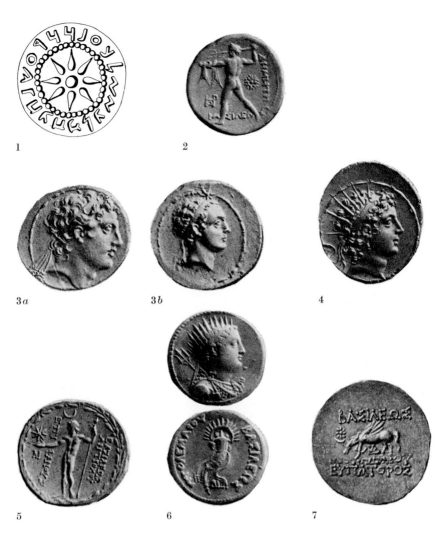

Fig. 1 Monnaie d'Alexandre Jannée (NAVEH p. 22). Ce symbole d'un grand astre se retrouve souvent au revers des monnaies de ce roi, cf. aussi MESHORER p. 118 s. et R. S. HANSON p. 21 s.

Fig. 2 Tétradrachme de Démétrius Poliorcète qui montre Poséidon brandissant son trident et dans le champ un grand astre (NEWELL 1927 n° 51).

Fig. 3a Tétradrachme d'Antiochus IV Epiphane. Tête du roi qui porte le diadème dont les extrémités sont ornées de deux étoiles (BABELON XII, 8).

Fig. 3b Tétradrachme d'Antiochus IV. Tête diadémée du roi, surmontée d'une étoile (BABELON XII, 4).

Fig. 4 Tétradrachme d'Antiochus VI Dionysus. Tête radiée du roi (BABELON XX, 7).

Fig. 5 Tétradrachme d'Antiochus VIII Gryphius. Zeus Ouranios, un astre sur la main et la tête surmontée du croissant, s'appuyant sur un long sceptre (BABELON XXV, 2).

Fig. 6 Octadrachme d'or de Ptolémée III Évergète. Le roi apparaît le trident sur l'épaule et la tête radiée. Au revers une corne d'abondance radiée. (SVORONOS XXXVI, 6).

Fig. 7 Tétradrachme de Mithridate Eupator. Pégase qui s'abreuve et à gauche le symbole « l'astre et le croissant. » (REINACH 1888 p. 187).

8

9   10   11

12a   12b

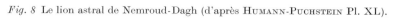

Fig. 8 Le lion astral de Nemroud-Dagh (d'après Humann-Puchstein Pl. XL).

Fig. 9 Denier de 44 av. J.-C. Tête de Jules César (Weinstock Pl. *25*, 6).

Fig. 10 Denier d'Auguste (17 av. J.-C.) montrant *Caesaris astrum* (Mattingly I, Pl. *6*, 6).

Fig. 11 Sesterce de Tibère. Auguste la tête radiée, le sceptre dans la main; devant lui un autel et l'inscription *Divus Augustus Pater* (Mattingly I, Pl. *23*, 17).

Fig. 12a Monnaie du roi parthe Sinatrocès. La tiare est ornée d'un astre et brodée de perles et de gemmes (*Syll. Numm. Graec. Copenhague*, 39 n° 64).

Fig. 12b Tétradrachme de Tigrane le Grand (97–56 av. J.-C.). Le roi porte la tiare arménienne, ceinte du diadème royal et ornée d'un astre et de deux aigles (Babelon XXIX, 8).

dédicatoire de Pergame[1]. Même si les documents sur le règne d'Attale II (159–139) ne sont pas nombreux, il est appelé « bienfaiteur »[2].

C'est cependant pour les monarques Eumène II (197–159) et Attale III (138–129) que le caractère de « bienfaiteurs » se manifeste le plus nettement. Eumène II est salué du titre *Évergète*, aussi bien par des individus[3] que par les villes de son royaume[4]. Le titre officiel d'Attale III fut « le roi Attale, Philométor et *Évergète* »[5], et on parle à Pergame des bienfaits du roi[6], et on l'appelle « le bienfaiteur du peuple »[7].

L'idée du roi comme « bienfaiteur » ne se limite pas, pour les Attalides, à leurs sujets. On constate avec les honneurs accordées à Eumène II, une tendance à l'universalisme. C'est ainsi qu'il est désigné εὐεργέτην τῶν Ἑλλήνων dans un décret de la ligue des Ioniens[8]. L'inscription de Calaurie honore le roi à cause de ses bienfaits envers la ville et « tous les autres Grecs »[9]. À Telmessos, Eumène n'est pas seulement le sauveur et le bienfaiteur de la ville mais des habitants de l'Asie »[10]. L'activité du roi-bienfaiteur amène un état de prospérité et de bonheur pour les hommes. On loue Eumène II comme celui qui, par son œuvre, garantit « la plus grande prospérité »[11]. On attend d'Attale III aussi, cet état de bonheur et de prospérité[12].

C'est avec la grande victoire d'Attale Ier sur les Celtes que commence un culte royal bien établi[13]. Cette victoire fait introduire dans le culte des Attalides la conception du roi-sauveur. Les villes grecques désignent désormais celui qui a sauvé l'Asie par le titre « le roi Attale, le sauveur »[14]. Pour souligner l'importance de cet événement, on fit circuler plus tard un oracle, selon lequel une prophétesse nommée Phaénnis, avait prédit le passage

---

[1] *OGIS* n° 291 lignes 1–2.

[2] Cf. E. HANSEN 1971 p. 140 et *OGIS* n° 270, qui doit être assigné à ce monarque et non à Attale Ier.

[3] *OGIS* n° 301; inscription honorifique d'un Macédonien à Panium en Thrace.

[4] *RFIC* n° 60; décret des habitants de Telmessos.

[5] *OGIS* n° 332 lignes 23, 28 et 45 et n° 338 ligne 4.

[6] *OGIS* n° 332 ligne 5 ... τῶν εἰς ἑαυτοὺς εὐεργεσιῶν.

[7] *OGIS* n° 332 ligne 54.

[8] WELLES n° 52 ligne 8, où Eumène dans une lettre à la ligue répète les honneurs accordées à lui; sur cet usage dans les lettres royales, voir WELLES p. 215.

[9] *OGIS* n° 297 ἀρετῆς ἕνεκεν καὶ εὐεργεσίας τὰς εἴς τε τὸν θεὸν καὶ αὐτὰν καὶ τοὺς ἄλλους Ἕλλανας.

[10] *RFIC* n° 60 ὁ σωτὴρ καὶ εὐεργέτ[ης ἡμ]ῶν, ἀναδεξάμενος τὸν πόλεμον ὃν ὑπὲρ τῶν ὑφ' αὐτὸν τασσομένων, ἀλλὰ καὶ [τῶν ἄ]λλων τῶν κατοικούντων τὴν 'Ασίαν.

[11] WELLES n° 52 lignes 11–12.

[12] *OGIS* n° 332 lignes 56–57 ὅπως εἰς βελτίονα καὶ εὐδαιμονέστεραν παραγίνηται κατάστασιν τὰ κοινὰ τοῦ πολιτεύματος.

[13] Cf. HANSEN 1971 p. 454.

[14] *IvP* n° 43–45; cf HANSEN 1971 p. 454.

des Celtes sur l'Hellésponte et leur défaite par Attale. Cet oracle fait ressortir nettement le contraste de sentiments qui ont marqué ces événements. D'une part la détresse et la crainte que cause l'invasion des Celtes, d'autre part, le renversement de la situation par la victoire d'Attale, appelé pour cette raison fils de dieu :

> « Alors, ayant passé l'étroit bras de mer de l'Hellésponte l'armée destructrice des Galates parlera, ceux qui ravageront iniquement l'Asie, mais dieu rendra les choses encore plus mauvaises pour ceux qui habitent les bords de la mer, pour un moment; car le fils de Chronos leur suscitera aussitôt un sauveur, fils chéri du taureau divin qui imposera à tous les Galates un jour de déstruction. »[1]

Pausanias X, 15: 2–3.

Eumène II apparaît, lui aussi, comme un sauveur par sa défense des villes grecques contre les attaques des Celtes. On lui donne en récompense le titre de *Sôtêr*[2], et on le salue comme le sauveur de toute l'Asie[3].

Par cette œuvre salvifique, le roi apparaît aussi comme un dispensateur de paix. Le décret de la ligue des Ioniens affirme qu'Eumène, par sa lutte contre les barbares et par les dispositions qu'il a prises, a donné la paix aux villes grecques :

πολλοὺς μὲν καὶ μεγάλους ἀγῶνας ὑπέστην πρὸς τοὺς βαρβάρους ἅπασαν σπουδὴν καὶ πρόνοιαν ποιούμενος ὅπως οἱ τὰς Ἑλληνίδας κατοικοῦντες πόλεις διὰ παντὸς ἐν εἰρήνηι καὶ τῆι βελτίστηι καταστάσει ὑπάρχωσιν[4].

Le décret de Pergame[5] pour l'accueil du roi Attale III, événement qui sera commémoré annuellement et εἰς τὸν ἀεὶ χρόνον[6], montre d'autres aspects encore de l'idéologie royale des Attalides. On priera dieu de conférer au monarque « santé, bonheur (σωτηρίαν), victoire, domination et sur la terre et sur la mer », κράτος καὶ ἐπὶ γῆς καὶ κατὰ θάλατταν[7]. Ce dernier trait implique certainement l'idée d'une domination qui dépasse les limites du royaume d'Attale. Notons également qu'on souhaite une durée éternelle

---

[1] Pausanias introduit cet oracle par les mots suivants : « Ce fut Phaénnis qui, par ses oracles, prédit l'armée des Celtes, passant de l'Europe en Asie pour la déstruction des villes, une génération avant l'événement lui-même. » Il commente ainsi l'oracle : παῖδα δὲ εἶπε ταύρου τὸν ἐν Περγάμῳ βασιλεύσαντα Ἄτταλον,

[2] *OGIS* n° 301, 305, 308 lignes 4, 14 et 25, 332 lignes 25 et 45; le décret de Tralles (ROBERT p. 279 ss.

[3] Voir ci-dessus p. 337 n. 10.

[4] WELLES n° 52 lignes 8–13; voir aussi les remarques en note ci-dessus.

[5] *OGIS* n° 332.

[6] *ibidem* lignes 14–15 et 29.

[7] *ibidem* lignes 30–31.

pour la royauté d'Attale : καὶ τὴν βασιλείαν αὐτοῦ διαμένειν εἰς τὸν ἅπαντα αἰῶνα[1].

Les documents qui nous sont conservés ne présentent pas de symbolisme astral à propos des Attalides. Les monnaies qui d'ordinaire servent à répandre cette symbolique ne montrent rien qui puisse être mis en rapport avec l'idéologie royale[2]. Sur le monnayage des Attalides, on ne voit que l'image et le nom du fondateur Philétère[3]. C'est peut-être en raison de cette uniformité[4] qu'une imagerie astrale ne s'est pas développé sur les monnaies de la dynastie.

La Cappadoce. Les trois dynasties, qui se sont succédées en Cappadoce, les Ariarathe, les Ariobarzane, les Archélaüs, n'ont pas laissé beaucoup de documents qui éclairent le culte relatif à ces souverains[5]. Cette pénurie des documents ne doit pas cependant nous amener à douter de l'existence d'une idéologie royale. Ariobarzane II Philopator (63–52) est salué du titre *Évergète* par le peuple athénien[6] ainsi que par des individus[7]. Son fils Ariobarzane III reçoit des Athéniens le même titre[8]. Enfin, le roi Archélaüs est honoré par les habitants de Comana de Cappadoce des titres τὸν κτίστην καὶ σωτῆρα[9].

Le Pont. Ce petit royaume d'Asie Mineure, fondé par Mithridate Ier au début du IIIe siecle, a pu maintenir une existence indépendante jusqu'à la conquête des Romains en 63 av. J.-C. Le *culte* royal se développe surtout autour du dernier souverain, Mithridate Eupator (121–63). Ce que nous savons de l'*idéologie* royale des Mithridate se rapporte aussi à ce monarque.

La place qu'occupe le symbolisme astral est frappante. Déjà sur les tétradrachmes de Mithridate II[10], on trouve l'emblème de l'astre et du

---

[1] *ibidem* lignes 32–33.

[2] C'est seulement sur l'un des sept types du monnayage municipal de la première moitie du IIe siècle, qu'on trouve la tête d'Athéna surmontée d'une étoile (type I de E. HANSEN 1971 p. 476).

[3] Ajoutons que le monnayage municipal n'a ni l'image ni le nom de Philétère ou de quelqu'un des autres souverains.

[4] Pour cette uniformité qui est motivée par des raisons d'ordre économique, voir E. HANSEN 1971 p. 218.

[5] Cela amène CERFAUX-TONDRIAU p. 261 à conclure que « rien ne prouve un culte royal bien établi ».

[6] *OGIS* n° 355 τὸν ἑαυτοῦ εὐεργέτην.

[7] *OGIS* n° 354.

[8] *OGIS* n° 356.

[9] *OGIS* n° 358.

[10] REINACH 1888 p. 166.

croissant qui figurera désormais sur toutes les monnaies de la dynastie (Fig. 6)[1]. Sa signification, cependant, n'est pas claire. Le symbole du croissant surmonté d'un astre apparaît déjà sur des monuments sumériens[2] et se trouve souvent sur les sceaux assyro-babyloniens[3]. Dans le contexte suméro-babylonien ce symbole doit désigner la lune d'où naît le soleil, thème courant dans la mythologie de ces cultures[4]. Les Mithridate ont sans doute adapté à un contexte nouveau cet emblème du croissant, surmonté d'un astre. Ce contexte doit être iranien, car la dynastie du Pont et l'aristo-cratie étaient d'origine iranienne. De plus, on ne rencontre cet emblème, à l'époque hellénistique et romaine, que sur le monnayage des Mithridate[5], sur quelques monuments dans les parties iranisées d'Asie Mineure[6] et dans le symbolisme des Mystères de Mithra[7]. Nous suggérons que ce symbole représente la lune et le soleil[8] et qu'il rappelle les deux aspects de la royauté iranienne[9]. Les souverains iraniens du Pont auraient par là indiqué qu'ils étaient à la fois des rois solaires et des rois lunaires[10].

La légende royale, transmise en partie par l'historien Justin, raconte que la grandeur de Mithridate Eupator avait été annoncée par des présages

---

[1] REINACH 1888 pp. 169, 173, 187 s., 193 s.

[2] Voir p. ex. PRITCHARD ANEP fig. 85, une stèle d'Ur qui date d'environ 2000 av. J.-C.

[3] Voir l'ouvrage de WARD, p. ex. pp. 79, 83, 114 et 171.

[4] Cf. WARD p. 395 et OTTOSSON p. 66.

[5] La monnaie d'Ariarathe IX de Cappadoce qui porte le même emblème (REINACH 1888 p. 51) est frappée sous une influence pontique. Ariarathe était d'ailleurs fils de Mithridate Eupator.

[6] Dans l'iconographie royale de Commagène : « le lion astral » de Nemroudh Dagh; cf. ci-dessous; relief d'un tombeau à Haydaran (WALDMANN Pl. XXXVII). Buste d'Alexandre, trouvé dans le Pont; (CUMONT 1942 Pl. XVI, 1). Monnaies, trouvées à Philomelium de la Phrygie (*Syll. Numm. Graec. Copenhague* 30, n° 644–45, datant du Ier siècle av. J.-C.). Cf. aussi CUMONT 1942 pp. 204–209 qui souligne également le rôle des croyances autochtones d'Asie Mineure pour la propagation du symbole du croissant et l'étoile.

[7] Sur le croissant et l'astre dans les Mystères de Mithras, voir CAMPBELL 1968 pp. 92–94. Celui-ci voit dans ce symbole « the new moon which is veiled in darkness or other-wise the veiled sky-globe which moves in swift flight above the region of the moon ».

[8] REINACH 1888 p. 167 s. interprète également le croissant et l'astre comme « l'as-sociation du Soleil et de la Lune ». En rappelant Hérodote VII: 37, où les mages disent à Xerxès que le Soleil est le dieu des grecs et la lune la déesse des perses, il voit cependant dans cette association un symbole « de cette alliance de l'hellénisme et du persisme, qui fut le trait caractéristique de notre dynastie ».

[9] On sait que la tradition indo-iranienne distingue deux types de rois : rois solaires et rois lunaires; ceux-là paisibles, ceux-ci belliqueux; voir à ce sujet DUMÉZIL 1948 pp. 103 et 108 ss. et WIDENGREN 1968 p. 73.

[10] Les rois achéménides furent avant tout des rois solaires alors qu'on doit caractériser les rois parthes à la fois comme des rois lunaires et des rois solaires; voir infra p. 357.

célestes[1]. L'année où il naquit et l'année où il commença à régner, une étoile brilla pendant soixante-dix jours avec un tel éclat que le ciel entier semblait prendre feu. Le lever et le coucher de l'étoile duraient chacun quatre heures. Il est en outre dit que l'étoile était si grande qu'elle occupait un quart du ciel. Nous sommes ici en présence de la légende iranienne du roi-sauveur[2]. Les soixante-dix jours où brille l'étoile indiquent les soixante-dix ans du règne de Mithridate. Le quart du ciel occupé par l'étoile signifie que le roi dominera sur le quart du monde[3]. On est ici tout près de l'idée de « maître du monde », qu'on trouve ailleurs dans l'idéologie des souverains. L'éclair qui, selon Plutarque[4], avait frappé Mithridate à deux reprises, appartient aussi à ce contexte lumineux qui indique l'origine divine du roi.

Les villes grecques d'Asie Mineure saluent Mithridate Eupator comme θεὸν καὶ σωτῆρα à cause de sa victoire sur les Romains et de son comportement généreux, φιλανθρωπία envers les prisonniers grecs[5]. On invite le roi à visiter les villes grecques, et partout où il apparaît, une ferveur « messianique » éclate. Les habitants, en vêtements de fête et remplis de joie, sortent pour le rencontrer :

ἀκολούθως δὲ τούτοις καὶ κατὰ τὴν παρουσίαν τοῦ βασιλέως ἀπήντων αἱ πόλεις ἐκχεόμενοι πανδημεὶ μετ' ἐσθῆτος λαμπρᾶς καὶ πολλῆς χαρᾶς[6].

Par ailleurs, nous ne possédons pas beaucoup de documents qui fassent allusion à l'idéologie royale des Mithridate. L'appellation de Mithridate III comme *Évergète*, qui nous est connu par Strabon et une inscription grecque[7] s'inscrit dans la ligne de la tradition grecque.

La Commagène. Parmi les états de l'est d'Asie Mineure dont les dynasties étaient d'origine iranienne, il faut aussi mentionner la Commagène. L'importance politique de ce royaume ne peut être comparée avec celle du Pont

---

[1] Justin XXXVII, 2: 1–3 : *Huius futuram magnitudinem etiam caelestia ostenta praedixerant. Nam et eo quo genitus est anno et eo quo regnare primum coepit, stella cometes per utrumque tempus septuagenis diebus ita luxit, ut coelum omne conflagare videretur. Nam et magnitudine sui quartam partem coeli occupaverat et fulgore sui solis nitorem vicerat, et cum oreretur occumberetque, IIII horarum spatium consumebat.*

[2] Voir infra p. 358 s.

[3] Cf. REINACH 1890 p. 51.

[4] *Quaest. Conviv* I, 6: 2.

[5] C'étaient des grecs de l'Asie, enrôlés par les Romains dans la guerre avec Mithridate Eupator.

[6] Diod. Sic. XXXVII, 26.

[7] Strabon X, 4: 10 et *OGIS* n° 366.

et de la Cappadoce, mais on y trouve un culte royal bien élaboré, qui est d'un intérêt tout particulier[1].

Mithridate Kallinikos fut sans doute le fondateur de ce culte[2]. Son fils, Antiochus, qui régnait d'environ 70–35 av. J.-C., développa davantage le culte royal. Il fit établir, à travers son pays, les *hierothesia* et les *temene* de ce culte dont il fixa les lois sacrées de façon définitive[3]. On voyait sur les bas-reliefs de ces *temene* les grands dieux gréco-iraniens saluant le roi par la poignée de main, la *dexiosis*[4].

Le symbolisme astral est au centre de l'idéologie royale d'Antiochus de Commagène. Sur le bas-relief de Nemroud-Dagh, le rois a fait sculpter un lion astral (Fig. 8). Sur le corps de l'animal se détachent les étoiles du signe du Lion. Sur la poitrine, on voit le croissant lunaire, surmonté de l'étoile de *Regulus* celle qui, d'après les astrologues, marque les vocations royales. Au-dessus du lion sont les trois planètes Jupiter, Mars et Mercure. On s'accorde à reconnaître dans cette représentation une conjoncture astrale, mais son interprétation de détail n'est pas certaine[5]. Quelle que soit sa signification précise, son importance dans la pensée d'Antiochus devait être considérable. Le relief du Lion astral occupe une place centrale sur les deux terrasses de Nemroud-Dagh à côté des stèles qui montrent la *dexiosis* du roi et les grands dieux[6]. L'autel de la terrasse de l'est est même orienté vers l'étoile majeure du Lion céleste, le *Regulus*[7].

C'est sans doute cette étoile même qui orne la tiare d'Antiochus sur ses monnaies[8] et sur son buste[9]. Même si l'astre sur la tiare est un symbole emprunté par Antiochus à l'iconographie iranienne[10], il a dû l'interpréter

---

[1] Nous utilisons pour les inscriptions et les monuments de ce culte les ouvrages de HUMANN-PUCHSTEIN, de DÖRNER-GOELL et de DÖRRIE. Nous avons également consulté WALDMANN qui tire cependant sur quelques points des conclusions trop hypothétiques. Les présuppositions hellénistiques du culte royal d'Antiochus sont traitées par W. HAASE.

[2] L'inscription d'Arsameia (A) lignes 28 ss. y fait allusion. Selon WALDMANN pp. 11 et 42, c'était Mithridate Kallinikos qui avait établi tous les *temene*.

[3] Ces lois sacrées étaient inscrites sur des stèles dont on a trouvé les exemplaires les plus complets à Samosate, à Nemroud-Dagh et à Arsameia sur le Nymphaios.

[4] Voir les planches et les reconstructions de HUMANN-PUCHSTEIN p. 328 et Pl. XXXVIII–XXXIX, DÖRNER-GOELL Pl. 48 et 52, WALDMANN Fig. 2 et 3.

[5] Pour les diverses interprétations, voir HUMANN-PUCHSTEIN pp. 329–336, DÖRRIE pp. 202–207, GAGÉ p. 146 s. et WALDMANN p. 197 s.

[6] Cf. WALDMANN p. 61 et Pl. XV, 1.

[7] Cf. WALDMANN p. 61.

[8] WROTH p. 105 et Pl. XIV, 8.

[9] Cette sculpture a été trouvée à Arsaméia sur le Nymphaios, WALDMANN p. 150 et Pl. XXVII, 1.

[10] Ce symbole se retrouve sur les monnaies de Tigrane, voir infra p. 358.

comme le *Regulus* de son « horoscope ». Le revers des monnaies royales montre précisément un lion dans une position analogue à celle du lion astral à Nemroud-Dagh[1].

Le symbolisme astral n'est pas seulement limité à Antiochus Ier. Son père, Mithridate Kallinikos, porte, comme son fils, sur sa cotte de mailles une ornementation d'étoiles à huit rayons[2]. Ces étoiles ne devraient pas avoir seulement une fonction ornementale, comme on l'a soutenu[3].

Sur le monnayage d'Antiochus IV (38–72 ap. J.-C.) on trouve un type qui montre au revers un capricorne surmonté d'une étoile[4], allusion peut-être à un horoscope de ce roi.

La titulature d'Antiochus révèle d'autres aspects relevant de l'idéologie royale[5]. Le caractère divin du roi, qui est nettement souligné sur les monuments et dans les inscriptions, se manifeste dans la titulature par les mots *theos* et *épiphane*. Comme le thème de la divinisation des souverains n'est pas l'objet propre de notre étude, ce sont les épithètes de « grand roi » et de « juste » qui retiendront notre attention. Le titre de « grand roi » est attesté aussi pour Mithridate Kallinikos[6], et se retrouve sur les monnaies d'Antiochus IV. Par là, la dynastie de Commagène prolonge naturellement la ligne des rois achéménides. Toutefois, « le grand roi » est aussi le nom du roi-sauveur attendu par les *Oracles d'Hystaspes* qui circulaient dans le monde gréco-romain à cette époque même[7].

En se prenant le titre de *dikaios*, qui est rare dans la titulature des souverains[8], Antiochus apparaît surtout comme le représentant de Mithra-Apollon[9]. Le titre témoigne également d'un rapport étroit avec l'idéologie royale iranienne, car les rois parthes portaient l'attribut de *dikaios*[10]. Il

---

[1] Le lion dans l'iconographie royale de Commagène a d'autres valeurs symboliques aussi (cf. YOUNG dans DÖRNER-GOELL p. 219, WALDMANN p. 151).

[2] DÖRNER-GOELL p. 218 s. et Pl. 50 A.

[3] YOUNG dans DÖRNER-GOELL p. 218.

[4] WROTH 18 p. 107 et Pl. XIV, 10.

[5] On trouve cette titulature en tête des lois sacrées de Nemroud-Dagh, d'Arsameia sur le Nymphaios, de Samosate et de Gerger; voici la teneur : Βασιλεὺς Μέγας ᾿Αντίοχος Θεὸς Δίκαιος ᾿Επιφανής.

[6] L'inscription de Karakus, voir HUMANN-PUCHSTEIN p. 225.

[7] Cf. infra p. 364.

[8] On trouve un équivalent dans la tournure « une royauté de justice », justice qui Antiochus Ier, le roi séleucide, demande au dieu Nabu dans une inscription akkadienne; voir WEISSBACH p. 133.

[9] Cf. HUMANN-PUCHSTEIN pp. 287 et 341–343 et la discussion de DÖRRIE p. 30. Mithra joue un rôle important dans l'iconographie et dans les inscriptions de la Commagène. Sur les bas-reliefs, Mithra fait la *dexiosis* avec le roi de Commagène, et il est dans les textes le second dieu après Zeus-Oromazdes.

[10] Voir infra p. 360.

faut voir aussi dans ce titre, qui ne dépend pas de *theos* qui précède, une allusion à la justice qui caractérise le règne d'Antiochus. Une remarque de Josèphe montre que cette prétention à la justice n'est pas l'œuvre de la seule propagande royale. Selon Josèphe, la dynastie de Commagène avait en effet gagné la faveur du peuple[1].

Les Romains

Au premier siècle av. J.-C. s'achève la transformation de Rome en empire universel, en même temps que le pouvoir va se concentrer dans les mains d'une seule personne. L'idéologie des Césars est propagée partout dans le monde de cette époque. L'Orient les comble des honneurs qu'on rendait aux souverains hellénistiques. En Occident, les traditions nationales se mêlent aux éléments nouveaux.

Jules César. Cette idéologie prend naissance avec Jules César[2]. En peu de temps il reçoit toutes les honneurs du culte des souverains.

Pour ce qui est du symbolisme astral, il est nettement attesté avant sa mort en 44 av. J.-C. Pour commémorer la victoire en Gaule, César émet en 48 des monnaies qui montrent Vénus, avec une étoile dans les cheveux et sur le revers un trophée, des prisonniers et l'inscription *Caesar*[3]. L'année même de sa mort, on voit sur un denier, à côté de l'effigie de César, une étoile brillante et les mots *Caesar imp.* (Fig. 9).[4] Le revers montre Vénus s'appuyant sur un sceptre, qui repose sur une étoile. L'étoile de Vénus et l'astre divin des souverains se confondent ici[5]. Aussitôt après sa mort « l'astre de César » devient une conception courante, nourrie de l'apparition d'une comète lors des *ludi Victoriae Caesaris*[6]. Suétone, qui sur ce point utilise des sources contemporaines de l'événement, rapporte qu'on comprenait cette étoile comme l'âme déifiée de César, accueilli dans les cieux[7]. Virgile, qui peu de temps après, dans la *IXᵉ Églogue*, crée l'expression

---

[1] Jos. *Ant.* XVIII, 53.

[2] C'est le mérite de WEINSTOCK d'avoir élaboré le rôle important qu'a joué Jules César dans la formation de cette idéologie. Les administrateurs et les généraux romains furent, surtout en Orient, l'objet d'un culte honorifique; on consultera à cet égard CERFAUX-TONDRIAU pp. 278–285. Toutefois, ce n'est qu'avec César qu'on est en présence, d'une idéologie cohérente.

[3] SYDENHAM p. 168 n° 1015.

[4] SYDENHAM p. 178 n° 1071.

[5] Cf. aussi WEINSTOCK p. 377 s.

[6] Suét. *Div. Iul.* 88 : *siquidem ludis, quos primos consecratos ei heres Augustus edebat, stella crinita per septem continuos dies fulsit exoriens circa undecimam horam, creditumque est animam esse Caesaris in caelum recepti.*

[7] Voir la note ci-dessus.

Caesaris astrum, fait de cette étoile le signe qui inaugure un temps de félicité et d'abondance, *saeculum Iulium*[1]. Nombre de types monétaires après 44 montrent cet « astre de César »; souvent l'étoile est placée au-dessus de l'effigie de César[2].

La domination universelle devient aussi un trait significatif de l'idéologie de César[3]. Les signes qui se produisirent à sa naissance, furent interprétés comme indiquant la souveraineté sur le monde[4]. Le cheval de César, qui avait des pieds presque humains et qu'aucun autre que lui ne pouvait monter, fut pour les haruspices le présage de la domination universelle de son maître[5]. Ce trait de la « légende césarienne » est explicitement confirmé par les monuments. Après la victoire de Pharsale, le Sénat décida de faire ériger une statue de César sur le Capitole. Dion Cassius rapporte qu'une « image de l'*oikoumene* » était aux pieds de la statue[6]. Cette « image » était un globe, emblème grec transformé par les Romains en symbole politique[7]. Un relief de la Via Cassia qui représente de toute évidence Jules César, couronné par la Victoire, montre le globe à ses pieds et l'*Oikoumene* personnifiée s'inclinant devant lui[8].

En Orient surtout, César apparaît comme le sauveur bienfaisant. Les inscriptions des villes grecques en son honneur utilisent presque toujours une formulation analogue où l'on trouve les titres *Sôtêr* et *Évergète* réunis[9]. Signalons aussi que dans cette titulature César est constamment appelé

---

[1] Virg. *IX Églogue* 47 : *Ecce Dionaei processit Caesaris astrum*
    astrum, quo segetes gauderent frugibus et quo
    duceret apricis in collibus uva colorem
L'interprétation de la comète comme le signe d'un siècle nouveau fut aussi faite par l'haruspice Volcanius; voir à ce sujet WEINSTOCK p. 195.

[2] P. ex. WEINSTOCK Pl. 28: 4, 8 et 12. Pour d'autres types voir le même auteur Pl. 28: 2–3, 5–6.

[3] Cf. aussi LIETZMANN 1909 p. 13 et WEINSTOCK p. 51 s.

[4] Voir à ce sujet WEINSTOCK p. 21 s.

[5] Suét. *Div. Iul.* 61 : *Utebatur autem equo insigni, pedibus prope humanis et in modum digitorum ungulis fissis, quem natum apud se, cum haruspices imperium orbis terrae significare domino pronuntiassent, magna cura aluit;* cf. aussi Dion XXXVII, 54: 2.

[6] Dion XLIII, 21: 2. Sur l'autre passage de Dion, relatif à cette statue, voir WEINSTOCK p. 41.

[7] Cf. WEINSTOCK p. 42.

[8] Voir WEINSTOCK p. 45 et Pl. 4.

[9] *IG* 12.5. n° 556 : ὁ δῆμος ὁ Καρθαιέων Γάιον Ιούλιον ... τὸν ἀρχιερέα καὶ αὐτοκράτορα, γεγονότα δὲ σωτῆρα καὶ εὐεργέτην καὶ τῆς ἡμετέρας πόλεως.
Inscription de Chios (RAUBITSCHEK p. 67 N) : εὐεργέτην ὄντα καὶ σωτῆρα πάντων τῶν Ἑλλήνων. À Pergame (*IvP* n° 379–80) : τὸν ἑαυτοῦ σωτῆρα καὶ εὐεργέτην ... καὶ ἀρχιερέα. À Mytilène (RAUBITSCHEK p. 69 T) : ἀρχιερεῖ, εὐεργέται καὶ σωτῆρα. On trouvera encore d'autres exemples chez RAUBITSCHEK.

« grand prêtre » qui ici traduit le titre de *pontifex maximus*[1]. À Pergame, il est en outre le restaurateur de la religion[2]. César, en tant que maître du monde revêt par là le caractère de sauveur universel. Une inscription de Chios l'appelle en effet σωτῆρα τῆς οἰκουμένης[3]. À Éphèse, on a trouvé l'inscription suivante :

« Les villes d'Asie et les peuples et les nations (honorent) Gaïus Julius, fils de Gaïus, César le grand-prêtre et l'imperator, consul pour la deuxième fois, celui qui est issu d'Arès et d'Aphrodite, Dieu épiphane et sauveur commun de la race humaine » (κοινὸν τοῦ ἀνθρωπίνου βίου σωτῆρα)[4].

À Rome et en Occident, on célèbre en César vainqueur, le sauveur et le bienfaiteur. Il est désigné comme « le sauveur de la patrie »[5] et comme le « libérateur »[6]. Les discours que fait Cicéron à partir de 46, témoignent du salut et de la clémence dont César est l'auteur[7]. Pour les Gaules, César apparaît comme un sauveur, plein de magnanimité[8].

Les efforts de César pour faire régner la concorde dans l'état sont la justification pour son rôle de promoteur de la paix, rôle qui est nettement souligné. Une monnaie de 44 montre la tête d'une femme avec l'inscription *Paxs*; sur le revers on voit la poignée de mains[9]. César fonde des colonies qui porteront un nom formé sur *pax*[10]. L'oraison funèbre prononcée par Antoine, célèbre en César le εἰρηνοποιός[11].

Auguste. Octave, en assumant l'héritage de César, adapte l'idéologie du *Divus Julius*. Mais ce qui est attesté pour Jules César n'apparaît qu'une ébauche en comparaison avec les notions qui se grouperont autour de la personne d'Auguste. Avec lui, nous atteignons le point culminant de l'évolution thématique du culte des souverains.

Le symbolisme astral revêt deux aspects. L'un, qui prolonge les lignes de « l'astre de César », peut être désigné comme « l'étoile d'Auguste ». L'autre se rattache au soleil.

L'apparition de l'astre de César se produit pendant les jeux qu'instaure Auguste. Ce fait seul établit un rapport entre cette comète et Auguste.

---

[1] Sur l'importance de cet office pour César lui-même, voir WEINSTOCK p. 31.
[2] *IvP*. n° 379–380.
[3] *IG* 12.5 n° 557.
[4] *Syll.*³ n° 760.
[5] Appien *Bell. Civ.* 2: 106.
[6] Dion XLIII, 44: 1.
[7] Voir à ce sujet WEINSTOCK p. 166.
[8] *De Bell. Gall.* II, 28: 3 et 31: 4, VII, 41: 1; cf aussi WEINSTOCK p. 165.
[9] SYDENHAM p. 177 n° 1065.
[10] Voir WEINSTOCK p. 269.
[11] Dion XLIV, 49: 2.

Virgile rapporte qu'à la bataille d'Actium, « l'étoile paternelle » brillait au-dessus de la tête d'Auguste[1]. Nous venons de voir l'interprétation courante de « l'astre de César », et la conséquence immédiate de son apparition est qu'Auguste fait placer une étoile sur la tête de l'image de César[2]. Mais il semble qu'en privé Auguste s'appliquait à lui-même l'apparition de la comète[3]. Pline, qui nous informe à ce sujet, ajoute à propos de cet astre : *et, si verum fatemur, salutare id terris fuit*[4]. L'astre qui apporte le salut au monde, c'est donc la signification profonde de « l'étoile d'Auguste ». Cette interprétation contemporaine est confirmée par une inscription de Philae, connue comme « l'épigramme de Catilius »,[5] et qui célèbre en Auguste l'astre salvateur:

ἄστρωι ἁπάσας Ἑλλάδος ὃς σωτὴρ Ζεὺς ἀνέτειλε μέγας.

L'astre d'Auguste s'est levé pour le salut de tous les Grecs[6], brillant d'un grand éclat[7]. Les monnaies confirment l'importance que prend l'étoile dans l'idéologie augustéenne. Sur un denier, émis par Auguste en 17 av. J.-C. environ, on voit la tête d'Auguste et l'inscription *Caesar Augustus*. Le revers montre une grande comète, entre les rayons de laquelle on lit les mots *Divus Iulius* (Fig. 10)[8]. Immédiatement après la mort d'Auguste, Tibère émet des monnaies qui au revers portent l'image d'Auguste, surmontée d'une étoile[9].

L'imagerie solaire est de même nettement rattachée à la personne d'Auguste. On en trouve l'expression littéraire chez Suétone et Horace. La phraséologie solaire est utilisée métaphoriquement par Horace pour désigner Auguste lui-même. Revenant de la Gaule en 16, le poète le salue avec les mots : *o Sol pulcher* (*Carm.* IV, 2: 46). L'absence d'Auguste signifie,

---

[1] *Aen.* 8: 681 : *patriumque aperitur vertice sidus.*

[2] Suét. *Div. Iul.* 88 et Pline II, 93.

[3] Pline II, 93–94 ... *interiore gaudio sibi illum natum seque in eo nasci interpretatus est.*

[4] Dans cette ligne s'inscrit aussi la parole d'Horace : *micat inter omnis Iulium sidus velut inter ignis luna minores* (*Carm.* I, 12: 46) où *Iulium sidus* est en premier lieu une métaphore pour Auguste; voir WEINSTOCK p. 478.

[5] BERNAND 1969, II n° 142. L'inscription date de l'an 7 av. J.-C.

[6] « Toute la Grèce » doit ici être interprété comme « tous les Grecs de l'empire »; cf. LETRONNE et BERNAND 1969, II p. 81.

[7] Nous interprétons μέγας comme visant l'astre. On peut aussi le rapporter à Zeus ou à σωτήρ ; sur cette ambivalence des épithètes selon qu'on les rapporte à l'un ou l'autre; voir LETRONNE et BERNAND 1969 II p. 81.

[8] MATTINGLY I p. 59 n° 323 Pl. *6*, 6.

[9] MATTINGLY I p. 124 n° 28 Pl. *22*, 18 et p. 141 n° 151 Pl. *26*, 3.

selon Horace, l'absence de la lumière du soleil; revenu, il fait resplendir sa face sur le peuple[1].

Le récit de Suétone, au contraire, met en relief les éléments mythiques. Il existe un lien étroit entre le soleil, représentant Apollon-Hélios, et Auguste. C'est là le sens des présages lors de la naissance d'Auguste que rapporte Suétone. Son père, Octavius, rêva que le soleil brillant sortait des entrailles de sa mère, Atia[2]. Auguste, encore tout petit avait été placé dans un berceau par sa nourrice. Le lendemain on le chercha longuement. Quand on trouva l'enfant, il était couché dans la plus haute tour, son visage vers le soleil levant[3]. Octavius, passant avec son armée en Thrace, voit une nuit son fils Auguste, portant la foudre et le sceptre de Juppiter et sa tête radiée, *ac radia corona*[4]. Suétone utilise ici des sources antérieures[5] et le témoignage des monnaies nous permet de faire remonter cette idéologie solaire du moins au début de notre ère. Un type monétaire, emis par Tibère en 15–16, montre l'effigie d'Auguste, la tête radiée[6]. Quelques années plus tard, le même empereur, émet une monnaie où Auguste, la tête radiée, est assis avec le sceptre dans la main (Fig. 11)[7]. Signalons aussi une inscription de Carie qui met de toute évidence l'empereur en rapport avec la divinité du Soleil[8].

L'idée de la domination universelle, liée en particulier à Jules César, se continue en toute clarté avec Auguste. Les présages qui indiquaient en Octave le futur maître du monde, n'avaient pas manqué. Informé de l'heure de la naissance d'Auguste, Nigidius Figulus déclara à son père Octavius que *dominum terrarum orbi natum*[9]. Selon Suétone, lorsque jadis à Velletri une partie du mur fut frappée par la foudre on avait dit qu'un citoyen de cette ville allait, tôt ou tard, dominer l'univers[10].

---

[1] *Carm.* IV, 5: 5–8 *lucem redde tuae, dux bone patriae*
instar veris enim vultus ubi tuus
adfulsit populo gratior it dies
et soles melius nitent.

[2] Suét. *Div. Aug.* 94: 4 : *somniavit et pater Octavius utero Atiae iubar solis exortum.*

[3] Suét. *Div. Aug.* 94: 6 : *diuque quaesitus tandem in altissima turri repertus est iacens contra solis exortum.*

[4] *Div. Aug.* 94: 6.

[5] *Div. Aug.* 94: 4, pour le songe d'Octavius: *in Asclepiadis Mendetis Theologumenon libris lego*, et 94: 6, pour Auguste échappé du berceau : *ut scriptum apud C. Drusum extat.*

[6] MATTINGLY I, p. 140 n° 141–143 Pl. *25*, 10, 11; *26*, 1.

[7] MATTINGLY I, p. 130 n° 74–75 Pl. *23*, 17.

[8] EHRENBERG-JONES n° 114. Il s'agit d'honneurs conférées à un prêtre Aristogène. Voici le passage relatif à notre sujet : Ὑγιείας τε καὶ Σωτηρίας αὐτοκράτορος Καίσαρος καὶ Ἡλίου.

[9] Suét. *Div. Aug.* 94: 5.

[10] *Div. Aug.* 94: 2 : *Velitris antiquitus tacta de caelo parte muri responsum est eius oppidi civem quandoque rerum potiturum.*

Auguste comme maître du monde est un thème qui apparaît sur les inscriptions aussi bien que sur les monnaies. Le *Monumentum Ancyranum* fait apparaître Auguste comme un vainqueur traversant toute l'*oikoumene* et comme celui qui a soumis au peuple romain le monde entier[1]. Sur le cénotaphe de C. Caesar à Pisa, la titulature d'Auguste contient la formule « protecteur de l'empire romain et souverain de toute la terre »[2]. Le vœu, fait par le *Plebs Narbonensium* au *Numen Augusti*, et qui est combiné avec l'érection d'un autel à Narbonne fixe aussi les jours de sacrifice. Le choix d'*Idus Ianuariae* est motivé de la façon suivante : « ce jour-là, fut inauguré pour la première fois l'empire sur le monde »[3]. Une inscription de Phanagoria au nord de la Mer Noire, salue Auguste comme « le maître de toute la terre et de toute la mer »[4]. Dans « l'épigramme de Catilius », le poète honore Auguste comme « maître de la mer et souverain des continents » et comme « seigneur de l'Europe et de l'Asie »[5]. C'est là sans doute une transposition en langage poétique de la titulature officielle[6].

L'iconographie du monnayage de l'époque augustéenne utilise le symbole du globe dans des contextes variés pour exprimer l'idée de la domination universelle d'Auguste. Un type montre l'effigie d'Auguste : sur le revers, on voit la Victoire montée sur le globe[7]. Un autre type, montrant également l'effigie de l'empereur, a pour revers le Capricorne, signe natal d'Auguste[8] embrassant un globe[9]. Le buste de la Victoire sur la droite d'un troisième type a pour revers une figure mâle (divinité ou Auguste lui-même?) avec le pied sur le globe[10]. Enfin, on peut trouver le buste d'Auguste placé au dessus d'un globe[11].

On célèbre naturellement en Auguste le sauveur et le bienfaiteur[12]. Les

---

[1] Prologue, 3 et 26 (EHRENBERG-JONES p. 2 ss.).

[2] EHRENBERG-JONES n° 69 ligne 8 (l'inscription date de 4 ap. J.-C.) : *custodis imperi(i) Romani totiusque orbis terrarum praesidis.*

[3] EHRENBERG-JONES n° 100 A ligne 25 *idus Ianuar. qua die primum imperium orbis terrarum auspicatus est.* Date 12–13 ap. J.-C.

[4] EHRENBERG-JONES n° 171; cf. aussi n° 72.

[5] BERNAND 1969 n° 142 ligne 1 : Καίσαρι ποντομέδοντι καὶ ἀπείρων κρατέοντι et ligne 3 : δεσπόται Εὐρώπας τε καὶ ᾿Ασίδος.

[6] Cf. BERNAND 1969 p. 80.

[7] MATTINGLY I, p. 99 n° 602–604 Pl. *14*, 18, 19 et *15*, 1.

[8] Cf. Suét. *Div. Aug.* 94: 12.

[9] MATTINGLY I, p. 56 n° 305–307 Pl. *5*, 15, 16.

[10] MATTINGLY I, p. 100 n° 615 Pl. *15*, 5.

[11] MATTINGLY I, p. 42 n° 211 Pl. *20*, 4.

[12] EHRENBERG-JONES n° 171 : la reine de Bospore salue Auguste comme τὸν ἑαυτῆς σωτῆρα καὶ εὐεργέτην, n° 181 : monnaie d'Arménie dont l'avers porte l'inscription « dieu, césar, évergète » et la tête d'Auguste; n° 102 : « Auguste, Sauveur, Libérateur ». BERNAND 1969, II n° 140 : σωτὴρ καὶ εὐεργέτης dédicace du temple d'Auguste à Philae.

titres de *Sôtêr* et d'*Évergète* sont, pour ainsi dire, monnaie courante dans le culte des souverains. Nous trouvons, en outre, comme un aspect de la fonction salvatrice d'Auguste, l'épithète de « Libérateur »[1]. Selon le *Monumentum Ancyranum*, Auguste a délivré le peuple romain de la crainte et du danger né d'une pénurie de blé[2].

Toutefois, ce qui caractérise en particulier le légende d'Auguste, c'est l'universalisme. Certes, une tendance universelle se retrouve, comme nous l'avons vu, dans l'idéologie de Jules César, mais elle ne sera pleinement développée qu'avec Auguste. Tous les grands thèmes qui sont attachés à Auguste, sont transmis aussi dans une formulation universelle. D'autres peuvent être désignés aussi comme « *Sôtêr* » et comme *Évergète*, mais le caractère universel de ces fonctions est appliqué à Auguste, comme le montre cette inscription de Lycie :

> « Le peuple des Myréens (honore) Auguste divin, fils de Dieu, maître de la terre et de la mer, bienfaiteur et sauveur du monde entier (τὸν εὐεργέτην καὶ σωτῆρα τοῦ σύνπαντος κόσμου); le peuple des Myréens (honore aussi) Markus Agrippa, bienfaiteur et sauveur de leur nation (τοῦ ἔθνους) ».[3]

Le décret d'Halicarnasse appelle Auguste « sauveur de toute la race des hommes »[4], et l'inscription de Priène salue Auguste comme celui que la Providence a rempli de vertus εἰς εὐεργεσίαν ἀνθρώπων[5]. Tibère parle dans une épître officielle de la grandeur des bienfaits accomplis par Auguste pour toute la terre[6].

Comme d'autres souverains Auguste apparaît comme dispensateur de paix. Pour ce qui est d'Auguste, l'idéologie colle à la réalité. Il est, en effet, le promoteur d'une paix féconde et durable. Les portes de Janus, ouvertes dans la guerre, sont fermées sous Auguste à trois reprises, fait extraordinaire[7]. Sur le camp de Mars se dresse l'*ara Pacis Augustae*[8].

---

[1] *OGIS* n° 659 : θεοῦ υἱοῦ Διὸς Ἐλευθερίου Σεβαστοῦ; *Pap. Oxyr.* II n° 240 ligne 4, EHRENBERG-JONES n° 102, voir ci-cessus n. 12. Nous traduisons dans ce contexte le mot ἐλευθέριος par « libérateur ». On applique à Auguste aussi le titre « Zeus Libérateur »; voir BERNAND 1969 n° 142 et p. 80 n. 2.

[2] *Res Gestae* 5.

[3] EHRENBERG-JONES n° 72.

[4] EHRENBERG-JONES n° 98a, ligne 7 σωτῆρα τοῦ κοινοῦ τῶν ἀνθρώπων γένους.

[5] EHRENBERG-JONES n° 98 ligne 35.

[6] EHRENBERG-JONES n° 102b lignes 19–20 : τῶι μεγέθει τῶν τοῦ ἐμοῦ πατρὸς εἰς ἅπαντα τὸν κόσμον εὐεργεσιῶν.

[7] *Res Gestae* 13. Ce passage affirme qu' à partir de la fondation de Rome jusqu'au règne d'Auguste, les portes n'avaient été fermées que deux fois. Virgile *Én.* I, 294 fait allusion à la fermeture des portes de Janus sous Auguste; de même Horace *Epist.* II, 1: 254.   [8] *Res Gestae* 12.

Un type monétaire de l'époque qui montre la tête d'Auguste, a au revers l'image de la « Paix », la *cista mystica* et le mot *PAX*[1]. Les documents littéraires témoignent mieux encore de cette paix qui caractérise l'époque augustéenne. Velleius Paterculus dans son résumé des bienfaits du règne d'Auguste dit : « la paix fut rétablie, la fureur des armes s'apaisa partout »[2]. Le décret honorifique de la province d'Asie, aboutissant en une réforme du calendrier, célèbre en Auguste « celui qui a fait cesser la guerre et établi la paix »[3]. Le décret d'Halicarnasse souligne que grâce à l'avènement d'Auguste εἰρηνεύουσι μὲν γὰρ γῆ καὶ θάλαττα[4].

Les poètes contribuent eux aussi à ce tableau de paix. Un épigramme grec affirme que grâce à Auguste les armes des ennemis firent paraître des fruits de la paix[5]. Virgile et Horace chantent la paix, instaurée par Auguste[6].

Ce qu'il faut retenir surtout dans la légende d'Auguste c'est l'insistance avec laquelle on le fait apparaître comme l'inaugurateur d'une ère nouvelle de prospérité et de bonheur. L'idée d'une ère nouvelle attachée au terme *saeculum* devient l'expression latine de ce thème augustéen. L'attente d'un nouveau siècle se manifeste déjà sous César[7], et culmine dans les Jeux Séculaires en 17 av. J.-C. dont Horace dans son *Carmen Saeculare* interprète les aspirations[8]. Auparavant, Virgile vient dans l'*Énéide* de désigner l'inaugurateur de cet âge d'or :

> *Augustus Caesar, Divigenus, aurea condet*
> *saecula qui nursus Latio regnata per arva*
> *Saturno quondam, super et Garamautas et Indos*
> *proferet imperium.*
> *Én.* VI: 792–795 a.

Comme on le voit, l'homme qui inaugurera l'ère nouvelle de bonheur sera en même temps le maître du monde. Ce rapport apparaît aussi dans l'in-

---

[1] Tétradrachme d'Asie Mineure; MATTINGLY n° 691.

[2] 89: 3 : *Pax revocata, sopitus ubique armorum furor.*

[3] EHRENBERG-JONES n° 98 ligne 35 s. τὸν παύσοντα μὲν πόλεμον, κοσμήσοντα δὲ εἰρήνην.

[4] EHRENBERG-JONES n° 98 a ligne 9 s.

[5] *Anthologia Graeca* VI, 236, ὅπλα γὰρ ἐχθρῶν καρποὺς εἰρήνης ἀντεδίδαξε τρέφειν.

[6] Virgile *Én.* I, 290 *aspera tum positis mitescent saecula bellis;* cf. aussi v. 294. Horace *Carm. Saec.* 1 ligne 57 s., *Carm.* IV, 5: 17.

[7] Voir à ce sujet WEINSTOCK pp. 191–197.

[8] Cf. surtout les versets 65–68 : *si Palatinas videt aequus aras*
remque Romanam Latiumque felix
alterum in lustrum meliusque semper
prorogat aevum.

scription de Narbonne où l'importance du jour de la naissance d'Auguste est ainsi soulignée :

> « ce jour-là, la Félicité de notre siècle le fit apparaître comme le souverain du monde ».[1]

En Orient de même, on propage l'idée qu'une ère nouvelle a commencé avec Auguste. Les documents justifiant la retouche au calendrier, faite par la province d'Asie sur la suggestion de son proconsul, sont significatifs à cet égard. La lettre du proconsul[2] souligne l'importance du jour de la naissance de l'empereur. Ce jour apparaît comme « le commencement de l'univers », τῆι τῶν πάντων ἀρχῆι ἴσην; « sinon pour l'origine, du moins pour le salut de l'univers », εἰ μὴ τῆι φύσει, τῶι γε χρησίμωι[3]. Auguste a donné une nouvelle apparence au monde entier, qui autrement aurait été voué à la perdition[4]. Ce commencement salvateur qui marque le jour de sa naissance, se rapporte aussi bien à la vie de la communauté qu'à celle de l'individu[5]. Le décret lui-même exprime la même exaltation d'Auguste comme inaugurateur de l'ère de félicité. La Providence a suscité Auguste, ἐνενκαμένη τὸν Σεβαστόν, comme bienfaiteur et sauveur universels, créateur de la paix de l'*oikoumene*[6]. Le jour de sa naissance fut pour le monde la première des bonnes nouvelles dont il était l'auteur[7]. Le décret d'Halicarnasse peint en outre un tableau du bonheur et de la paix qu'apporte l'ère augustéenne :

> « La terre et la mer sont en paix, les villes fleurissent dans la justice, la concorde et la prospérité; on est au comble de tout bien; les hommes sont remplis de bonnes espérances quant à l'avenir et de confiance quant au présent[8]. »

Dans ce contexte d'Auguste comme l'inaugurateur du temps de bonheur,

---

[1] EHRENBERG-JONES n° 100 A ligne 15 s. : *qua die eum saeculi felicitas orbi terrarum rectorem edidit.*

[2] La lettre du proconsul P. Fabius Maximus constitue la première partie de l'inscription sur le décret de la province d'Asie. On a trouvé des copies à Priène, Apamea, Eumeneia et Dorylaeum. (EHRENBERG-JONES p. 81.) Le décret d'Halicarnasse se situe dans le même contexte.

[3] EHRENBERG-JONES n° 98 lignes 5–6.

[4] Lignes 7–9 : ἑτέραν τε ἔδωκεν παντὶ τῶι κόσμωι ὄψιν, ἥδιστα ἂν δεξαμένωι φθοράν, εἰ μὴ τὸ κοινὸν πάντων εὐτύχημα ἐπεγεννήθη Καῖσαρ.

[5] Ligne 10 : ἀρχήν τοῦ βίου καὶ τῆς ζωῆς γεγονέναι.

[6] Lignes 32–36 dans l'inscription de Priène et lignes 5–7 dans le décret d'Halicarnasse (EHRENBERG-JONES n° 98 et 98a).

[7] N° 98 lignes 40 s. : ἦρξεν δὲ τῶι κόσμωι τῶν δι' αὐτὸν εὐανγελί[ων ἡ γενέθλιος ἡμέ]ρα τοῦ θεοῦ.

[8] EHRENBERG-JONES 98a lignes 9–13.

352

on doit situer aussi quelques affirmations qui ne parlent pas d'une *ère nouvelle*, mais qui y font allusion implicitement. Un épigramme grec sur l'époque augustéenne salue l'empereur avec les mots « Qui sans lui a part au bonheur? »[1] Seul Auguste peut donner aux hommes un bonheur durable.

Cet épigramme nous amène à souligner le caractère unique de l'œuvre d'Auguste. Les inscriptions grecques insistent sur ce point. La bienfaisance d'Auguste n'a pas seulement réalisé les prières de tous les hommes, mais elle les a dépassées[2]. Plus explicite encore est l'inscription de Priène. Auguste a surpassé tous les bienfaiteurs avant lui et personne ne pourra l'égaler dans l'avenir[3].

Tibère, Caligula et Claude. Le caractère unique du règne d'Auguste se détache nettement sur le tableau qu'ont laissé ses successeurs[4]. D'une part, Tibère, adonné au fatalisme de l'astrologie et refusant un culte de déification. D'autre part, Caligula s'assimilant tous les rôles divins jusqu'au ridicule[5]. Quant à Claude, il semble au début revenir à la tradition augustéenne, mais il assume bientôt la fonction d'un souverain déifié. Ce qui était sincère dans les honneurs accordées à Auguste devient pour Caligula et Claude de la flatterie. Aussi pour les contemporains était-il difficile de prendre au sérieux les expressions de la déification de ces empereurs[6].

La richesse des thèmes de l'idéologie d'Auguste ne se retrouve pas non plus dans celle de ses successeurs. Les formules fixées sont toujours utilisées. C'est ainsi que Tibère est appelé en Orient : « Maître de la terre et de la mer, bienfaiteur et sauveur du monde entier »[7]. Comme le culte des empereurs est toujours en progrès cela se reflète également dans les thèmes qui nous occupent ici. On parle de Caligula comme « Neos Helios » brillant de ses propres rayons[8].

---

[1] *Ant. Graeca* XVI, 40 τίς κείνου χωρὶς ἄρηρε τύχη; comparez aussi Velleius Paterculus 89,4 : *rediit ... securitas hominibus.*

[2] Ehrenberg-Jones n° 98a ligne 6 s.

[3] Ehrenberg-Jones n° 98 lignes 37–40.

[4] Signalons comme exemple les vers composés au règne de Tibère et adressés à cet empereur :
Aurea mutasti Saturni saecula, Caesar :
incolumi nam te ferrea semper erunt (Suét. *Tib.* 59).
L'âge d'or d'Auguste s'est transformé en âge de fer sous Tibère.

[5] La *Legatio ad Gaium* de Philon d'Alexandrie met bien en relief ce trait chez Caligula.

[6] Cf. Cerfaux-Tondriau p. 350.

[7] Ehrenberg-Jones n° 88. Cette inscription des Myréens en Lycie copie la phraséologie utilisée par les mêmes Myréens pour Auguste; voir ci-dessus p. 350. Une différence subsiste cependant. Auguste est désigné « fils de Dieu », titre qui ne se retrouve pas dans l'inscription pour Tibère.

[8] *OGIS* n° 365.

Il nous faut dire quelques mots sur le fondement théorique du culte des souverains, tel qu'il est conçu par les philosophes de l'époque hellénistique et romaine. Les thèmes que nous étudions apparaissent clairement dans les exposés de Diotogène et d'Ekphantos[1], sources principales de la théorie sur la royauté[2].

Tous deux insistent sur la justice qui devra caractériser la royauté. Le monarque sera le plus juste et personne ne peut être roi sans justice[3]. Diotogène souligne aussi la triple fonction du roi; il est chef militaire, juge et prêtre[4]. Le rôle du souverain comme sauveur et bienfaiteur est nettement mis en relief dans la théorie philosophique. Le roi doit sauver ceux qui sont en danger dans la guerre et intervenir de toutes les manières pour aider les nécessiteux[5]. Il fait du bien à ses sujets[6] et par ces bienfaits il inspire le respect[7]. Selon Ekphantos, il est la cause de tout Bien[8].

L'idée de la souveraineté du monde peut facilement être déduite de ce que dit Diotogène sur les relations entre Dieu et le cosmos, entre le roi et l'état. Le roi imite Dieu en tant que souverain de l'univers[9].

Le symbolisme solaire est utilisé par Ekphantos pour décrire l'apparence et la pureté du roi. Il se manifeste à ses sujets comme dans une lumière. Comme l'aigle, le roi est proche du soleil[10]. Il existe un rapport étroit entre la royauté et le soleil; l'éclat de la royauté ne peut être supporté que par ceux qui en ont le droit[11]. De plus, celui qui aspire à la royauté doit être

---

[1] Il serait plus précis de dire Pseudo-Ekphantos, car le texte donné par Stobée ne remonte certainement pas au pythagoricien du IVᵉ siècle av. J.-C.

[2] Des extraits de leurs écrits ont été conservés par Stobée dans le VIIᵉ livre. Nous utilisons l'édition de WACHSMUTH-HENSE.

[3] Stobée 61 (p. 263 lignes 15–20) et 66 (p. 279 lignes 4 et 19). GOODENOUGH 1928 p. 98 ss suggère que les titres *Sôtêr*, *Épiphane* et *Évergète* résument délibérément les développements théoriques de Diotogène et d'Ekphantos. Le rapport mutuel entre théorie et pratique sur ce point est cependant difficile à déterminer. Vu l'insistance mise par ces philosophes sur la justice, on s'étonne de ne trouver qu'exceptionellement l'épithète *Dikaios* dans la titulature des souverains (voir ci-dessus p. 343).

[4] Stobée VII, 61 (p. 264 lignes 5–7).

[5] 61 (p. 264 lignes 8–11) et 62 (p. 269 ligne 10 s.) δεῖ δὲ τὸν ἀγαθὸν βασιλέα βοηθατικόν τε ἦμεν τῶν δεομένων.

[6] 61 (p. 264 ligne 19 s.) ἔτι δ' ἐν τῷ ποιὲν εὖ καὶ εὐεργετὲν τὼς ὑποτεταγμένως ὁ βασιλεύς ἐντι.

[7] 62 (p. 267 ligne 7 s.).

[8] 66 (p. 278 ligne 23) ἀγαθῶν μὲν πάντων αἴτιος ἐσσεῖται.

[9] 61 (p. 265 lignes 6–10).

[10] 64 (p. 273 ligne 1 s.) τοῖς δ' ἀρχομένοις ὡς ἐν φωτὶ τᾷ βασιλῆᾳ βλεπόμενον ... ἀετὸς ἀντωπὸν ἁλίω γενόμενον.

[11] 63 (p. 273 lignes 5–7).

pur et d'une nature rayonnante, afin de ne pas obscurcir l'éclat de la royauté, purifiée par le soleil[1].

L'influence de l'astrologie

Pendant trois siècles, à partir d'Alexandre le Grand, l'astrologie a pénétré le monde gréco-romain[2]. Il existe un rapport entre la constitution des doctrines astrologiques et le développement du symbolisme astral pendant les IIe et I[e] siècles av. J.-C.. Il faut signaler ici l'idée que certaines étoiles ou constellations provoquent la naissance des grands de la terre ou confirment leur importance[3]. De plus, la croyance selon laquelle la lumière de l'étoile qui était attribuée à un homme, correspondait à son importance et qu'une étoile se lève avec la naissance de chaque homme, était très répandue à l'époque[4].

En particulier, on avait attiré l'attention sur la constellation du Lion au cœur duquel se trouvait une étoile des plus brillantes. Or, on était d'avis que ceux qui étaient nés sous l'influence de cette étoile, devenaient des rois. Ce λαμπρὸς ἀστήρ qui faisait les naissances royales était appelé en grec Basiliskos et en latin Regulus[5].

L'idéologie royale iranienne

En étudiant les royaumes d'Asie Mineure, où la classe dirigeante était d'origine iranienne, nous avons signalé la place dominante qu'occupe le symbolisme astral[6]. Cette particularité s'explique par l'arrière-plan iranien, où dans la légende royale le symbolisme astral joue un rôle important[7].

---

[1] 64 (p. 273 ligne 10 ss.) ἃ μὲν ὦν βασιλῆα χρῆμα εἰλικρινές ... δεῖ δὲ καὶ τὸν ἐς αὐτὰν καταστάντα καθαρώτατόν τε ἦμεν καὶ διαυγέστατον τὰν φύσιν, ὡς μὴ τὸ λαμπρότατον ἀφανίζῃ.

[2] Cf. Boll-Bezold p. 21.

[3] Mentionnons comme exemples Antiochus Ier de Commagène et Auguste; voir supra p. 342 et p. 347.

[4] Pline Hist. Nat. II, 28 atteste cette croyance : sidera quae adfixa diximus mundo, non ita ut existimat volgus, singulis attributa nobis et clara divitibus, minora pauperibus, obscura defectis ac pro sorte cuiusque lucentia adnumerata mortalibus, nec cum suo quaeque homine oriuntur.

[5] Géminus (Ier siècle av. J.-C.) dit en Elementae Astronomiae III, 5 que ce λαμπρὸς ἀστήρ était appelé par quelques-uns basiliskos ὅτι δοκοῦσιν οἱ περὶ τὸν τόπον τοῦτον γεννώμενοι βασιλικὸν ἔχειν τὸ γενέθλιον. Pline Hist. Nat. XVIII, 235 nous informe que VIII kal. stella regia appellata Tuberoni in pectore leonis occidit matutino; cf. aussi XVIII, 271.

[6] Cf. supra sous les roubriques « le Pont » et « la Commagène ».

[7] Voir notre étude en préparation : « The astral symbolism in the royal legend and saviour imagery of pre-sassanian Iran ».

Cette légende avait pénétré en Occident. On doit donc envisager la possibilité d'une influence iranienne sur l'idéologie des souverains hellénistiques et sur les idées messianiques du judaïsme. Il nous faut donc consacrer quelques pages au thème de la légende royale iranienne. Nous attirerons l'attention en particulier sur la forme que revêt cette légende en Occident[1].

Le modèle du roi iranien est avant tout Yima[2]. C'est un roi solaire et les épithètes, qu'on lui donne, révèle son rapport intime avec le soleil[3]. Yima, roi iranien est aussi le souverain de l'univers[4]. Selon *Zātspram* IV, 24 le roi se désigne comme le « maître du monde » : *čē dahypat i gēhān hom*. De plus, Yima entre dans le rôle d'un sauveur bienfaisant en libérant les hommes de la détresse et de la pauvreté. C'est ce que montre un passage du *Denkart* qui se réfère ici explicitement à des textes avestiques[5]. En célébrant le sacrifice, Yima assume la fonction du prêtre[6].

Si nous passons à la formulation occidentale de l'idéologie royale iranienne, on retrouve les thèmes, qui étaient associés à Yima, prototype des rois iraniens. Ce qui frappe, c'est le symbolisme astral. La comparaison solaire tire son origine du fait que le roi iranien est particulièrement associé au dieu Mithra[7]. D'après ce que rapporte Hérodote, le roi était choisi par un oracle du dieu du soleil donné par l'intermédiaire de son cheval sacré[8]. Il faut aussi interpréter comme signe de l'élection à la royauté le songe de Cyrus dans lequel il voit le soleil à ses pieds et le cherche à saisir[9]. Le roi peut aussi être décrit comme « la grande lumière de Mithra », entendons la lumière du dieu du soleil[10]. La titulature de Darius, dans le *Roman d'Alexandre* fournit d'autres exemples d'un symbolisme solaire autour du roi iranien. Dans un passage appartenant à l'une des sources anciennes de ce

---

[1] Il faut d'ailleurs noter que les sources principales de l'idéologie royale iranienne sous les époques achéménide et parthe sont les auteurs grecs et latins.

[2] Cf. WIDENGREN 1968 p. 74. Dans certaines traditions, Gayomart figure comme le premier roi; voir S. HARTMAN 1953 pp. 36 et 71.

[3] *Yasna* 9: 4 « Le plus éclatant de ceux qui sont nés » et « celui des hommes dont l'œil est un soleil »; cf. WIDENGREN 1968 p. 73.

[4] *Yašt* 5: 26 et 19: 31.

[5] *Denkart* IX, 21: 1 ss. passage qui est tiré de *Sutkar Nask*.

[6] Cf. *Yašt* 5: 25.

[7] C'est de toute façon applicable à la période dont nous traitons ici; voir p. ex. Xenophon, *Cyropédie* VII, 53 et VIII, 3: 12 et 24; 7: 3; cf. aussi WIDENGREN 1968 p. 143.

[8] Hérodote III: 84–86.

[9] Cicéron *De Divinat.* I, 23, qui se réfère ici sur les *Annales Perses* de Dimon. On doit comparer ce passage avec *Kārnāmak* I, 9 ss. où Pāpak voit dans un songe que le soleil brille de la tête de Sāsān, l'ancêtre éponyme des Sassanides.

[10] Plutarque *Alex.* 30. Cette désignation se retrouve dans la question de Darius à son eunuque Tireos : εἰπέ μοι σεβόμενος Μίθρου τε φῶς μέγα καὶ δεξιάν βασίλειον.

roman[1], le roi est appelé σύνθρονος τε θεῷ Μίθρᾳ καὶ συνανατέλλων τῷ ἡλίῳ[2].

Les monnaies confirment l'importance du symbolisme astral. Artaxerxès III roi-prêtre de Persis apparaît sur les monnaies la tête radiée[3]. On le tient donc comme une manifestation du soleil et comme « la grande lumière de Mithra »[4]. Le rapport entre le roi et le dieu du soleil est indiqué par des bronzes de Phraate IV (37–2) qui ont au revers une figure radiée où l'on reconnaît d'ordinaire le « buste d'Hélios »[5]. Même si la forme est influencée par les représentations grecques d'Hélios, cette tête radiée ne peut être, dans le contexte iranien, que celle de Mithra. Les astres apparaissent fréquemment sur le monnayage parthe. A côté de la tête du roi, on trouve une étoile[6], et parfois sur l'autre côté le symbole de « l'astre et le croissant »[7]. Ce symbole est représenté de façon variée.[8] L'intérêt que montrent les monarques parthes pour l'astre et le croissant suggère qu'ils ont voulu par là indiquer leur double fonction de rois solaires et rois lunaires[9]. Un type monétaire de Phraate IV porte un astre au revers[10].

---

[1] Cf. MERKELBACH pp. 1–5, 39 et 195–219.

[2] Pseudo-Callisthène I, 36 (KROLL p. 40). Dans un autre passage ancien, Darius s'appelle ὁ ἡλίῳ συνανατείλας (KROLL p. 86).

[3] HILL p. 240 Pl. XXXVI, 24–26. La légende en est : ארתחשת מתרי מלכא, ce qui montre un rapport avec le dieu Mithra.

[4] Ce type monétaire confirme notre interprétation de la notice de Plutarque sur Darius comme « la grande lumière de Mithra ».

[5] WROTH 1903 p. 116, Pl. XXI, 9–10; *Syll. Numm. Graec. Copenhague* 39 n° 128.

[6] Des drachmes et bronzes de Mithridate III (57–55 av. J.-C.), de Phraate IV : WROTH 1903 pp. 66 s., Pl. XIII, 12 et p. 122 s. n° 191–216; *Syll. Numm. Graec. Copenhague* 39, n° 87–88 et 125.

[7] Monnaies d'Orodès II (environ 56–36) : WROTH pp. 90–95, Pl. XVII, 9–14; *Syll. Numm. Graec. Copenhague* 39, n° 96–97, 101–102; de Phraate IV : WROTH p. 129, n° 237–251.

[8] Croissant et astre au-dessous ☿ derrière la tête du roi : Mithridate III (70–57) WROTH p. 66, Pl. XIII, 13; les types d'Orodès II et de Phraate IV mentionnés dans la note ci-dessus. Croissant surmonté de l'astre ☿ devant la tête du roi : Phraate IV *ib.* p. 126 s., Pl. XXII, 10–11. Le revers d'un type monétaire émis sous Artabane II (12–38) représente le croissant surmonté de l'astre; le symbole couvre tout le champ; WROTH p. 152, Pl. XXV, 12 et *Syll. Numm. Graec. Copenhague* n° 153. Parfois on trouve l'astre devant la tête du roi et le croissant derrière; monnaies d'Orodès II : WROTH pp. 82–89. Pl. XVI, 10–15 et *Syll. Numm. Graec. Copenhague* n° 95, 98–100. Le croissant seul figure derrière l'image d'Orodès II : WROTH p. 79, Pl. XVI et *Syll. Numm. Graec. Copenhague* n° 94.

[9] Il existe un rapport entre le symbole du croissant et l'astre sur les monnaies parthes et le même symbole sur les monnaies de Mithridate du Pont; cf. supra p. 340.

[10] WROTH 1903 p. 122 s. n° 191–199. Le symbole ordinaire du revers des monnaies parthes est celui d'Arsace, le fondateur de la dynastie, assis sur un trône avec l'arche.

Certains rois arsacides portent aussi sur la tiare un astre flamboyant (Fig. 13a)[1]. Il en est de même pour le roi arménien Tigrane Ier (Fig. 13b). Est-ce un soleil ou étoile? Le rôle que joue la phraséologie solaire dans la légende royale suggère que l'astre de la tiare pourrait représenter le soleil.

Nous avons des vestiges d'un autre complexe symbolique; cette fois-ci c'est une étoile qui annonce la naissance ou l'avènement du roi iranien. Ce que la légende dit de Mithridate Eupator[2], reflète certainement cette forme particulière du symbolisme astral iranien. Le *Bahman Yašt*, dans un contexte où apparaît encore l'arrière-plan avestique, rapporte que la nuit de la naissance du souverain (*kai*), sera marquée par l'apparition d'une étoile[3] Par là s'explique également la mention faite de « la grande étoile » dans un papyrus, datant sans doute du Ier siècle av. J.-C. et appartenant au « Roman épistolaire », source du Pseudo-Callisthène[4]. L'auteur grec fait ici allusion à l'étoile royale des souverains iraniens[5].

Au même complexe mythique appartient la tradition sur les mages et l'étoile[6]. En voici un résumé. Les mages s'assemblent chaque année sur une montagne d'Iran appelée « le mont de la victoire ». Là ils attendent l'apparition d'une étoile plus brillante que le soleil. Ce sera le signe de la naissance du roi-sauveur iranien, qui descendra sur la montagne dans la colonne de lumière, issue de l'étoile. Quoique cette variante du thème de l'étoile royale nous soit conservé seulement par des auteurs chrétiens, l'analyse des textes montre qu'elle représente une tradition iranienne qui

---

[1] Mithridate II (123–88) : Wroth 1903 pp. 34–37, Pl. VIII; 1–9 et Sinatrocès (77–70) : *Syll. Numm. Graec. Copenhague* n° 43–52 et n° 64–69.

[2] Cf. supra p. 341.

[3] III, 15 (VII, 6) : *hān šap ka hān kai zāyēt, nīšān ō gēhān rasēt; stārak hac asmān vārēt, ka ōi kai zāyēt, stārak nīšān nimāyēt.*

[4] *Pap. Hamb.* 129, 79–105 : ναὶ μὰ τὸν μέγαν ἀστέρα, Πῶρός σοι ὀμνύει τὸν βασίλειον ὅρκον. Le texte se trouve aussi dans Merkelbach p. 216.

[5] L'auteur fait écrire par le roi indien Porus une lettre dans le style épistolaire des rois iraniens; on doit comparer l'expression σὲ πυνθάνομαι du liminaire avec la lettre de Darius (*Inscr. Magnesia* n° 115); cf aussi Merkelbach p. 35. Notons que cette lettre n'a pas été utilisé par le Pseudo-Callisthène.

[6] On trouve cette tradition dans *Opus imperfectum in Matthaeum* dans le commentaire des mots *Mt.* 2: 1 : *ecce magi venerunt ab Oriente* (texte : Bidez-Cumont II p. 119 s.) et dans la *Chronique de Zuqnin* (texte *CSCO* III: 1: 1); traduction italienne par Monneret de Villard pp. 27–49. Le *Protévangile de Jacques* dont le *Papyrus Bodmer* V confirme l'antiquité, a adapté au chap. XIX certains traits de la légende sur la naissance du roi-sauveur iranien dans une caverne sur le « mont de la victoire ». Ces traits sont indépendants du récit des *Évangiles*. Au chap. XXI cependant, nous sommes en présence d'un développement de *Matthieu* 2: 1 ss.; cf. aussi supra p. 275.

La *Caverne des Trésors* utilise aussi la tradition iranienne dans le récit sur le messie et les mages mais l'a remaniée.

est indépendante de la légende des mages dans l'*Évangile de Matthieu*[1]. Or, comme on ne peut expliquer la tradition iranienne à partir du récit de l'*Évangile de Matthieu* en 2: 1–12, on doit estimer que le christianisme a repris une forme de la tradition iranienne sur les mages et l'étoile et l'a appliquée à Jesus[2]. Le judaïsme avait sans doute accueilli cette tradition antérieurement[3]. On peut donc faire remonter cette variante de l'étoile royale d'Iran au moins au début du Ier siècle ap. J.-C.

Signalons enfin que le vêtement du roi iranien était parsemé d'étoiles ce qui n'était certainement pas un simple motif décoratif[4]. Sur les monnaies parthes, les souverains sont souvent représentés avec une étoile sur la cuirasse[5].

La domination universelle est un trait constant dans l'idéologie des Achéménides. Darius Ier s'appelle dans l'inscription de Béhistoun « roi de Perse, roi des pays »[6]. Dans les inscriptions de Persepolis et de Naqs i Rustam ce trait est encore plus marqué. Darius est aussi « le roi de cette grande terre », formule, qui suit le titre « roi des pays »[7]. Ahura Mazda a donné à Darius la souveraineté « de toute la grande terre où il y a beaucoup de pays »[8]. La même idée s'exprime dans la formule suivante appliquée à Darius: « Ce seul homme, roi sur beaucoup, ce seul homme, maître de beaucoup[9]. »

Les mêmes formulations reviennent dans les inscriptions de Xerxès[10], et de ses successeurs[11]. La représentation du roi achéménide sur le trône dans

---

[1] Cf. à ce sujet Monneret de Villard pp. 63–65 et en particulier Widengren 1960 pp. 60–78 et 1968 pp. 235–243.

[2] C'est le mérite de Widengren d'y avoir insisté : cf. Widengren 1960 p. 70 et 1961 pp. 80–91. On s'étonne de ce que ces résultats n'ont pas pénétré dans les commentaires du *Nouveau Testament* sur *Mt.* 2: 1 ss.

[3] Cf. Widengren 1960 p. 70 qui renvoie à la légende de Jean le Baptiste chez les mandéens; voir aussi ce que nous dirons plus loin sur le *Testament de Lévi* 18: 3.

[4] La « Mosaïque de la bataille d'Alexandre » montre Darius dans un vêtement qui sur le front est orné de deux rangs d'étoiles d'or; cette mosaïque remonte à des modèles hellénistiques; planche en Charbonneux-Martin-Villard : p. 116 (Pl. 116). La cuirasse de Mithridate Kallinikos et d'Antiochus de Commagène est parsemée d'étoiles; voir supra p. 343.

[5] Sinatrocès (Wroth p. 44), Phraate III (*ibidem* p. 49) et Phraate IV (*ibidem* pp. 99–104, Pl. XVIII, 15).

[6] Weissbach p. 9, Kent p. 116.

[7] Weissbach p. 83 *Dar Pers. f.* § 1 et p. 87 *N Ra* § 2, Kent p. 137.

[8] *Id.* p. 85 *Dar Pers. g.* § 1 et p. 103, *Dar. Sz.b.*

[9] *Id.* p. 86 s. *N Ra* § 1.; cf. aussi p. 100 § 1, Kent p. 137.

[10] *Id.* pp. 106–119, Kent p. 149 ss.

[11] *Id.* pp. 121–127, Kent p. 153 ss.

les reliefs de Persepolis exprime aussi l'idée d'une domination universelle[1]. Ce thême a dû être repris également dans l'idéologie des rois parthes[2].

Le roi iranien est considéré comme sauveur et bienfaiteur, sinon de l'univers, du moins des pays iraniens. Selon les inscriptions de Persepolis, Darius, en tant que lieutenant d'Ahura Mazda, doit protéger le pays des Iraniens « des ennemis, de la famine et du mensonge (*drauga*) »[3]. Si le roi protège le peuple, le bonheur (*šiyāti*)[4] fleurira longtemps dans la paix[5]. La notion du Sauveur bienfaisant est donc un élément important de l'idéologie royale iranienne. Une nuance universaliste infléchit la formulation grecque. Plutarque rapporte en *Thémistocle* 27 une explication de la proskynèse, donnée par un iranien à des grecs. On se prosterne devant le roi, selon cette explication, ὡς εἰκόνα θεοῦ τοῦ τὰ πάντα σώζοντος. Le roi iranien peut donc lui aussi être considéré comme « celui qui sauve l'univers ».

La titulature d'Artachès (189–161 av. J.-C.), roi d'Arménie[6], révèle cet aspect du roi comme bienfaiteur et sauveur. Il se désigne comme « le Bon »[7] et peut-être aussi comme celui qui vainc les forces du Mal[8]. L'épithète « le Bon » correspond évidemment au titre *dikaios* des rois parthes. Les autres épithètes du roi « l'allié de *Xšaθra* » et « porteur de couronne » souligne le caractère iranien de cette titulature.

La légende grecque des monnaies parthes contient souvent le titre εὐεργέτης pour le souverain[9]. Ce n'est pas là seulement une imitation de la titulature des souverains hellénistiques, mais ce titre correspond, comme nous l'avons vu, à des éléments de l'idéologie traditionnelle de l'Iran. Cela est confirmé par le fait que le titre δίκαιος apparaît fréquemment dans le monnayage parthe, le plus souvent en combinaison avec εὐεργέτης[10].

---

[1] Cf. L'ORANGE pp. 80–87.

[2] Les documents parthes ont été perdus, mais on saisit un peu de cette idéologie à travers l'épopée persane *Wīs u Rāmīn*, qui se fonde sur un modèle parthe. Le roi prend ici le titre *šāh i zamān*; cf. WIDENGREN 1968 p. 270.

[3] WEISSBACH pp. 80–83 *Dar. Pers. d* § 3, KENT p. 135 s.

[4] Sur ce terme voir NYBERG 1938 p. 361.

[5] WEISSBACH p. 82 s. *Dar. Pers. e* § 3, KENT p. 136.

[6] On connaît maintenant cette titulature grâce à des inscriptions, trouvées récemment en Arménie; voir à ce sujet PÉRIKHANIAN 1966 et 1971.

[7] L'inscription porte le mot armaéen *ṭby*, qui correspond en moyen iranien à *nēv* ou à *vēh*.

[8] On lit sur la stèle *wnqpr* qui doit être un mot iranien, mais dont l'interprétation n'est pas certaine. Nous suivons le sens proposé par PÉRIKHANIAN 1971 p. 172 s.

[9] Le titre *évergète* est appliqué à Mithridate II, Artabane II, Orodès II, Phraate III, Phraate IV et Gotarzès II (38–51).

[10] Le titre *dikaios*, associé à *évergète*, est significatif de Mithridate II, Orodès II, Phraate IV, Gotarzès II et Artabane II. *Dikaios* sans *évergète* se trouve pour Mithridate III.

Le titre de *dikaios*, nous l'avons souligné[1] est très rare dans la titulature des souverains hellénistiques; on le trouve cependant pour Antiochus I de Commagène. Or, l'influence iranienne est très marquée dans ce royaume. Il faut reconnaître dans ce titre des rois parthes l'expression d'une idéologie proprement iranienne, qui met en valeur Mithra, dieu de justice[2].

Les figures messianiques du monde ambiant

L'idéologie et le culte des souverains peuvent, dans des conditions particulières, donner naissance à l'attente de figures véritablement « messianiques ». À l'époque qui nous occupe, cette attente est présente dans l'*oikoumene* sous des formes diverses dont nous devons étudier les expressions principales.

La IVe Églogue de Virgile

C'est d'abord le courant d'idées dont témoigne tout particulièrement la *IVe Églogue* de Virgile. Nous n'avons pas l'intention d'aborder ici tous les problèmes que pose ce texte célèbre[3]. Ce qui importe à notre propos, c'est de saisir les traits essentiels de cette attente messianique. L'arrière-plan en est évidemment les espérances « séculaires » qui étaient vivantes parmi les Romains au milieu du Ier siècle av. J.-C.[4] Mais Virgile associe l'avènement du siècle nouveau à la naissance d'un enfant qui, à l'âge d'homme inaugurera une ère d'une paix et d'une félicité universelles. Cette prophétie, dont le fond précis nous échappe[5], groupe autour d'un personnage à venir des thèmes importants de l'idéologie des souverains.

Dès le début du poème, Virgile utilise une image astrale pour caractériser l'ère nouvelle qui s'ouvre avec la naissance de l'enfant. La tournure *iam redit et virgo* (ligne 6) fait allusion au mythe astral consigné par Aratus.

---

[1] Voir supra p. 343.

[2] Cf. cupra p. 343 s.

[3] On consultera pour ces problèmes et pour la littérature SCHANZ-HOSIUS 1935 pp. 42–46 et FRIDRICHSEN p. 37 s.

[4] Virgile renvoie lui-même à un oracle sibyllin comme point de départ de son poème : *ultima Cumaei venit iam carminis aetas* (1. 4). La comète de 44 est interprétée par l'haruspice Vulcanius comme le début du dixième siècle, (Serv. Dan. *Egl*. 9, 46). Ce siècle est celui du Soleil et de l'ère nouvelle selon l'oracle sibyllin, cité par Servius in *Egl*. 4,4. Notons aussi les calculations de Varro en 43 qui aboutissaient dans la conviction qu'une rénovation du monde allait se produire dans un avenir immédiat; cf. aussi P:SON NILSSON 1920.

[5] Il est inutile de chercher une identification de l'enfant romain à qui fait allusion Virgile. Mais on ne peut pour autant, comme le font p. ex. BOLL 1950 et NORDEN, placer cette allusion tout à fait dans la sphère mythique.

La *Dike* quitte la terre durant les âges de bronze et de fer et monte vers le ciel où elle apparaît comme le signe de la Vierge[1]. On peut sous-entendre qu'elle doit revenir avec le retour de l'âge d'or. L'enfant attendu est mis en rapport étroit avec le soleil. Le siècle nouveau est celui d'Apollon, dieu du soleil : *tuus iam regnat Apollo* (ligne 10)[2].

Le rôle que jouera un jour l'enfant comme inaugurateur d'une ère de félicité pour le monde entier apparaît nettement dans les lignes 8–9 :

> *Tu modo nascenti puero, quo ferrea primum*
> *desinet ac toto surget gens aurea mundo.*

L'avènement de ce temps « paradisiaque » est le thème central de la *IVᵉ Églogue*. Cet avènement semble se réaliser en trois phases qui correspondent aux trois âges par lesquels passera l'enfant[3]. Pendant l'enfance, les serpents et les herbes vénéneuses disparaîtront pour faire place aux balsamines d'orient[4]. Lors de sa jeunesse, la fécondité de la terre s'épanouira miraculeusement[5]. Mais ce n'est qu'au temps où de l'enfant sera devenu un homme que l'ère « paradisique » sera pleinement présente[6].

Il gouvernera alors le monde avec les vertus de ses ancêtres[7], et établira une paix universelle : *Pacatumque reget patriis virtutibus orbem* (ligne 17).

L'importance de cette figure messianique se manifeste dans son lien avec la Divinité. L'enfant aura des relations intimes avec les dieux[8], et le poète le salue avec les mots « cher rejeton des dieux, grand descendant de Juppiter »[9]. Son importance est soulignée davantage par la joie du *kosmos* à l'apparition du sauveur qui inaugure l'ère nouvelle[10].

Il est clair que Virgile, même s'il s'inspire d'une naissance attendue dans une des grandes familles de Rome, envisage dans la *IVᵉ Églogue* un sauveur bienfaisant, considéré non pas comme une figure mythique orientale, mais comme un souverain romain, maître et pacificateur du monde. Le monde, peu après, le reconnaîtra en Octave-Auguste. Il y a,

---

[1] Aratus, *Phaenomena* 96–136.

[2] Cf. aussi l'oracle sibyllin dans la note ci-dessus et BOLL 1950 p. 339 s. et NORDEN p. 14 s.

[3] Virgile est ici influencé par l'astrologie qui propage la conception des trois âges de l'homme; cf. BOLL 1950 p. 334 s.

[4] Lignes 22–25.

[5] Lignes 26–30.

[6] Lignes 37–45.

[7] On doit rapporter *patriis virtutibus* à *reget*; cf. aussi BOLL 1950 p. 340 n. 3.

[8] Lignes 15–16 : *ille deum vitam accipiet divisque videbit*
    permixtos heroas et ipse videbitur illis.

[9] Ligne 49 : *cara deum suboles, magnum Iovis incrementum.* Ces mots ne s'adressent pas à Apollon comme le veut LINKOMIES p. 151.

[10] Lignes 50–52.

en effet, des points de contacts précis entre la *IVe Eglogue* et la légende d'Auguste. Auguste apparaît, comme nous l'avous vu, en particulier comme celui qui inaugure un siècle nouveau de paix et de félicité.[1] L'image du sauveur attendu, esquissée par Virgile, à dû être appliquée rapidement à Auguste.

Figures messianiques d'Égypte

L'espérance de figures messianiques en dehors du judaïsme, n'est pas un phénomène isolé, attesté seulement par la *IVe Églogue* de Virgile. Cette espérance s'est répandue dans le monde gréco-romain à partir de l'Égypte et de l'Iran.

L'*Oracle du Potier* en est l'expression égyptienne la plus connue[2]. Utilisant des modèles plus anciens[3], cet oracle prédit les malheurs qui fondront sur l'Égypte, mais aussi le temps de bonheur et d'abondance qui succédera au chaos. Ce renversement sera marqué par l'apparition d'un roi-sauveur que l'oracle annonce en ces termes :

καὶ τότε ἡ Αἴγυπτος αὐξηθήσεται ἐπὰν ὁ τὰ πεντήκοντα πέντε ἔτη εὐμενὴς ὑπάρχων ἀπὸ Ἡλίου παραγένηται βασιλεὺς ἀγαθῶν δοτήρ[4].

Ce roi bienveillant dont le règne a une durée symbolique de 55 ans[5] viendra « du Soleil ». Ce dernier trait s'explique par l'arrière-plan égyptien[6], où une relation étroite lie le roi et le dieu-soleil[7]. Vient ensuite la mention que le roi sera institué par Isis. La prophétie souligne, comme on le voit,

---

[1] On comparera ce que dit la *IVe Églogue* avec les inscriptions de Priène et d'Halicarnasse; voir supra p. 351 s.

[2] Le règne de Ptolémée V Évergète (145–116) paraît la date le plus probable, cf. REITZENSTEIN 1926 p. 40 ss. et KOENEN 1968 p. 192; celui-ci précise davantage; l'*Oracle* présuppose la situation historique de 130 environ. ROBERTS p. 935 pense à la fin du IIIe siècle av. J.-C.

Quant au texte nous utilisons l'édition de KOENEN 1968 et pour le *Pap. Oxyr.* celle de ROBERTS 1954. La prophétie semble avoir subi un remaniement quelque temps après 140 qui en aurait accentué le caractère eschatologique du roi-sauveur; cf. KOENEN 1968 pp. 188 ss.

[3] Mentionnons la « prophétie de Nefer-rohu » qui a été composé tout au début du Moyen Empire; voir *ANET* pp. 444–446.

[4] *Pap. Rainer* lignes 39–41.

[5] Cf. KOENEN 1968 p. 190.

[6] Voir à ce sujet supra p. 333. Notons également que, selon le cadre narratif, les prophéties du Potier sont prononcées sur « l'île du Soleil », cf. KOENEN 1968 p. 184.

[7] KOENEN 1970 p. 250 s. le souligne à bon droit. L'hypothèse de REITZENSTEIN 1926 qui voit dans l'*Oracle du Potier* l'adaptation d'une prophétie mazdéenne ne s'impose pas; en fait, les indices allégués par REITZENSTEIN en faveur d'une origine iranienne, s'expliquent tous de l'arrière-plan égyptien; pour ζωνοφόροι voir STRUVE.

la fonction de bienfaiteur qu'aura ce sauveur venu « du Soleil ». Il inaugure
aussi l'ère nouvelle. L'Égypte refleurira, les eaux du Nil couleront abondam-
ment et les vents bienfaisants souffleront[1]. Ceux qui vivront à l'apparition
du roi-sauveur souhaiteront que ceux qui vivaient auparavant, ressuscitent
pour pouvoir bénéficier de la félicité[2].

Ce qui caractérise l'*Oracle du Potier* c'est que nous sommes en présence,
du moins dans sa forme actuelle, d'une attente messianique. Soulignons
que cette attente s'est développée à partir de l'idéologie royale égyptienne[3].

Il y a des indications qui font penser que cette « messianisation » du
souverain égyptien a eu lieu plusieurs fois. Héphaistion de Thèbes a consigné
un oracle qui a toute chance d'être dérivé, pour le fond sinon pour la
terminologie[4], de sources hellénistiques[5]. Il est dit dans cet oracle que sous
le troisième décan du signe du Verseau, signe qui représente l'Égypte[6],
naîtra le souverain du monde[7]. Le rapport avec l'Égypte indique aussi
un rapport avec son idéologie royale.

L'*Apocalypse d'Élie* II 23–45 a adapté une source égyptienne qui présente
des points de contacts précis avec l'*Oracle du Potier*[8]. On y fait mention
d'un roi-juste à venir, sauveur de l'Égypte. L'*Apocalypse* utilise soit l'*Oracle*
lui-même soit une tradition analogue. C'est un nouvel exemple de la
messianisation du roi idéal d'Égypte.

Le roi-sauveur des Oracles d'Hystaspe

Les *Oracles d'Hystaspe*, prophéties d'origine iranienne qui circulaient
dans le monde gréco-romain depuis le IIe siècle av. J.-C.[9], nous font connaître

---

[1] *Pap. Rainer* lignes 43 ss. *Pap. Oxyr.* lignes 71 ss.

[2] *Pap. Rainer* lignes 42 s. *Pap. Oxyr.* ligne 67 ss. ont ici la même teneur du texte : ὥστε
εὔξασθαι τοὺς περιόντας καὶ τοὺς προτετελευτηκότας ἀναστῆναι ἵνα μετάσχωσι τῶν ἀγαθῶν.

[3] Il n'est pas nécessaire, selon nous, d'attribuer cette évolution à des influences
iraniennes, juives ou chrétiennes.

[4] L'emploi de κοσμοκράτωρ pour le roi attendu indique que la formulation de l'oracle
n'est pas antérieure au IIe siècle ap. J.-C Ce titre n'est attesté pour les rois et les
souverains qu'à partir de ce temps.

[5] Il faut voir dans ces sources en premier lieu le livre de Nechepso-Petosiris que
signale BOLL p. 341 s. Mais BOLL ne tient pas compte du problème que pose le titre
κοσμοκράτωρ quand il suggère que Héphaistion ait fait un emprunt direct à ce livre.

[6] Cf. BOLL 1950 p. 343.

[7] Héph. I, 1 ὁ δὲ ἐπὶ τοῦ τρίτου γεννώμενος ἐκ θεῶν σπαρήσεται καὶ ἔσται μέγας καὶ
μετὰ θεῶν θρησκευθήσεται καὶ ἔσται κοσμοκράτωρ καὶ πάντα αὐτῷ ὑπακούσεται.

[8] Voir en dernier lieu sur ces ressemblances ROSENSTIEHL pp. 43–46.

[9] L'ouvrage primitif a dû avoir subi des remaniements successifs dans le but de
l'actualiser. La date de sa composition remonte certainement au Ier siècle av. J.-C. sinon
à la seconde moitié du II siècle; cf. pour cette date WIDENGREN 1968 p. 228 et HINNELLS
1973 p. 145 s. Selon COLPE p. 85 et EDDY p. 34, la rédaction des *Oracles* remontent
encore plus haut, aux environs de 200 av. J.-C.

une figure messianique, appelée « le grand roi ». À l'arrière-plan de cette conception du « grand roi »[1] se trouve d'une part l'idéologie relative aux souverains iraniens, d'autre part l'attente du *Saošyant* du zoroastrisme[2].

Les *Oracles d'Hystaspe* commencent comme le rapporte Lactance, par décrire les calamités de la fin qui précèderont l'apparition du « grand roi »[3]. Les justes essayent de fuir loin des méchants mais seront encerclés par le chef de l'iniquité et son armée. Ils implorent alors Dieu de leur envoyer le secours. Dieu les exauce et, comme le dit Lactance :

> *mittet regem magnum de caelo qui eos eripiat ac liberet omnesque inpios ferre ignique disperdat. Inst.* VII, 17: 11[4]

Dans un autre passage, Lactance est plus explicite. Un glaive tombe soudain du ciel pour que les justes sachent que le sauveur, « le chef de l'armée sainte[5], va descendre. Il descend accompagné d'anges au milieu de la terre et un feu inextinguible le précède[6]. Une grande bataille suit et l'armée des méchants est anéantie, et leur chef « l'impie » s'enfuit seul et son pouvoir lui échappe. Toutefois, il relancera la guerre plusieurs fois avant d'être définitivement vaincu. Le texte de Lactance continue en décrivant un scène de jugement. Le chef du Mal et les dynastes qui ont opprimé le monde seront amenés devant le roi-sauveur qui les juge et les livre au châtiment. Le mal et l'impiété disparaîtront ainsi et la terre parviendra à la paix[7]. On n'adore plus les dieux faits de main d'homme et le

---

[1] Le titre de « grand roi » qui est un élément constitutif de la titulature royale iranienne à partir des Achéménides indique le rôle joué par l'idéologie royale dans la formation de l'attente de cette figure messianique.

[2] Voir plus bas p. 367 et cf. aussi HINNELLS 1973 p. 145. COLPE p. 108 pense que le « grand roi » des *Oracles* représente Ahura Mazda dans sa manifestation astrale, alors que WIDENGREN 1968 pp. 229 et 236 voit dans le « grand roi » une « réincarnation de Mithra ».

[3] Lactance *Inst.* VII, 16: 4–12 et 17: 9, *Epit.* 66: 3. Ces descriptions montrent nombre de ressemblances avec les apocalypses iraniennes transmises en pahlavi, ce qui souligne l'origine iranienne des *Oracles d'Hystaspe*.

Voir à ce sujet BENVÉNISTE pp. 374–376 CUMONT 1931 p. 75 ss. WIDENGREN 1968 p. 233 s. et HINNELLS 1973 pp. 135–142.

[4] Dans l'*Epitomé* 66: 10, Lactance est encore plus succinct : et *mittet illis liberatorem.*

[5] *Inst.* VII, 19: 5 *Cadet repente gladius e caelo ut sciant iusti ducem sanctae militiae descensurum.* Nous croyons traduire ici *militia* par « armée », c'est ce sens qui convient le mieux dans le contexte et le mot reçoit en effet cette signification dans le latin post-classique, voir SOUTER p. 252.

[6] *Inst.* VII, 19: 5 : *et descendet comitantibus angelis in medium terrae et antecedet eum flamma inextinguibilis.*

[7] *Ibidem* 19: 6–7.

texte se termine par la destruction des idoles et de leurs temples, trait caractéristique des apocalypses iraniennes[1].

Le caractère iranien de ce sauveur est apparent. Tout comme Pešyotan, Fréton, le *Saošyant*[2], le « grand roi » combat contre le chef du Mal et ses partisans. Il les vainc et délivre les justes; sa fonction salvatrice est par là fortement soulignée. Un trait caractéristique du « grand roi » est sa fonction de juge universel et son apparition qui apporte la paix et amène la disparition du mal.

Un texte syriaque a conservé d'autres éléments de la conception du « grand roi » sauveur[3]. Il s'agit d'une prophétie de Zarathoustra sur le sauveur à venir, transmise dans un remaniement chrétien. Mais on ne l'aurait pas reprise si elle ne se prêtait pas à une prédiction frappante sur la venue de Jésus-Christ. La prophétie confirme d'abord les données des *Oracles d'Hystaspe* en prédisant que « le grand roi » viendra dans le monde à la fin des temps qui sera marquée par une « dissolution ». C'est là une allusion aux signes de la fin qui précèdent dans les *Oracles d'Hystaspe* l'arrivée du rédempteur.

Nous apprenons ensuite que le sauveur naîtra d'une vierge ce qui, en fait, correspond à des conceptions iraniennes[4]. L'apparition du « grand roi » sera annoncée par une « étoile brillante au milieu du ciel » dont « la lumière l'emportera sur celle du soleil ». Ce trait est caractéristique des descriptions de l'étoile royale d'Iran, mais est étranger aux récits de l'étoile de Betléhem[5]. La « prophétie de Zarathoustra » corrobore également ce que nous venons de dire sur l'arrière-plan de la figure messianique du « grand roi ». Le rapport de celui-ci avec le *Saošyant* apparaît nettement dans l'affirmation de Zarathoustra que le « grand roi » surgira de sa famille[6].

---

[1] 19: 7 et voir *Grand Bundahišn* XXXIII: 28 et *Bahman Yašt* III, 30 et 36 (VII: 26); cf. aussi WIDENGREN 1968 p. 232.

[2] Voir ci-dessous.

[3] Théodor bar Kōnai, *Livre des Scholies* II pp. 74 ss.; traduction dans BIDEZ-CUMONT II pp. 126–129.

[4] Le sauveur final Astvat-Arta est selon la légende avestique né d'une vierge; voir WIDENGREN 1968 p. 128 et HINNELLS 1969 p. 166.

[5] Pour l'étoile royale d'Iran surpassant la lumière du soleil, on verra la description de la naissance de Mithridate Eupator (voir supra p. 341); la *Chronique de Zuqnin :* la lumière de l'étoile « était plusieurs fois plus vive que celle du soleil ».

Dans les récits chrétiens on compare avec les autres étoiles et non avec le soleil : Ignace *lettre aux Ephésiens* 19, *Protoev. de Jacob* 21: 2, la *Caverne des Trésors* (BÉZOLD p. 234 trad. p. 56). *Or. Sib.* XII, 30–31 y fait exception si ce passage se rapporte à l'étoile de Betléhem.

[6] Cf. aussi BIDEZ-CUMONT II p. 128.

Cela nous amène à dire quelques mots sur la notion de *Saošyant* à l'époque qui nous occupe. Nous entendons par le *Saošyant* le dernier des trois fils mythiques de Zarathoustra[1], celui qui sera le rédempteur final.

Dans l'*Avesta*, le *Saošyant*, appelé *Astvat-Arta*, apparaît en premier lieu comme un sauveur combattant et comme un vainqueur. Il combat les chefs du Mal et les démons[2]. La défaite des forces du Mal ouvre la voie de la réstauration du monde qui est, elle aussi, opérée par le *Saošyant*[3]. La rénovation du monde comprend aussi la résurrection des morts qui est particulièrement liée au *Saošyant*[4]. Cette rénovation est en même temps considérée comme un retour à l'ère paradisiaque[5].

Les écrits pehlevis, dans les passages qui se fondent sur des textes avestiques, confirment et complètent l'image de *Saošyant* dans les *Yašts*. Le *Grand Bundahišn* met en relief surtout son caractère de rénovateur du monde. Le *Saošyant* rétablit le monde dans l'état primordial de bonheur et de pureté et fait ressusciter les morts[6]. Sur l'ordre d'Ohrmazd, il récompensera tous les hommes selon leur actions[7]. Il faut cependant noter qu'il est ici question seulement d'une rétribution au sens positif[8]. Le châtiment exercé par le *Saošyant* s'exprime dans le combat contre les puissances du Mal, trait qui est souligné notamment dans la description du *Denkart VII*. Le *Saošyant*, soutenu de la *xvarnah* des *kai* éliminera le Mensonge, *druž* du monde de la justice[9]. On précise plus loin que le *Saošyant*, surgi du lac *Kammāsā*, se manifestera avec milles compagnons pour frapper et faire périr les impies et les tyrans[10]. Signalons sur ce point les analogies avec les *Oracles d'Hystaspe* pour ce qui est de l'apparition du « chef de l'armée sainte » accompagné des anges et du châtiment des « princes et des tyrans ».

La rénovation du monde sous l'égide du *Saošyant* implique selon le *Denkart VII*, 11: 4, la disparition de la malice, la tyrannie, les injustices,

---

[1] *Yašt* 13: 129.

[2] *Yašt* 19: 92 ss.

[3] *Yašt* 13: 17, 19: 22 et 94.

[4] *Yašt* 13: 127 s. contient sans doute une allusion à *Astvat-Arta* comme promoteur de la résurrection. Dans *Yašt* 19: 89 ce rapport est évident; cf. aussi NYBERG 1938 A p. 308 s.

[5] Cf. WIDENGREN 1968 p. 128 s.

[6] *Gr. Bund.* XXXIV, 7 et 23; cf. aussi *Zātspram* XXXIV: 48.

[7] *Gr. Bund.* XXXIV, 25.

[8] Les mots *mizd* et *patdašin* ont l'un et l'autre le sens positif de récompense. Le contexte soutient également cette interprétation.

[9] VII, 11: 3 : *ēnic kū-š apāk bavēt kayān xvarrah i pērōzkar ... pat hān druž bē barēt hač ēn i ahrāyēh gēhān.*

[10] VII, 11: 8; cette section est introduite par les mots *čigōn dēn gōvēt kū*, caractéristique des citations avestiques.

la maladie et la mort, et on souligne que « toute la création sera dans la joie ».

Notons enfin que l'apparition du sauveur final est comparée à celle du soleil. Il est dit (*Denkart* VII, 11: 2) que le *Saošyant* quand il se manifestera, aura l'apparence du soleil, *xvaršēt karp*.

Conclusions

L'idéologie des souverains et le prêtre-sauveur

Sur cet arrière-plan non-juif, le visage du prêtre-sauveur des *Testaments* s'éclaire d'une lumière nouvelle.

Les traits du prêtre-sauveur correspondent de façon frappante aux lignes suggérées par l'idéologie des souverains. Si l'on passe ces traits distinctifs de la formulation juive à celle du culte des souverains, le prêtre-sauveur apparaît comme σωτὴρ τοῦ κόσμου[1] et βασιλεὺς τῆς οἰκουμένης[2], comme εὐεργέτης πάντων τῶν ἀνθρώπων[3] et comme εἰρηνοποιός[4]. À cela s'ajoute le symbolisme astral.

Cette correspondance n'est pas un hasard. Comment en rendre compte? On ne doit pas conclure d'une influence directe, exercée par le culte des souverains. Nous avons pu montrer que les thèmes de l'attente du prêtre-sauveur s'expliquent pour l'essentiel sur une toile de fond juive. D'autre part, la comparaison avec les autres personnages messianiques du judaïsme a fait ressortir certains traits, distinctifs du prêtre-sauveur. Nous suggérons qu'on a repris et accentué, pour le prêtre-sauveur des thèmes qui étaient également présents dans le portrait des souverains hellénistiques et romains. Il est donc légitime de penser qu'une influence indirecte s'est exercée dans le choix de certains thèmes comme dans l'accent placé sur d'autres.

Dans quel but a-t-on mis en valeur les thèmes qui correspondent à ceux du culte des souverains? Il faut sans doute admettre une influence diffuse d'un courant d'idées, caractéristique de l'époque. Mais, selon nous on est d'abord en présence d'un processus conscient. Le milieu où est né cet idéal du prêtre-sauveur des *Testaments*, a voulu répandre, dans le monde ambiant et parmi les juifs, l'image de ce messie *pour faire pièce aux souverains hellénistiques et romains*. On adapte ainsi, dans une certaine mesure, le messie juif aux représentations du milieu ambiant. Un but missionaire ne peut être exclu dans cette adaptation, car la conception du prêtre-sauveur est la plus universaliste des idées messianiques du judaïsme antique.

---

[1] Voir supra p. 346, 350.
[2] Voir supra p. 327, 334.
[3] Voir supra p. 333, 350.
[4] Voir supra p. 346, 351.

Si l'on entre dans le détail, plusieurs analogies frappantes se présentent. Retenons d'abord le symbolisme astral. La présence des étoiles sur le monnayage des souverains éclaire la mention de l'astre du prêtre nouveau, qui se lève dans le ciel comme celui d'un roi (*Lévi* 18: 3). Plus éclairante encore est la conception iranienne de l'étoile royale[1]. C'est elle qui fournit l'arrière-plan à la fois de *Matthieu* 2: 1 ss. et du *Testament de Lévi* 18: 3[2]. Si on considère l'ensemble de l'imagerie astrale de *Lévi* 18: 3–4 et de *Juda* 24: 1, c'est également le symbolisme iranien que l'on est enclin à rappeler. Signalons en particulier la titulature royale « celui qui se lève avec le soleil »[3] et la description de l'étoile de Mithridate Eupator qui présente une image analogue de *Lévi* 18: 3–4; une grande étoile, comparable au soleil, se levant majestueusement de l'horizon[4]. L'inscription de Philae en honneur d'Auguste le comparant à un astre qui se lève, grand et bénéfique[5], est aussi à rapprocher de l'image de *Lévi* 18: 3 s[6].

Comme nous l'avons vu, le messie nouveau des *Testaments* est à la fois prêtre et roi. Par là aussi, la conception du prêtre-sauveur correspond aux idées du milieu ambiant. Surtout Jules César et Auguste, en assumant une fonction sacerdotale, prennent le titre d'ἀρχιερεύς[7]. En Égypte, c'est à l'époque des Ptolémées que divers titres sacerdotaux commencent à être appliqués au roi[8]. Le souverain iranien assume des fonctions sacerdotales[9], tout comme le *Saošyant*[10].

La promesse d'une éternité du ministère du prêtre-sauveur (*Lévi* 18: 8 et *Dan* 5: 11 s.) rappelle le souhait d'une durée éternelle pour la royauté des Attalides[11].

La légende d'Alexandre a un accent universaliste; ce trait est aussi la marque distinctive de l'idée du prêtre-sauveur des *Testaments*. Soulignons à cet égard un parallèle intéressant entre la mission d'Alexandre et celle du prêtre-sauveur. La légende représente Alexandre comme celui qui

---

[1] Voir supra p. 358.

[2] Cf. supra p. 359.

[3] Cf. supra p. 357.

[4] Cf. supra p. 341.

[5] Cf. supra p. 347.

[6] Notons que ce passage utilise le mot οἰκουμένη qui ne se retrouve pas ailleurs dans les *Testaments*. De toute évidence, on relève dans ce vocabulaire une influence de l'idéologie des souverains.

[7] Pour César voir supra p. 346; pour Auguste cf. *Res Gestae* 7, inscription de Sardes (EHRENBERG-JONES n° 99 ligne 23), plusieurs fois sur l'édit de Cyrène (*id.* n° 311), lettre d'Auguste à Cnidos (*id.* n° 312) Jos. *Ant.* XVI, 162.

[8] Cf. E. OTTO pp. 69 et 73.

[9] Cf. WIDENGREN 1968 pp. 179 et p. 269.

[10] *Gr. Bund.* XXXIV, 22.

[11] Voir supra p. 339.

rassemble grecs et barbares sous une même loi de justice; les peuples barbares sont *éclairés* par Alexandre[1]. Le pêtre-sauveur a une fonction analogue. Il réunit juifs et païens sous la *tōrāh* par laquelle les nations seront *éclairées* (*Lévi* 18: 9, *Dan* 5: 11)[2].

L'universalisme est aussi apparent dans la légende d'Auguste. Deux autres thèmes de cette légende offrent cependant des analogies plus frappantes. Le prêtre nouveau des *Testaments* ouvre les portes du paradis et donne aux justes à manger du fruit de l'arbre de vie. En d'autres termes il inaugure une ère nouvelle de félicité et de tranquillité (*Lévi* 18: 10 s. et *Dan* 5: 12), trait qui est plus accentuée dans la description du prêtre-sauveur qu'il ne l'est dans les autres tableaux messianiques du judaïsme antique. Cela correspond pour le fond à ce qu'on croyait d'Auguste plus que de tout autre souverain[3]. Il suffit de relire les inscriptions de Priène et d'Halicarnasse pour comprendre que, tout comme dans le *Testament de Lévi* 18 et de *Dan* 5, une ère paradisiaque s'ouvre pour le monde.

Dans le *Testament de Lévi* 18: 8, il est dit du prêtre nouveau qu'il ne pourra être égalé à tout jamais. Ce caractère unique du messie-sauveur a un équivalent précis dans la légende d'Auguste; sauveur bienfaisant, il n'a été, ni sera surpassé par personne[4].

Les affinités avec la légende d'Auguste confirment la précision, proposée plus haut[5], du temps qui a vu naître l'idéal du prêtre sauveur des *Testaments* : la seconde moitié du Ier siècle av. J.-C. vers le début de notre ère. Les autres rapprochements que nous venons de faire, se fondent sur des documents qui reflètent cette époque. C'est aussi le début du règne d'Auguste où s'est propagé le courant d'idées attesté par la *IVe Églogue* de Virgile.

Les figures messianiques du monde ambiant et le prêtre-sauveur

Nous sommes donc amenés à étudier l'idée du prêtre-sauveur à la lumière des figures messianiques du monde ambiant. L'avènement d'une ère nouvelle, véritable retour du paradis, caractérise la *IVe Églogue*. C'est là un point de contact évident entre le « messianisme » de Virgile et l'idée du prêtre-sauveur des *Testaments*. La figure attendue dans la *IVe Églogue* inaugurera une paix universelle, fonction qui est aussi celle du prêtre-sauveur. Signalons également la joie du cosmos à l'apparition de l'ère

---

[1] Voir supra p. 327 s.

[2] Cf. aussi supra pp. 282 et 295.

[3] Voir supra p. 351 s.

[4] Cf. supra p. 353.

[5] Voir à ce sujet supra p. 323.

paradisiaque, inaugurée par le sauveur (*IVe Églogue*, Lignes 50–52; *Lévi* 18: 5).

Le rapport avec le soleil, l'inauguration d'une ère de bonheur et de prospérité, sont des traits distinctifs du roi-messie de l'*Oracle du Potier*. Ce sont des thèmes connus du portrait messianique du prêtre nouveau des *Testaments*.

La notion du « grand roi » sauveur, propagée par les *Oracles d'Hystaspe* éclaire aussi la description du prêtre-sauveur dans son combat contre les puissances du Mal (*Lévi* 18: 12 et *Dan* 5: 10 s.). Cette fonction est aussi celle du *Saošyant*. Celui-ci est comparé au soleil, tout comme l'est le prêtre-sauveur. L'étoile royale a été attribuée au « grand roi » des *Oracles*, nouveau point de contact avec le prêtre-sauveur des *Testaments*. Notons aussi que l'apparition du sauveur amène la disparition de l'impiété et de la malice et apporte la paix sur la terre (Lactance *Inst.* VII, 19: 7; *Lévi* 18: 4 et 9).

Les ressemblances que nous avons relevées entre ces figures salvifiques du monde ambiant et le prêtre-sauveur ne peuvent établir une dépendance directe. Toutefois, le parallélisme entre le « grand roi » et le *Saošyant* d'une part et le prêtre-sauveur de l'autre dans leur combat contre le chef du Mal et contre les démons révèle une influence iranienne précise. Ce thème est, en effet, central dans la religion iranienne, mais apparaît isolé dans le judaïsme. Il semble cependant que cette influence se soit exercée déjà dans des écrits juifs antérieurs aux *Testaments* où la victoire des anges sur les démons est décrite dans le cadre d'une conception nettement dualiste[1]. Cette influence iranienne a donc pu s'exercer par l'intermédiaire de ces écrits. La victoire sur les démons semble être, en effet, l'un des traits « angeliques » transférés sur le prêtre-sauveur des *Testaments*[2]. Quoi qu'il en soit, le combat du prêtre-sauveur contre Béliar et les mauvais esprits a un arrière-plan iranien[3].

On peut cependant estimer que, dans l'ensemble, le personnage du prêtre-sauveur prend place à côté des personnages messianiques du monde ambiant. On constatera enfin que l'apparition des grandes figures messianiques du judaïsme[4] coïncide avec celle des figures salvifiques attendues

---

[1] Voir surtout *4Q 'Amram*, mais aussi *1 Hén.* 10.

[2] Voir supra p. 285 s.

[3] Outre les références données plus haut, signalons le mythe sur l'enchaînement du démon *Aži Dahāk* par le héros Fréton (*Dēnkart* IX, 21: 8–20, *Grand Bundahišn* XXXIII: 2, *Ayātkār i Žāmāspīk* IV: 28). L'une des figures salvifiques, attendues dans le zoroastrisme est Pešyotan, véritable « prêtre-messie », qui détruira le pouvoir des démons; voir *Bahman Yašt* III: 37 (VII: 26). Les passages cités utilisent ici des traditions avestiques.

[4] Voir supra p. 323.

par le monde ambiant et avec l'apogée du culte des souverains au Ier siècle avant J.-C. et au Ier après J.-C.

Le culte des souverains et le messianisme juif

On peut envisager les rapports entre les messies juifs et le culte des souverains sous divers aspects. Nous avons étudié ici le parallélisme thématique entre l'idéologie des souverains et la conception du prêtre-sauveur qui est celle des figures messianiques du judaïsme, qui se prête le mieux à une telle comparaison. L'attitude intransigeante des juifs dans la réprobation du *culte* rendu aux souverains ne doit pas dissimuler les analogies et les influences dans le domaine de l'*idéologie*. La différence, souvent alléguée, entre la nature divine des souverains et le caractère tout à fait humain du messie juif, tend à s'effacer quand on entre dans le détail. C'est là un thème que nous n'aborderons pas dans le cadre de cette étude. Il est cependant important de souligner la grande diversité qui existe en ce qui concerne les rapports entre la divinité et le souverain, et les expressions qui en découlent. De même, on doit être attentif aux nuances dans les descriptions du rapport entre Dieu et le messie à l'intérieur du judaïsme.

En discutant le problème des influences de l'idéologie des souverains sur le messianisme juif, il faut tenir compte des conditions historiques, et tout d'abord de la dispersion des juifs dans l'*oikoumene* et de la pénétration de l'hellénisme en Palestine. De plus, sauf pour la période hasmonéenne, les juifs ont été sous la domination successive de la Perse, des Ptolémées, des Séleucides et des Romains. Dans les civilisations orientale et gréco-romaine dont relevèrent successivement les juifs, les contacts étaient nombreuses.

L'idéologie des souverains était diffusée par plusieurs canaux. Les monnaies, instruments de propagande, répandaient partout dans l'*oikoumene* les expressions de cette idéologie. Les édits, les décrets et les épîtres officielles furent inscrits sur des stèles qui se dressaient dans les lieux publiques et dans les sanctuaires. Ce ne furent pas seulement les juifs de la diaspora qui se trouvèrent en présence du culte des souverains. Les juifs de la Palestine étaient au contact de villes hellénistiques où ce culte était partout pratiqué. Hérode fit même construire un amphithéâtre à Jérusalem, où figuraient des inscriptions honorofiques pour Auguste[1]. On sacrifiait dans le temple de Jérusalem « pour César et la nation des Romains »[2] et des

---

[1] *Ant.* XV, 272 τό γε μὴν θέατρον ἐπιγραφαὶ κύκλῳ περιεῖχον Καίσαρος.

[2] Jos. *Bell.* II, 197 : καὶ Ἰουδαῖοι περὶ μὲν Καίσαρος καὶ τοῦ δήμου τῶν Ῥωμαίων δὶς τῆς ἡμέρας θύειν ἔφασαν; cf. aussi *ibidem* II, 409–10 s. et 412–417 et Philon *Leg. ad Gaium* 317.

372

honneurs étaient accordées à l'empereur dans les synagogues[1]. D'autres exemples d'une confrontation directe des juifs de Palestine avec le culte des souverains, pour l'époque où se situe la rédaction du prêtre-sauveur, nous sont fournis par Josèphe. En 30 av. J.-C. Auguste passa par Palestine pour aller en Égypte et fut alors accueilli par Hérode « avec tous les honneurs royaux »[2]. Quelques ans plus tôt, Hérode, avec une armée juive, avait assisté au siège de Samosate, capitale de la Commagène. Le roi Antiochus fut forcé d'ouvrir les portes de la ville[3]. Cet événement a pu favoriser un rencontre direct des juifs avec le culte royal de Commagène[4].

La confrontation a parfois été de nature violente. C'est ce que montrent les événements qui se produisirent sous Antiochus IV Épiphane[5]. Le *Troisième Livre des Maccabées* témoigne d'une persécution en Egypte à laquelle le culte des souverains n'était pas étranger[6]. Plus tard à Alexandrie, c'est la persécution de Caligula qui eut pour cause le refus des juifs de rendre un culte à l'empereur[7].

Toutefois, la confrontation n'aboutissait que rarement à des incidents violents. Les juifs étaient en général dispensés des formes du culte des souverains qui étaient inconciliables avec le monothéisme juif[8].

En revanche, les juifs n'éprouvaient pas de gêne à sacrifier en l'honneur de leurs souverains et à les saluer par les mêmes termes honorifiques qu'utilisaient les non-juifs[9]. Cette particularité fait apparaître un point de contact précis où l'influence de l'idéologie des souverains sur le messianisme juif a pu s'exercer. Signalons pour l'époque qui nous occupe, les louanges d'Auguste que fait Philon d'Alexandrie dans sa *Legatio ad Gaium*.

Les grecs avaient installé par la force des images de Caligula dans les synagogues d'Alexandrie sous prétexte d'honorer l'empereur. Philon nous révèle cependant le motif réel des Grecs qui était de nuire aux juifs. Jamais en effet, on n'avait agi ainsi auparavant pour honorer les souverains. Le fait est d'autant plus frappant que, selon Philon, les prédécesseurs de

---

[1] Voir surtout Philon *In Flaccum* 48–49.

[2] Josèphe *Bell.* I; 394 s. *Ant.* XV, 199 ss. La leçon πάσῃ τιμῇ βασιλικῇ doit être préféréé ici. Hérode montra le même zèle de servir Auguste aussi à son retour.

[3] *Bell.* I, 321 s.; *Ant.* XIV, 439 ss.

[4] Rappelons que l'un des *temene* d'Antiochus a été trouvé à Samosate.

[5] Voir Bickermann 1937 pp. 117–139 et Cerfaux-Tondriau pp. 241–245 pour un exposé de ces événements, envisagés sous l'aspect du rencontre des juifs avec le culte des souverains.

[6] Cf. Cerfaux-Tondriau pp. 218 ss.

[7] Philon nous a conservé dans sa *Legatio ad Gaium* un document contemporain de ces événements.

[8] Cf. Juster I p. 353 s. et Schürer 1973 pp. 378–381.

[9] Cf. aussi l'exposé de Juster I pp. 339–354.

Caligula avaient merité ces honneurs plus que Caligula[1], ce qui amène Philon
à chanter les louanges de Tibère et d'Auguste. Ce faisant il traduit en même
temps les sentiments de nombre de juifs à l'endroit de ces empereurs. C'est,
comme on peut s'y attendre, Auguste surtout qui est exalté[2]. Du point de
vue formel, on distingue à l'intérieur des « louanges d'Auguste » (*Legatio ad
Gaium* 143–150) une partie particulière d'allure hymnique où l'énumération
de chaque *arete* de l'empereur est introduite par les mots οὗτός ἐστιν ὁ
(145–147). Les « louanges d'Auguste » apparaissent comme un équivalent
juif des grands décrets honorifiques de Priène et d'Halicarnasse. Par le
contenu comme par le style, le texte du Philon montre de nombreuses
ressemblances avec ces documents.

Pour ce qui est de la terminologie, notons que Philon commence par
souligner qu'Auguste a surpassé, ὑπερβαλών, la nature humaine dans toutes
les vertus, ἀρεταῖς (143). L'inscription de Priène parle de même plusieurs
fois des ἀρεταί d'Auguste[3] et insiste sur le fait qu'il a surpassé, ὑπερβαλόμενος,
tout autre personne en bienfaisance[4]. La grandeur, μέγεθος, du gouvernement d'Auguste que célèbre Philon (143), rappelle la formulation « la
grandeur (μέγεθος) des bien-faits de mon père envers le monde entier »
qu'utilise Tibère[5]. La formule ἐξαιρέτους ψηφίζεσθαι τιμάς que Philon
applique à Auguste (149) évoque délibérément le langage des décrets
honorifiques[6].

Quant au contenu, on peut relever des thèmes communs d'une formulation
analogue. C'est d'abord le caractère unique d'Auguste, que Philon exprime
en le désignant comme « le premier et le plus grand bienfaiteur universel »[7].
Dans l'inscription de Priène, on souligne qu'Auguste a surpassé tous les
bienfaiteurs avant lui et que personne dans l'avenir ne le surpassera[8].
Le même document exprime la conviction que le monde entier aurait été
voué à la perdition, si la Providence n'avait pas suscité Auguste[9]. Or,
précisément cette idée est consignée aussi par Philon :

---

[1] *Leg. ad Gaium* 134–140.

[2] Tibère est honoré comme celui qui pendant son règne a maintenu la paix partout,
ibidem 141–142.

[3] EHRENBERG-JONES n° 98 lignes 27 et 35.

[4] *Ibid.* n° 98 ligne 39 s., cf. aussi l'inscription d'Halicarnasse *ibid.* n° 98a lignes 4 et 9.

[5] *Ibid.* n° 102b, ligne 19 s.

[6] Cf. pour Auguste, EHRENBERG-JONES n° 98 lignes 16, 26–29, 41–44, 57 s.; n° 102b,
lignes 18–20.

[7] *Leg. ad Gaium* 149 πρῶτος καὶ μέγιστος καὶ κοινὸς εὐεργέτης.

[8] Voir supra p. 353.

[9] Voir supra p. 352.

« Presque toute la race humaine aurait été détruite en se déchirant elle-même par les guerres, et vouée à la disparition totale, si non c'eût été pour un seul homme et gouverneur, Auguste .» *Leg. ad Gaium* 144

On célèbre, de part et d'autre, en Auguste le libérateur[1] et celui qui a fait cesser les guerres[2]. Philon semble même reprendre un thème de la légende d'Alexandre et l'appliquer à Auguste, en évoquant la conversion des nations barbares à la civilisation et leur unification[3].

Nous pouvons donc considérer les « louanges d'Auguste » comme une version juive des décrets honorifiques des grecs. Ce texte sur Auguste doit aussi être considéré comme une adaptation à la religion juive du culte des souverains. Les allusions au caractère divins d'Auguste, apparentes dans les décrets grecs[4], sont absentes dans le texte des «louanges d'Auguste ». Rien n'est non plus dit sur le culte rendu à l'empereur. Mais, par ailleurs, on trouve dans ce texte les thèmes essentiels de l'idéologie des souverains. Auguste apparaît comme *sauveur universel*. Il apaise les guerres qui ravagent le monde entier et mérite pour cela le titre de « celui qui détourne le mal » ἀλεξίκακος (*Leg. ad Gaium* 144). Il brise les chaînes qui oppressent l'univers[5], et il est l'ordonnateur du monde[6]. L'image d'Auguste comme *bienfaiteur* est aussi nette. Il est, comme nous l'avons vu, « le plus grand bienfaiteur universel ».[7] Le caractère bienfaisant d'Auguste est résumé par Philon par les mots suivants (*Leg. ad Gaium* 147):

ὁ μηδὲν ἀποκρυψάμενος ἀγαθὸν ἢ καλὸν ἐν ἅπαντι τῷ ἑαυτῷ βίῳ.

Le thème de *dispensateur de paix* n'est pas non plus absent dans ce tableau, car Philon le désigne comme ὁ εἰρηνοφύλαξ (*ibid.* 147).

Ces « louanges d'Auguste » témoignent donc clairement de l'influence qu'a exercé l'idéologie des souverains sur un milieu juif de la diaspora. Car il est évident que Philon ici ne parle pas pour lui-même, mais pour l'ensemble de la juiverie égyptienne. De plus, ce document, en tant qu'une adaptation juive de cette idéologie, montre l'une des voies par lesquelles le culte des souverains a pu influencer les descriptions messianiques du judaïsme. En reprenant certains thèmes, comme celui du caractère unique

---

[1] *Leg. ad Gaium* 147 : οὗτός ἐστιν ὁ τὰς πόλεις ἁπάσας εἰς ἐλευθερίαν ἐξελόμενος; pour Auguste voir supra p. 350.

[2] Voici la formulation du décret de Priène : τὸν παύσοντα μέν πόλεμον et voici celle de Philon : οὗτος ὁ καὶ τοὺς φανεροὺς καὶ ἀφανεῖς πολέμους … ἀνελών (146).

[3] *Leg. ad Gaium* 147 ὁ τὰ ἄμικτα ἔθνη καὶ θηριώδη πάντα ἡμερώσας καὶ ἁρμοσάμενος.

[4] Voir p. ex. EHRENBERG-JONES n° 98 lignes 5, 22, 41 et 43 et n° 116 ligne 1.

[5] *Leg. ad Gaium* 146 : οὗτός ἐστιν ὁ τὰ δεσμὰ οἷς κατέζευκτο καὶ ἐπιπίεστο ἡ οἰκουμένη παραλύσας οὐ μόνον ἀνείς.

[6] *Ibid.* 147 : ὁ τὴν ἀταξίαν εἰς τάξιν ἀγαγών.

[7] Le titre εὐεργέτης est appliqué à Auguste aussi en *Leg. ad Gaium* 148.

d'Auguste, le texte de Philon corrobore notre hypothèse qui situe la rédaction du prêtre-sauveur des *Testaments* à l'époque augustéenne.

C'est également cette époque qui a vu un accroissement considérable de la diaspora[1], et qui a apporté pour les juifs un temps de tranquillité et de paix, rarement vécu[2]. On a là des conditions qui conviennent très bien comme cadre pour l'idéal du prêtre-sauveur. Notons enfin qu'Hérode le Grand se considérait de façon particulière comme le lieutenant d'Auguste dans la Judée[3] et qu'il cherchait à donner à son règne un caractère messianique[4]. Le milieu dans lequel s'est élaboré l'idéal du prêtre-sauveur, a sans doute voulu opposer cet idéal aux aspirations messianiques d'Hérode[5].

Importance et influence de l'idéal du prêtre-sauveur des *Testaments*

Nous nous sommes efforcés de montrer que, dans les *Testaments des Douze Patriarches* nous rencontrons une figure messianique d'un caractère nouveau et indépendant. Le prêtre-sauveur des *Testaments* apparaît comme l'une des grandes figures messianiques du judaïsme antique. L'idéal du prêtre-sauveur illustre aussi la grande diversité des croyances messianiques pendant l'époque du Second Temple. Quelle influence cette conception messianique a-t-elle exercée?

Le rôle de Jean Baptiste pourrait avoir été interprété à la lumière des conceptions relatives au prêtre-sauveur.

Il est clair que certains groupes juifs ont considéré Jean Baptiste comme une figure messianique. Cela ressort d'une part de l'insistance des *Évangiles* avec laquelle on revient sur la position supérieure de Jésus par rapport à Jean[6] et, d'autre part, de la netteté avec laquelle on affirme que Jean

---

[1] Cf. à ce sujet BOUSSET-GRESSMANN p. 66 s.

[2] Cf. ce que dit Philon à propos d'Auguste dans sa *Legatio ad Gaium*. Retenons aussi les paroles d'Hérode le Grand d'après Josèphe : οἶμαι σὺν τῇ τοῦ θεοῦ βουλήσει πρὸς εὐδαιμονίαν ὅσον οὐ πρότερον ἀγηοχέναι τὸ Ἰουδαίων ἔθνος (*Ant.* XV, 382) et ἐπειδὴ δὲ νῦν ἐγὼ μὲν ἄρχω θεοῦ βουλήσει, περίεστι δὲ καὶ μῆκος εἰρήνης καὶ κτῆσις χρημάτων καὶ μέγεθος προσόδων. (XV, 387). Si ces affirmations étaient dénuées de tout fondement, Josèphe (ou sa source) ne les aurait pas mises dans la bouche d'Hérode.

[3] Pour Hérode cela signifiait qu'il envisageait sa tâche en termes d'*évergète* et de *sōtēr*. Comme la Judée faisait partie de l'*oikoumene* romaine, Hérode attendait pour son royaume la même prospérité et tranquillité que les habitants des autres parties de l'empire attendaient du règne d'Auguste; cf. aussi SCHALIT p. 456 s.

[4] Dans les parties non-juives de son royaume, Hérode se posa en souverain divin. Dans la Judée il assuma en revanche le rôle du messie davidique. Voir à ce sujet SCHALIT pp. 457–482.

[5] Cette intention est parfaitement dans la ligne du but principal qu'on découvre dans le portrait du prêtre-sauveur, voir ci-dessus p. 368.

[6] *Mt.* 3: 14, 11: 11, *Luc* 7: 28 et *Jean* 1: 8, 15, 26 s., 29–34; 3: 30–34; 5: 33–36 et 10: 41.

n'était pas le messie[1]. Ce que nous pouvons ainsi apprendre par voie indirecte est confirmé par un témoignage explicite, consigné dans les *Pseudo-Clémentines* : *et ecce unus ex discipulis Ioannis adfirmabat Christum Ioannem fuisse et non Jesum. (Recogn.* I, 60.) Une tradition ancienne, qui apparaît véridique[2], conservée par le *Protévangile de Jacques*, présente Jean en catégories messianiques : μέλλει βασιλεύειν τῷ Ἰσραήλ (XXIII: 2)[3].

Or, peut-on trouver dans les passages des *Évangiles*, relatifs à Jean, des traits qui indiquent un rapport avec le messianisme des *Testaments*? Les sources qu'adapte Luc dans le premier chapitre de son évangile, dérivent en partie, semble-t-il, du cercle des disciples de Jean Baptiste[4]. Dans le passage 1: 5–25, nous apprenons que Jean était issu d'une famille sacerdotale. On pouvait donc sans difficulté lui appliquer la conception d'un prêtre-messie. De plus, le même passage assigne à Jean une fonction qui est messianique, à savoir de préparer pour Dieu un peuple purifié, λαὸν κατεσκευασμένον (v. 16 s.). C'est précisément l'une des fonctions essentielles du messie davidique des *Psaumes de Salomon*[5]. Une fonction analogue est assignée également au prêtre-sauveur des *Testaments* en termes de sanctification et d'enseignement (*Lévi* 18: 8–9 et *Dan* 5: 11). Outre cette analogie de fonctions, on peut relever une formulation voisine entre *Dan* 5: 11 et *Luc* 1: 16 s. qui ne s'explique pas seulement par l'influence de *Malachie* 3: 24. Le prêtre-sauveur convertira (ἐπιστρέψει) les cœurs incroyants (ἀπειθεῖς) au Seigneur; de même Jean « convertira (ἐπιστρέψει) plusieurs des fils d'Israël au Seigneur, leur Dieu » et il marchera devant Dieu « dans l'esprit et la puissance d'Élie pour convertir (ἐπιστρέψαι) les cœurs des pères vers les enfants[6] et les incroyants (ἀπειθεῖς) à la sagesse des justes ». Les derniers mots peuvent viser, selon nous, une conversion des païens, car les juifs sont déjà envisagés au v. 16a; notons que le terme ἀπειθεῖς en *Dan* 5: 11 fait allusion de toute évidence aux païens[7]. Le peuple purifié

---

[1] *Luc* 3: 15 ss.; *Jean* 1: 19–22; 3: 28; cf. aussi BAUER 1925 p. 14 s.

[2] La tradition est 1° indépendante des *Évangiles*, 2° n'est pas suspecte d'une tendance particulière et 3° apparaît comme un motif accessoire dans le récit de la mort de Zacharie (chap. 22–24).

[3] La copie la plus ancienne de cet écrit, le *Pap. Bodmer* V, effectuée au cours du IIIe siècle, présuppose déjà des traditions indépendantes, mises par écrit antérieurement, qui étaient connues par Justin Martyr et Clément d'Alexandrie.

[4] Cf. à ce sujet RENGSTORF 1958 p. 36, NORDEN p. 102 s.

[5] Le roi-messie rassemblera un peuple sanctifié (*Ps. Sal.* 17: 26), et il veillera à ce qu'aucun homme, sachant le mal, ne demeure plus parmi les b^{e}nē Yiśrā'el (v. 27). Son activité est décrite en termes de παιδεία (17: 42 et 18: 7); cf. aussi supra p. 302 s.

[6] Cette partie, citation de *Mal.* 3: 24, ne dépend pas dans sa formulation de la *Septante* qui dans ce passage a ἀποκαταστήσει au lieu de ἐπιστρέψει. Ce mot se trouve cependant en *Sir.* 48: 10 pour décrire l'œuvre d'Élie.

[7] Voir supra p. 295.

de Dieu que préparera Jean comprend donc à la fois des juifs et des païens, tout comme le « peuple » eschatologique, rassemblé par le prêtre-sauveur des *Testaments*.

Pour ce qui est de la deuxième section du *Bénédictus* (*Luc* 1: 76–79), on a attiré l'attention sur certains de ses affinités avec les *Testaments des Douze Patriarches*[1]. Elles peuvent être, selon nous, précisées davantage. Le verset 78 a est comme un commentaire du passage ἄχρις οὗ ελθη τὸ σπλάγχνον κυρίου de *Nepht* 4: 5 qui, comme nous l'avons suggéré, vise la figure messianique du prêtre-sauveur. Il ne fait pas de doute que les versets 78–79 ont été appliqués à Jean Baptiste dont on attendait le retour messianique. Signalons aussi la fonction qu'attribue le verset 77 à Jean, de « donner la connaissance (γνῶσιν) du salut » au peuple de Dieu. Cela rappelle *Lévi* 18: 3 où le prêtre nouveau répand « la lumière de la connaissance » φῶς γνώσεως. La formulation de *Luc* 1: 79 que le messie *apparaîtra* (ἐπιφᾶναι) pour ceux qui sont dans les *ténèbres*, présuppose un symbolisme de lumière. Ce symbolisme a dû jouer un rôle important également dans la légende de Jean Baptiste[2]. Le prologue de l'*Évangile de Jean* peut en effet être interprété dans ce sens. L'intérêt que porte l'auteur à montrer que Jésus et non Jean fut la véritable lumière (1: 6–9) suggère que la figure de Jean Baptiste avait été salué auparavant comme la lumière messianique. De même, *Jean* 5: 35 fait dire à Jésus que Jean était une lampe qui répandait la lumière.

Ces points de contact peuvent donc témoigner d'une certaine influence de la conception du prêtre-sauveur des *Testaments* sur la légende de Jean Baptiste.

Nous avons souligné que l'investiture du messie, conçue comme une sanctification par l'esprit divin, est un élément caractéristique des descriptions messianiques du judaïsme antique[3]. C'est là l'arrière-plan du récit du baptême de Jésus (*Marc* 1: 9–11, *Mt.* 3: 13–17, *Luc* 3: 21–21, *Jean* 1: 29–34). Si, comme nous le suggérons, la formulation que revêt l'investiture du messie en *Lévi* 18: 6–7 et *Juda* 24: 2, est d'origine juive, il faut admettre que ces textes du *Nouveau Testament*, décrivant le baptême de Jésus, ont subi l'influence des *Testaments des Douze Patriarches*.

Le passage qui décrit les hauts faits du prêtre-sauveur (*Lévi* 18: 10–12) a aussi laissé des marques dans les écrits du christianisme antique. Selon *Luc* 10: 19, Jésus donne le pouvoir aux disciples de marcher sur les serpents, les scorpions et sur toute la puissance de Satan. C'est là une idée qui tire

---

[1] Köster p. 557 qui voit à titre juste dans διὰ σπλάγχνα ἐλέους θεοῦ ἡμῶν une terminologie, caractéristique des *Testaments*; cf. aussi Schürmann p. 93.

[2] Cf. aussi la légende mandéenne relative à Jean Baptiste; voir à ce sujet supra p. 359.

[3] Voir supra p. 323 s.

son origine de *Lévi* 18: 12. Il en est de même pour l'*Apocalypse* 2: 7 où le Christ donnera à celui qui vaincra à manger du fruit de l'arbre de vie du paradis. Une influence de *Lévi* 18: 10 est sur ce point aussi probable. Notons que ces thèmes sont dans le *Testament de Levi* unis dans un tableau cohérent alors qu'ils apparaissent comme isolés dans le *Nouveau Testament*. C'est un indice supplémentaire en faveur de la primauté du *Testament de Lévi*.

Les *Odes de Salomon* dont l'origine sont à chercher dans un milieu judéochrétien de tendance gnostique[1], reflètent des thèmes relatifs au prêtre-sauveur des *Testaments*. Retenons d'abord l'*Ode* 11, dont nous connaissons maintenant le texte grec[2]. Les versets 13–19 pourraient être une méditation sur certains thèmes du *Testament de Lévi* 18. La figure messianique des *Odes*, qui est appelée ici ὁ κύριος[3], se manifeste pour le pieux ὡς ὁ ἥλιος ἐπὶ πρόσωπον τῆς γῆς (v. 13), ce qui rappelle *Lévi* 18: 4, où le messie ἀναλάμψει ὡς ὁ ἥλιος ἐν τῇ γῇ. Le thème de l'ouverture du paradis pour les justes de *Lévi* 18: 10 est aussi évoqué dans l'*Ode* 11 : καὶ ἤγαγέν με εἰς παράδεισον αὐτοῦ (v. 16a). Notons que cette ouverture du paradis est dans les deux textes une fonction du messie. Les images qui suivent (vv. 16b–18), peuvent se comprendre également comme des développements inspirés par le *Testament de Lévi* : les arbres du paradis, chargés de fruits resplendissants qui seront donnés aux justes[4]. Soulignons que l'auteur résume le salut des pieux en disant qu'ils ont été « amenés des ténèbres à la lumière ». Cette phrase pourrait faire allusion à l'image de *Lévi* 18: 4 par laquelle est résumée l'œuvre salvifique du prêtre-sauveur : comme la lumière du soleil, il dissipera toutes les ténèbres du monde. L'espérance du salut à venir qu'exprime le *Testament de Lévi* 18, s'est transformée dans cette ode en une expérience du bonheur paradisiaque que le juste, le je de l'ode, peut vivre dès maintenant.

---

[1] On a vivement discuté le problème que pose le milieu d'origine des *Odes de Salomon*, en a particulier la question de savoir si ce recueil a été élaboré dans un milieu gnostique. Certes, on ne saurait nier la tendance gnostique sous-jacente aux *Odes*, les éléments juifs et chrétiens prédominent cependant. Sur les problèmes du milieu d'origine et de l'unité littéraire, voir les études de HARRIS-MINGANA pp. 61–69, HARNACK, J. H. BERNARD, W. BAUER 1964 pp. 576–578, BORSCH p. 188 s. TESTUZ 1959 pp. 55–58 et CHARLESWORTH 1973.

[2] *Papyrus Bodmer* XI, édité par TESTUZ 1959.

[3] Il y a à travers les *Odes de Salomon* dans le titre *mārē* ou κύριος une oscillation curieuse de « Dieu » au « messie ». Certains passages sont cependant explicites, comme 29: 6 : « car je croyais au messie du Seigneur, et je voyais que lui était le Seigneur. » et 39: 11 : « mais les traces de pas de notre Seigneur, le messie, sont durables . »

[4] Cela ressort du contexte et de la phrase : « heureux ceux qui ont une place dans ton paradis et qui *prospèrent de la prospérité de tes arbres.* »

De même, l'*Ode* 15 décrit le salut que le juste éprouve comme présent, en termes d'un symbolisme de la lumière qui apparaît comme une réflexion sur *Lévi* 18: 4. Le sauveur, *mārē*, est comparé au soleil dont la lumière dissipe toutes les ténèbres de la face du pieux (15: 1–2). L'image du paradis et de l'arbre de vie revient dans l'*Ode* 22: 7. Le juste est invité à entrer dans le paradis du Seigneur et à se faire une couronne de l'arbre de vie.

Signalons d'autres passages qui peuvent contenir des réminiscences de l'idéal du prêtre-sauveur des *Testaments*. Selon l'*Ode* 7: 17–20, l'avènement du sauveur-messie amène la disparition de la haine et de l'envie sur la terre : « car la connaissance du Seigneur (*īda'teh d^emārā*) est venue sur elle (la terre) », v. 21. Selon le *Testament de Lévi*, le prêtre-sauveur fait disparaître tout péché (18: 9) et à son apparition « la connaissance du Seigneur (ἡ γνῶσις κυρίου) sera répandue sur la terre » (18: 5).

L'*Ode* 23 décrit le salut par l'image d'une « lettre » qui vient dans le monde. Cette « lettre » est dans certains passages identique au sauveur (vv. 10, 12 et 18). L'ode est introduite par une métaphore qui semble être tirée du *Testament de Lévi* :

Ode 23: 1	*Lévi* 18: 14
« La joie appartient aux saints et qui la revêtira sauf eux seuls? »	« et tous les saints revêtiront la joie. »

C'est dans les deux textes le même contexte, la joie du salut accompli par le sauveur. On utilise aussi le même terme « saints » pour désigner les justes.

Dans l'*Ode* 31: 5, nous sommes en présence d'une investiture du messie :

« et sa personne fut reconnue juste (*'ezdaddaq*) car son père saint (*'abūh qaddīšā*) l'a institué ainsi ».

Cette description rappelle l'investiture du prêtre-sauveur, « soleil de justice » qui reçoit la bénédiction « du père saint » (*Testament de Juda* 24: 1–2).

Pour conclure, les analogies que nous venons de relever, ne *prouvent* pas une influence de l'idéal du prêtre-sauveur des *Testaments* sur les *Odes de Salomon*, mais elles rendent une telle influence très vraisemblable.

L'insistance avec laquelle l'église syriaque revient sur le thème du Christ comme arbre de vie, qui donne ses fruits aux croyants, semble s'inspirer en partie de la conception du prêtre-sauveur des *Testaments*. Ce thème est interprété également dans un sens mystique par les pères syriaques[1]. Citons cependant deux textes qui peuvent contenir des réminiscences du

---

[1] Cf. WIDENGREN 1975 pp. 43–48 qui s'appuie essentiellement sur Ephrem.

Testament de Lévi 18: 10–12. D'abord, Ephrem, qui dans un passage célèbre[1], dit sur le Christ :

> « Il ouvrit pour vous sa porte et vous fit entrer dans Éden; le fruit qu'Adam ne goûta pas au paradis est aujoud'hui mis avec joie dans votre bouche .»

L'autre passage sur lequel nous attirons l'attention est moins connu et se trouve chez Aphraate :

> « Désormais à la venue du descendant de la bienheureuse Marie, les épines sont déracinées et la sueur est ôtée et le figuier maudit et la poussière est faite sel et la malédiction est fixée à la croix, et le tranchant de l'épée est ôté de devant l'arbre de vie et de la nourriture en est donnée aux fidèles et le paradis est promis aux bienheureux, aux vièrges et aux saints; et les fruits de l'arbre de vie sont données comme nourriture aux fidèles et aux bienheureux et à ceux qui font la volonté de Dieu ». (*Homilie* VI § 6.)

Dans ces deux textes, on trouve deux traits précis[2] qui peuvent être tirés du *Testament de Lévi* 18. Le Christ ouvre les portes du paradis et sa venue fait que l'épée, qui barre l'entrée du paradis pour les hommes, est ôtée. À moins que ces traits ne se soient développés independamment à partir de la *Genèse,* ils témoignent de la connaissance du *Testament de Lévi* dans les églises de Syrie.

---

[1] Cf. WIDENGREN 1975 p. 45.
[2] Cf. supra p. 283 s.

Bibliographie

Cette bibliographie ne comporte que les ouvrages cités. Les instruments de travail généraux comme des éditions de textes, des concordances, des dictionnaires, qui sont suffisamment connus par ailleurs, n'ont pas été indiqués ici.

ABEL, F.-M. : Géographie de la Palestine, II : géographie politique, les villes. Paris 1938.

ACKROYD P. R. Israel under Babylon and Persia, London 1970.

ALBRIGHT, W. F. : From the Stone Age to Christianity, 2ᵉ éd. Baltimore 1946.

ALLEGRO, J. : The Dead Sea Scrolls, 2ᵉ éd. 1964.

AMOUSSINE J. Ephraïm et Manassé dans le Pésher de Nahum, *RQ* 4, 1963 p. 389–396.

APTOWITZER V. Parteipolitik der Hasmonäerzeit im rabbinischen und pseudepigrafischen Schrifttum, Wien 1927.

ASCHERMANN H. Die paränetischen Formen der Testamente der 12 Patriarchen und ihr Nachwirken in der frühchristlichen Mahnung, diss. Berlin 1955.

AVIDGAD N.–YADIN Y. A Genesis Apocryphon. A Scroll from the Wilderness of Judaea, Jérusalem 1956.

BABELON E. Les Rois de Syrie, d'Arménie et de Commagène, Paris 1890 (Catalogue des monnaies grecques de la Bibliothèque Nationale).

BALTZER K. Das Bundesformular, Neukirchen 1960.

BARRETT C. K. The Gospel according to St. John, London 1962.

BAUER W. 1925. Das Johannesevangelium, Tübingen.

— 1963. Griechisch–deutsches Wörterbuch zu den Schriften des Neuen Testaments und der übrigen urchristlichen Literatur, 5 éd. Berlin.

— 1964. Die Oden Salomos. Dans *Neutestamentliche Apokryphen éd. E. Hennecke–W. Schneemelcher*, 3 éd. vol. II p. 576–625.

BEASLEY-MURRAY G. R. The Two Messiahs in the Testaments of the Twelve Patriarchs, *JThS* 48, 1947 p. 1–12.

BECKER J. 1970. Untersuchungen zur Entstehungsgeschichte der Testamente der Zwölf Patriarchen, Leiden.

— 1974. Die Testamente der zwölf Patriarchen, *JSHRZ* III, 1.

BEER G. Das Buch Henoch. Dans *APsAT* p. 217–310.

BENVENISTE E. Une apocalypse pehlevie : le Žāmasp-Nāmak, *RHR* 106, 1932 p. 337–380.

BERGMAN J. 1968. Ich bin Isis. Studien zum memphitischen Hintergrund der griechischen Isisaretalogien, Uppsala.

— 1970. Isis-Seele und Osiris-Ei. Zwei ägyptologische Studien zu Diodorus Siculus I, 27, 4–5, Uppsala.

BERGMAN J.–RINGGREN H. בהולת. Dans *ThWAT* I, 1973 p. 872–874.

BERNAND E. Les inscriptions grecques et latines de Philae, Paris 1969.

BERNARD J. H. The Odes of Solomon, Cambridge 1912.

382

Betz O. Die Proselytentaufe der Qumransekte und die Taufe im Neuen Testament, *RQ* 1, 1958 p. 213–234.

Bickermann E. 1935. La charte séleucide de Jérusalem, *REJ* 100 p. 4–35.

— 1937. Der Gott der Makkabäer, Berlin.

— 1938. Institutions des Séleucides, Paris.

— 1950. The Date of the Testaments of the Twelve Patriarchs, *JBL* 69, p. 245–260.

Bidez J.–Cumont F. Les Mages hellénisés, I–II Paris 1938.

Black M. 1949. The Messiah in the Testament of Levi, *ExT* 60–61, p. 321 f. et 157 f.

— 1967. An Aramaic approach to the gospels and Acts, 3 éd. Oxford.

— 1970. Apocalypsis Henochi Graece. Dans *PsVTGr* III.

Bogaert P. L'apocalypse syriaque de Baruch, vol. I Paris 1969.

Boll F. 1919. Kronos-Helios, *ARW* 19 p. 342–46.

— 1950. Kleine Schriften zur Sternkunde des Altertums, Leipzig.

Boll F.–Bezold C. Sternglaube und Sterndeutung, mit einem bibliographischen Anhang von H. G. Gundel, 5 éd. Darmstadt 1966.

Bonner C. The Last Chapters of Enoch in Greek, London 1937.

Borsch F. H. The Son of Man in myth and history, London 1967.

Bousset W. 1900. Die Testamente der XII Patriarchen, *ZNW* 1 p. 141–175 et 187–209.

— 1926. Kyrios Christos. Geschichte des Christusglaubens von den Anfängen des Christentums bis Irenaeus, Göttingen.

Bousset W.–Gressmann H. Die Religion des Judentums im späthellenistischen Zeitalter, 3 éd. Tübingen 1926.

Braun F.-M. Les Testaments des Douze Patriarches et le problème de leur origine, *RB* 67, 1960 p. 516–549.

Braun R. Kohelet und die frühhellenistische Popularphilosophie, Berlin 1973.

Brown R. The Gospel according to John vol. I, New York 1966.

Brownlee W. 1956. Messianic Motifs of Qumran and the New Testament, *NTS* 3, p. 195–210.

— 1972. Two Elegies on the fall of Judah (Ezekiel 19), *EOR* p. 93–103.

Bultmann R. Das Evangelium des Johannes, Göttingen 1963.

Burchard Ch. Recension de M. de Jonge : Testamenta XII Patriarcharum (voir ci-dessous), *RQ* 5, 1965 p. 281–84.

Burkitt F. C. Jewish and Christian Apocalypses, London 1914.

Campbell L. A. Mithraic iconography and ideology, Leiden 1968.

Carmignac J. 1957. Le Docteur de Justice et Jésus-Christ, Paris.

— 1960. Les éléments historiques des Hymnes de Qumran, *RQ* 2 p. 205–222.

— 1963. Interprétations de Prophètes et de Psaumes, Dans *TQ* 2 p. 45–128.

— 1965. Les horoscopes de Qumran, *RQ* 5 p. 199–217.

— 1969. La notion d'eschatologie dans la Bible et à Qumran, *RQ* 7, p. 17–31.

— 1970. Le document de Qumran sur Melkisédeq, *RQ* 7, p. 343–378.

Carratelli G. P. Supplemento Epigrafico di Iasos, *Annuario della Scuola Archeologica di Atene e delle Missioni Italiane in Oriente* 1967–68 p. 437–486.

Caquot A. 1955. Sur les quatre bêtes de Daniel VII, *Sémitica* 5 p. 5–13.

— 1966 A. Ben Sira et le messianisme, *Sémitica* 16, p. 43–68.

— 1966 B. Peut-on parler de messianisme dans l'oeuvre du Chroniste? *Revue de théologie et philosophie* 99, p. 110–120.

— 1969. Problèmes du messianisme israélite. *Annuaire de l'École Pratique des Hautes Etudes*, tome 77 Paris, p. 216–220.

— 1972 A. Le judaïsme depuis la captivité de Babylone jusqu'à la révolte de Bar-Kocheba. Dans *Histoire des Religions éd. H.-C. Puech*, Paris p. 114–184.

— 1972 B. La double investiture de Lévi. Dans *EOR* p. 156–161.

CAQUOT A.–SZNYZER M.–HERDNER A. Textes Ougaritiques, tome I : mythes et légendes, Paris 1974.

CASEY M. The use of term « Son of Man » in the Similitudes of Enoch, *JSJ* 7, 1976 p. 13–29.

CAVALLIN H. C. 1973. De visa lärarnas död och uppståendelse, *SEÅ* 37–38 p. 45–61.

— 1974. Life after Death. Paul's argument for the resurrection of the dead in 1 Cor 15, Part I : an enquiry into the Jewish background, Uppsala.

CERFAUX L.–TONDRIAU J. Un concurrent du christianisme. Le culte des souverains dans la civilisation gréco–romaine, Tournai 1957.

CHARBONNEAUX J.–MARTIN R.–VILLARD F. Hellenistic Art, London 1973.

CHARLES R. H. 1895. The Ethiopic Version of the Hebrew Book of Jubilees, edited from four manuscripts, Oxford.

— 1897. The Assumption of Moses, translated from the latin sixth century ms., London.

— 1902. The Book of Jubilees, translated from the editor's Ethiopic text, London.

— 1906. The Ethiopic Version of the Book of Henoch, together with the fragmentary Greek and Latin Versions, Oxford.

— 1908 éd. The Greek Versions of the Testaments of the Twelve Patriarchs, Oxford.

— 1908 comm. The Testaments of the Twelve Patriarchs, translated from the editor's Greek text, London.

— 1912. The Book of Henoch, translated from the editor's Ethiopic text, Oxford.

— 1913. The Testaments of the Twelve Patriarchs. Dans *The Apocrypha and Pseudepigrapha of the Old Testament in English, éd. R. H. Charles* II p. 282–367.

CHARLESWORTH J. 1970. Les Odes de Salomon et les manuscrits de la mer morte, *RB* 77 p. 522–549.

— 1973. The Odes of Solomon, edited with translation and notes, Oxford.

— 1976. The Pseudepigrapha and modern research, Missoula.

CHEVALLIER M.-A. L'Esprit et le Messie dans le bas-judaïsme et le Nouveau Testament, Paris.

COLLINS J. J. 1973. The Date and Provenance of the Testament of Moses. Dans *Studies in the Testament of Moses, éd. G. Nickelsburg*, Missoula p. 15–32.

— 1974. The Sibylline Oracles of Egyptian Judaism, Missoula.

COLPE C. Der Begriff « Menschensohn » und die Methode der Erforschung messianischer Prototypen, *Kairos* 11–12, 1969–70 p. 241–263 et 81–112.

CONZELMANN H. Grundriss der Theologie des Neuen Testaments, 2 éd. München 1968.

384

Cothénet Ed. Le Document de Damas. Dans *TQ* 2 p. 131–204.

Cross Jr. F. M. The Ancient Library of Qumran and Modern Biblical Studies, London, 1958.

Cumont F. 1929. Les religions orientales dans le paganisme romain, 4 éd. Paris.

— 1931. La fin du monde selon les Mages occidentaux, *RHR* 103, p. 29–96.

— 1942. Recherches sur le symbolisme funéraire des Romains, Paris.

Daniélou J. Théologie du judéo-christianisme, Paris 1958.

Davenport G. The Eschatology of the Book of Jubilees, Leiden 1971.

Davis N.-Kraay C. The Hellenistic Kingdoms, portrait coins and history, London 1973.

Déaut le R. La nuit pascale. Essai sur la signification de la Pâque juive à partir du Targum d'Exode XII 42, Rome 1963.

Debrunner A. Geschichte der griechischen Sprache, vol. II Berlin 1954.

Deichgräber R. Gotteshymnus und Christushymnus in der frühen Christenheit, Göttingen 1967.

Delcor M. Melchisedek from Genesis to the Qumran Texts and the Epistle to the Hebrews, *JSJ* 2, 1971 p. 115–135.

Delling G. τέλος κτλ. Dans *ThWNT* 8, 1969 p. 50–88.

Denis A.-M. Fragmenta Pseudepigraphorum quae supersunt graeca una cum historicorum et auctorum Judaeorum hellenistarum fragmentis, *PsVTGr* III, 1970.

Diobouniotis C.-Beïs N. Hippolyts Schrift « Über die Segnungen Jakobs », Leipzig 1911.

Dumézil G. Mitra-Varuna 2 éd. Paris 1948.

Dupont-Sommer A. 1952. Le Testament de Lévi (XVII–XVIII) et la secte juive de l'Alliance, *Sémitica* 4, p. 33–53.

— 1953. Nouveaux Aperçus sur les manuscrits de la mer Morte, Paris.

— 1963. Observations sur le Commentaire de Nahum découvert près de la mer Morte, *Journal des Savants, octobre–décembre 1963* p. 201–227.

— 1965. Deux documents horoscopiques esséniens découverts à Qumran, près de la mer Morte, *CRAI*.

— 1968. Les écrits esséniens découverts près de la mer Morte, 3 éd. 1968.

Dölger F. Die Sonne der Gerechtigkeit und der Schwarze, Münster 1919.

Dörner K.-Goell Th. Arsameia am Nymphaios, Berlin 1963.

Dörrie H. Der Königskult des Antiochos von Kommagene im Lichte neuer Inschriften-Funde, Göttingen 1964.

Eddy S. The King is Dead, Lincoln 1961.

Ehrenberg V.-Jones A. Documents illustrating the reigns of Augustus & Tiberius, 2 éd. Oxford 1967.

Eissfeldt O. 1956. El and Yahweh, *Journal of Semitic Studies* 1, p. 25–37.

— 1956. Einleitung in das Alte Testament, 3 éd. Tübingen.

Eppel R. Le piétisme juif dans les Testaments des Douze Patriarches, Strasbourg 1930.

Fitzmeyer J. 1965. The aramaic « Elect of God » text from Qumran Cave IV, *CBQ* 27 p. 348–372.

— 1967. Further light in Melchizedek from Qumran Cave 11, *JBL* 86 p. 25–41.

— 1971. The Genesis Apocryphon of Qumran Cave I, 2 éd. Rome.

Flusser D. Testaments of the Twelve Patriarchs. Dans *EJ* 13 p. 184–186.

Fox, R. Lane Alexander the Great, London 1973.

FRIDRICHSEN A. Vergilius' fjärde eklog, *Religion och Bibel* 3, 1944 p. 34–43.

GAGÉ J. « BASILEIA », les césars, les rois d'orient et les « mages », Paris 1968.

GEHMAN H. S. 'Επισκέπομαι κτλ. in the Septuagint in Relation to פקד and other Hebrew Roots. *Vetus Testamentum* 22, 1972 p. 197–207.

GERNET L.–BOULANGER A. Le génie grec dans la religion, Paris 1932 réimpr. 1970.

GESENIUS W.–BUHL F. Hebräisches und aramäisches Handwörterbuch über das Alte Testament, 14 éd. Leipzig 1905.

GIBLET J. Prophétisme et attente d'un Messie prophète dans l'ancien Judaisme, dans *L'Attente du Messie (Festschrift Coppens)* 1954 p. 85–130.

GNILKA J. Die Erwartung des messianischen Hohenpriesters in den Schriften von Qumran und im Neuen Testament, *RQ* 2, 1960.

GOODENOUGH E. 1928. The Political Philosophy of Hellenistic Kingship, Yale Classical Studies I.

— 1958. Jewish Symbols in the Greco-Roman Period, vol. 7–8 : Pagan Symbols in Judaism, New York.

GRELOT P. 1955. Le Testament araméen de Lévi est-il traduit de l'hébreu? *REJ* 14 p. 91 ss.

— 1956. Notes sur le Testament araméen en Lévi, *RB* 63 p. 391–406.

— 1958. La géographie mythique d'Hénoch et ses sources orientales, *RB* 65 p. 333–69.

— 1962. Le Messie dans les Apocryphes de l'Ancien Testament. Dans *La Venue du Messie, Recherches Bibliques* 6 p. 19–50.

— 1975. Hénoch et ses écritures, *RB* 82 p. 481–500.

GRIFFITH G. T. éd. Alexander the Great : the main problems, Cambridge 1966.

GRINTZ Y. Book of Jubilees. Dans *EJ* 10 p. 323–26.

GRUNDMANN W. Die Frage nach der Gottessohnschaft des Messias im Lichte von Qumran. Dans *Bibel und Qumran*, Berlin 1968, p. 86–111.

GUIGNEBERT CH. Jésus, Paris 1947.

HAASE W. Voraussetzungen und Motive des Herrscherkultes von Kommagene, *Antike Welt, Sodernummer 1975* : *Kommagene.*

HABERMANN A. M. Megilloth Midbar Yehuda, edited with vocalization, introduction, notes and concordance, Jérusalem 1959.

HABICHT CH. Die augusteische Zeit und das erste Jahrhundert nach Christi Geburt. Dans *Le culte des souverains dans l'empire romain. Entretiens sur l'antiquité classique*, tome 19, Genève, p. 41–88.

HAMMERSHAIMB E. 1956. Forste Enoksbog. *GtPseud* 2.

— 1966. Some aspects of Old Testament Prophecy from Isaiah to Malachi. The Immanuel Sign p. 9–28. Copenhague.

— 1973. Das Martyrium Jesajas. *JSHRZ* II, 1 p. 15–34.

HAMMERSCHMIDT E. Königsideologie im spätantiken Judentum, *Zeitschrift der Deutschen Morgenländischen Gesellschaft* 113, 1964 p. 493–511.

HANSEN E. The Attalids of Pergamon, 2 éd. Ithaca and London 1971.

HANSON R. S. Toward a chronology of the Hasmonean Coins, *Bulletin of the American Schools of Oriental Research* 216, 1974 p. 21–23.

HARMON A. M. Lucian IV, London 1969. *Loeb Classical Library* n° 162.

HARRIS J. R.–MINGANA A. The Odes and Psalms of Solomon, vol. II London 1920.

HARNACK VON A. Ein jüdisch–christliches Psalmbuch aus dem 1. Jh. Leipzig 1910.

386

HARTMAN L. Prophecy Interpreted, Uppsala 1966.

HARTMAN S. 1953. Gayomart, étude sur le syncrétisme dans l'ancien Iran, Uppsala.

— 1966. Der grosse Zarathustra, *Orientalia Suecana* 15 p. 99–117.

HAUPT D. Das Testament Levi. Untersuchungen zu seiner Entstehung und Überlieferungsgeschichte, diss. Halle–Wittenberg 1969.

HELM R. Kynismus. Dans *PW* 12 : 1 p. 3–24.

— 1906. Lucian und Menipp, Leipzig und Berlin.

HENGEL M. Judentum und Hellenismus, Tübingen 1969, 2 éd. 1973.

HENNING W. B. The Book of Giants, *BSOAS* 11, 1943–46 p. 52–74.

HENRICHS A.–KOENEN L. Ein griechischer Mani-Codex, *ZPE* 5, 1970 p. 98–216.

HIGGINS A. The Priestly Messiah, *NTS* 13, 1966 p. 211–239.

HILL G. F. Catalogue of the Greek Coins of Arabia, Mesopotamia and Persia, London 1922 (*BMC* 28).

HINDLEY J. C. Towards a date for the Similitudes of Enoch. An historical approach, *NTS* 14, 1967 p. 551–565.

HINNELLS J. 1969. Zoroastrian saviour imagery and its influence on the New Testament, *Numen* 16 p. 161–185.

— 1973. The Zoroastrian doctrine of salvation in the Roman world. Dans *Man and his salvation, studies in memory of S. G. F. Brandon*, Manchester p. 125–185.

HOFFMEYER S. Den apokryfe og pseudepigrafe litteraturs stilling til partidannelserne i den palaestinensiske sénjodedom, Copenhague 1918.

HOLM-NIELSEN S. Salomos Salmer. *GtPseud* 5, 1971.

HUMANN K.–PUCHSTEIN O. Reisen in Kleinasien und Nordsyrien. Textband und Atlas, Berlin 1890.

HÖLSCHER G. Das Buch Hiob, Tübingen 1952.

HOOKE S. H. The Myth and Ritual Pattern in Jewish and Christian Apocalyptic. Dans *The Labyrinth, éd. S. H. Hooke*, London 1935 p. 211–233.

HULTGÅRD A. 1971. Croyances messianiques des Text. XII Patr., critique textuelle et commentaire des passages messianique, diss. Uppsala.

— 1972. L'universalisme des Test. XII Patr. Dans *EOR* p. 192–207.

JACOBY F. Die Fragmente der Griechischen Historiker 2.A Berlin 1926 et 3c, 1–2 Leiden 1958.

JANSEN L. The Consecration in the eight chapter ot Testamentum Levi. Dans *La Regalità Sacra (The Sacral Kingship)*, Leiden 1959 p. 356–365.

JAUBERT A. La notion d'alliance dans le judaïsme aux abords de l'ère chrétienne, Paris 1963.

JEREMIAS G. Der Lehrer der Gerechtigkeit, Göttingen 1963.

JEREMIAS J. 1958. Die Kindertaufe in den ersten vier Jahrhunderten, Göttingen.

— 1966. Das Lamm das aus der Jungfrau hervorging (Test. Jos 19, 8), *ZNW* 57, p. 216–219.

JERVELL J. Ein Interpolator interpretiert. Zu der christlichen Bearbeitung der Testamente der Zwölf Patriarchen. Dans *Studien zu den Testamenten der Zwölf Patriarchen, éd. W. Eltester*, Berlin 1969.

JONGE DE M. 1953. The Testaments of the Twelve Patriarchs. A study of their text, composition and origin, Assen.

— 1960. Christian Influence in the Testaments of the Twelve Patriarchs, *Novum Testamentum* 4 p. 182–235.

387

— 1970. Testamenta XII Patriarcharum. *PsVTGr* I, 2 éd.

— 1975. Studies on the Testaments of the Twelve Patriarchs, éd. M. de Jonge, Leiden.

JUSTER J. Les juifs dans l'empire romain, vol. 1, Paris 1904.

KEES H. AEGYPTEN. Dans *Religionsgeschichtliches Lesebuch*, éd. A. Bertholet 10, Tübingen 1928.

KENT R. Old Persian, grammar, texts, lexicon, 2 éd. New Haven 1953.

KLAUSNER J. The Messianic Idea in Israel, New York 1955.

KLOSTERMANN E. Das Lukasevangelium, 2 éd. Tübingen 1929.

KOCH K. 1966. Das Lamm, das Ägypten vernichtet, *ZNW* 57 p. 79–93.

— 1970. Ratlos vor der Apokalyptik, Gütersloh.

KOENEN L. 1968. Die Prophezeiungen des « Töpfers », *ZPE* 2 p. 178–209.

— 1970. The Prophecies of a Potter : a Prophecy of World Renewal. Dans *Proceedings of the Twelfth International Congress of Papyrology*, Toronto p. 249–254.

KOSMALA H. The Three Nets of Belial. Dans *Annual of the Swedish Theological Institute* 4, Leiden 1965, p. 91–113. KRAELING C. Anthropos and Son of Man, New York 1927.

KROLL W. Historia Alexandri Magni, éd. W. Kroll, Berlin 1926.

KUHN K. G. The Two Messiahs of Aaron and Israel. Dans *The Scrolls and the New Testament* éd. K. Stendahl 1957.

KÖSTER H. σπλάγχνον κτλ. Dans *ThWNT* 7, 1965 p. 548–559.

LACK R. Les origines de *Elyon*, le Très-Haut, dans la tradition cultuelle d'Israël, *CBQ* 24, 1962 p. 44–64.

LAGRANGE M.-J. 1909. Le Messianisme chez les juifs, Paris.

— 1931. Le judaïsme avant Jésus-Christ, Paris.

LAMPE G. A Patristic Greek Lexicon, Oxford 1961.

LAPERROUSAZ E. M. 1970. Le Testament de Moïse, traduction avec introduction et notes, Paris (*Sémitica* 19).

— 1971. Les « ordonnances premières » et les « ordonnances dernières » dans les manuscrits de la mer Morte. Dans *Hommages à André Dupont-Sommer*, éd. A. Caquot et M. Philonenko, Paris p. 405–419.

LAURIN R. B. The Problem of two Messiahs in the Qumran Scrolls, *RQ* 4, 1963 p. 39–52.

LEIVESTAD R. Christ the Conqueror, London 1954.

LENTZEN-DEIS F. Das Motiv der « Himmelsöffnung » in verschiedenen Gattungen der Umweltliteratur des Neuen Testaments, *Biblica* 3, 1969 p. 301–327.

LETRONNE J.-A. Epigramme de Catilius. *Bulletin de Férussac* 3, 1825 p. 397–407.

LÉVI I. The Hebrew text of the Book of Ecclesiasticus, Leiden 1904 réimpr. 1969.

LIDDELL H. G.–SCOTT R. A Greek–English Lexicon, Oxford 1925–40. Supplement 1968.

LIETZMANN H. Der Weltheiland, Bonn 1909.

LIFSHITZ B. Du nouveau sur les « sympathisants », *JSJ* 1, 1970 p. 77–84.

LINDBLOM J. Prophecy in Ancient Israel, Oxford 1962.

LINKOMIES E. Vergils Vierte Ekloge, *Arctos* I, 1930 p. 149–194.

L'ORANGE H. P. Studies on the Iconography of Cosmic Kingship in the Ancient World, Oslo 1953.

MARIÈS L. Hippolyte de Rome, sur les bénédictions d'Isaac, de Jacob et de Moïse, Paris 1935.

MARTI K. Das Dodekapropheton, Tübingen 1904.

MARTIN F. Le Livre d'Hénoch, traduit sur le texte éthiopien, Paris 1906.

MATTINGLY H. Coins of the Roman Empire in the British Museum, vol. I Augustus to Vitellus, London 1923.

MERKELBACH R. Die Quellen des griechischen Alexanderromans, München 1954.

MESHORER Y. Jewish Coins of the Second Temple Period, Tel-Aviv 1967.

MESNIL DU BUISSON R. Etudes sur les dieux phéniciens hérités par l'empire romain, Leiden 1970.

MESSEL N. Über die textkritisch begründete Ausscheidung vermeintlicher christlicher Interpolationen in den Testamenten der Zwölf Patriarchen. Dans *Festschrift für W. Graf Baudissin*, Giessen 1918 (*BZAW* 33) p. 355–374.

MESSINA G. Libro apocalittico persiano Ayātkār i Žāmāspīk, Rome 1939.

MEYER ED. Ursprung und Anfänge des Christentums, zweiter Band, Stuttgart und Berlin 1921.

MEYER R. Levitische Emanzipationsbestrebungen in nachexilischer Zeit, *OLZ* 41, 1938 p. 721–728.

MICHEL A. Le Maître de justice d'après les documents de la mer Morte, la littérature apocryphe et rabbinique, Avignon 1954.

MILIK J. T. 1955. Le Testament de Lévi en araméen. Fragment de la grotte 4 de Qumran, *RB* 62, p. 398–406.

— 1966. Fragment d'une source du psautier (4Q Ps 89) et fragments des Jubilés, du Document de Damas, d'un phylactère dans la grotte 4 de Qumran, *RB* 73, p. 94–106.

— 1971. Problèmes de la littérature hénochique à la lumière des fragments araméens de Qumran. *Harvard Theological Review* 64, p. 333–378.

— 1972 A. 4Q Visions de 'Amram et une citation d'Origène, *RB* 79, p. 77–97.

— 1972 B. Milki-sedeq et Milki-reša dans les écrits anciens juifs et chrétiens, *JJS* 23 p. 95–144.

— 1976. The Books of Enoch, aramaic fragments of Qumran cave 4, Oxford.

MITCHELL H. G. Haggai and Zechariah, Edinburgh 1938. Dans *The International Critical Commentary*.

MONNERET DE VILLARD U. Le leggende orientali sui Magi evangelici, Città del Vaticano 1952.

MOORE G. F. Judaism, vol. II Cambridge–Harvard 1927.

MOSIS R. Untersuchungen zur Theologie des chronistischen Geschichtswerkes, Freiburg 1973.

MOWINCKEL S. He That Cometh, Oxford 1956.

MØRKHOLM O. Studies in the Coinage of Antiochus IV of Syria, Copenhague 1963.

MURMELSTEIN B. Das Lamm in Test. Jos. 19, 8, *ZNW* 58, 1967 p. 273–279.

MÜLLER U. Messias und Menschensohn in jüdischen Apokalypsen und in der Offenbarung des Johannes, Gütersloh 1972.

NAVEH J. Coins of Alexander Janneus, *IEJ* 18, 1968 p. 20–25.

NEWELL E. T. 1917. The Seleucid mint of Antioch, *American Journal of Numismatics* 51 p. 1–151.

— 1927. The Coinages of Demetrius Poliorcetes, London.

— 1938. The Coinage of the Eastern Seleucid mints from Seleucus I to Antiochus III, New York.

— 1941. The Coinage of the Western Seleucid mints from Selucus I to Antiochus III, New York.

NICKELSBURG G. JR. Resurrection, Immortality, and Eternal Life in inter-
testamental Judaism, Cambridge–Harvard 1972.

NILSSON P:SON M. Saeculares ludi. Dans *PW* 2. Reihe 2. Halbband p. 1696–1720.

NOACK B. 1958. Jubilaeerbogen, *GtPseud* 3.

— 1963. Moses's Himmelfart, *GtPseud* 4.

— 1971. Spätjudentum und Heilsgeschichte, Stuttgart.

NORDEN E. Die Geburt des Kindes, Geschichte einer religiösen Idee, Berlin 1924.

NYBERG H. S. 1938 A. Die Religionen des Alten Iran, Leipzig 1938.

— 1938 B. Studien zum Religionskampf im Alten Testament, *ARW* 35.

OLSSON B. Rom 1: 3f. enligt Paulus, *SEÅ* 37–38, 1973 p. 255–273.

OTTO E. Gott und Mensch nach den ägyptischen Tempelinschriften der griechisch-
römischen Zeit, Heidelberg 1964.

OTTOSSON M. Hexagrammet och pentagrammet i främreorientalisk kontext,
SEÅ 36, 1971 p. 45–76.

OTZEN B. 1954. Die neugefundenen hebräischen Sektenschriften und die Testamente der zwölf Patriarchen, *Studia Theologica* 7, p. 125–157.

— 1974. De 12 Patriarkers Testamenter, *GtPseud* 7.

PARDEE D. A restudy of the Commentary on Psalm 37 from Qumran Cave 4,
RQ 8, 1973 p. 163–181.

PÉRIKHANIAN A. 1966. L'inscription araméenne du roi Artachès, *REArm* 3, p.
17–29.

— 1971. Les inscriptions araméennes du roi Artachès, *REArm* 8, p. 169–174.

PHILONENKO M. 1958. Le Maître de justice et la Sagesse de Salomon, *TZ* 14, p.
17–29.

— 1960. Les interpolations chrétiennes des Testaments des Douze Patriarches
et les manuscrits de Qumran, Paris.

— 1967 A. Le Martyre d'Esaïe et l'histoire de la secte de Qoumran. Dans
Pseudépigraphes de l'Ancien Testament et manuscrits de la mer Morte I, Paris
p. 1–10.

— 1967 B. Essénisme et Gnose chez le Pseudo-Philon, le symbolisme de la
lumière dans le Liber Antiquitatum Biblicarum. Dans *Le Origini dello
Gnosticismo, Colloquio di Messina 13–18 Aprile*, Leiden p. 387, 401–410.

— 1968. Joseph et Asénath : introduction, texte critique, traduction et notes,
Leiden.

— 1972. Une citation manichéenne du livre d'Hénoch, *RHPhR* 52, 9 p. 337–340.

— 1974. Observations sur des monnaies juives de la Seconde Révolte. Dans
CRAI janvier–mars 1974 p. 132–135.

PLÖGER O. 1962. Theokratie und Eschatologie, 2 éd. Neukirchen.

— 1973. Zusätze zu Daniel, *JSHRZ* I, 1 p. 65–86.

POOLE R. S. The Ptolemees, Kings of Egypt, London 1883 (*BMC* 6).

PORTER J. R. The Messiah in the Testament of Levi 18, *ExT* 61, 1949–50
p. 90 s.

PREISIGKE F. Sammelbuch griechischer Urkunden aus Ägypten 1, 1915–
Strasbourg.

PREUSCHEN E. Die armenische Übersetzung der Testamente der XII Patriarchen, *ZNW* 1, 1900 p. 106–140.

PRIEST J. F. Mebaqqer, Paqid and the Messiah, *JBL* 81, 1962 p. 55–61.

RAHLFS A. 1926. Septuaginta, I Genesis, Soc. Scient. Gott. auct. ed. A. Rahlfs,
Stuttgart.

— 1935. Septuaginta, id est Vetus Testamentum graece iuxta LXX interpretes ed. A. Rahlfs, I–II Stuttgart.

RAUBITSCHEK A. E. Epigraphical notes on Julius Caesar, *JRS* 44, 1954 p. 65–75.

REINACH TH. 1888. Numismatique ancienne. Trois royaumes de l'Asie Mineure. Cappadoce, Bithynie, Pont. Paris.

— 1890. Mithridate Eupator, roi de Pont, Paris.

REITZENSTEIN R. Das Töpferorakel. Dans *Reitzenstein–Schaeder, Studien zum antiken Synkretismus aus Iran und Griechenland*, Leipzig 1926 p. 38 ss.

RENGSTORF K. H. Das Evangelium nach Lukas, Göttingen 1958.

RIESENFELD H. Jésus transfiguré, Uppsala 1947.

RIESSLER P. Altjüdisches Schrifttum ausserhalb der Bibel, 2 éd. Darmstadt 1966.

RAD VON G. Theologie des Alten Testaments II, die Theologie der prophetischen Überlieferungen Israels, München 1962.

RINGGREN H. 1963 A. The Faith of Qumran, Philadelphia.

— 1963 B. Israelitische Religion, Stuttgart.

— 1973 A. Religions of the Ancient Near East, London.

— 1973 B. אב. Dans *ThWAT* I p. 1–19.

ROBERT L. Le Décret de Tralles, *RPh* 1934 p. 279–291.

ROBERTS C. H. The Oracle of the Potter, *The Oxyrhynchus Papyri* 22, 1954 p. 89–99.

ROBINSON H.–HORST F. Die Zwölf Kleinen Propheten, Tübingen 1954.

ROSENSTIEHL J.-M. L'Apocalypse d'Élie, introduction, traduction et notes, Paris 1972.

ROST L. Einleitung in die alttestamentlichen Apokryphen und Pseudepigraphen einschliesslich der grossen Qumran-Handschriften, Heidelberg 1971.

ROSTOVTZEFF M. Die hellenistische Welt, Gesellschaft und Wirtschaft, Tübingen 1955–56.

ROWLEY H. H. 1965. Apokalyptik, ihre Form und Bedeutung zur biblischen Zeit, 3 éd. Einsiedeln.

— 1966. L'histoire de la secte qumranienne. Dans *De Mari à Qumran*, Gembloux et Paris, p. 272–301.

RUBENSOHN O. Neue Inschriften aus Ägypten, *APF* 5, 1913 p. 156–169.

RUSSELL D. S. 1964. The Method and Message of Jewish Apocalyptic, London.

— 1967. The Jews from Alexander to Herod, Oxford.

SANDERS J. A. The Dead Sea Psalms Scroll, New York 1967.

SASSE H. κόσμος. Dans *ThWNT* 3, 1938 p. 867–896.

SCHALIT A. König Herodes. Der Mann und sein Werk, Berlin 1969.

SCHNAPP F. 1884. Die Testamente der zwölf Patriarchen untersucht, Halle.

— 1900. Die Testamente der 12 Patriarchen, der Söhne Jakobs. *APsAT* II p. 458–506.

SCHOEPS H. J. Die Opposition gegen die Hasmonäer, *Theologische Literaturzeitung* 81, 1956 p. 663–670.

SCHREINER J. Alttestamentlich-jüdische Apokalyptik. Eine Einführung, München 1969.

SCHUBERT K. 1956. Der alttestamentliche Hintergrund der Vorstellung von den beiden Messiassen im Schrifttum von Chirbet Qumran, *Judaica* 11 p. 216–235.

— 1957. Testamentum Juda 24 im Lichte der Texte von Chirbet Qumran. *Wiener Zeitschrift für die Kunde des Morgenlandes* 53 p. 227–236.

— 1958. Die Gemeinde vom Toten Meer, München.

SCHÜRER E. Geschichte des jüdischen Volkes im Zeitalter Jesu Christi, dritter Band, Leipzig 1898.

— 1973. The history of the Jewish people in the age of Jesus Christ (175 B.C.– A.D. 135). A new English version, revised and edited by G. Vermes and F. Millar, I Edinburgh.

SCHÜRMANN H. Das Lukasevangelium, T. 1 Kommentar zu Kap 1,1–9,50, Freiburg 1969.

SEGAL M. H. The Habakkuk « Commentary » and the Damascus Fragments, *JBL* 70, 1951 p. 131 ss.

SIEGERT F. Gottesfürchtige und Symphathisanten, *JSJ* 4, 1975 p. 109–164.

SIMON M. Theos Hypsistos. Dans *EOR* p. 372–385.

SJÖBERG E. Der Menschensohn im äthiopischen Henochbuch, Lund 1946.

SMEND R. Die Weisheit Jesu Sirach, Berlin 1906.

SOUTER A. A Glossary of Later Latin to 600 A.D. Oxford 1949.

SPERBER D. A note on Hasmonean coin-legends. Heber and Rosh Heber, *PEQ* 100, 1965 p. 85–93.

STARCKY J. 1963. Les quatre étapes du messianisme à Qumran, *RB* 70 p. 481– 505.

— 1964. Un texte messianique araméen de la grotte 4 de Qumran. Dans *Mémorial du Cinquantenaire de l'École des langues orientales anciennes de L'Institut Catholique de Paris*, Paris, p. 51–66.

— 1966. Psaumes apocryphes de la grotte 4 de Qumran (4Q Ps^f VII–X) *RB* 73 p. 353–371.

STAUFFER E. Jerusalem und Rom im Zeitalter Jesu Christi, Bern 1967.

STECK H. O. Israel und das gewaltsame Geschick der Propheten, Neukirchen 1967.

STEMBERGER G. Der Leib der Auferstehung, Rome 1972.

STONE M. 1968. The Concept of the Messiah in IV Ezra, Dans *Religions in Antiquity*, Leiden, p. 295–312.

— 1969. The Testament of Levi. A first study of the armenian Mss of the Testaments of the Twelve Patriarchs in the convent of St. James, Jerusalem. Jérusalem.

STRUVE W. Zum Töpferorakel. Dans *Raccolta Lumbroso*, Milan 1925 p. 273 ss.

SVORONOS J. Τὰ Νομίσματα τοῦ Κράτους τῶν Πτολεμαίων 1–4, 1904–1908 Athènes.

SYDENHAM E. The Coinage ot the Roman Republic, London 1952.

TARN W. Alexander the Great and the unity of mankind, *Proceedings of the British Academy 1933*, London p. 123–166.

TESTUZ M. 1955. Deux fragments inédits des manuscrits de la mer Morte, *Sémitica* 5 p. 37–38.

— 1958. Nativité de Marie, *Pap. Bodmer* V.

— 1959. Le Onzième Ode de Salomon, *Pap. Bodmer* XI.

— 1960. Les idées religieuses du Livre des Jubilés, Genève et Paris.

THEISOHN J. Der auserwählte Richter, Göttingen 1975.

THOMAS, JOSEPH Le mouvement baptiste en Palestine et Syrie, Louvain 1935.

THOMAS, JOHANNES Aktuelles im Zeugnis der zwölf Väter. Dans *Studien zu den Testamenten der Zwölf Patriarchen*, éd. W. Eltester, Berlin 1969.

WACHSMUTH C.–HENSE O. Ioannis Stobaei Anthologium, 1–5 Berlin 1884–1912.

WAKEMAN M. God's battle with the monster, a study in biblical imagery, Leiden 1973.

WALDMANN H. Die kommagenischen Kultreformen unter König Mithradates I. Kallinikos und seinem Sohne Antiochos I. Leiden 1973.

WANKE G. Die Zionstheologie der Korachiten, Berlin 1966 (*BZAW* 97).

WARD W. H. The Seal Cylinders of Western Asia, Washington 1910.

VAUX DE R. Les institutions de l'Ancien Testament vol. II Paris 1960.

WEINREICH O. Antikes Gottmenschentum. Dans *Neue Jahrb. f. Wiss. u. Jugend-bild*. 6. 1926.

WEINSTOCK S. Divus Julius, Oxford 1971.

WEISSBACH F. H. Die Keilinischriften der Achämeniden, Leipzig 1911.

WELLES B. Royal Correspondence in the Hellenistic Period, New Haven 1934.

WELLHAUSEN J. Skizzen und Vorarbeiten, 5. Heft, 3 éd. 1898.

WENDLAND P. Σωτήρ. *ZNW* 5, 1904 p. 335–358.

WERBLOWSKY Z.–WIGODER G. The Encyclopedia of the Jewish Religion, London 1967.

VERMES G. 1953. Les manuscrits du Désert de Juda, Tournai.

— 1961. Scripture and Tradition in Judaism, haggadic studies, Leiden.

WIDENGREN G. 1946. Mesopotamian elements in Manicheism, Uppsala.

— 1951. The King and the Tree of Life in ancient Near Eastern Religion (King and Saviour IV), Uppsala.

— 1955. Sakrales Königtum im Alten Testament und im Judentum, Stuttgart.

— 1957. Quelques rapports entre juifs et iraniens à l'époque des Parthes, *VT Suppl.* IV p. 197–241.

— 1960. Iranisch–semitische Kulturbegegnung in partischer Zeit, Köln–Op-laden.

— 1961. Vi hava sett hans stjärna i öster. Dans *Kungar, profeter och harlekiner*, Stockholm, p. 80–91.

— 1963. Royal Ideology and the Testaments of the Twelve Patriarchs. Dans *Promise and Fulfilment*, Edinburgh, p. 202–212.

— 1968. Les religions de l'Iran, Paris.

— 1969 B. Israelite–Jewish Religion. Dans *Historia Religionum, éd. J. Bleeker et G. Widengren* vol. I, Leiden.

— 1969 A. Religionsphänomenologie, Berlin.

— 1975. « Synkretismus » in der syrischen Christenheit. Dans *Synkretismus im syrisch–persischen Kulturgebiet, éd. A. Dietrich*, Göttingen, p. 38–64.

VIELHAUER PH. Aufsätze zum Neuen Testament, München 1965.

WILCKEN U. 1912. Religion und Kultus A. Ptolemäerzeit. Dans *Mitteis-Wilcken, Papyruskunde*, 1. Band, 1. Hälfte, Leipzig–Berlin, p. 93–113.

— 1927. Urkunden der Ptolemäerzeit (ältere Funde) Bd. I, Berlin und Leipzig.

VILLALÓN J. R. Sources vétéro-testamentaires de la doctrine qumranienne des deus messies, *RQ* 8, 1972 p. 53–63.

VITEAU J. Les Psaumes de Salomon, Paris 1911.

VOLKMANN H. Der Herrscherkult der Ptolemäer in phönikischen Inschriften und sein Beitrag zur Hellenisierung von Kypros, *Historia* 5, 1956 p. 448–455.

VOLZ P. Die Eschatologie der jüdischen Gemeinde im neutestamentlichen Zeit-alter, Tübingen 1934.

WOUDE VAN DER A. 1965. Melchisedek als himmlische Erlösergestalt in den neugefundenen eschatologische Midraschim aus Qumran Höhle XI, *Oudtesta-mentische Studien* 14, p. 354–373.

— 1957. Die messianischen Vorstellungen der Gemeinde von Qumran, Assen.

393

— 1971. Fragmente des Buches Jubiläen aus Qumran Höhle XI (11Q Jub). Dans *Tradition und Glaube. Das frühe Christentum in seiner Umwelt. Festgabe K. G. Kuhn*, Göttingen, p. 140–146.

WROTH W. Catalogue of the coins of Parthia, London 1903 (*BMC 23*).

YADIN Y. 1965. 11Q Melchizedeq. Dans *IEJ* 15, p. 152–54.

— 1971. Pesher Nahum (4QpNahum) Reconsidered, *IEJ* 21 p. 1–12.

YOUNG J. H. Skulpturen aus Arsameia am Nymphaios. Dans Dörner–Goell (voir ce-dessus) p. 197–227.

ZEITLIN S. 1934. L'institution du baptême pour les prosélytes, *REJ* 98.

— 1939. The Book of Jubilees, its Character and Significance. *Jewish Quarterly Review* 30, 1939–40 p. 1–31.

ZIEGLER J. Septuaginta XII, 2. Sapientia Iesu Filii Sirach, Göttingen 1965.

Abréviations

ANEP   = The Ancient Near East in Pictures relating to the Old Testament, ed. J. Pritchard, Princeton 1954.

ANET   = Ancient Near Eastern Texts relating to the Old Testament, éd J. Pritchard, Princeton 1950.

APF   = Archiv für Papyrusforschung und verwandte Gebiete, Berlin 1, 1901–.

APsAT   = Die Apokryphen und Pseudepigraphen des Alten Testaments, vol. II, éd. E. Kautsch, Tübingen 1900.

ARW   = Archiv für Religionswissenschaft, Leipzig 1, 1896–37, 1942.

ΒΕΠ   = Βιβλιοθήκη τῶν Ἑλλήνων Πατέρων καὶ Ἐκκλησιαστικῶν Συγγραφεων, Athènes.

BMC   = British Museum Coins, London.

BSOAS   = Bulletin of the School of Oriental and African Studies, London 10, 1940/42–.

BZAW   = Beihefte zur Zeitschrift für die alttestamentliche Wissenschaft, Berlin 1, 1896 ss.

CBQ   = Catholic Biblical Quarterly, Washington 1, 1939–.

CRAI   = Comptes rendus des séances de l'Académie des Inscriptions et Belles. Lettres, Paris.

EOR   = Ex Orbe Religionum. Studia Geo Widengren oblata. I, Leiden 1972.

EJ   = Encyclopaedia Judaica, Jérusalem 1–16, 1971–72.

ExT   = Expository Times, Edinburgh 1, 1889–.

GtPseud   = De Gammeltestamentlige Pseudepigrafer, i oversaetteles med indledning og noter, Copenhague 1, 1953–.

IEJ   = Israel Exploration Journal, Jérusalem 1, 1950/51–.

IG   = Inscriptiones Graecae 1, 1873–.

IvP   = Inschriften von Pergamon, Berlin 1–2 1890–95 et 1969.

JBL   = Journal of Biblical Literature, Philadelphia, Pa. 9, 1889–.

JJS   = Journal of Jewish Studies, London 1, 1948–.

JRS   = Journal of Roman Studies, London 1, 1911–.

JSJ   = Journal for the Study of Judaism in the Persian, Hellenistic and Roman Period, Leiden 1, 1970–.

JSHRZ   = Jüdische Schriften aus hellenistisch–römischer Zeit, Gütersloh I, 1 1973–.

JThS   = Journal of Theological Studies, Oxford 1, 1899–.

NTS   = New Testament Studies, Cambridge 1, 1954–.

OGIS   = Orientis Graeci Inscriptiones Selectae I–II, éd. W. Dittenberger.

OLZ   = Orientalistische Literaturzeitung, Berlin 1, 1898–.

PEQ   = Palestine Exploration Quarterly, London 69, 1938–.

PsVTGr   = Pseudepigrapha Veteris Testamenti Graece, éd. A.-M. Denis et M. de Jonge, Leiden I, 1964–.

PW   = Paulys Real-Encyclopädie der classischen Alterthumswissenschaft,
           neue Ausgabe begonnen von G. Wissowa. Stuttgart 1. Reihe 1,
           1894 –ss. 2. Reihe 1, 1914 ss.
RB   = Revue Biblique, nouv. sér. 12, 1915–.
REJ   = Revue des études juives, Paris 1, 1880–.
RFIC   = Rivista di filologia e d'istruzione classica, Torino 1, 1873–.
RHPhR   = Revue d'histoire et de philosophie religieuses, Strasbourg 1, 1921–.
RHR   = Revue de l'histoire des religions, Paris 1, 1880–.
RPh   = Revue de philologie, de littérature et d'histoire anciennes, Paris.
RQ   = Revue de Qumran, Paris 1, 1958–.
SEÅ   = Svensk Exegetisk Årsbok, Uppsala 1, 1936–.
Syll³   = Sylloge Inscriptionum Graecarum, éd. W. Dittenberger 3 éd.
           Leipzig.
ThWAT   = Theologisches Wörterbuch zum Alten Testament, Stuttgart.
ThWNT   = Theologisches Wörterbuch zum Neuen Testament.
TQ   = Les Textes de Qumran, traduits et annotés. Paris 1–2, 1961 et 1963.
TZ   = Theologische Zeitschrift, Basel 1, 1945–.
VT Suppl = Vetus Testamentum, Supplements, Leiden 1, 1953 ss.
ZNW   = Zeitschrift für die neutestamentliche Wissenschaft, Berlin 1, 1900–.
ZPE   = Zeitschrift für Papyrologie und Epigraphik, Bonn 1, 1967–.